1 MONTH OF
FREE
READING

at
www.ForgottenBooks.com

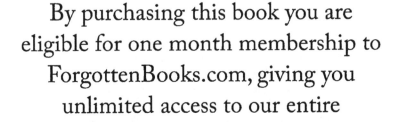

By purchasing this book you are eligible for one month membership to ForgottenBooks.com, giving you unlimited access to our entire collection of over 1,000,000 titles via our web site and mobile apps.

To claim your free month visit:

www.forgottenbooks.com/free1001394

ISBN 978-0-332-28081-3
PIBN 11001394

XENOPHONS

MEMORABILIEN

FÜR DEN SCHULGEBRAUCH ERKLÄRT.

VON

.DR. **RAPHAEL KÜHNER.**

FÜNFTE VERBESSERTE AUFLAGE,

BESORGT VON

DR. **RUDOLF KÜHNER.**

LEIPZIG,

DRUCK UND VERLAG VON B. G. TEUBNER.

1889.

Vorwort zu der ersten Auflage.

Die Grundsätze, nach denen ich meine kleinere Ausgabe der Anabasis aus meiner gröfseren bearbeitet habe, haben mich auch bei der Abfassung der gegenwärtigen kleineren Ausgabe der Xenophontischen Denkbücher geleitet. Obwohl derselben die zweite Auflage meiner gröfseren Ausgabe (1858) zu Grunde liegt, so mufs ich doch, falls das Büchlein einer öffentlichen Kritik gewürdigt werden sollte, die Bitte aussprechen, dafs man bei Beurteilung desselben nicht blofs die zweite, sondern auch die erste Auflage meiner gröfseren Ausgabe berücksichtige, damit nicht das, was ich aus meiner ersten Ausgabe entnommen habe, als das Eigentum fremder Ausgaben, die erst nach meiner ersten Ausgabe erschienen sind, angesehen werde.

Hannover, am 5. November 1857.

Vorwort zu der zweiten Auflage.

Die gegenwärtige Auflage habe ich sorgfältig durch-gesehen und, wo es nötig war, verbessert. Hinsichtlich des Textes habe ich mich nur an wenigen Stellen veranlafst ge-sehen von dem der zweiten Auflage meiner gröfseren Ausgabe abzuweichen. C. G. Cobets novae lectiones, quibus continentur observationes criticae in scriptores Graecos, Lugd. Bat. 1858, habe ich gründlich durchgenommen und geprüft. Den Scharf-sinn des berühmten Kritikers habe ich allerdings bewundert, die Leichtfertigkeit aber, mit der er die Texte der alten Schrift-

a*

steller behandelt, und die Sucht selbst an ganz gesunden
Stellen Konjekturen zu machen muſs ich in hohem Grade miſs-
billigen. Von den unzähligen (ca. 160) Mutmaſsungen, die er
zu Xenophons Commentariis aufgestellt hat, verdienen nur fünf
wirkliche Billigung, s. unsere Anm. zu I 2, 36. I 2, 46. II 1, 30.
II 3, 18. II 6, 17; alle übrigen beruhen entweder auf un-
richtiger Auffassung der behandelten Stellen oder sind ganz
überflüssig oder offenbar falsch, wie ich später in einer litte-
rarischen Zeitschrift zu zeigen suchen werde. L. Dindorfs
englische Ausgabe (ΞΕΝΟΦΩΝΤΟΣ ΑΠΟΜΝΗΜΟΝΕΥΜΑΤΑ.
Xenophontis Memorabilia Socratis, Oxonii e typographeo
Academico 1862) ist für die Texteskritik höchst schätzens-
wert; aber ich kann nicht leugnen, daſs mir das Verfahren
seiner Kritik an nicht wenigen Stellen zu willkürlich er-
schienen ist. Auch die Gründe, mit denen er (praef. VII sqq.)
dir Unechtheit einiger Stellen (I 7, 5 ἐμοὶ μὲν οὖν .. τοιάδε
διαλεγόμενος und II 1, 1 ἐδόκει δέ μοι .. πόνον, III 1, 1 ὅτι
δὲ .. διηγήσομαι, IV Kap. 3 und Kap. 4 § 1—4 und v. § 4
die Worte: καὶ ἔλεγε δὲ οὕτως .. πολλάκις, IV 4, 25 τοιαῦτα
λέγων .. πλησιάζοντας, IV Kap. 5; IV 7, 10 und Kap. 8) zu
beweisen gesucht hat, haben mich von ihrer Richtigkeit nicht
überzeugen können.

Hannover, am 1. November 1870.

Vorwort zu der dritten Auflage.

Auch die gegenwärtige Auflage ist sorgfältig durch-
gesehen worden. Die Korrektur der Druckbogen hat mein
Sohn Rudolf, Oberlehrer an dem Gymnasium zu Belgard,
Provinz Pommern, besorgt.

Hannover, am 2. September 1875.

Raphael Kühner.

Vorwort zu der vierten Auflage.

Bei der Bearbeitung der gegenwärtigen Auflage, zu deren Besorgung ich nach dem am 16. April 1878 erfolgten Tode meines Vaters von der geehrten Verlagsbuchhandlung aufgefordert bin, habe ich aufser der Recension der vorigen Auflage von Nitsche (in der Ztschr. f. d. Gymnasialw. XXXI. 1877. S. 291 ff.) u. a. die 5. Auflage der Ausgabe von L. Breitenbach (Berlin, Weidmann 1878) benutzt, welcher in dem kritischen Anhange eine genaue Vergleichung der Abweichungen seines Textes von dem der gröfseren lateinischen Ausgabe meines Vaters (Editio altera 1858) giebt.

Zur Änderung des Textes habe ich, der allerdings konservativen Kritik meines Vaters folgend, mich an nur verhältnismäfsig wenigen Stellen entschliefsen können (ein Verzeichnis der betreffenden Stellen befindet sich am Schlufs S. 196 ff.); dagegen habe ich in den Anmerkungen mehreres verbessert und einiges zur Erklärung und zum besseren Verständnis des Schriftstellers hinzugefügt.

Aufser der von mir bearbeiteten 6. Auflage der kurzgefafsten griechischen Grammatik meines Vaters (1881) habe ich die Grammatiken von Curtius (14. Aufl. 1880) und Koch (8. Aufl. 1881) citiert.

Belgard i. P., am 17. Januar 1882.

Dr. **Rudolf Kühner.**

Vorwort zu der fünften Auflage.

Bei der gegenwärtigen Auflage habe ich besonders benutzt die Recension der 4. Auflage von H. Zurborg (Zerbst) in den Jahresberichten des philologischen Vereins zu Berlin, IX. Jahrg. 1883 (Zeitschr. für das Gymnasialwesen XXXVII. 1883. S. 223—226), aufserdem die neue Textausgabe Xenoph. Commentarii rec. Walther Gilbert. Ed. maior. Lipsiae in aedibus B. G. Teubneri 1888.

Die Stellen, an denen ich den Text geändert habe, sind in dem kritischen Anhange verzeichnet.

Charlottenburg, am 8. April 1889.

Dr. **Rudolf Kühner.**

LUIGI VON KUNITS,
Pittsburgh, Pa.

Einleitung.*)

1. Bei Abfassung der gegenwärtigen Schrift hatte Xenophon die Absicht seinen innigst geliebten Lehrer, über den die Athener die Todesstrafe verhängt hatten, gegen die Beschuldigungen seiner Ankläger zu verteidigen und zu zeigen, dafs derselbe der edelste und vortrefflichste Mensch gewesen sei und sich um einzelne wie um den ganzen Staat die gröfsten Verdienste erworben habe. Doch um seiner Verteidigung ein gröfseres Gewicht zu geben, begnügte er sich nicht mit einer einfachen Aufzählung und Widerlegung der dem Sokrates vorgeworfenen Beschuldigungen, sondern nachdem er in den beiden ersten Kapiteln des ersten Buches die Sache im allgemeinen kurz zusammengefafst hat, führt er den Sokrates selbst mit seinen Schülern oder Freunden oder auch anderen Menschen über die wichtigsten Gegenstände der Sittenlehre und der auf das Leben bezüglichen Philosophie redend ein. Dadurch wird uns ein lebendiges und treues Bild des Sokrates gegeben. Denn da seine Gespräche nicht allein eine grofse Mannigfaltigkeit von Gegenständen umfassen, sondern auch mit Menschen allerlei Art geführt sind und den Sokrates sich so mit den einzelnen unterhaltend darstellen, dafs wir deutlich sehen, wie er es verstand seine Rede dem Wesen und den Verhältnissen eines jeden anzupassen: so müssen wir notwendigerweise von des Sokrates vielseitiger Lehrweise, von seiner Geschicklichkeit die verschiedenartigsten Menschen zu behandeln, von seinem Geiste, seiner Gemütsart und seiner Lebensweise eine klare Einsicht gewinnen.

2. Obwohl Sokrates sich sein ganzes Leben hindurch mit dem Studium der Philosophie beschäftigt hat und der erste gewesen ist, der der Philosophie eine gediegene Grundlage gegeben hat; so hat er sich doch nie bemüht seine Lehren zu einem wissenschaftlichen Lehrgebäude zusammenzufassen, sondern so oft sich eine Gelegenheit darbot, sprach er sich über alles aus, was sich auf

---

*) Die hier nur kurz behandelten Gegenstände sind ausführlicher vorgetragen in der gröfseren Ausgabe (Editio altera auctior et emendatior. Erfordiae, sumptibus Hennings et Hopf, MDCCCLVIII. Scriptor. orat. pedestris Vol. VIII. Bibliothecae Graecae).

eine richtige Lebensweise, auf Verbesserung der Sitten und das
Lebensglück bezog, über Frömmigkeit, geistige Schönheit, Gerech-
tigkeit, Besonnenheit, Tapferkeit, über den Staat, über die einem
Staatsmanne obliegenden Pflichten, über die Leitung der Menschen,
kurz über alles, durch dessen *Kenntnis* die Menschen gut und brav
werden, durch dessen *Unkunde* aber sie in einen des Menschen
unwürdigen Seelenzustand verfallen.*) Daher verweilte er immer
mitten unter den Menschen, und indem er sich mit Menschen
allerlei Art unterhielt, suchte er ihr Gemüt und ihren Geist durch
das Licht seiner Lehre aufzuklären und ihnen den Weg zum wahren
Lebensglücke zu zeigen.

3. Um eine klare Übersicht von der Lehre des Sokrates zu
gewinnen, wird es zweckmäfsig sein die einzelnen Sätze derselben,
die in diesen Büchern zerstreut, ohne eine bestimmte Ordnung
niedergelegt sind, in einen wissenschaftlichen Zusammenhang zu
bringen.

4. Die Alten teilten bekanntlich die Moralphilosophie in drei
Teile: der erste handelte von den Gütern und dem höchsten
Gute, der zweite von den Tugenden, der dritte von den Pflichten.
Ein Gut heifst das, was durch die *Kraft* der Tugend erzeugt wird,
und das höchste Gut ist die Verbindung aller Güter, die durch
die Tugend erzeugt werden. Die Tugend aber ist die gleichmäfsige
und beständige *Kraft* der Seele, durch die das Gute erzeugt wird.
Pflicht endlich ist die Vorschrift, nach der sich die Tugend im
praktischen Leben richtet.

5. Das Gut, das der Mensch erstreben mufs, ist nach So-
krates bei Xenophon das Nützliche ($\dot{\omega}\varphi\acute{\varepsilon}\lambda\iota\mu\sigma\nu$, $\chi\varrho\acute{\eta}\sigma\iota\mu\sigma\nu$, $\lambda\nu\sigma\iota$-
$\tau\varepsilon\lambda\acute{\varepsilon}\varsigma$). Das Nützliche aber ist das, was zur Erreichung des
Zweckes dient (IV 6, 9). Was der Mensch denkt und thut, mufs
nützlich sein, d. h. auf einen bestimmten Zweck bezogen werden.
An und für sich ist also nichts gut, sondern nur in Rücksicht auf
das, worauf es bezogen wird. Ebenso verhält es sich mit dem
Schönen (III 8, 3. 6. 7. 10. IV 6, 9). Daher kann, was dem
einen nützlich ist, dem anderen schädlich sein (IV 6, 8). Das
höchste Ziel aber, wonach der Mensch streben mufs, ist das Glück
des Lebens. Gut ist also das, was zur Erreichung dieses höchsten
Zieles, des Lebensglückes, nützlich ist. Das höchste Gut also ist
das Glück des Lebens ($\varepsilon\dot{\nu}\delta\alpha\iota\mu\sigma\nu\acute{\iota}\alpha$). Aber dieses Glück besteht
nicht in äufseren Glücksgütern, sondern in solchen Gütern, welche
der Mensch sich durch Mühe, Anstrengung, Thätigkeit, d. h. durch
einen guten, sittlichen Charakter, erworben hat. Die körperliche
Gesundheit macht allerdings auch einen Teil des Glückes aus, weil
ohne dieselbe keine geistige Gesundheit bestehen kann. Je weniger

---

*) S. Memorab. I, 1, 16.

einer von äufseren Dingen abhängt, um so ähnlicher ist er der Gottheit (I 10, 6).

6. A. Die Lehre von den Gütern. Als Güter, aus deren Verbindung das höchste Gut, d. h. das Glück des Lebens, entsteht, werden folgende erwähnt:

a) Eine gute Gesundheit und Körperkräfte, die viel zu einem sittlichen und edlen Leben beitragen. Daher mufs man den gymnastischen Übungen obliegen, durch die nicht nur der Körper gekräftigt, sondern auch die Seele gestärkt wird (III 12).

b) Die geistige Gesundheit, die Denkkraft und alle Fähigkeiten der Seele (III 12, 6).

c) Die Künste und Wissenschaften, die zu einem guten und glückseligen Leben sehr nützlich sind; jedoch mufs die Beschäftigung mit denselben darauf beschränkt werden, dafs sie auf eine gute und nützliche Lebensart bezogen werde. Denn die Beschäftigung mit Dingen, die dem Leben fern liegen und den Augen der Menschen verborgen sind, ist unnütz und führt uns von der Erlernung nützlicher Dinge ab (IV 7).

d) Die Freundschaft, die ein höchst schätzbares und nützliches Gut ist. Die Freundschaft kann aber nur zwischen guten und edlen Menschen bestehen. Sie entsteht aus der Bewunderung der Tugenden, diese Bewunderung flöfst Wohlwollen ein und bewirkt, dafs wir durch jede Art der Pflichten den Freund uns zu verpflichten suchen. Die Grundlage der Freundschaft ist die Wahrheit. Daher ist der kürzeste und sicherste Weg zur Freundschaft der, dafs wir uns so in Wirklichkeit zu sein bemühen, wie wir von dem Freunde angesehen sein wollen (II Kap. 5 und 6).

e) Die Eintracht zwischen Eltern, Kindern und Geschwistern; denn diese sind zur gegenseitigen Hülfleistung von der Gottheit geschaffen (II 6, 33—39).

f) Die bürgerliche Gesellschaft oder der Staat, der, gut eingerichtet, allen Bürgern die gröfsten Vorteile gewährt (III Kap. 7).

7. B. Die Lehre von der Tugend. Um die Güter, auf denen das Lebensglück beruht, zu erreichen, müssen wir unsere Seele mit der Tugend ausrüsten, d. h. der gleichmäfsigen und beständigen Kraft, durch die wir uns jene Güter, von denen das Lebensglück abhängt, aneignen können. Um ein deutlicheres Bild von der Tugend zu geben, zerlegten die alten Philosophen die Tugend in mehrere Hauptteile, die man Kardinaltugenden zu nennen pflegt, gemeiniglich in vier: Klugheit (φρόνησις), Tapferkeit (ἀνδρία), Gerechtigkeit (δικαιοσύνη) und Mäfsigkeit oder Besonnen-

heit (ἐγκράτεια, σωφροσύνη). Aber Sokrates nahm nur drei
Kardinaltugenden an: Mäfsigkeit (oder Besonnenheit), Tapfer-
keit und Gerechtigkeit; die Klugheit (φρόνησις oder σοφία)
aber liefs er nicht für eine besondere Tugend gelten. Die Klug-
heit nämlich, d. h. die Wissenschaft das Gute oder nach Sokrates
das Nützliche und das Schlechte oder nach Sokrates das Schäd-
liche zu unterscheiden und jenes anzuwenden und dieses zu ver-
meiden, trennte er nicht von der Handlung, sondern hielt die
Klugheit und die ganze Tugend für ein und dasselbe. Die Klugheit
ist also nicht eine besondere Art der Tugend, sondern umfafst die
ganze Tugend, und Tapferkeit, Gerechtigkeit und Mäfsigkeit sind
weiter nichts als Teile jener Klugheit oder Weisheit (III Kap. 9).
Weise (σοφός) ist daher derjenige, welcher das Gute (Nützliche)
erkannt hat und nach dem davon aufgefafsten Begriffe sein Leben
einrichtet. Denn wer das Gute (Nützliche) erkannt hat, wird auch
immer das thun, was mit dem Guten (Nützlichen) in Einklang steht.
Was auf tugendhafte Weise, d. h. mäfsig, gerecht und tapfer, ge-
schieht, ist gut und nützlich; was aber der Tugend entgegengesetzt
ist, ist schlecht und schädlich. Wer die Tugenden erkannt hat,
wird sie auch üben; wer sie aber nicht erkannt hat, wird sie,
wenn er auch will, nicht üben können. Da nun das Gute (Nütz-
liche) durch die Tugend bewirkt wird, so leuchtet ein, dafs die
ganze Tugend in der Weisheit besteht. Wissen und Handeln lassen
sich daher nicht trennen (III 9, 5).

a) Die Mäfsigkeit (ἐγκράτεια) wird von Sokrates die Grund-
lage der Tugend genannt. Sie besteht darin, dafs sie die
Begierden und Leidenschaften zügelt und der Herrschaft der
Vernunft unterwirft. Ohne sie können wir nichts auf tüch-
tige Weise thun und weder uns noch anderen nützlich noch
angenehm sein. Sie bewirkt, dafs wir alle Arbeiten freudig
übernehmen. Ohne Arbeit und Schweifs ist uns nichts Herr-
liches von der Gottheit verliehen. In jeder Lage des Lebens
läfst sie uns immer das Beste wählen und macht uns zur
Thatkraft tüchtig (I Kap. 5. II Kap. 1. IV Kap. 5).

b) Die Tapferkeit (ἀνδρία) ist die Wissenschaft sich in Ge-
fahren klug und beherzt zu benehmen. Nur derjenige ist
für tapfer zu halten, welcher die Gefahren kennt und in
denselben Klugheit, Festigkeit und Entschlossenheit zeigt
(IV 6, 10. 11).

c) Die Gerechtigkeit (δικαιοσύνη) ist die Wissenschaft die
Gesetze, welche die Menschen haben, zu beobachten. Es
giebt aber zweierlei Gesetze: geschriebene und ungeschriebene.
Die Beobachtung der geschriebenen Gesetze bildet die Grund-
lage zu dem Glücke eines Staates (IV, 6, 5. 6. IV, 4, 10—18.
IV, 2, 13—19). Die ungeschriebenen Gesetze (ἤϑη) sind

diejenigen, welche von den Göttern selbst dem Menschengeschlechte gegeben sind und in allen Ländern auf gleiche Weise beobachtet werden (IV 4, 19—24).

8. C. Die Lehre von den Pflichten. Pflicht ist das Gesetz, das wir im Leben befolgen müssen. Dieses Gesetz muſs aber mit der Lehre von dem höchsten Gute zusammenstimmen. Da nun nach des Sokrates Ansicht Gutes und Nützliches ein und dasselbe ist, so schreibt uns das Gesetz die Pflicht vor, daſs wir bei jeder Handlung das befolgen, was uns als das Nützlichste erscheint (IV 2, 14—17). Eine Zusammenstellung der vorzüglichsten Pflichten findet sich II 1, 28. Je vergänglicher die Güter des menschlichen Lebens sind, um so mehr müssen wir streben so wenig als möglich Bedürfnisse zu haben (IV 2, 34. I 6, 10). Da, wo der menschliche Verstand zu schwach ist, um einzusehen, was zu thun ist, ist uns in der Weissagung ein sicheres Mittel gegeben. Daſs Götter da sind und sowohl das ganze Weltall umfassen als auch für das Menschengeschlecht sorgen, bezeugen deutlich die Ordnung der Welt, die ganze Bildung des Menschen und die vollendete Einrichtung der menschlichen Natur und anderes. Wir müssen daher die Götter mit Frömmigkeit und heiliger Scheu verehren, und wenn wir dies thun, so werden wir uns überzeugen, daſs sie uns in den dunkelen und dem menschlichen Verstande verschlossenen Dingen Beistand zu leisten bereit sind (I Kap. 4. IV Kap. 3).

ΞΕΝΟΦΩΝΤΟΣ ΑΠΟΜΝΗΜΟΝΕΥΜΑΤΑ.

Erstes Buch.

Erstes Kapitel.

Inhalt.

Zwei Verbrechen wurden dem Sokrates von seinen Anklägern vorgeworfen, weshalb er zum Tode verurteilt wurde. Das eine war, er habe die vaterländischen Götter nicht verehrt und andere neue Gottheiten eingeführt; das andere, er habe die Jugend verführt (§ 1). Den ersten Vorwurf sucht Xenophon durch folgende Beweise als nichtig darzustellen:

1) Sokrates opferte, wie die anderen Athener, den Göttern des Staates (§ 2).
2) er bediente sich der Seherkunst. Hierbei verwarf er aber die Ansicht derer, die da meinten, die Opfer selbst, die Vögel und andere Zeichen wüfsten das, was den Menschen fromme, und lehrte, nur die Götter wüfsten dieses und thäten es durch jene Zeichen den Menschen kund. In diesem Sinne sagte er, sein δαιμόνιον zeige ihm an, was er thun, was er unterlassen solle. Das δαιμόνιον also ist nicht eine neue Gottheit, die Sokrates, wie die Ankläger sagten, habe einführen wollen, sondern eine der menschlichen Seele eingeborene göttliche Kraft, die die Menschen vom Bösen abmahnt und zum Guten anmahnt (§ 2—4). Nur über solche Dinge, welche dem menschlichen Geiste verschlossen sind, sagte er, darf man die Götter befragen; aber ein Frevel ist es sie über Dinge zu befragen, die durch die Kraft unseres Geistes erkannt werden können (§ 6—9).
3) Obwohl Sokrates sein ganzes Leben im Verkehre mit den Menschen zubrachte, so hat ihn doch nie jemand etwas Gottloses thun sehen oder reden hören. Indem er die Untersuchungen anderer Philosophen über den Ursprung der Welt und über die Gesetze der himmlischen Dinge unbeachtet liefs oder verwarf, lehrte er, der Mensch müsse seine Sorge auf das Menschliche richten und sich nur mit solchen Untersuchungen befassen, durch deren Kenntnis die Menschen sittlich besser würden (§ 10—17). Aber die Tugend lehrte er nicht blofs anderen, sondern er übte sie auch im Leben aus (§ 18—20).

Πολλάκις ἐθαύμασα, τίσι ποτὲ λόγοις Ἀθηναίους ἔπεισαν 1
οἱ γραψάμενοι Σωκράτην, ὡς ἄξιος εἴη θανάτου τῇ πόλει. Ἡ
μὲν γὰρ γραφὴ κατ᾽ αὐτοῦ τοιάδε τις ἦν· ἀδικεῖ Σωκρά-
της οὓς μὲν ἡ πόλις νομίζει θεοὺς οὐ νομίζων,
ἕτερα δὲ καινὰ δαιμόνια εἰσφέρων· ἀδικεῖ δὲ καὶ
τοὺς νέους διαφθείρων.

Πρῶτον μὲν οὖν, ὡς οὐκ ἐνόμιζεν οὓς ἡ πόλις νομίζει 2
θεούς, ποίῳ ποτ᾽ ἐχρήσαντο τεκμηρίῳ; θύων τε γὰρ φανερὸς
ἦν πολλάκις μὲν οἴκοι, πολλάκις δὲ ἐπὶ τῶν κοινῶν τῆς πό-
λεως βωμῶν, καὶ μαντικῇ χρώμενος οὐκ ἀφανὴς ἦν· διετε-
θρύλητο· γάρ, ὡς φαίη Σωκράτης τὸ δαιμόνιον ἑαυτῷ σημαί-

§ 1. ἐθαύμασα, τίσι ποτὲ λό-
γοις — ἔπεισαν] de Laced. Rep.
1, 1: ἐθαύμασα, ὅτῳ ποτὲ τρόπῳ
τοῦτ᾽ ἐγένετο. Zu welchem Zwecke
drücken die Griechen die indirekten
Fragen so häufig durch die direkten
Fragewörter: τίς, ποῖος, πότερος,
πῶς u. s. w. statt der indirekten
Fragewörter: ὅστις, ὁποῖος, ὁπότε-
ρος, ὅπως u. s. w. aus? S. Cur-
tius (C.), Schulgr. 1880. § 609.
Koch (Ko.), Schulgr. 1881. § 79.
Kühner (K.), kurzgefafste Schul-
grammatik 1881. § 330, A. 1. — ποτέ
nach Fragewörtern entspricht dem
Lat. *tandem*. Ko. § 131, 66. —
οἱ γραψάμενοι, die Ankläger,
nämlich Meletos, ein schlechter
Dichter, Anytos, ein Gerber, und
Lykon, ein Redner. — ἄξιος
εἴη θανάτου τῇ πόλει] er habe
den Tod um den Staat verdient.
Über den Dativ s. C. § 431. Ko.
§ 85, 4. K. § 282, 6. — γραφή
ist eine öffentliche Klage; δίκη
überhaupt eine Klage, sowohl eine
öffentliche als eine Privatklage, im
Gegensatze zu γραφή aber immer
eine Privatklage; dem hinzu-
gefügten μέν (ἡ μὲν γραφή) ent-
spricht im folgenden kein δέ (μὲν
solitarium). Welchen Gegensatz
dachte sich der Schriftsteller?
Vgl. I 2, 62: ἐμοὶ μὲν ... ἐδόκει,
*mihi quidem sic videbatur, at aliis
fortasse aliter.* — τοιάδε τις] *Haec
fere.* Vgl. II 1, 21: ὧδέ πως, *sic
fere.* I 4, 1: ἄλλως πως, 4, 8: εὐ-
τυχῶς πως. — ἀδικεῖ Σ. — ἀδι-

κεῖ δὲ καί] Bei Wiederholung des-
selben Wortes in zwei Sätzen steht
in der Regel μέν — δέ wie § 2, s. zu
II 1, 32, jedoch ganz gewöhnlich
wird μέν weggelassen, wenn δὲ καί
folgt. — νομίζει θεούς] unter-
scheidet sich von ἡγεῖται θεούς,
dieses bedeutet einfach an Götter
glauben, jenes die vom Staate
durch den νόμος anerkannten
Götter annehmen; § 3 μαντι-
κὴν νομίζειν, die vom Staate an-
erkannte Seherkunst üben; vgl. zu
II 3, 15 νομίζεται.
§ 2. οἴκοι] Nämlich ἐν τῇ αὐλῇ,
d. h. in einem das Haus umgeben-
den und von einer Mauer eingeschlos-
senen freien Platze, in dessen Mitte
der Hauptaltar des Ζεὺς Ἑρκεῖος
stand. Bei den Römern hingegen
stand der Hausaltar in dem *complu-
vium*, d. h. einem viereckigen von
Häusern eingeschlossenen Hof-
raume. — τὸ δαιμόνιον] die
göttliche Stimme, die Sokrates in
seinem Inneren vernahm, so oft
er etwas thun wollte, was nicht
gut war; das Schweigen derselben
hielt er für ein Zeichen der Billi-
gung. Diese göttliche Stimme aber
betrachtete Sokrates nicht als eine
ihm allein von den Göttern ver-
liehene Wohlthat; sondern er lehrte
von jedem Menschen, der ein un-
verdorbenes und reines Gemüt
und wahre Frömmigkeit besitze
und auf das Walten der Götter
ehrfurchtsvoll achte, werde sie ver-
nommen.

νειν· ὅθεν δὴ καὶ μάλιστά μοι δοκοῦσιν αὐτὸν αἰτιάσασθαι
3 καινὰ δαιμόνια εἰσφέρειν. Ὁ δ' οὐδὲν καινότερον εἰσέφερε
τῶν ἄλλων, ὅσοι μαντικὴν νομίζοντες οἰωνοῖς τε χρῶνται καὶ
φήμαις καὶ συμβόλοις καὶ θυσίαις· οἷτοί τε γὰρ ὑπολαμβά-
νουσιν οὐ τοὺς ὄρνιθας οὐδὲ τοὺς ἀπαντῶντας εἰδέναι τὰ
συμφέροντα τοῖς μαντευομένοις, ἀλλὰ τοὺς θεοὺς διὰ τούτων
4 αὐτὰ σημαίνειν, κἀκεῖνος δὲ οὕτως ἐνόμιζεν. Ἀλλ' οἱ μὲν
πλεῖστοί φασιν ὑπό τε τῶν ὀρνίθων καὶ τῶν ἀπαντώντων
ἀποτρέπεσθαί τε καὶ προτρέπεσθαι· Σωκράτης δέ, ὥσπερ
ἐγίγνωσκεν, οὕτως ἔλεγε· τὸ δαιμόνιον γὰρ ἔφη σημαίνειν.
Καὶ πολλοῖς τῶν ξυνόντων προηγόρευε τὰ μὲν ποιεῖν, τὰ δὲ
μὴ ποιεῖν, ὡς τοῦ δαιμονίου προσημαίνοντος· καὶ τοῖς μὲν
πειθομένοις αὐτῷ συνέφερε, τοῖς δὲ μὴ πειθομένοις μετέμελε.
5 Καίτοι τίς οὐκ ἂν ὁμολογήσειεν αὐτὸν βούλεσθαι μήτ' ἠλίθιον
μήτ' ἀλαζόνα φαίνεσθαι τοῖς συνοῦσιν; Ἐδόκει δ' ἂν ἀμφό-
τερα ταῦτα, εἰ προαγορεύων ὡς ὑπὸ θεοῦ φαινόμενα κᾆτα
ψευδόμενος ἐφαίνετο. Δῆλον οὖν, ὅτι οὐκ ἂν προέλεγεν, εἰ
μὴ ἐπίστευεν ἀληθεύσειν. Ταῦτα δὲ τίς ἂν ἄλλῳ πιστεύσειεν

---

§ 3. οὐδὲν καινότερον εἰσ-
έφερε τῶν ἄλλων] Kurz für ἢ
ταῦτα, ἃ οἱ ἄλλοι ἐποίουν. Vgl. III
10, 5. — οἰωνοί, Flug der Vögel;
φῆμαι, Vorbedeutungen aus der
menschlichen Stimme, vgl. Cic.
de divin. I 45, 102: neque solum
deorum voces Pythagorei observi-
taverunt, sed etiam hominum, quae
vocant omina; σύμβολα, verschie-
denartige Zeichen, aus denen man
weissagte, wie Donner und Blitz,
Begegnung von Menschen (οἱ ἀπαν-
τῶντες) und anderes der Art; θυ-
σίαι, das Schauen der Eingeweide
der Opfertiere (extispicium). — κἀ-
κεῖνος δέ] atque etiam ille, καὶ —
δέ = und hinwiederum, an-
dererseits, also: sowohl die an-
deren —, als andererseits Sokrates;
auch in Verbindung mit dem Rela-
tive: καὶ ὃς (ὅστις) δέ, wie § 15 καὶ
ὅτου δ' ἄν.
§ 4. τὰ μὲν ποιεῖν, τὰ δὲ
μὴ ποιεῖν] Xenophon erwähnt an
mehreren Stellen, Sokrates sei von
dem Dämonium nicht allein abge-
mahnt, sondern auch angetrie-
ben worden; Plato hingegen (z. B.

Apol. 31 D, vgl. Ps. Plat. Theag. p. 128
D), er sei von ihm nur abgemahnt
worden. Diese verschiedene Über-
lieferung findet ihre Erklärung darin,
dafs Xenophon das Schweigen des
Dämonium als Zeichen der Billi-
gung und somit als Aufforderung
ansah. — ὡς τοῦ δαιμονίου προ-
σημαίνοντος] d. i. λέγων τὸ δαι-
μόνιον προσημαίνειν. S. C. § 588.
Ko. § 123, 4a. K. § 312, 5. — μὴ
πειθομένοις] Warum nicht οὐ?
S. C. § 617, 4. Ko. § 130. K.
§ 314, 5.
§ 5. Ἐδόκει ἂν — εἰ ἐφαί-
νετο] Ebenso kann auch der La-
teiner das Imperfekt des Konjunk-
tivs von einer vergangenen Hand-
lung gebrauchen: videretur, si ap-
pareret, wenn der Schriftsteller sich
geistig in die Vergangenheit ver-
setzt. Vgl. I 2, 18. 29. 59. S. C.
§ 543. Ko. § 114, A. 1. K. § 325, 3.
Über die lat. Spr. s. K. lat. Schulgr.
§ 154, A. 4. — κᾆτα] εἶτα, ἔπειτα,
dann, stehen oft nach einem Par-
ticipe, um den Gegensatz hervorzu-
heben. S. C. § 587, 4. Ko. § 124, 3.
K. § 312, A. 3. — Ταῦτα δὲ τίς

ἢ θεῷ; Πιστεύων δὲ θεοῖς πῶς οὐκ εἶναι θεοὺς ἐνόμιζεν;
Ἀλλὰ μὴν ἐποίει καὶ τάδε πρὸς τοὺς ἐπιτηδείους· τὰ μὲν γὰρ 6
ἀναγκαῖα συνεβούλευε καὶ πράττειν, ὡς ἐνόμιζεν ἄριστ᾽ ἂν
πραχθῆναι· περὶ δὲ τῶν ἀδήλων, ὅπως ἀποβήσοιτο, μαντευ-
σομένους ἔπεμπεν, εἰ ποιητέα. Καὶ τοὺς μέλλοντας οἴκους 7
τε καὶ πόλεις καλῶς οἰκήσειν μαντικῆς ἔφη προσδεῖσθαι· τε-
κτονικὸν μὲν γὰρ ἢ χαλκευτικὸν ἢ γεωργικὸν ἢ ἀνθρώπων
ἀρχικὸν ἢ τῶν τοιούτων ἔργων ἐξεταστικὸν ἢ λογιστικὸν ἢ
οἰκονομικὸν ἢ στρατηγικὸν γενέσθαι, πάντα τὰ τοιαῦτα μαθή-
ματα καὶ ἀνθρώπου γνώμη αἱρετέα ἐνόμιζεν εἶναι· τὰ δὲ 8
μέγιστα τῶν ἐν τούτοις ἔφη τοὺς θεοὺς ἑαυτοῖς καταλείπε-
σθαι, ὧν οὐδὲν δῆλον εἶναι τοῖς ἀνθρώποις. Οὔτε γάρ τοι

ἂν ἄλλῳ πιστεύσειεν ἢ θεῷ;]
Eine Kenntnis der Zukunft kann
nur der Gottheit zugeschrieben
werden. Hat also jemand das feste
Vertrauen, er sage in betreff zu-
künftiger Dinge die Wahrheit; so
verdankt er diese Überzeugung den
Göttern, die allein das Zukünftige
wissen. — Πιστεύων δὲ — ἐνό-
μιζεν;] Dieser Gedanke gehört
streng genommen nicht hierher;
denn in der Anklage war nicht ge-
sagt worden, Sokrates glaube über-
haupt an keine Götter, sondern nur,
er habe neue Gottheiten einführen
wollen.

§ 6. Ἀλλὰ μήν] at vero, sed
vero, at profecto, aber wahr-
lich, ja fürwahr. Diese Par-
tikeln werden gebraucht, wenn dem
vorhergehenden Gedanken ein an-
derer entgegengestellt und dieser
nachdrücklich hervorgehoben wird.
Vgl. I 2, 4. 11. II 6, 27. Wenn
nach ἀλλὰ μήν ein Wort mit γέ
folgt, so bezieht sich γέ auf das
Wort, dem es beigesellt ist, wie
I 1, 10: Ἀλλὰ μὴν ἐκεῖνός γε ἀεὶ
μὲν ἦν ἐν τῷ φανερῷ. — τὰ μὲν
γὰρ ἀναγκαῖα] Oft wird nach
einem vorangehenden Demonstra-
tive (hier τάδε) γάρ, nämlich,
gesetzt. Vgl. II 6, 38. IV 4, 5;
τὰ ἀναγκαῖα, die notwendigen
Dinge, Geschäfte des Lebens, deren
Erfolg der Mensch mit seinem
Verstande zu ermitteln fähig ist,

entgegengesetzt den Dingen, die
dem menschlichen Geiste verschlos-
sen sind. — καὶ πράττειν] In Ver-
gleichungssätzen steht im Griechi-
schen gewöhnlich in dem einen
Gliede καί, wie Thuc. II 93: ὡς δὲ
ἐδόκει αὐτοῖς, καὶ ἐχώρουν εὐθύς,
zuweilen auch in beiden Gliedern:
ὥσπερ καὶ — οὕτω καί, ἅπερ καὶ —
καὶ τὰ αὐτά, wie I 6, 3. III 5, 13.
Anab. II 1, 22. — ὅπως ἀπο-
βήσοιτο] quo modo eventura essent,
vgl. I 3, 2.

§ 7. Καὶ τοὺς μέλλοντας]
Καί wird zuweilen, wie et, atque,
explicative (so zum Beispiel)
gebraucht, wenn der vorhergehende
Gedanke durch ein Beispiel erklärt
und bestätigt wird. Vgl. Anab. I
9, 6. — οἰκήσειν] πόλιν, οἶκον
οἰκεῖν, administrare, wie I 2,
64. II 1, 19. — τῶν τοιούτων
ἔργων ἐξεταστικόν ein Kenner
von solchen Werken, wie sie in
der τεκτονικῇ, χαλκευτικῇ u. s. w.
vorkommen. — καὶ ἀνθρώπου
γνώμῃ αἱρετέα] dgl. Kennt-
nisse müsse man schon durch
menschliche Einsicht erlan-
gen, im Gegensatze zu der θεῶν
γνώμῃ.

§ 8. τὰ δὲ μέγιστα τῶν ἐν
τούτοις] das Wichtigste von dem,
was bei der Ausübung der Künste
und Wissenschaften stattfindet,
nämlich der Erfolg. — δῆλον εἶ-

τῷ καλῶς ἀγρὸν φυτευσαμένῳ δῆλον, ὅστις καρπώσεται· οὔτε
τῷ καλῶς οἰκίαν οἰκοδομησαμένῳ δῆλον, ὅστις οἰκήσει· οὔτε
τῷ στρατηγικῷ δῆλον, εἰ συμφέρει στρατηγεῖν· οὔτε τῷ πο-
λιτικῷ δῆλον, εἰ συμφέρει τῆς πόλεως προστατεῖν· οὔτε τῷ
καλὴν γήμαντι, ἵν᾽ εὐφραίνηται, δῆλον, εἰ διὰ ταύτην ἀνιά-
σεται· οὔτε τῷ δυνατοὺς ἐν τῇ πόλει κηδεστὰς λαβόντι δῆλον,
9 εἰ διὰ τούτους στερήσεται τῆς πόλεως. Τοὺς δὲ μηδὲν τῶν
τοιούτων οἰομένους εἶναι δαιμόνιον, ἀλλὰ πάντα τῆς ἀνθρω-
πίνης γνώμης, δαιμονᾶν ἔφη· δαιμονᾶν δὲ καὶ τοὺς μαντευο-
μένους ἃ τοῖς ἀνθρώποις ἔδωκαν οἱ θεοὶ μαθοῦσι διακρίνειν·
οἷον εἴ τις ἐπερωτῴη, πότερον ἐπιστάμενον ἡνιοχεῖν| ἐπὶ ζεῦγος
λαβεῖν κρεῖττον ἢ μὴ ἐπιστάμενον· ἢ πότερον ἐπιστάμενον
κυβερνᾶν ἐπὶ τὴν ναῦν κρεῖττον λαβεῖν ἢ μὴ ἐπιστάμενον· ἢ
ἃ ἔξεστιν ἀριθμήσαντας ἢ μετρήσαντας ἢ στήσαντας εἰδέναι·
τοὺς τὰ τοιαῦτα παρὰ τῶν θεῶν πυνθανομένους ἀθέμιστα
ποιεῖν ἡγεῖτο· ἔφη δὲ δεῖν, ἃ μὲν μαθόντας ποιεῖν ἔδωκαν οἱ
θεοί, μανθάνειν, ἃ δὲ μὴ δῆλα τοῖς ἀνθρώποις ἐστί, πειρᾶσθαι
διὰ μαντικῆς παρὰ τῶν θεῶν πυνθάνεσθαι· τοὺς θεοὺς γὰρ
οἷς ἂν ὦσιν ἵλεῳ σημαίνειν.
10   Ἀλλὰ μὴν ἐκεῖνός γε ἀεὶ μὲν ἦν ἐν τῷ φανερῷ· πρωΐ τε

ναι] Über den *Acc. c. Inf.* in Ne-
bensätzen der obliquen Rede s. C.
566, A. 4. Ko. § 129, 2, A. K. §
331, 6. Vgl. § 13. III 11, 1. —
δῆλον, εἰ ἀνιάσεται — εἰ
στερήσεται] εἰ hier = ob nicht,
aber kurz vorher in οὐ δῆλον, εἰ
συμφέρει ist εἰ = ob. Der Zu-
sammenhang allein entscheidet, ob
der Fragesatz bejahende (ob
nicht, *nonne*) oder vernei-
nende Bedeutung (ob, *num*)
habe. S. K. § 330, 5 i). So kann
auch im Lat. *ne* bald für *nonne*,
bald für *num* stehen. S. K. lat.
Schulgr. § 158, A. 4. Das *Fut.*
Med. ἀνιάσεται hat passive Be-
deutung, wie IV 8, 10: μαρτυρή-
σεσθαι. S. Ko. § 93, 6. K. § 251.
A. 1, aber στερήσεται heißt wird
verlustig gehen.
§ 9. δαιμονᾶν] ὑπὸ δαίμο-
νος κατέχεσθαι, bildet hier einen
schönen Gegensatz zu dem vorher-

gehenden δαιμόνιον, *divinum, di-
vina vi factum.* — ἐπὶ ζεῦγος
ohne Artikel, gleichsam *ad vehen-
dum;* aber ἐπὶ τὴν ναῦν, *in na-
vem, quam quis habet.* — ἃ ἔξε-
στιν ἀριθμήσαντας — εἰδέναι]
Ohne Attraktion, weil der Satz
allgemein ohne Rücksicht auf eine
bestimmte Person ausgesprochen
ist, vgl. III 12, 8; doch auch nach
vorausgegangenem Dative, wie II
6, 26. Vgl. auch im folgenden
ἃ μαθόντας ποιεῖν ἔδωκαν (st.
μαθοῦσι). — τοὺς τὰ τοιαῦτα
κτλ.] Der Satz ist asyndetisch,
d. h. ohne Konjunktion, an das Vor-
hergehende angereiht, was zu ge-
schehen pflegt, wenn derselbe den
Inhalt der vorhergehenden Rede
kurz zusammenfaßt. Vgl. II 1, 33.
3, 19. IV 3, 14.
§ 10. Ἀλλὰ μὴν ἐκεῖνός γε] S.
zu I 1, 6. — ἀεὶ μὲν ἦν] Dem μέν
entspricht δέ in § 11: οὐδεὶς δέ.

γὰρ εἰς τοὺς περιπάτους καὶ τὰ γυμνάσια ᾔει καὶ πληθούσης
ἀγορᾶς ἐκεῖ φανερὸς ἦν καὶ τὸ λοιπὸν ἀεὶ τῆς ἡμέρας ἦν,
ὅπου πλείστοις μέλλοι συνέσεσθαι· καὶ ἔλεγε μὲν ὡς τὸ πολύ,
τοῖς δὲ βουλομένοις ἐξῆν ἀκούειν. Οὐδεὶς δὲ πώποτε Σωκρά- 11
τους οὐδὲν ἀσεβὲς οὐδὲ ἀνόσιον οὔτε πράττοντος εἶδεν οὔτε
λέγοντος ἤκουσεν. Οὐδὲ γὰρ περὶ τῆς τῶν πάντων φύσεως,
ᾗπερ τῶν ἄλλων οἱ πλεῖστοι, διελέγετο, σκοπῶν, ὅπως ὁ κα-
λούμενος ὑπὸ τῶν σοφιστῶν ᾽κόσμος᾽ ἔφυ, καὶ τίσιν ἀνάγκαις
ἕκαστα γίγνεται τῶν οὐρανίων, ἀλλὰ καὶ τοὺς φροντίζοντας

— περιπάτους] Säulenhallen, in
denen man zum Vergnügen oder der
Gesundheit halber lustwandelte;
vgl. ambulatio st. ambulacrum.
— πληθούσης ἀγορᾶς] Der
erste Teil des Tages hiefs ὄρθρον
(hier das Adv. πρωΐ), der zweite
πλήθουσα ἀγορά (von 10 Uhr vor-
mittags an bis zu Mittag), der dritte
μεσημβρία, der vierte δείλη. — ὅπου
— μέλλοι] aus der Seele des Sokrates.
§ 11. Σωκράτους — οὔτε
πράττοντος εἶδεν οὔτε λέγον-
τος ἤκουσεν] = Σωκράτους οὐδ-
εὶς πώποτε οὔτε εἶδεν οὔτε ἤκου-
σεν, ὅτι ἀσεβές τι καὶ ἀνόσιον ἢ
ἔπραττεν ἢ ἔλεγεν. So wird oft
bei den Verben des Sehens, Hörens,
Erfahrens u. s. w. mit dem Gene-
tive der Person, an der etwas wahr-
genommen wird, mittels einer Art
Attraktion ein Particip im Gene-
tive statt eines Nebensatzes ver-
bunden. Xen. Cyr. 7, 2, 18 ἔγνω
ἄτοπα ἐμοῦ ποιοῦντος, er er-
kannte an mir, dafs ich Ungereim-
tes thäte = ἔγνω ἐμοῦ, ὅτι ἄτοπα
ποιοίην. Οὐδὲ — διελέγετο σκο-
πῶν] das Particip schliefst sich an
das Subjekt des *verbi finiti* eng an;
daher wirkt die Negation zugleich
mit auf das Particip. — ᾗπερ τῶν
ἄλλων οἱ πλεῖστοι] eadem rati-
one, qua ceterorum philosophorum
plurimi. Allerdings beschäftigte
sich Sokrates auch mit der Betrach-
tung des Weltalls und mit anderen
Gegenständen der Naturphilosophie
(vgl. I c. 4. Symp. VI 6 sq.); aber
mit Übergehung aller spitzfindi-
gen Untersuchungen über den Ur-

sprung der Welt, über den Lauf
der Himmelskörper und andere
dunkele Dinge machte er die Na-
turphilosophie nur insoweit zum
Gegenstande seiner Betrachtungen,
als dieselben die Einsicht in das
Wesen der Gottheit und der mensch-
lichen Seele, in das Verhältnis des
Menschen zu der Gottheit förder-
ten, die Weisheit der Weltordnung
veranschaulichten und auf die ethi-
sche Ausbildung des Menschen
einen Einflufs hatten. Vgl. IV c.
7. Xenophon stellt also des So-
krates Verfahren dem anderer Phi-
losophen entgegen, das nicht von
der ἀσέβεια frei zu sprechen sei. —
σοφιστῶν] Philosophen; die
Bedeutung Sophisten, Schein-
philosophen entstand erst zur Zeit
des Sokrates. — κόσμος] mundus,
das Weltall, ἡ τῶν πάντων φύσις.
Als Erfinder dieser Bezeichnung
wird Pythagoras genannt. —
σκοπῶν, ὅπως — καὶ τίσιν] Man
erwartet wegen ὅπως das indirekte
Fragewort αἷστισιν; s. jedoch Ko.
§. 79. K. §. 330, A. 1. — ἀνάγ-
καις naturae legibus. III 12, 2
sind ἀνάγκαι = calamitates. Das
Abstraktum (ἀνάγκη, necessitas)
nimmt im Plur. konkrete Bedeu-
tung an. S. K. § 242, 3. — τοὺς
φροντίζοντας τὰ τοιαῦτα]
Grübler über solche Gegenstände;
in demselben Sinne III 5, 23. IV
7, 6 μεριμνᾶν τι. Bei Aristoph.
Nub. 101 werden diese Grübler
μεριμνοφροντισταί genannt, sowie
das Studierzimmer des Sokrates
φροντιστήριον.

12 τὰ τοιαῦτα μωραίνοντας ἀπεδείκνυεν. Καὶ πρῶτον μὲν αὐτῶν
ἐσκόπει, πότερά ποτε νομίσαντες ἱκανῶς ἤδη τἀνθρώπινα εἰ-
δέναι· ἔρχονται ἐπὶ τὸ περὶ τῶν τοιούτων φροντίζειν, ἢ τὰ
μὲν ἀνθρώπεια παρέντες, τὰ δαιμόνια δὲ σκοποῦντες· ἡγοῦνται
13 τὰ προσήκοντα πράττειν. Ἐθαύμαζε δ᾽, εἰ μὴ φανερὸν αὐτοῖς
ἐστιν, ὅτι ταῦτα οὐ δυνατόν ἐστιν ἀνθρώποις εὑρεῖν· ἐπεὶ
καὶ τοὺς μέγιστον φρονοῦντας ἐπὶ τῷ περὶ τούτων λέγειν οὐ
ταὐτὰ δοξάζειν ἀλλήλοις, ἀλλὰ τοῖς μαινομένοις ὁμοίως δια-
14 κεῖσθαι πρὸς ἀλλήλους. Τῶν δὲ γὰρ μαινομένων τοὺς μὲν οὐδὲ
τὰ δεινὰ δεδιέναι, τοὺς δὲ καὶ τὰ μὴ φοβερὰ φοβεῖσθαι· καὶ
τοῖς μὲν οὐδ᾽ ἐν ὄχλῳ δοκεῖν αἰσχρὸν εἶναι λέγειν ἢ ποιεῖν
ὁτιοῦν, τοῖς δὲ οὐδ᾽ ἐξιτητέον εἰς ἀνθρώπους εἶναι δοκεῖν·
καὶ τοὺς μὲν οὔθ᾽ ἱερὸν οὔτε βωμὸν οὔτ᾽ ἄλλο τῶν θείων
οὐδὲν τιμᾶν, τοὺς δὲ καὶ λίθους καὶ ξύλα τὰ τυχόντα καὶ
θηρία σέβεσθαι· τῶν τε περὶ τῆς τῶν πάντων φύσεως με-
ριμνώντων τοῖς μὲν δοκεῖν ἓν μόνον τὸ ὂν εἶναι, τοῖς δ᾽
ἄπειρα τὸ πλῆθος· καὶ τοῖς μὲν ἀεὶ πάντα κινεῖσθαι, τοῖς

§ 12. Καὶ πρῶτον μέν] Dem
entspricht § 15 ἐσκόπει δὲ περὶ
αὐτῶν καὶ τάδε. — αὐτῶν ἐσκό-
πει, πότερα — ἔρχονται] Man
sagt σκοπεῖν τινός (an einem) τι;
statt des accus. rei steht hier der
Nebensatz πότερα u. s. w. Vgl. I 6,
4 τί χαλεπὸν ᾔσθησαι τοὐμοῦ βίου
(an meiner Lebensweise). III 6, 17.
S. K. § 270, A. 2. Unter αὐτῶν sind
οἱ φροντίζοντες τὰ τοιαῦτα zu ver-
stehen. — τὰ μὲν ἀνθρ. — τὰ
δαιμόνια δέ] wegen der Stellung
von μέν — δέ vgl. 2, 24. II 1, 16.
III 9, 8. IV 5. 11.
§ 13. Ἐθαύμαζε δ᾽, εἰ μή]
Nach den Verben der Gemütsbe-
wegung setzen die Attiker oft εἰ,
wo man ὅτι erwarten sollte, indem
sie mit einer gewissen Urbanität
sichere Behauptungen als unent-
schieden hinstellen. C. § 550. Ko.
§ 115, 2, A. 1. K. § 317, A. 5. Vgl.
§ 17. III 7, 8. 9, 8. — αὐτοῖς ἐστιν
und darauf δυνατόν ἐστιν nach
dem praeteritum ἐθαύμαζε; dies ist
im Griechischen eine sehr gewöhn-
liche Konstruktion, durch welche
die Vergangenheit in die Gegen-
wart des besprochenen Subjektes

hinübergezogen wird. S. K. § 331,
5. Vgl. § 12, 4. 29. 50. II 7, 12:
διηγεῖτο . . ., ὅτι αἰτιῶνται
αὐτόν. — μέγιστον φρονοῦντας]
nach Analogie von μέγα φρονεῖν;
denn sonst müfste es heifsen: μέ-
γιστα φ. — ἐπεὶ — δοξάζειν]
S. zu § 8.
§ 14. λίθους καὶ ξύλα τὰ
τυχόντα] quoslibet lapides et quae-
libet ligna. Es ist die Rede vom
Fetischismus. — ἓν μόνον τὸ ὂν
εἶναι] Dafs das ganze Weltall (τὸ
ὄν) nur eines sei, war die Ansicht
des Thales, des Gründers der
ionischen Schule (um 600), des
Pythagoras, Gründers der itali-
schen Schule (um 550), des Xeno-
phanes, Gründers der eleatischen
Schule (um 550) und anderer Philo-
sophen. — ἄπειρα τὸ πλῆθος]
Scil. τὸ ὄν; τὸ πλῆθος Acc. der
Beziehung (an Zahl). Dafs die Welt
aus unzähligen unteilbaren Kör-
perchen (Atomen) bestehe, war die
Ansicht des Leukippos (um 500)
und seines Schülers Demokritos.
— ἀεὶ πάντα κινεῖσθαι] Dafs
alles in einem ewigen Flusse be-
griffen und einem fortwährenden

δ' οὐδὲν ἄν ποτε κινηθῆναι· καὶ τοῖς μὲν πάντα γίγνεσθαί
τε καὶ ἀπόλλυσθαι, τοῖς δὲ οὔτ' ἄν γενέσθαι ποτὲ οὐδὲν οὔτ'
ἀπολεῖσθαι. Ἐσκόπει δὲ περὶ αὐτῶν καὶ τάδε· ἆρ' ὥσπερ οἱ 15
τἀνθρώπεια μανθάνοντες ἡγοῦνται τοῦθ', ὅ τι ἄν μάθωσιν,
ἑαυτοῖς τε καὶ τῶν ἄλλων ὅτῳ ἄν βούλωνται ποιήσειν, οὕτω
καὶ οἱ τὰ θεῖα ζητοῦντες νομίζουσιν, ἐπειδὰν γνῶσιν, αἷς
ἀνάγκαις ἕκαστα γίγνεται, ποιήσειν, ὅταν βούλωνται, καὶ
ἀνέμους καὶ ὕδατα καὶ ὥρας καὶ ὅτου δ' ἄν ἄλλου δέωνται
τῶν τοιούτων, ἤ τοιοῦτο μὲν οὐδὲν οὐδ' ἐλπίζουσιν, ἀρκεῖ δ'
αὐτοῖς γνῶναι μόνον, ᾗ τῶν τοιούτων ἕκαστα γίγνεται; Περὶ 16
μὲν οὖν τῶν ταῦτα πραγματευομένων τοιαῦτα ἔλεγεν· αὐτὸς
δὲ περὶ τῶν ἀνθρωπείων ἄν ἀεὶ διελέγετο, σκοπῶν, τί εὐ-
σεβές, τί ἀσεβές· τί καλόν, τί αἰσχρόν· τί δίκαιον, τί ἄδικον·
τί σωφροσύνη, τί μανία· τί ἀνδρεία, τί δειλία· τί πόλις, τί
πολιτικός· τί ἀρχὴ ἀνθρώπων, τί ἀρχικὸς ἀνθρώπων, καὶ περὶ
τῶν ἄλλων, ἃ τοὺς μὲν εἰδότας ἡγεῖτο καλοὺς κἀγαθοὺς εἶναι,
τοὺς δ' ἀγνοοῦντας ἀνδραποδώδεις ἄν δικαίως κεκλῆσθαι.

Ὅσα μὲν οὖν μὴ φανερὸς ἦν ὅπως ἐγίγνωσκεν, οὐδὲν 17
θαυμαστὸν ὑπὲρ τούτων περὶ αὐτοῦ παραγνῶναι τοὺς δικα-
στάς· ὅσα δὲ πάντες ᾔδεσαν, οὐ θαυμαστόν, εἰ μὴ τούτων

Wechsel unterworfen sei, war die
Ansicht des Herakleitos aus
Ephesus (um 500), eines berühmten
ionischen Philosophen. — οὐδὲν
ἄν ποτε κινηθῆναι] Daſs sich
nichts bewegen könne, war die
Ansicht des Eleaten Zeno (um
460). — πάντα γίγνεσθαί τε
καὶ ἀπόλλυσθαι bezieht sich auf
die Ansicht des Herakleitos und
οὔτ' ἄν γενέσθαι ποτὲ οὐδὲν οὔτ'
ἀπολεῖσθαι auf die Ansicht des
Eleaten Zeno. Über ἄν b. Infin. s.
C. § 575 f. Ko. § 120, 1. K. 260, 5.
  § 15. καὶ ὅτου δ' ἄν] S. zu
§ 3: κἀκεῖνος δέ.
  § 16. περὶ τ. ἀ. ἄν ἀεὶ διε-
λέγετο] Vollständig: ὁπότε τύχοι,
διελέγετο ἄν (quotienscunque occasio
ferebat, disputabat). Vgl. IV 6, 13: εἰ
δέ τις αὐτῷ περὶ του ἀντιλέγοι —,
ἐπὶ τὴν ὑπόθεσιν ἐπανῆγεν ἄν
πάντα τὸν λόγον. C. § 507 A. 3.
Ko. § 118, 3, A. 1. K. § 260, 2, 2α.
— καλοὺς κἀγαθοὺς — ἀν-

δραποδώδεις] καλὸς κἀγαθός
heiſst hier ein in jeder Hinsicht
tüchtiger Mensch, in dem die Er-
kenntnis der Tugenden und der
Charakter und das Leben in dem
schönsten Einklange stehen; eigent-
lich aber bieſs bei den Griechen so
ein Mann von edler Geburt und Er-
ziehung (ὁ εὐγενὴς καὶ γενναῖος),
der geistig und körperlich
tüchtig ist (homo liberalis, libera-
liter educatus). Ein solcher Mann
wird dem ἀνδραπόδῳ entgegen-
gesetzt, d. h. einem Sklaven, einem
Menschen ohne edle Erziehung.
Vgl. I 2, 29. IV 2, 39.
  § 17. Ὅσα μὲν οὖν μὴ — ἐγί-
γνωσκεν] Γιγνώσκω τι, ich beur-
teile etwas (iudico rem), περὶ τι-
νος, ich urteile über etwas (iudico
de re), wie I 2, 19; μὴ steht, weil
in dem Satze eine Bedingung liegt:
wenn es nicht deutlich war, wie
er manches beurteilte. — τούτων
ἐνεθυμήθησαν] nach Analogie

18 ἐνεθυμήθησαν; Βουλεύσας γάρ ποτε καὶ τὸν βουλευτικὸν
ὅρκον ὀμόσας, ἐν ᾧ ἦν κατὰ τοὺς νόμους βουλεύσειν, ἐπιστά-
της ἐν τῷ δήμῳ γενόμενος, ἐπιθυμήσαντος τοῦ δήμου παρὰ
τοὺς νόμους ἐννέα στρατηγοὺς μιᾷ ψήφῳ τοὺς ἀμφὶ Θράσυλ-
λον καὶ Ἐρασινίδην ἀποκτεῖναι πάντας, οὐκ ἠθέλησεν ἐπι-
ψηφίσαι, ὀργιζομένου μὲν αὐτῷ τοῦ δήμου, πολλῶν δὲ καὶ
δυνατῶν ἀπειλούντων, ἀλλὰ περὶ πλείονος ἐποιήσατο εὐορκεῖν
ἢ χαρίσασθαι τῷ δήμῳ παρὰ τὸ δίκαιον καὶ φυλάξασθαι τοὺς
19 ἀπειλοῦντας. Καὶ γὰρ ἐπιμελεῖσθαι θεοὺς ἐνόμιζεν ἀνθρώπων,
οὐχ ὃν τρόπον οἱ πολλοὶ νομίζουσιν· οὗτοι μὲν γὰρ οἴονται
τοὺς θεοὺς τὰ μὲν εἰδέναι, τὰ δ' οὐκ εἰδέναι· Σωκράτης δὲ
πάντα μὲν ἡγεῖτο θεοὺς εἰδέναι, τά τε λεγόμενα καὶ πραττό-

der *verba curandi* (etwas beherzigen, beachten), eine seltene Konstruktion, wie II 1, 34. *de Venat.* 8, 6. 9, 4. Gewöhnlich ἐνθυμεῖσθαί τι.
§ 18. Βουλεύσας] *senator factus*, dagegen I 2, 35 βουλεύειν *senatorem esse*. K. § 256, A. 4. Die βουλή (*senatus*) der Athener bestand aus 500 Bürgern, die nach den 10 Phylen in 10 Prytanien geteilt waren; jede Prytanie, also 50 Bürger, stand 37 oder 36 Tage dem Staate vor; aus diesen Prytanien wurde täglich ein anderer ἐπιστάτης (*princeps senatus*) gewählt, der den Vorsitz der βουλή führte und die Anträge zur Abstimmung brachte, (ἐπιψηφίζω). — βουλεύσας — καὶ — ὀμόσας — γενόμενος] Die beiden ersten Particien sind durch καί verbunden, weil sie in gleichem Verhältnisse zu dem Prädikate stehen; das letzte aber ist ohne καί angereiht, weil es in einem anderen Verhältnisse, als jene, zu dem Prädikate steht: nach Erlangung der Ratsherrenwürde und nach Ablegung des Eides — wollte er als Epistat nicht abstimmen lassen. Ebenso verhält es sich bei den folgenden *genetivis absolutis;* ἐπιθυμήσαντος τοῦ δήμου — ὀργιζομένου τοῦ δήμου: *cum populus cuperet, etsi populus suscensebat.* — ἐννέα στρατηγούς] Im Jahre 406 v. Chr. hatten die Athener in der Seeschlacht bei den

arginusischen Inseln (zwischen Lesbos und Äolis) einen glänzenden Sieg über die Lakedämonier erfochten. Nach der Schlacht erhob sich ein heftiger Sturm, der die Feldherren der Athener verhinderte, ihre Gefallenen mit sich fortzunehmen und zu bestatten. Sie wurden deshalb von Staats wegen angeklagt und zum Tode verurteilt. — μιᾷ ψήφῳ] durch eine Gesamtabstimmung; was παρὰ τοὺς νόμους war, durch die verordnet war, daſs, wenn mehrere zugleich angeklagt wären, über jeden einzelnen besonders abgestimmt werden sollte. Sokrates widersetzte sich diesem gesetzwidrigen Verfahren, und erst am folgenden Tage wurden sie unter einem anderen ἐπιστάτης μιᾷ ψήφῳ zum Tode verurteilt. S. Xen. Hellen. I 6, 20 sqq. 7, 4 sqq. — τοὺς ἀμφὶ Θράσυλλον καὶ Ἐρασινίδην] d. h. Thrasyllos und Erasinides mit den übrigen Feldherren. S. K. § 263. Thrasyllos und Erasinides werden namentlich angeführt, weil ihnen die Hauptschuld zugeschrieben wurde. S. Xen. Hellen. I 7, 31 sq.
§ 19. θεούς] ohne Artikel = Götter im allgemeinen, im Gegensatz zu den bestimmten Göttern der Athener (τοὺς θεούς). — τά τε λεγόμενα καὶ πραττόμενα καὶ τὰ σιγῇ βουλευόμενα] Die bei-

μενα καὶ τὰ σιγῇ βουλευόμενα, πανταχοῦ δὲ παρεῖναι καὶ
σημαίνειν τοῖς ἀνθρώποις περὶ τῶν ἀνθρωπείων πάντων.

Θαυμάζω οὖν, ὅπως ποτὲ ἐπείσθησαν Ἀθηναῖοι Σωκράτην 20
περὶ τοὺς θεοὺς μὴ σωφρονεῖν, τὸν ἀσεβὲς μὲν οὐδέν ποτε
περὶ τοὺς θεοὺς οὔτ᾽ εἰπόντα οὔτε πράξαντα, τοιαῦτα δὲ καὶ
λέγοντα καὶ πράττοντα περὶ θεῶν, οἷά τις ἂν καὶ λέγων καὶ
πράττων εἴη τε καὶ νομίζοιτο εὐσεβέστατος.

den ersten Ausdrücke bilden ein
Ganzes, daher nur bei dem ersten
der Artikel; der letztere Ausdruck
bildet einen Gegensatz zu dem-
selben, daher der Artikel wieder-
holt. Vgl. III 10, 5: τὸ μεγαλο-
πρεπές τε καὶ ἐλευθέριον καὶ τὸ
ταπεινόν τε καὶ ἀνελεύθερον.
§ 20. ὅπως ποτέ] S. zu § 1.
Vgl. III 5, 13. — περὶ τοὺς θεούς]
ratione habita deorum, vgl. IV 3,
2. — περὶ θεῶν] de diis.

Zweites Kapitel.

Inhalt.

Die zweite Beschuldigung, Sokrates habe die Jugend ver-
dorben, wird durch folgende Gründe widerlegt:

1.) Sokrates hielt die Jugend dadurch, daſs er ihr Liebe zur Tugend
einflöſste, von Gottlosigkeit, Verachtung der Gesetze, Unmäſsigkeit,
Weichlichkeit, Gewaltthätigkeit ab. Seine Lehre muſste um so
wirksamer sein, da er ihr in seinem Leben mit dem besten Bei-
spiele voranging (§ 3—11). Mit Unrecht wird dem Sokrates die
Zügellosigkeit des Alkibiades und des Kritias zur Last gelegt, da
er nichts unterließ sie von dem Wege des Lasters auf den Weg der
Tugend zurückzuführen. Andere Männer hingegen, die sich aus
wahrer Liebe zur Tugend dem Sokrates mit ganzer Seele hin-
gaben, sind durch seine Lehre brave und edle Menschen geworden
(§ 12—48).
2) Der Vorwurf, Sokrates habe die Jünglinge zur Pflichtvergessenheit
gegen Eltern, Verwandte und Freunde angeleitet, beruht gänzlich
auf nichtigen und falschen Beweisen (§ 49—55).
3) Ungereimt endlich ist der Vorwurf, Sokrates habe durch Miſsbrauch
von Dichterstellen Übelwollen und Gewaltthätigkeit gelehrt. Denn
er war der wohlwollendste, volkstümlichste, menschenfreundlichste,
uneigennützigste Mensch, der sich zur Lebensaufgabe gemacht hatte
die Wohlfahrt seiner Mitmenschen auf jede Weise zu fördern.

Demzufolge hätte Sokrates vom Staate nicht zum Tode verurteilt,
sondern vielmehr des höchsten Ehrenpreises würdig erachtet werden
müssen.

1   Θαυμαστὸν δὲ φαίνεταί μοι καὶ τὸ πεισθῆναί τινας, ὡς
Σωκράτης τοὺς νέους διέφθειρεν, ὃς πρὸς τοῖς εἰρημένοις
πρῶτον μὲν ἀφροδισίων καὶ γαστρὸς πάντων ἀνθρώπων ἐγ-
κρατέστατος ἦν, εἶτα πρὸς χειμῶνα καὶ θέρος καὶ πάντας πό-
νους καρτερικώτατος, ἔτι δὲ πρὸς τὸ μετρίων δεῖσθαι πεπαι-
δευμένος οὕτως, ὥστε πάνυ μικρὰ κεκτημένος πάνυ ῥᾳδίως
2 ἔχειν ἀρκοῦντα. Πῶς οὖν, αὐτὸς ὢν τοιοῦτος, ἄλλους ἂν ἢ
ἀσεβεῖς ἢ παρανόμους ἢ λίχνους ἢ ἀφροδισίων ἀκρατεῖς ἢ
πρὸς τὸ πονεῖν μαλακοὺς ἐποίησεν; Ἀλλ' ἔπαυσε μὲν τούτων
πολλοὺς ἀρετῆς ποιήσας ἐπιθυμεῖν καὶ ἐλπίδας παρασχών, ἂν
3 ἑαυτῶν ἐπιμελῶνται, καλοὺς καὶ ἀγαθοὺς ἔσεσθαι. Καίτοι γε
οὐδεπώποτε ὑπέσχετο διδάσκαλος εἶναι τούτου· ἀλλὰ τῷ φανε-
ρὸς εἶναι τοιοῦτος ὢν| ἐλπίζειν ἐποίει τοὺς συνδιατρίβοντας
4 ἑαυτῷ μιμουμένους ἐκεῖνο τοιούσδε γενήσεσθαι. Ἀλλὰ μὴν

---

§ 1. πρῶτον μὲν — εἶτα] So
gewöhnlich statt εἶτα δέ. Vgl. I 4,
11. 7, 2. III 6, 2. 9. und so oft. Vgl.
C. § 628 A. 1. — ὥστε — ἔχειν]
C. § 553b. Ko. § 113, 2. K. § 327, 3
und über die Attraktion (κεκτημένος)
§ 327, A. 1. und und 308, 2. Vgl. § 7.
III 3, 1. 9, 7. 11, 8. 14.

§ 2. Ἀλλ' ἔπαυσε μέν] Ἀλλὰ
bildet den Gegensatz zu der Nega-
tion, die in der vorhergehenden
Frage liegt. Vgl. § 27. II 6, 21.
μέν bezieht sich auf die Worte
§ 3: καίτοι γε οὐδεπώποτε ὑπέσχετο
διδάσκαλος εἶναι τούτου. — ἂν
(= ἐὰν) ἐπιμελῶνται] Wegen des
vorhergehenden Präteritums er-
wartet man εἰ ἐπιμελοῖντο. Der
Konjunktiv nach einem Präteritum
steht aus demselben Grunde, wie
der Indikativ eines Präsens, Per-
fekts oder Futurs nach einem Prä-
teritum. S. zu I 1, 13. Wegen des
Konjunktivs vgl. I 2, 55. 59. III
2, 4.

§ 3. Καίτοι γε] quanquam qui-
dem, wiewohl allerdings. Vgl.
IV 2, 7. Wenn aber γέ nicht dem
καίτοι folgt, sondern einem folgen-
den Worte beigesellt ist; so bezieht
sich γέ nicht auf den ganzen Satz,
sondern nur auf das Wort, dem es
beigesellt ist, wie I 6, 11. II 3, 15.
III 12, 7. IV 7, 5. 8, 2. — οὐδεπώ-

ποτε ὑπέσχετο διδάσκαλος εἶ-
ναι] Ebenso sagt Sokrates b. Plat.
Apol. 33 A: ἐγὼ δὲ διδάσκαλος μὲν
οὐδενὸς πώποτ' ἐγενόμην. Daher
erwähnen Xen. u. Plat. nicht μαθη-
τάς des Sokrates, sondern nur συν-
όντας, συνδιατρίβοντας αὐτῷ, γνω-
ρίμους, ἐπιτηδείους und dergleichen.
Die Sophisten hingegen gaben sich
für Lehrer der Weisheit aus. — τῷ
φανερὸς εἶναι] Warum der No-
minativ? C. § 570 u. 574, 4. Ko.
§ 119. K. § 309, 2. — ἐκεῖνον]
Man erwartet ἑαυτόν oder αὐτόν;
sehr oft aber werden die abhängigen
Kasus von ἐκεῖνος nach einem vor-
ausgegangenen Substantive oder
(wie hier) nach den obliquen Kasus
von αὐτός oder ἑαυτοῦ auf nach-
drücklichere Weise für die obliquen
Kasus von αὐτός oder ἑαυτοῦ ge-
braucht, namentlich, wenn ein Ge-
gensatz hervorgehoben werden soll.
Vgl. IV 1, 1. 2, 3. Anab. VII 3, 3.
Cyr. IV 2, 12. 5, 20. — τοιούσ-
δε] nämlich καλοὺς κἀγαθούς. Sel-
tener beziehen sich die Pronomina
ὅδε, τοιόσδε, ὧδε auf das Vorher-
gehende, so auch I 7, 5 am Ende,
gemeinschaftlich auf das Folgende,
sowie umgekehrt οὗτος, τοιοῦτος,
τοσοῦτος, οὕτως meistens auf das
Vorhergehende.

§ 4. Ἀλλὰ μήν] Siehe zu I

καὶ τοῦ σώματος αὐτός τε οὐκ ἠμέλει τοὺς. τ᾽ ἀμελοῦντας οὐκ ἐπῄνει. Τὸ μὲν οὖν ὑπερεσθίοντα ὑπερπονεῖν ἀπεδοκίμαζε, τὸ δέ, ὅσα γ᾽ ἡγέως̔ ἡ ψυχὴ δέχεται, ταῦτα ἱκανῶς ἐκπονεῖν ἐδοκίμαζε· ταύτην γὰρ τὴν ἕξιν ὑγιεινήν τε ἱκανῶς εἶναι καὶ τὴν τῆς ψυχῆς ἐπιμέλειαν οὐκ ἐμποδίζειν ἔφη. Ἀλλ᾽ οὐ μὴν 5 θρυπτικός̓ γε οὐδὲ ἀλαζονικὸς ἦν οὔτ᾽ ἀμπεχόνῃ οὔθ᾽ ὑποδέσει οὔτε τῇ ἄλλῃ διαίτῃ· οὐ μὴν οὐδ᾽ ἐρασιχρημάτους γε τοὺς συνόντας ἐποίει· τῶν μὲν γὰρ ἄλλων ἐπιθυμιῶν ἔπαυε, τοὺς δὲ ἑαυτοῦ ἐπιθυμοῦντας οὐκ ἐπράττετο χρήματα. Τούτου 6 δ᾽ ἀπεχόμενος ἐνόμιζεν ἐλευθερίας ἐπιμελεῖσθαι· τοὺς δὲ λαμβάνοντας τῆς ὁμιλίας μισθὸν/ ἀνδραποδιστὰς ἑαυτῶν ἐπεκάλει διὰ τὸ ἀναγκαῖον αὐτοῖς εἶναι διαλέγεσθαι, παρ᾽ ὧν ἂν λάβοιεν τὸν μισθόν. Ἐθαύμαζε δ᾽, εἴ τις ἀρετὴν ἐπαγγελλόμενος 7 ἀργύριον πράττοιτο καὶ μὴ νομίζοι τὸ μέγιστον κέρδος ἕξειν φίλον ἀγαθὸν κτησάμενος, ἀλλὰ φοβοῖτο, μὴ ὁ γενόμενος καλὸς κἀγαθὸς τῷ τὰ μέγιστα εὐεργετήσαντι μὴ τὴν μεγίστην χάριν ἕξοι. Σωκράτης δὲ ἐπηγγείλατο μὲν οὐδενὶ πώποτε 8 τοιοῦτον οὐδέν· ἐπίστευε δὲ τῶν ξυνόντων ἑαυτῷ τοὺς ἀποδεξαμένους, ἅπερ αὐτὸς ἐδοκίμαζεν, εἰς τὸν πάντα βίον ἑαυτῷ τε καὶ ἀλλήλοις φίλους ἀγαθοὺς ἔσεσθαι. Πῶς ἂν οὖν ὁ

1, 6. — αὐτός τε οὐκ ἠμέλει τοὺς τ᾽ ἀμελοῦντας οὐκ ἐπῄνει] Die Verbindung τὲ οὐκ — τὲ οὐκ statt οὔτε — οὔτε ist nicht häufig. — ὑπερεσθίοντα ὑπερπονεῖν] Er meint die Athleten, deren Gefräfsigkeit sprichwörtlich geworden war. Vgl. Cicer. Tusc. II 17, 40. — ἡ ψυχή] Efslust. Cyrop. VIII 7, 4: τῷ δὲ ἡ ψυχὴ σῖτον μὲν οὐ προσίετο. VI 2, 28, Apol. 18. Unten I, 3, 14 von dem heftigen Liebesverlangen und so überhaupt von dem tierischen Triebe. — ὑγιεινήν τε ἱκανῶς] Mit Nachdruck wird das Adverb nachgestellt.

§ 5. Ἀλλ᾽ οὐ μὴν θρυπτικός γε] Doch (ἀλλά) wahrlich (μήν) weichlich war er sicherlich (γέ) nicht. Vgl. I 2, 27. In den folgenden Worten spielt er auf die Sophisten an, die grofsen Prunk in der Kleidung liebten und sich ihren Unterricht,

oft sehr teuer, bezahlen liefsen. — Man beachte das Wortspiel in ἄλλων ἐπιθυμιῶν ἔπαυε, τοὺς δὲ ἑαυτοῦ ἐπιθυμοῦντας οὐκ ἐπράττετο χρήματα. Über die Konstr. C. § 402. Ko. § 83, 6. K. § 280, 3.

§ 6. τούτου] sc. τοῦ πράττεσθαι χρήματα.— ἀνδραποδιστὰς ἑαυτῶν] se ipsos in servitutem vendentes. Vgl. I 5, 6. — διαλέγεσθαι] Scil. τούτου. — παρ᾽ ὧν ἂν λάβοιεν τ. μ.] a quibus mercedem accepissent. Wenn der Optativ der obliquen Rede statt des Konjunktivs der direkten Rede steht, so kann das Relativ mit ἄν verbunden werden; vgl. or. recta: διαλέγονται, παρ᾽ ὧν ἂν λάβωσι τὸν μισθόν. Vgl. IV 1, 2. S. K. § 331, A. 3.

§ 7. φοβοῖτο, μὴ — μὴ τὴν μ. χ. ἕξοι] statt des gewöhnlichen μή — οὐ.

τοιοῦτος ἀνὴρ διαφθείροι τοὺς νέους; εἰ μὴ ἄρα ἡ τῆς ἀρετῆς
ἐπιμέλεια διαφθορά ἐστιν.

9　Ἀλλὰ νὴ Δία, ὁ κατήγορος ἔφη, ὑπερορᾶν ἐποίει τῶν καθ-
εστώτων νόμων τοὺς συνόντας λέγων, ὡς μῶρον εἴη τοὺς
μὲν τῆς πόλεως ἄρχοντας ἀπὸ κυάμου καθίστασθαι, κυβερνήτῃ
δὲ μηδένα θέλειν κεχρῆσθαι κυαμευτῷ, μηδὲ τέκτονι μηδ' αὐ-
λητῇ μηδ' ἐπ' ἄλλα τοιαῦτα, ἃ πολλῷ ἐλάττονας βλάβας ἁμαρ-
τανόμενα ποιεῖ τῶν περὶ τὴν πόλιν ἁμαρτανομένων· τοὺς δὲ
τοιούτους λόγους ἐπαίρειν ἔφη τοὺς νέους καταφρονεῖν τῆς
10　καθεστώσης πολιτείας καὶ ποιεῖν βιαίους. Ἐγὼ δ' οἶμαι τοὺς
φρόνησιν ἀσκοῦντας καὶ νομίζοντας ἱκανοὺς ἔσεσθαι τὰ συμφέ-
ροντα διδάσκειν τοὺς πολίτας ἥκιστα γίγνεσθαι βιαίους, εἰδότας,
ὅτι τῇ μὲν βίᾳ πρόσεισιν ἔχθραι καὶ κίνδυνοι, διὰ δὲ τοῦ
πείθειν ἀκινδύνως τε καὶ μετὰ φιλίας ταὐτὰ γίγνεται· οἱ μὲν
γὰρ βιασθέντες ὡς ἀφαιρεθέντες μισοῦσιν, οἱ δὲ πεισθέντες ὡς
κεχαρισμένοι φιλοῦσιν. Οὔκουν τῶν φρόνησιν ἀσκούντων τὸ
βιάζεσθαι, ἀλλὰ τῶν ἰσχὺν ἄνευ γνώμης ἐχόντων [τὰ τοιαῦτα
11　πράττειν] ἐστίν. Ἀλλὰ μὴν καὶ συμμάχων ὁ μὲν βιάζεσθαι
τολμῶν δέοιτ' ἂν οὐκ ὀλίγων, ὁ-δὲ πείθειν δυνάμενος οὐδενός·
καὶ γὰρ μόνος ἡγοῖτ' ἂν δύνασθαι πείθειν· καὶ φονεύειν δὲ
τοῖς τοιούτοις ἥκιστα συμβαίνει· τίς γὰρ ἀποκτεῖναί τινα βού-
λοιτ' ἂν μᾶλλον ἢ ζῶντι πειθομένῳ χρῆσθαι;
12　Ἀλλ' ἔφη γε ὁ κατήγορος, Σωκράτει ὁμιλητὰ γενομένω

---

§ 8. εἰ μὴ ἄρα] nisi forte, es
sei denn dafs, ironisch.

§ 9. ὁ κατήγορος ἔφη] statt
des gewöhnlichen ἔφη ὁ κατ., wie
im Lat. inquit accusator, wie § 12;
dagegen vgl. II 1, 18. 2, 7. —
ὑπερορᾶν νόμων] nach Analogie
von ἀμελεῖν τινος. Gewöhnlicher
ist der Acc., wie I 3, 4. 4, 10. —
μῶρος att. statt μωρός. — ἀπὸ
κυάμου καθίστασθαι] Die Athe-
ner bedienten sich bei der Abstim-
mung über die zu obrigkeitlichen
Ämtern vorgeschlagenen Bürger
weifser und schwarzer Bohnen; da-
her der Ausdruck κυαμευτοί oder
οἱ ἀπὸ κυάμου ἄρχοντες. — καθ-
ίστασθαι sibi creare. — κεχρῆ-
σθαι] = ἔχειν. — μηδ' ἐπ' ἄλλα
τοιαῦτα] scil. κεχρῆσθαι κυαμευ-
τῷ τινι. In Beziehung auf die vor-

angehende Konstruktion erwartet
man: μηδ' ἄλλω ἐπὶ τοιαῦτα.

§ 10. βιασθέντες] passiv. C.
§ 483, 3. K. § 252, A. — ἀφαιρε-
θέντες] spoliati. — κεχαρισμέ-
νοι] beneficiis affecti. K. § 251, 3.
— τὰ τοιαῦτα πράττειν] wegen
des vorhergehenden τὸ βιάζεσθαι
würde die Rede koncinner sein,
wenn τὸ τὰ τ. πρ. gesagt wäre.
Dindorf liest daher τὸ τοιαῦτα
πρ. Am besten scheint es die Worte,
als Glosse, zu streichen.

§ 11. Ἀλλὰ μὴν] s. zu I 1, 6.
— καὶ — δὲ] s. zu I 1, 3.

§ 12. Ἀλλ' ἔφη γε] aber frei-
lich, sagte der Ankläger, = nun
gut, aber gewifs kann folgendes
nicht geleugnet werden; ἀλλά γε
gehört eigentlich zusammen, wird
aber gewöhnlich durch das dazwi-

Κριτίας τε καὶ *Ἀλκιβιάδης* πλεῖστα κακὰ τὴν πόλιν ἐποιησάτην. *Κριτίας* μὲν γὰρ τῶν ἐν τῇ ὀλιγαρχίᾳ πάντων πλεονεκτίστατός τε καὶ βιαιότατος ἐγένετο, *Ἀλκιβιάδης* δὲ αὖ τῶν ἐν τῇ δημοκρατίᾳ πάντων ἀκρατέστατος καὶ ὑβριστότατος καὶ βιαιότατος. Ἐγὼ δ᾽, εἰ μέν τι κακὸν ἐκείνω τὴν πόλιν ἐποιησάτην, οὐκ 13 ἀπολογήσομαι· τὴν δὲ πρὸς Σωκράτην συνουσίαν αὐτοῖν ὡς ἐγένετο διηγήσομαι. Ἐγενέσθην μὲν γὰρ δὴ τὼ ἄνδρε τούτω 14 φύσει φιλοτιμοτάτω πάντων Ἀθηναίων, βουλομένω τε πάντα δι᾽ ἑαυτῶν πράττεσθαι καὶ πάντων ὀνομαστοτάτω γενέσθαι· ᾔδεσαν δὲ Σωκράτην ἀπ᾽ ἐλαχίστων μὲν χρημάτων αὐταρκέστατα ζῶντα, τῶν ἡδονῶν δὲ πασῶν ἐγκρατέστατον ὄντα, τοῖς δὲ διαλεγομένοις αὐτῷ πᾶσι χρώμενον ἐν τοῖς λόγοις, ὅπως βούλοιτο. Ταῦτα δὲ ὁρῶντε καὶ ὄντε οἵω προείρησθον, πότερόν τις 15 αὐτὼ φῇ τοῦ βίου τοῦ Σωκράτους ἐπιθυμήσαντε καὶ τῆς σωφροσύνης, ἣν ἐκεῖνος εἶχεν, ὀρέξασθαι τῆς ὁμιλίας αὐτοῦ, ἢ νομίσαντε, εἰ ὁμιλησαίτην ἐκείνῳ, γενέσθαι ἂν ἱκανωτάτω λέγειν τε καὶ πράττειν; Ἐγὼ μὲν γὰρ ἡγοῦμαι, θεοῦ διδόντος 16 αὐτοῖς ἢ ζῆν ὅλον τὸν βίον, ὥσπερ ζῶντα Σωκράτην ἑώρων, ἢ τεθνάναι, ἑλέσθαι ἂν μᾶλλον αὐτὼ τεθνάναι. Δῆλω δ᾽ ἐγενέσθην ἐξ ὧν ἐπραξάτην· ὡς γὰρ τάχιστα κρείττονε τῶν συγγιγνομένων ἡγησάσθην εἶναι, εὐθὺς ἀποπηδήσαντε Σωκράτους | ἐπραττέτην τὰ πολιτικά, ὧνπερ ἕνεκα Σωκράτους ὠρεχθήτην.

schengeschobene Prädikat getrennt, wie IV 3, 3: *Ἀλλ᾽ οἶσθά γ᾽*, *ἔφη*. Wenn aber ein anderes Wort dazwischen tritt, so gehört *γέ* nicht zu *ἀλλά*, sondern zu dem Worte, dem es beigesellt ist, wie §§ 49 u. 51. — *Κριτίας*] Der Sohn des Kalläschros, einer der 'Dreifsig' (Tyrannen), die den Athenern von den Lakedämoniern nach Beendigung des peloponnesischen Krieges (404 v. Chr.) vorgesetzt waren, übte die gröfste Grausamkeit aus, bis er im Kampfe gegen Thrasybulos getötet wurde.

§ 13. *τὴν — συνουσίαν αὐτοῖν ὡς ἐγένετο διηγήσομαι*] Nach der im Griechischen sehr häufigen Attraktion für: *ὡς ἡ συνουσία αὐτοῖν ἐγένετο, διηγήσομαι*. Vgl. I 3, 8. 4, 13 u. sonst.

§ 14. *Ἐγενέσθην μὲν γὰρ δή*] *μέν* bezieht sich auf das folg. *δέ*; *γὰρ δή* = ja bekanntlich. — *ἐγενέσθην* und nachher *ᾔδεσαν*, Wechsel des Duals und Plurals, vgl. I 2, 16. 18. 33. II 3, 18. — *ἀπ᾽ ἐλαχίστων χρημάτων*] *ἀπό* vom Mittel und Werkzeug. K. § 288.

§ 15. *πότερον — φῇ*] Coniunctivus deliberativus. Vgl. C. § 513. Ko. § 105, 4b u. 107, 2. K. § 259, 1b. Vgl. § 45. II 1, 21. 23. III 7, 6. — *ὀρέξασθαι*] In gleicher Bedeutung der Aor. Pass. § 16 und Symp. 8, 35.

§ 16. *θεοῦ διδόντος*] = *εἰ θεὸς ἐδίδου*. — *ὡς τάχιστα*] = simulatque. — *ἀποπηδήσαντε Σωκράτους*] Vgl. unser abspringen von einem.

17   Ἴσως οὖν εἴποι τις ἂν πρὸς ταῦτα, ὅτι χρῆν τὸν Σωκρά-
την μὴ πρότερον τὰ πολιτικὰ διδάσκειν τοὺς συνόντας ἢ
σωφρονεῖν. Ἐγὼ δὲ πρὸς τοῦτο μὲν οὐκ ἀντιλέγω· πάντας
δὲ τοὺς διδάσκοντας ὁρῶ αὐτοὺς δεικνύντας τε τοῖς μανθά-
νουσιν, ἧπερ αὐτοὶ ποιοῦσιν, ἃ διδάσκουσι, καὶ τῷ λόγῳ
18   προσβιβάζοντας. Οἶδα δὲ καὶ Σωκράτην δεικνύντα τοῖς ξυν-
οῦσιν ἑαυτὸν καλὸν κἀγαθὸν ὄντα καὶ διαλεγόμενον κάλλιστα
περὶ ἀρετῆς καὶ τῶν ἄλλων ἀνθρωπίνων. Οἶδα δὲ κἀκείνω
σωφρονοῦντε, ἔστε Σωκράτει συνήστην, οὐ φοβουμένω, μὴ
ζημιοῖντο ἢ παίοιντο ὑπὸ Σωκράτους, ἀλλ' οἰομένω τότε κρά-
τιστον εἶναι τοῦτο πράττειν.

19   Ἴσως οὖν εἴποιεν ἂν πολλοὶ τῶν φασκόντων φιλοσοφεῖν,
ὅτι οὐκ ἄν ποτε ὁ δίκαιος ἄδικος γένοιτο, οὐδὲ ὁ σώφρων
ὑβριστής, οὐδὲ ἄλλο οὐδέν, ὧν μάθησίς ἐστιν, ὁ μαθὼν
ἀνεπιστήμων ἄν ποτε γένοιτο. Ἐγὼ δὲ περὶ τούτων οὐχ οὕτω
γιγνώσκω· ὁρῶ γὰρ ὥσπερ τὰ τοῦ σώματος ἔργα τοὺς μὴ τὰ
σώματα ἀσκοῦντας οὐ δυναμένους ποιεῖν, οὕτω καὶ τὰ τῆς
ψυχῆς ἔργα τοὺς μὴ τὴν ψυχὴν ἀσκοῦντας οὐ δυναμένους·
οὔτε γὰρ ἃ δεῖ πράττειν οὔτε ὧν δεῖ ἀπέχεσθαι δύνανται.
20   Διὸ καὶ τοὺς υἱεῖς οἱ πατέρες, κἂν ὦσι σώφρονες, ὅμως ἀπὸ
τῶν πονηρῶν ἀνθρώπων εἴργουσιν, ὡς τὴν μὲν τῶν χρηστῶν
ὁμιλίαν ἄσκησιν οὖσαν τῆς ἀρετῆς, τὴν δὲ τῶν πονηρῶν κατά-
λυσιν. Μαρτυρεῖ δὲ καὶ τῶν ποιητῶν ὅ τε λέγων·
        Ἐσθλῶν μὲν γὰρ ἀπ' ἐσθλὰ διδάξεαι· ἢν δὲ κακοῖσιν
        Συμμίσγῃς, ἀπολεῖς καὶ τὸν ἐόντα νόον,
καὶ ὁ λέγων·

§ 17. οὐκ ἀντιλέγω] Dem will
ich nicht widersprechen, aber das
steht fest, Sokrates leitete seine
Jünger zur Tugend an. Er läßt für
jetzt die gemachte Beschuldigung
auf sich beruhen, weil er sie später
(IV 3, 1) gründlich widerlegen will.
— τῷ λόγῳ προσβιβάζοντας]
durch Vorträge eine Anleitung ge-
ben zur Auffassung der Lehre.
   § 19. τῶν φασκόντων φιλο-
σοφεῖν] wie die Sophisten thun.
— ἄλλο οὐδέν] abhängig von dem
Verbaladjektive ἀνεπιστήμων. Cy-
rop. III 3, 9: ἐπιστήμονες δὲ ἦσαν
τὰ προσήκοντα. — ὁρῶ γάρ,
ὥσπερ — δυναμένους ποιεῖν]

Attraktion, durch die der Neben-
satz die Form des Hauptsatzes an-
genommen hat, also für: ὁρῶ, ὥσπερ
— οἱ μὴ τὰ σώματα ἀσκοῦντες
οὐ δύνανται ποιεῖν, οὕτω καὶ
— τοὺς μὴ τ. ψ. ἀσκοῦντας οὐ δυ-
ναμένους. Vgl. § 21. Cyrop. I
4, 15.
   § 20. ὡς οὖσαν] vgl. I 3, 2.
S. C. § 586, 2. Ko. § 124, 4a. K.
§ 312, 5 d. — Das Distichon ist
von Theognis, einem gnomischen
Dichter, um 530 v. Chr., (35 u. 36)
[doch steht bei Th.: μαθήσεαι
st. διδάξεαι]; wem der darauf fol-
gende Vers zuzuschreiben sei, ist
unbekannt.

Αὐτὰρ ἀνὴρ ἀγαθὸς τοτὲ μὲν κακός, ἄλλοτε δ᾽ ἐσθλός.
Κἀγὼ δὲ μαρτυρῶ τούτοις· ὁρῶ γὰρ ὥσπερ τῶν ἐν μέτρῳ 21
πεποιημένων ἐπῶν τοὺς μὴ μελετῶντας ἐπιλανθανομένους,
οὕτω καὶ τῶν διδασκαλικῶν λόγων τοῖς ἀμελοῦσι λήθην ἐγ-
γιγνομένην. Ὅταν δὲ τῶν νουθετικῶν λόγων ἐπιλάθηταί τις,
ἐπιλέλησται καὶ ὧν ἡ ψυχὴ πάσχουσα τῆς σωφροσύνης ἐπεθύμει·
τούτων δ᾽ ἐπιλαθόμενον οὐδὲν θαυμαστὸν καὶ τῆς σωφρο-
σύνης ἐπιλαθέσθαι. Ὁρῶ δὲ καὶ τοὺς εἰς φιλοποσίαν προ- 22
αχθέντας καὶ τοὺς εἰς ἔρωτας ἐκκυλισθέντας ἧττον δυναμένους
τῶν τε δεόντων ἐπιμελεῖσθαι καὶ τῶν μὴ δεόντων ἀπέχεσθαι·
πολλοὶ γὰρ καὶ χρημάτων δυνάμενοι φείδεσθαι, πρὶν ἐρᾶν,
ἐρασθέντες οὐκέτι δύνανται· καὶ τὰ χρήματα καταναλώσαντες,
ὧν πρόσθεν ἀπείχοντο κερδῶν, αἰσχρὰ νομίζοντες εἶναι, τούτων
οὐκ ἀπέχονται. Πῶς οὖν οὐκ ἐνδέχεται σωφρονήσαντα πρόσθεν 23
αὖθις μὴ σωφρονεῖν καὶ δίκαια δυνηθέντα πράττειν αὖθις
ἀδυνατεῖν; Πάντα μὲν οὖν ἔμοιγε δοκεῖ τὰ καλὰ καὶ τὰ ἀγαθὰ
ἀσκητὰ εἶναι, οὐχ ἥκιστα δὲ σωφροσύνη· ἐν τῷ γὰρ αὐτῷ
σώματι συμπεφυτευμέναι τῇ ψυχῇ αἱ ἡδοναὶ πείθουσιν αὐτὴν
μὴ σωφρονεῖν, ἀλλὰ τὴν ταχίστην ἑαυταῖς τε καὶ τῷ σώματι
χαρίζεσθαι.

Καὶ Κριτίας δὴ καὶ Ἀλκιβιάδης, ἕως μὲν Σωκράτει συν- 24
ήστην, ἐδυνάσθην ἐκείνῳ χρωμένῳ συμμάχῳ τῶν μὴ καλῶν
ἐπιθυμιῶν κρατεῖν· ἐκείνου δ᾽ ἀπαλλαγέντες, Κριτίας μὲν φυγὼν
εἰς Θετταλίαν ἐκεῖ συνῆν ἀνθρώποις ἀνομίᾳ μᾶλλον ἢ δικαιο-

§ 21. Κἀγὼ δὲ] S. zu l 1, 3.
Wegen ὁρῶ — ὁρῶ δὲ καὶ s. zu
I 1, 1, und wegen des mit ὥσπερ
eingeleitetenVergleichungssatzes zu
§ 19. — ἐπιλέλησται — ἐπεθύ-
μει] so hat er auch die Stimmung
vergessen, in der seine Seele nach
der Besonnenheit verlangte (ὧν =
τούτων, ἅ . . .).
§ 22. ἧττον sc. ἢ πρότερον. —
ἔρωτας] amores, Liebeshän-
del, wegen des Plur. s. zu I 1, 11.
§ 23. ἐνδέχεται] es ist mög-
lich. Vgl. III 9, 4. IV 7, 9. —
ἀσκητά] Die Tugend könne durch
Übung erreicht und ausgebildet
werden und müsse, wenn sie nicht
der Sinnlichkeit unterliegen solle,
von uns geübt werden. — οὐχ

ἥκιστα] ἀλλὰ μάλιστα. Vgl. § 32.
— σωφροσύνη] ohne Artikel.
Vgl. III 9, 5. IV 6, 7. — αἱ ἡδο-
ναί] wie voluptates, die sinn-
lichen Begierden.
§ 24. Καὶ Κριτίας δή] durch
δή (= nun) wird die unterbrochene
Rede wieder aufgenommen. Vgl.
§ 56 u. 59. — ἀπαλλαγέντες,
Κριτίας μὲν — Ἀλκιβιάδης
δ᾽ αὖ] Appositio partitiva. C.
§ 412, A. 4. Ko. § 84, 15, A. 3. K.
§ 265, 3. Vgl. II 1, 4. — φυγών]
Kritias wurde wegen seiner feind-
seligen Gesinnung gegen das Volk
(μισοδημότατος) aus Athen ver-
bannt (411 v. Chr.). S. Hellen. II
3, 36. — ἀνομίᾳ] Die Thessalier
waren damals wegen ihrer Sitten-

σύνη χρωμένοις· Ἀλκιβιάδης δ' αὖ διὰ μὲν κάλλος ὑπὸ πολ-
λῶν καὶ σεμνῶν γυναικῶν θηρώμενος, διὰ δύναμιν δὲ τὴν ἐν
τῇ πόλει καὶ τοῖς συμμάχοις ὑπὸ πολλῶν καὶ δυνατῶν [κολα-
κεύειν] ἀνθρώπων διαθρυπτόμενος, ὑπὸ δὲ τοῦ δήμου τιμώ-
μενος καὶ ῥᾳδίως πρωτεύων, ὥσπερ οἱ τῶν γυμνικῶν ἀγώνων
ἀθληταὶ ῥᾳδίως πρωτεύοντες ἀμελοῦσι τῆς ἀσκήσεως, οὕτω
25 κἀκεῖνος ἠμέλησεν αὑτοῦ. Τοιούτων δὲ συμβάντων αὐτοῖν,
καὶ ἀγκωμένω μὲν ἐπὶ γένει, ἐπηρμένω δ' ἐπὶ πλούτῳ, πε-
φυσημένω δ' ἐπὶ δυνάμει, διατεθρυμμένω δὲ ὑπὸ πολλῶν
ἀνθρώπων, ἐπὶ δὲ πᾶσι τούτοις διεφθαρμένω καὶ πολὺν χρόνον
ἀπὸ Σωκράτους γεγονότε, τί θαυμαστόν, εἰ ὑπερηφάνω ἐγε-
26 νέσθην; Εἶτα, εἰ μέν τι ἐπλημμελησάτην, τούτου Σωκράτην
ὁ κατήγορος αἰτιᾶται; ὅτι δὲ νέω ὄντε αὐτώ, ἡνίκα καὶ ἀγνω-
μονεστάτω καὶ ἀκρατεστάτω εἰκὸς εἶναι, Σωκράτης παρέσχε
σώφρονε, οὐδενὸς ἐπαίνου δοκεῖ τῷ κατηγόρῳ ἄξιος εἶναι;
27 Οὐ μὴν τά γε ἄλλα οὕτω κρίνεται· τίς μὲν γὰρ αὐλητής, τίς
δὲ [καὶ] κιθαριστής, τίς δὲ ἄλλος διδάσκαλος ἱκανοὺς ποιήσας
τοὺς μαθητάς, ἐὰν πρὸς ἄλλους ἐλθόντες χείρους φανῶσιν,
αἰτίαν ἔχει τούτου; τίς δὲ πατήρ, ἐὰν ὁ παῖς αὐτοῦ συνδια-
τρίβων τῳ σώφρων ᾖ, ὕστερον δὲ ἄλλῳ τῳ συγγενόμενος
πονηρὸς γένηται, τὸν πρόσθεν αἰτιᾶται; ἀλλ' οὐχ ὅσῳ ἂν
παρὰ τῷ ὑστέρῳ χείρων φαίνηται, τοσούτῳ μᾶλλον ἐπαινεῖ

---

losigkeit und Zügellosigkeit berüch-
tigt. S. Plat. Criton. p. 53 D. —
διὰ μὲν κάλλος — διὰ δύνα-
μιν δὲ] wegen μέν — δέ s. zu I
1, 12. — σεμνῶν] angesehener,
vornehmer Frauen. — δυνατῶν
κολακεύειν] nicht Menschen, die
in der Kunst des Schmeichelns aus-
gezeichnet waren, sondern solche,
welche durch ihre Schmeicheleien
auf das Gemüt des Alkibiades einen
grofsen Einflufs hatten; also hoch-
gestellte, berühmte Männer, nicht
gewöhnliche, alltägliche Schmeich-
ler; doch scheint κολακεύειν ein
späterer Zusatz zu sein. — δια-
θρυπτόμενος] verzärtelt, ver-
wöhnt. Cyrop. VII 2, 23: ὑπὸ πλού-
του διαθρυπτόμενος ... καὶ ὑπ' ἀν-
θρώπων κτλ. — οὕτω κἀκεῖνος]
ἐκεῖνος erneuert das zu Anfang

des Satzes stehende Subjekt, was
hier besonders wegen des Gegen-
satzes zu τοῖς ἀθληταῖς notwendig
ist. Vgl. [IV 2, 25.
§ 25. ἐπὶ δὲ πᾶσι τούτοις
διεφθαρμένω] ἐπὶ c. dat. giebt
hier, wie in den vorangehenden
Satzgliedern, den Grund an, wor-
auf der hinzugefügte Verbalbegriff
(das Verdorbensein) beruht, = 'un-
ter allen diesen Einflüssen'.
§ 26. Εἶτα] und ἔπειτα in
Fragen des Unwillens, der Verwun-
derung, von einer nicht erwarteten
Folge: und doch —? Vgl. I 4, 11.
II 7, 5. 6. 7. 13. III 6, 15. Noch
nachdrücklicher κἄπειτα. Ko.
§ 131, 23, A. 2. K. § 330, 5 e. —
ἡνίκα] in einem Alter, in welchem.
§ 27. Οὐ μήν] s. z. I 2, 5. —
ἀλλ' οὐχ — ἐπαινεῖ —;] s. zu

τὸν πρότερον; ἀλλ' οἵ γε πατέρες αὐτοὶ συνόντες τοῖς υἱέσι τῶν
παίδων πλημμελούντων οὐκ αἰτίαν ἔχουσιν, ἐὰν αὐτοὶ σωφρο
νῶσιν. Οὕτω δὲ καὶ Σωκράτην δίκαιον ἦν κρίνειν· εἰ μὲν 28
αὐτὸς ἐποίει τι φαῦλον, εἰκότως ἂν ἐδόκει πονηρὸς εἶναι· εἰ
δ' αὐτὸς σωφρονῶν διετέλει, πῶς ἂν δικαίως τῆς οὐκ ἐνούσης
αὐτῷ κακίας αἰτίαν ἔχοι;

'Αλλ' ˉεἰ καὶ μηδὲν αὐτὸς πονηρὸν ποιῶν ἐκείνους φαῦλα 29
πράττοντας ὁρῶν ἐπῄνει, δικαίως ἂν ἐπετιμᾶτο. Κριτίαν μὲν
τοίνυν αἰσθανόμενος ἐρῶντα Εὐθυδήμου καὶ πειρῶντα χρῆ
σθαι, καθάπερ οἱ πρὸς τἀφροδίσια τῶν σωμάτων ἀπολαύοντες,
ἀπέτρεπε φάσκων ἀνελεύθερόν τε εἶναι καὶ οὐ πρέπον ἀνδρὶ
καλῷ κἀγαθῷ τὸν ἐρώμενον, ᾧ βούλεται πολλοῦ ἄξιος φαίνε
σθαι, προσαιτεῖν ὥσπερ τοὺς πτωχοὺς ἱκετεύοντα καὶ δεόμενον
προσδοῦναι, καὶ ταῦτα μηδενὸς ἀγαθοῦ. Τοῦ δὲ Κριτίου τοῖς 30
τοιούτοις οὐχ ὑπακούοντος οὐδὲ ἀποτρεπομένου, λέγεται τὸν
Σωκράτην, ἄλλων τε πολλῶν παρόντων καὶ τοῦ Εὐθυδήμου,
εἰπεῖν, ὅτι ὑϊκὸν αὐτῷ δοκοίη πάσχειν ὁ Κριτίας, ἐπιθυμῶν
Εὐθυδήμῳ προσκνῆσθαι, ὥσπερ τὰ ὕδια τοῖς λίθοις. Ἐξ ὧν δὴ 31
καὶ ἐμίσει τὸν Σωκράτην ὁ Κριτίας, ὥστε καί, ὅτε τῶν τριάκοντα

I 2, 2: 'Αλλ' ἔπαυσε μέν. — ἀλλ'
οἵ γε πατέρες] ja die Eltern
sogar; Ggs.: wie viel weniger die
Lehrer.
§ 28. εἰ — ἐποίει — ἂν ἐδό
κει] Si faceret — videretur,
nämlich damals. Wegen des Imperf. s. zu I 1, 5; im folgenden
aber: εἰ — διετέλει, si — temperantiam exercebat, von einem
wirklichen Faktum. — πῶς ἂν —
ἔχοι;] wegen des Opt. c. ἂν im
Nachsatze nach εἰ c. indic. vgl. II
2, 3. 7. 5, 4. 6, 14. III 6, 14. 11, 3.
IV 2, 31. K. § 325, A.
§ 29. Κριτίαν μὲν τοίνυν] μὲν
ist hinzugesetzt, weil X. nachher
auch über Alkibiades reden will;
τοίνυν, igitur, Übergangspartikel. —
Εὐθυδήμου] derselbe, der IV 2, 1
erwähnt wird. — καὶ πειρῶντα
χρῆσθαι] und dafs er ihn (od. seine
Keuschheit) versuche, um ihn (sc.
αὐτῷ) zu seinen schlechten Zwecken
zu benutzen; πειρᾶν τινα, aliquem
(alicuius pudicitiam) temptare. —

ᾧ βούλεται] wegen des indic.
praes. s. zu I 1, 13. — τὸν ἐρώ
μενον — προσαιτεῖν] dazu gehört ἱκετεύοντα καὶ δ. bei dem Geliebten betteln. — ὥσπερ τοὺς
πτωχούς] mittels der Attraktion
für: ὥσπερ οἱ πτωχοὶ (sc. προσαι
τοῦσιν). Vgl. zu § 19. Cic. Lael. I 1:
te suspicor eisdem rebus, quibus me
ipsum, interdum gravius commoveri. — προσδοῦναι, καὶ ταῦτα
μηδενὸς ἀγαθοῦ] eine Beisteuer
zugeben, und zwar von etwas, was
kein Gut ist (was nicht anständig
ist). Wegen προσδοῦναί τινος vgl.
Eur. Cycl. 531: οὐ χρή μ' ἀδελφοῖς
τοῦδε προσδοῦναι ποτοῦ;
§ 30. ὑϊκόν] auch ohne τὶ, etwas Schweinisches. Vgl. II 7, 13.
Plat. Legg. p. 657A: θαυμαστὸν
λέγεις.
§ 31. τῶν τριάκοντα — μετὰ
Χαρικλέους] Von den 'Dreifsig'
(Tyrannen) wird aufser Kritias
nur Char. genannt wegen seines
Ansehens und seiner Macht. —

ὧν νομοθέτης μετὰ Χαρικλέους ἐγένετο, ἀπεμνημόνευσεν αὐτῷ
καὶ ἐν τοῖς νόμοις ἔγραψε λόγων τέχνην μὴ διδάσκειν, ἐπηρεά-
ζων ἐκείνῳ καὶ οὐκ ἔχων, ὅπῃ ἐπιλάβοιτο, ἀλλὰ τὸ κοινῇ τοῖς
φιλοσόφοις ὑπὸ τῶν πολλῶν ἐπιτιμώμενον ἐπιφέρων αὐτῷ καὶ
διαβάλλων πρὸς τοὺς πολλούς· οὐδὲ γὰρ ἔγωγε οὔτε αὐτὸς
τοῦτο πώποτε Σωκράτους ἤκουσα οὔτ' ἄλλου του φάσκοντος
32 ἀκηκοέναι ἠσθόμην. Ἐδήλωσε δέ· ἐπεὶ γὰρ οἱ τριάκοντα πολ-
λοὺς μὲν τῶν πολιτῶν καὶ οὐ τοὺς χειρίστους ἀπέκτεινον,
πολλοὺς δὲ προετρέποντο ἀδικεῖν, εἶπέ που ὁ Σωκράτης, ὅτι
θαυμαστόν οἱ δοκοίη εἶναι, εἴ τις γενόμενος βοῶν ἀγέλης
νομεὺς καὶ τὰς βοῦς ἐλάττους τε καὶ χείρους ποιῶν μὴ ὁμο-
λογοίη κακὸς βουκόλος εἶναι· ἔτι δὲ θαυμαστότερον, εἴ τις
προστάτης γενόμενος πόλεως καὶ ποιῶν τοὺς πολίτας ἐλάττους
καὶ χείρους μὴ αἰσχύνεται μηδ' οἴεται κακὸς εἶναι προστάτης
33 τῆς πόλεως. Ἀπαγγελθέντος δὲ αὐτοῖς τούτου, καλέσαντες ὅ
τε Κριτίας καὶ ὁ Χαρικλῆς τὸν Σωκράτην τόν τε νόμον ἐδει-
κνύτην αὐτῷ καὶ τοῖς νέοις ἀπειπέτην μὴ διαλέγεσθαι. Ὁ δὲ
Σωκράτης ἐπήρετο αὐτώ, εἰ ἐξείη πυνθάνεσθαι, εἴ τι ἀγνοοῖτο
34 τῶν προαγορευομένων. Τὼ δ' ἐφάτην. Ἐγὼ τοίνυν, ἔφη,
παρεσκεύασμαι μὲν πείθεσθαι τοῖς νόμοις· ὅπως δὲ μὴ δι'
ἄγνοιαν λάθω τι παρανομήσας, τοῦτο βούλομαι σαφῶς μαθεῖν
παρ' ὑμῶν· Πότερον τὴν τῶν λόγων τέχνην σὺν τοῖς ὀρθῶς

ἀπεμνημόνευσεν αὐτῷ] ge-
dachte es ihm; aber auch einem
etwas in Gutem gedenken, wie ἀπο-
μνημονεύω τινὶ εὐεργεσίας. — λό-
γων τέχνην] nicht die Rhetorik,
sondern die Kunst der Dialektik, die
Kunst der gründlichen Erörterung,
mag dieselbe sich auf philosophische
oder politische oder andere Gegen-
stände beziehen. — τὸ ἐπιτιμώ-
μενον] s. I 1, 11 und besonders
die Kunst τοῦ τὸν ἥττω λόγον
κρείττω ποιεῖν. — οὐδὲ γὰρ ἔγωγε
οὔτε αὐτός] οὐδὲ γὰρ werden
in negativen Sätzen auf dieselbe
Weise gebraucht, wie καὶ γὰρ in
affirmativen. Vgl. I 4, 2. Γὰρ giebt
den Grund von den vorhergehenden
Worten: ἐπηρεάζων — διαβάλλων
πρὸς τοὺς πολλούς an. — τοῦτο]
solche Dinge, welche man gewöhn-
lich den Philosophen zur Last legt.

§ 32. Ἐδήλωσε] intrans. appa-
ruit, nämlich daſs Kritias mit dem
gegebenen Verbote den Sokrates
verfolge. — οὐ τοὺς χειρίστους]
s. zu § 23: οὐχ ἥκιστα. — ὁμολο-
γοίη — αἰσχύνεται — οἴεται]
warum zuerst der Optat., dann der
Indik.?

§ 33. καλέσαντες — ἐδεικνύ-
την — ἀπειπέτην] C. § 365. Ko.
§ 69, 3. K. § 240, A. 2. Vgl. I 2, 14.
II 3, 18. — τὸν νόμον] § 31. —
ἀπειπέτην μὴ διαλέγεσθαι]
C. § 617, A. 3. Ko. § 130, 13. K.
§ 314, 7. Vgl. IV 4, 3.

§ 34. Ἐγὼ τοίνυν] τοίνυν, als
Übergangspartikel (s. I 2, 29), bei
der raschen Aufnahme der Worte
des andern = Gut! ich bin bereit
u. s. w. Vgl. § 35. 37. I 6, 9. — σὺν
τοῖς ὀρθῶς λεγομένοις εἶναι]
Die Kunst des Redens (§ 31) stehe

λεγομένοις εἶναι νομίζοντες ἢ σὺν τοῖς μὴ ὀρϑῶς ἀπέχεσϑαι
κελεύετε αὐτῆς; Εἰ μὲν γὰρ σὺν τοῖς ὀρϑῶς, δῆλον, ὅτι
ἀφεκτέον *ἂν* εἴη τοῦ ὀρϑῶς λέγειν· εἰ δὲ σὺν τοῖς μὴ ὀρϑῶς,
δῆλον, ὅτι πειρατέον ὀρϑῶς λέγειν. Καὶ ὁ Χαρικλῆς ὀργισϑεὶς 35
αὐτῷ. Ἐπειδή, ἔφη, ὦ Σώκρατες, ἀγνοεῖς, τάδε σοι εὐμα-
ϑέστερα ὄντα προαγορεύομεν, τοῖς νέοις ὅλως μὴ διαλέγεσϑαι·
Καὶ ὁ Σωκράτης· Ἵνα τοίνυν, ἔφη, μὴ ἀμφίβολον ᾖ, [ὡς ἄλλο
τι ποιῶ ἢ τὰ προηγορευμένα,] ὁρίσατέ μοι, μέχρι πόσων ἐτῶν
δεῖ νομίζειν νέους εἶναι τοὺς ἀνϑρώπους. Καὶ ὁ Χαρικλῆς·
Ὅσου περ, εἶπε, χρόνου βουλεύειν οὐκ ἔξεστιν, ὡς οὔπω φρο-
νίμοις οὖσι· μηδὲ σὺ διαλέγου νεωτέροις τριάκοντα ἐτῶν.
Μηδέ, ἄν τι ὠνῶμαι, ἔφη, ἢν πωλῇ νεώτερος τριάκοντα ἐτῶν, 36
ἔρωμαι, ὁπόσου πωλεῖ; Ναὶ τά γε τοιαῦτα, ἔφη ὁ Χαρικλῆς·
ἀλλά τοι σύ γε, ὦ Σώκρατες, εἴωϑας εἰδώς, πῶς ἔχει, τὰ
πλεῖστα ἐρωτᾶν· ταῦτα οὖν μὴ ἐρώτα. Μηδ' ἀποκρίνωμαι
οὖν, ἔφη, ἄν τί με ἐρωτᾷ νέος, ἐὰν εἰδῶ, οἷον ποῦ οἰκεῖ
Χαρικλῆς; ἢ ποῦ ἐστι Κριτίας; Ναὶ τά γε τοιαῦτα, ἔφη ὁ 37
Χαρικλῆς. Ὁ δὲ Κριτίας· Ἀλλὰ τῶνδέ τοί σε ἀπέχεσϑαι, ἔφη,
δεήσει, ὦ Σώκρατες, τῶν σκυτέων καὶ τῶν τεκτόνων καὶ τῶν

auf Seiten dessen, was richtig ge-
sagt wird, d. i. unterstütze die
Wahrheit des Gesagten; σύν τινι
εἶναι, alicui auxilio esse. K. § 291.
— Die Handschr. haben δῆλον
ὅτι ἀφεκτέον εἴη] man erwartet
ἀφεκτέον ἂν εἴη. Die Partikel ἂν
ist hier unentbehrlich. Wegen des
vorherg. -ον (in ἀφεκτέον) konnte
ἂν leicht ausfallen.

§ 35. ὡς ἄλλο τι ποιῶ] wie
ich, auf welche Weise, inwie-
fern ich etwas anderes thue, doch
sind die eingeklammerten Worte
nach Dind. u. Cobet ein späterer
Zusatz. — μέχρι πόσων ἐτῶν]
intra quot annos. Vgl. III 5, 27. —
Ὅσον — χρόνου] d. i. μέχρι ὅσου
χρόνου. S. zu III 3, 1. — βουλεύ-
ειν] βουλευτὴν εἶναι. S. zu I 1, 18.
— τριάκοντα ἐτῶν] Vor dem
dreifsigsten Jahre konnten die Bür-
ger nicht in die βουλή (Senat) auf-
genommen werden.

§ 36. ἄν τι ὠνῶμαι — ἢν
πωλῇ] Der Satz ἢν πωλῇ νεώτερος

ist dem anderen nicht beigeordnet;
denn alsdann müfste es heifsen: καὶ
ἢν π. ν.; sondern untergeordnet;
daher ohne καί. Vgl. II 3, 9. — ἄν
τί με ἐρωτᾷ] so richtig Cobet
nov. lectt. p. 685 st. ἂν τίς με
ἐρωτᾷ. — Ναὶ τά γε τοιαῦτα]
scil. ἐρέσϑαι ἔξεστί σοι. — ἀλλά
τοι] veruntamen. Vgl. II 2, 7. III
6, 10.

§ 37. τῶνδε] mit Nachdruck auf
das folgende vorbereitend. — τῶν
σκυτέων κτλ.] kurz für τῶν παρα-
δειγμάτων τῶν ἀπὸ τῶν σκυτέων.
Sokrates pflegte in seinen Unter-
redungen seine Ansichten und Leh-
ren durch Beispiele aus dem ge-
wöhnlichen Leben zu bekräftigen
und zu beleuchten, ganz im Gegen-
satze zu den Sophisten, die sich in
der Anwendung glänzender und
prachtvoller Bilder und Gleichnisse
gefielen und dadurch die Gemüter
der Zuhörer einzunehmen und zu
blenden suchten. Vgl. IV 4, 57. —

χαλκέων· καὶ γὰρ οἶμαι αὐτοὺς ἤδη κατατετρῖφθαι· διαθρυλου-
μένους ὑπὸ σοῦ. Οὐκοῦν, ἔφη ὁ Σωκράτης, καὶ τῶν ἑπομένων
τούτοις, τοῦ τε δικαίου καὶ τοῦ ὁσίου καὶ τῶν ἄλλων τῶν
τοιούτων; Ναὶ μὰ Δί᾽, ἔφη ὁ Χαρικλῆς, καὶ τῶν βουκόλων
γε· εἰ δὲ μή, φυλάττου, ὅπως μὴ καὶ σὺ ἐλάττους τὰς βοῦς
38 ποιήσῃς. Ἔνθα καὶ δῆλον ἐγένετο, ὅτι ἀπαγγελθέντος αὐτοῖς
τοῦ περὶ τῶν βοῶν λόγου ὠργίζοντο τῷ Σωκράτει.

　　Οἷα μὲν οὖν ἡ συνουσία ἐγεγόνει Κριτίᾳ πρὸς Σωκράτην
39 καὶ ὡς εἶχον πρὸς ἀλλήλους, εἴρηται. Φαίην δ᾽ ἂν ἔγωγε μηδ-
ενὶ μηδεμίαν εἶναι παίδευσιν παρὰ τοῦ μὴ ἀρέσκοντος. Κρι-
τίας δὲ καὶ Ἀλκιβιάδης οὐκ ⟨ἀρέσκοντος αὐτοῖς Σωκράτους⟩
ὡμιλησάτην, ὃν χρόνον ὡμιλείτην αὐτῷ, ἀλλ᾽ εὐθὺς ἐξ ἀρχῆς
ὡρμηκότε προεστάναι τῆς πόλεως· ἔτι γὰρ Σωκράτει συνόντες
οὐκ ἄλλοις τισὶ μᾶλλον ἐπεχείρουν διαλέγεσθαι ἢ τοῖς μάλιστα
40 πράττουσι τὰ πολιτικά. Λέγεται γὰρ Ἀλκιβιάδην, πρὶν εἴκοσιν
ἐτῶν εἶναι, Περικλεῖ, ἐπιτρόπῳ μὲν ὄντι ἑαυτοῦ, προστάτῃ
41 δὲ τῆς πόλεως, τοιάδε διαλεχθῆναι περὶ νόμων· Εἰπέ μοι,
φάναι, ὦ Περίκλεις, ἔχοις ἄν με διδάξαι, τί ἐστι νόμος; Πάν-
τως δήπου, φάναι τὸν Περικλέα. Δίδαξον δὴ πρὸς τῶν θεῶν,
φάναι τὸν Ἀλκιβιάδην· ὡς ἔγωγ᾽ ἀκούων τινῶν ἐπαινουμένων,
ὅτι νόμιμοι ἄνδρες εἰσίν, οἶμαι μὴ ἂν δικαίως τούτου τυχεῖν
42 τοῦ ἐπαίνου τὸν μὴ εἰδότα, τί ἐστι νόμος. Ἀλλ᾽ οὐδέν τι
χαλεποῦ πράγματος ἐπιθυμεῖς, ὦ Ἀλκιβιάδη, φάναι τὸν Περι-
κλέα, βουλόμενος γνῶναι, τί ἐστι νόμος· πάντες γὰρ οὗτοι
νόμοι εἰσίν, οὓς τὸ πλῆθος συνελθὸν καὶ δοκιμάσαν ἔγραψε,
φράζον, ἅ τε δεῖ ποιεῖν καὶ ἃ μή. Πότερον δὲ τἀγαθὰ νομίσαν

κατατετρῖφθαι διαθρυλου-
μένους ὑπὸ σοῦ] die sind ja,
glaub᾽ ich, schon ganz abge-
nutzt, da sie immer von dir
im Munde geführt werden.
Eigentlich wird κατατρίβεσθαι von
den Beispielen gebraucht, vgl. ex-
empla contrita; hier aber ist es
scherzhaft auf die Menschen selbst
übertragen, von denen Sokrates
seine Beispiele zu entlehnen pflegte.
— τῶν ἑπομένων τούτοις] was
mit diesen Beispielen in Verbindung
steht, aus ihnen folgt. — καὶ τῶν
βουκόλων γε] Dieser Zusatz wird
wegen des § 32 angeführten Bei-
spieles gemacht. — ὅπως μὴ —

ποιήσῃς] daſs du nicht die Kühe
weniger machst, d. h. daſs du nicht
die Zahl der Bürger geringer machst,
indem ich dich töten lasse.
§ 39. οὐκ ἀρέσκοντος — ὡμι-
λησάτην] verbinde: οὐχ ὡμιλη-
σάτην, sie gingen nicht, weil sie
Gefallen gefunden hätten an S.,
mit ihm um.
§ 42. οὐδέν τι] nihil quicquam.
— πάντες γὰρ οὗτοι νόμοι εἰ-
σίν] mittelst der Attraktion für
πάντα ταῦτά ἐστι νόμοι, wie § 43:
καὶ ταῦτα νόμος ἐστί. Vgl. III 11,
4. IV 4, 13. C. § 367. Ko. § 69, 9.
K. §. 240, 9. — νομίσαν] nämlich
τὸ πλῆθος ... ἔγραψε. Vgl. zu II 1, 23.

δεῖν ποιεῖν ἢ τὰ κακά; Τἀγαϑά, νὴ Δία, φάναι, ὦ μειράκιον,
τὰ δὲ κακὰ οὔ. Ἐὰν δὲ μὴ τὸ πλῆϑος, ἀλλ', ὥσπερ ὅπου 43
ὀλιγαρχία ἐστίν, ὀλίγοι συνελϑόντες γράψωσιν, ὅ τι χρὴ ποιεῖν,
ταῦτα τί ἐστι; Πάντα, φάναι, ὅσα ἂν τὸ κρατοῦν τῆς πόλεως
βουλευσάμενον, ἃ χρὴ ποιεῖν, γράψῃ, ⟨νόμος⟩ καλεῖται. Καὶ ἂν
τύραννος οὖν⟨κρατῶν τῆς πόλεως⟩γράψῃ τοῖς πολίταις, ἃ χρὴ
ποιεῖν, καὶ ταῦτα νόμος ἐστί; Καὶ ὅσα τύραννος ἄρχων, φάναι,
γράφει, καὶ ταῦτα⟨νόμος⟩ καλεῖται. ⟨Βία⟩ δέ, φάναι, καὶ ἀνομία 44
τί ἐστιν, ὦ Περίκλεις; Ἆρ' οὐχ ὅταν ὁ κρείττων τὸν ἥττω
μὴ πείσας, ἀλλὰ βιασάμενος, ἀναγκάσῃ ποιεῖν, ὅ τι ἂν αὐτῷ
δοκῇ; Ἔμοιγε δοκεῖ, φάναι τὸν Περικλέα. Καὶ ὅσα ἄρα τύ-
ραννος μὴ πείσας τοὺς πολίτας ἀναγκάζει ποιεῖν γράφων,
ἀνομία ἐστί; Δοκεῖ μοι, φάναι τὸν Περικλέα· ἀνατίϑεμαι γὰρ
τὸ ὅσα τύραννος μὴ πείσας γράφει⟨νόμον⟩ εἶναι. Ὅσα δὲ οἱ 45
ὀλίγοι τοὺς πολλοὺς μὴ πείσαντες, ἀλλὰ κρατοῦντες γράφουσι,
πότερον ⟨βίαν⟩ φῶμεν ἢ μὴ φῶμεν εἶναι; Πάντα μοι δοκεῖ,
φάναι τὸν Περικλέα, ὅσα τις μὴ πείσας ἀναγκάζει τινὰ ποιεῖν,
εἴτε γράφων εἴτε μή, ⟨βία⟩ μᾶλλον ἢ ⟨νόμος⟩ εἶναι. Καὶ ὅσα ἄρα
τὸ πᾶν πλῆϑος κρατοῦν τῶν τὰ χρήματα ἐχόντων γράφει μὴ
πεῖσαν, βία μᾶλλον ἢ νόμος ἂν εἴη; Μάλα τοι, φάναι τὸν 46
Περικλέα, ὦ Ἀλκιβιάδη· καὶ ἡμεῖς, τηλικοῦτοι ὄντες, δεινοὶ τὰ
τοιαῦτα ἦμεν· τοιαῦτα γὰρ καὶ ἐμελετῶμεν καὶ ἐσοφιζόμεϑα,
οἷά περ καὶ σὺ νῦν ἐμοὶ δοκεῖς μελετᾶν. Τὸν δὲ Ἀλκιβιάδην
φάναι· Εἴϑε σοι, ὦ Περίκλεις, συνεγενόμην, ὅτε δεινότατος
αὐτὸς ἑαυτοῦ ταῦτα ἦσϑα.‖Ἐπεὶ τοίννν τάχιστα τῶν πολιτευο- 47
μένων ὑπέλαβον κρείττονες εἶναι, Σωκράτει μὲν οὐκέτι προσ-

---

§ 44. ἀνατίϑεμαι] ich nehme
meine Behauptung zurück: senten-
tiam meam retracto. Das Bild ist
vom Brettspiele hergenommen. Man
sagte: ϑεῖναι πεττούς, ponere cal-
culos; ἀναϑεῖναι πεττούς, retrahere
calculos, wenn man einen falschen
Zug gethan hat. Vgl. II 4, 4. In
derselben Bedeutung μετατίϑε-
σϑαι IV 2, 18. Übrigens hatte Pe-
rikles § 43 nur gesagt: καὶ ὅσα
τύραννος ἄρχων γράφει, καὶ ταῦτα
νόμος καλεῖται, ohne den Zusatz
μὴ πείσας. Also, streng genommen,
sind die Worte: ἀνατίϑεμαι γάρ ..
νόμον εἶναι nicht ganz passend.

§ 46. Μάλα τοι] τοί in der
Antwort, wie das lat. vero. Vgl.
I 6, 11. II 1, 11. — ἡμεῖς] = ἐγώ,
im Griechischen nicht häufig; vgl.
II 7, 1. — τὰ τοιαῦτα] in der
Dialektik. — ὅτε δεινότατος
αὐτὸς ἑαυτοῦ ταῦτα ἦσϑα] als
du dich selbst in diesen Studien
übertrafst. Ko. § 71, 4, A. 1. K.
§ 329, 4. So ist mit Cobet nov.
lectt. p. 686 zu lesen statt: δει-
νότατος σαυτοῦ. — αὐτός konnte
wegen des vorangehenden δεινό-
τατος leicht ausfallen, vgl. W.
Gilbert, praef. crit z. d. St.
§ 47. Ἐπεὶ — τάχιστα] = ὡς

ἦεσαν· οὔτε γὰρ αὐτοῖς ἄλλως ἤρεσκεν, εἴ τε προσέλθοιεν,
ὑπὲρ ὧν ἡμάρτανον ἐλεγχόμενοι ἤχθοντο· τὰ δὲ τῆς πόλεως
48 ἔπραττον ὦνπερ ἕνεκεν καὶ Σωκράτει προσῆλθον. Ἀλλὰ Κρί-
των τε Σωκράτους ἦν ὁμιλητὴς καὶ Χαιρεφῶν καὶ Χαιρεκράτης
καὶ Ἑρμοκράτης καὶ Σιμμίας καὶ Κέβης καὶ Φαιδώνδης καὶ
ἄλλοι, οἳ ἐκείνῳ συνῆσαν, οὐχ ἵνα δημηγορικοὶ ἢ δικανικοὶ
γένοιντο, ἀλλ' ἵνα καλοί τε κἀγαθοὶ γενόμενοι καὶ οἴκῳ καὶ
οἰκέταις καὶ οἰκείοις καὶ φίλοις καὶ πόλει καὶ πολίταις δύναιντο
καλῶς χρῆσθαι· καὶ τούτων οὐδεὶς οὔτε νεώτερος οὔτε πρε-
σβύτερος ὢν οὔτ' ἐποίησε κακὸν οὐδὲν οὔτ' αἰτίαν ἔσχεν.

49   Ἀλλὰ Σωκράτης γ', ἔφη ὁ κατήγορος, τοὺς πατέρας προ-
πηλακίζειν ἐδίδασκε, πείθων μὲν τοὺς συνόντας αὐτῷ σοφω-
τέρους ποιεῖν τῶν πατέρων, φάσκων δὲ κατὰ νόμον ἐξεῖναι
(παρανοίας ἑλόντι) καὶ τὸν πατέρα δῆσαι, τεκμηρίῳ τούτῳ χρώ-
μενος, ὡς τὸν ἀμαθέστερον ὑπὸ τοῦ σοφωτέρου νόμιμον· εἴη
50 δεδέσθαι. Σωκράτης δὲ τὸν μὲν ἀμαθίας ἕνεκα δεσμεύοντα
δικαίως ἂν καὶ αὐτὸν ᾤετο δεδέσθαι ὑπὸ τῶν ἐπισταμένων, ἃ
μὴ αὐτὸς ἐπίσταται· καὶ τῶν τοιούτων ἕνεκα πολλάκις ἐσκόπει,

τάχιστα, simulatque. — οὔτε — εἴ
τε] neque — et, einerseits nicht
— andererseits (wenn). Vgl. III
4, 1. C. § 625, 2. Ko. § 131, 60.
K. § 315, 4. — ἐλεγχόμενοι
ἤχθοντο] vgl. II 1, 33. III 13, 3.
C. § 591c. Ko. § 125, 4. K. § 311, 1c.
§ 48. Κρίτων] ein dem Sokra-
tes von ganzer Seele zugethaner
Freund, vgl. II 9, 1 ff., ebenso auch
Chärephon und dessen jüngerer
Bruder Chärekrates. Hermo-
krates war ein berühmter Feld-
herr der Syrakusaner im pelopon-
nesischen Kriege; für Ἑρμοκράτης
will man Ἑρμογένης lesen, weil
dieser auch sonst als vertrauter
Freund des Sokrates genannt wird
(IV 8, 4). Simmias und Kebes
aus Theben begaben sich nach
Athen, um den Sokrates zu hören,
s. III 11, 17. Phädon wird auch
Plat. Phaed. p. 59 C als treuer
Anhänger des Sokr. angeführt. —
οἰκέταις καὶ οἰκείοις] οἰκεῖοι,
Verwandte; οἰκέται sind im Ggs.
zu den οἰκείοις Sklaven. Vgl. IV
4, 17.

§ 49. Ἀλλὰ — γε] s. zu § 12.
— τοὺς πατέρας προπηλακί-
ζειν ἐδίδασκε] s. Apol. § 20
Aristoph. Nub. 1407, wo Phidip-
pides als Schüler des Sokrates
seinen Vater durchprügelt und be-
weist, dies sei recht. — τοὺς συν-
όντας αὐτῷ] so IV 7, 1: τοὺς
ὁμιλοῦντας αὐτῷ; aber § 51: τοῖς
ἑαυτῷ συνοῦσι, so auch § 8. 52.
IV 5, 1. S. K. § 305, 6. — παρα-
νοίας ἑλόντι] qui dementiae vel
patrem convicisset. C. § 422. Ko.
§ 84, 4. K. § 270, 2. Nach dem
Gesetze verlor ein des Wahnsinns
überführter Vater seine Freiheit.
Der Ankläger wirft nun dem So-
krates vor, er habe diesem Gesetze
einen anderen Sinn untergeschoben,
um zu beweisen, ὡς τὸν ἀμαθέστε-
ρον ὑπὸ τοῦ σοφωτέρου νόμιμον
εἴη δεδέσθαι. — τεκμηρίῳ τού-
τῳ χρώμενος] dies als Beweis. C.
§ 389, 2. Ko. § 72, 13, A. K. § 246,
A. 1 a. — τούτῳ] scil. κατὰ νό-
μον ἐξεῖναι κτλ. — δεδέσθαι]
vinctum teneri.

τί διαφέρει μανίας ἀμαθία· καὶ τοὺς μὲν μαινομένους ᾤετο
συμφερόντως ἂν δεδέσθαι καὶ αὐτοῖς καὶ τοῖς φίλοις, τοὺς δὲ
μὴ ἐπισταμένους τὰ δέοντα δικαίως ἂν μανθάνειν· παρὰ τῶν
ἐπισταμένων. Ἀλλὰ Σωκράτης γε, ἔφη ὁ κατήγορος, οὐ μόνον 51
τοὺς πατέρας, ἀλλὰ καὶ τοὺς ἄλλους συγγενεῖς ἐποίει ἐν ἀτιμίᾳ
εἶναι παρὰ τοῖς ἑαυτῷ συνοῦσι, λέγων, ὡς οὔτε τοὺς κάμνον-
τας οὔτε τοὺς δικαζομένους οἱ συγγενεῖς ὠφελοῦσιν, ἀλλὰ τοὺς
μὲν οἱ ἰατροί, τοὺς δὲ οἱ συνδικεῖν ἐπιστάμενοι. Ἔφη δὲ καὶ 52
περὶ τῶν φίλων αὐτὸν λέγειν, ὡς οὐδὲν ὄφελος εὔνους εἶναι,
εἰ μὴ καὶ ὠφελεῖν δυνήσονται· μόνους δὲ φάσκειν αὐτὸν ἀξίους
εἶναι τιμῆς τοὺς εἰδότας τὰ δέοντα καὶ ἑρμηνεῦσαι δυναμένους·
ἀναπείθοντα οὖν τοὺς νέους αὐτόν, ὡς αὐτὸς εἴη σοφώτατός
τε καὶ ἄλλους ἱκανώτατος ποιῆσαι σοφούς, οὕτω διατιθέναι
τοὺς ἑαυτῷ συνόντας, ὥστε μηδαμοῦ παρ' αὐτοῖς τοὺς ἄλλους
εἶναι πρὸς ἑαυτόν. Ἐγὼ δ' αὐτὸν οἶδα μὲν καὶ περὶ πατέρων 53
τε καὶ τῶν ἄλλων συγγενῶν τε καὶ περὶ φίλων ταῦτα λέγοντα·
καὶ πρὸς τούτοις γε δή, ὅτι τῆς ψυχῆς ἐξελθούσης, ἐν ᾗ μόνῃ
γίγνεται φρόνησις, τὸ σῶμα τοῦ οἰκειοτάτου ἀνθρώπου τὴν
ταχίστην ἐξενέγκαντες ἀφανίζουσιν. Ἔλεγε δέ, ὅτι καὶ ζῶν 54
ἕκαστος ἑαυτοῦ ὃ πάντων μάλιστα φιλεῖ, τοῦ σώματος ὅ τι ἂν
ἀχρεῖον ᾖ καὶ ἀνωφελές, αὐτός τε ἀφαιρεῖ καὶ ἄλλῳ παρέχει·

---

§ 50. διαφέρει μανίας ἀμα-
θία] s. III 9, 6. — αὐτοῖς καὶ
τοῖς φίλοις] abhängig von συμ-
φερόντως.

§ 52. ὡς ὄφελος] scil. ἐστί. —
ἑρμηνεῦσαι] Perikles rühmt bei
Thuc. II 60 von sich: οὐδενὸς οἴο-
μαι ἥσσων εἶναι γνῶναί τὲ τὰ δέ-
οντα καὶ ἑρμηνεῦσαι ταῦτα. —
μηδαμοῦ εἶναι] nullo numero et
loco esse. — πρὸς ἑαυτόν] in
Vergleich mit ihm. Vgl. I 3, 4.
III 5, 4. IV 8, 7. K. § 303 c.

§ 53. οἶδα μέν] scio quidem..,
sed (§ 55) inique Socratis ver-
ba interpretatus est accusa-
tor. Über das allein stehende μέν
s. zu 1 1, 1. — περὶ πατέρων τε
καὶ τῶν ἄλλων συγγενῶν τε
καὶ περὶ φίλων] Die Worte συγ-
γενῶν τε καὶ περὶ φίλων sind dem
Worte τῶν ἄλλων als Apposition
hinzugefügt: de patribus cete-
risque et propinquis et amicis;
die Präp. περὶ ist vor φίλων wie-
derholt, weil das Wort φίλων einen
Begriff bezeichnet, der von dem
der πατέρων und συγγενῶν ver-
schieden ist. Vgl. I 3, 3. — καὶ
πρὸς τούτοις γε δή] καὶ — γέ
stehen oft bei der Aufzählung meh-
rerer Glieder am Ende, um das letzte
nachdrücklich hervorzuheben. Vgl.
III 5, 10. 11, 10. 14, 3. Zur größe-
ren Verstärkung tritt noch δή hin-
zu. — ἀφανίζουσιν] begraben.
— Ἔλεγε δέ] er sagte ferner; δέ
bezeichnet hier nicht einen Gegen-
satz, sondern reiht an das Vorher-
gehende etwas anderes an.

§ 54. ἑαυτοῦ ὃ πάντων κτλ.]
d. i. ἕκαστος ἀφαιρεῖ τούτου, ὃ πάν-
των μάλιστα ἑαυτοῦ φιλεῖ (τοῦ σώ-
ματος λέγω), ὅ τι ἂν ἀχρεῖον ᾖ.
Vgl. III 11, 1: ἑαυτῆς ὅσα καλῶς
ἔχοι. — παρέχει] scil. ἀφαιρεῖν.

αὐτοί τέ γε αὐτῶν ὄνυχάς τε καὶ τρίχας καὶ τύλους ἀφαιροῦσι
καὶ τοῖς ἰατροῖς παρέχουσι μετὰ πόνων τε καὶ ἀλγηδόνων καὶ
ἀποτέμνειν καὶ ἀποκαίειν καὶ τούτων χάριν οἴονται δεῖν αὐτοῖς
καὶ μισθὸν τίνειν· καὶ τὸ σίαλον ἐκ τοῦ στόματος ἀποπτύουσιν
ὡς δύνανται πορρωτάτω, διότι ὠφελεῖ μὲν οὐδὲν αὐτοὺς ἐνόν,
55 βλάπτει δὲ πολὺ μᾶλλον. Ταῦτ' οὖν ἔλεγεν οὐ τὸν μὲν πα-
τέρα ζῶντα κατορύττειν διδάσκων, ἑαυτὸν δὲ κατατέμνειν, ἀλλ'
ἐπιδεικνύων, ὅτι τὸ ἄφρον ἄτιμόν ἐστι, παρεκάλει ἐπιμελεῖσθαι
τοῦ ὡς φρονιμώτατον εἶναι καὶ ὠφελιμώτατον, ὅπως, ἐάν τε
ὑπὸ πατρός, ἐάν τε ὑπὸ ἀδελφοῦ, ἐάν τε ὑπὸ ἄλλου τινὸς
βούληται τιμᾶσθαι, μὴ τῷ οἰκεῖος εἶναι πιστεύων ἀμελῇ, ἀλλὰ
πειρᾶται, ὑφ' ὧν ἂν βούληται τιμᾶσθαι, τούτοις ὠφέλιμος
εἶναι.

56 Ἔφη δ' αὐτὸν ὁ κατήγορος καὶ τῶν ἐνδοξοτάτων ποιητῶν
ἐκλεγόμενον τὰ πονηρότατα καὶ τούτοις μαρτυρίοις χρώμενον
διδάσκειν τοὺς συνόντας κακούργους τε εἶναι καὶ τυραννικούς,
Ἡσιόδου μὲν τό·

Ἔργον δ' οὐδὲν ὄνειδος, ἀεργίη δέ τ' ὄνειδος
τοῦτο δὴ λέγειν αὐτόν, ὡς ὁ ποιητὴς κελεύει μηδενὸς ἔργου
μήτε ἀδίκου μήτε αἰσχροῦ ἀπέχεσθαι, ἀλλὰ καὶ ταῦτα ποιεῖν
57 ἐπὶ τῷ κέρδει. Σωκράτης δ' ἐπειδὴ ὁμολογήσαιτο τὸ μὲν
ἐργάτην εἶναι ὠφέλιμόν τε ἀνθρώπῳ καὶ ἀγαθὸν εἶναι, τὸ δὲ
ἀργὸν βλαβερόν τε καὶ κακόν, καὶ τὸ μὲν ἐργάζεσθαι ἀγαθόν,
τὸ δὲ ἀργεῖν κακόν, τοὺς μὲν ἀγαθόν τι ποιοῦντας ἐργάζεσθαί
τε ἔφη καὶ ἐργάτας [ἀγαθοὺς] εἶναι· τοὺς δὲ κυβεύοντας ἤ τι
ἄλλο πονηρὸν καὶ ἐπιζήμιον ποιοῦντας ἀργοὺς ἀπεκάλει. Ἐκ
δὲ τούτων ὀρθῶς ἂν ἔχοι τό·

Ἔργον δ' οὐδὲν ὄνειδος, ἀεργίη δέ τ' ὄνειδος.

— αὐτοί τέ γε] γέ hat oft etwa
dieselbe Bedeutung wie γάρ. Vgl.
III 14, 5. IV 2, 5.
§ 55. βούληται] ist gesagt, als
ob vorherginge: παρεκάλει ἕκα-
στον ἐπιμελεῖσθαι. Vgl. III 9, 6.
Wegen des Konjunktivs nach dem
Präteritum s. zu I 2, 2.
§ 56. τούτοις μαρτυρίοις] s.
zu § 49. — Ἡσιόδου] Ἔργ. κ.
Ἡμέρ. 311, wo Hesiodos vom Land-
baue spricht; aber die Ankläger
des Sokrates, den Sinn des Verses
verdrehend, bezogen ihn auf Thaten

jeglicher Art, selbst auf verkehrte
und schlechte. Sie scheinen οὐδέν,
das mit ὄνειδος zu verbinden ist,
mit ἔργον verbunden zu haben; vgl.
im folg. μηδενὸς ἔργου. — ἀεργίη
mit langem ι. — Τοῦτο δή] s.
zu § 24. Vgl. § 58.
§ 57. ἐπειδὴ ὁμολογήσαιτο]
Wegen des Optativs von einer un-
bestimmten Frequenz s. C. § 557 b. b.
Ko. § 118, 3. K. § 323, 6, a. Vgl.
I 3, 4. 4, 19. II 9, 4. Ὁμολογεῖ-
σθαι, sich verständigen, zu-
geben.

Τὸ δὲ Ὁμήρου ἔφη ὁ κατήγορος πολλάκις αὐτὸν λέγειν, ὅτι 58
Ὀδυσσεὺς

Ὅντινα μὲν βασιλῆα καὶ ἔξοχον ἄνδρα κιχείη,
Τὸν δ᾽ ἀγανοῖς ἐπέεσσὶν ἐρητύσασκε παραστάς·
Δαιμόνι᾽, οὔ σε ἔοικε κακὸν ὡς δειδίσσεσθαι,
Ἀλλ᾽ αὐτός τε κάθησο καὶ ἄλλους ἵδρυε λαούς.
Ὅν δ᾽ αὖ δήμου τ᾽ ἄνδρα ἴδοι βοόωντά τ᾽ ἐφεύροι,
Τὸν σκήπτρῳ ἐλάσασκεν ὁμοκλήσασκέ τε μύθῳ·
Δαιμόνι᾽, ἀτρέμας ἧσο καὶ ἄλλων μῦθον ἄκουε,
Οἳ σέο φέρτεροί εἰσι· σὺ δ᾽ ἀπτόλεμος καὶ ἄναλκις,
Οὔτε ποτ᾽ ἐν πολέμῳ ἐναρίθμιος οὔτ᾽ ἐνὶ βουλῇ.
Ταῦτα δὴ αὐτὸν ἐξηγεῖσθαι, ὡς ὁ ποιητὴς ἐπαινοίη παίεσθαι
τοὺς δημότας καὶ πένητας. Σωκράτης δ᾽ οὐ ταῦτ᾽ ἔλεγε· καὶ 59
γὰρ ἑαυτὸν οὕτω γ᾽ ἂν ᾤετο δεῖν παίεσθαι· ἀλλ᾽ ἔφη δεῖν
τοὺς μήτε λόγῳ μήτ᾽ ἔργῳ ὠφελίμους ὄντας μήτε στρατεύματι
μήτε πόλει μήτε αὐτῷ τῷ δήμῳ, εἴ τι δέοι, βοηθεῖν ἱκανούς,
ἄλλως τ᾽ ἐὰν πρὸς τούτῳ καὶ θρασεῖς ᾽ὦσι, πάντα τρόπον ᾽ †
κωλύεσθαι, κἂν πάνυ πλούσιοι τυγχάνωσιν ὄντες. Ἀλλὰ 60
Σωκράτης γε τἀναντία τούτων φανερὸς ἦν καὶ δημοτικὸς καὶ
φιλάνθρωπος ὤν· ἐκεῖνος γὰρ πολλοὺς ἐπιθυμητὰς καὶ ἀστοὺς
καὶ ξένους λαβὼν οὐδένα πώποτε μισθὸν τῆς συνουσίας ἐπρά-
ξατο, ἀλλὰ πᾶσιν ἀφθόνως ἐπήρκει τῶν ἑαυτοῦ· ὧν τινες
μικρὰ μέρη παρ᾽ ἐκείνου προῖκα λαβόντες πολλοῦ τοῖς ἄλλοις
ἐπώλουν καὶ οὐκ ἦσαν, ὥσπερ ἐκεῖνος, δημοτικοί· τοῖς γὰρ
μὴ ἔχουσι χρήματα διδόναι οὐκ ἤθελον διαλέγεσθαι. Ἀλλὰ 61
Σωκράτης γε καὶ πρὸς τοὺς ἄλλους ἀνθρώπους κόσμον τῇ

§ 58. Ὁμήρου] Iliad. II 188 ff. u. 198 ff. — δημότας] d. i. δημοτικούς, plebeios. Dieser ionische Gebrauch findet sich unter den Attikern nur bei Xenophon; § 60 aber wird δημοτικός mit φιλάνθρωπος zusammengestellt und bedeutet popularis.
§ 59. ἂν ᾤετο] s. zu I 1, 5. — μήτε αὐτῷ τῷ δήμῳ] statt μήτε mutmaßt Dindorf wohl mit Recht μηδέ. — ἄλλως τ᾽ ἐάν] eigentlich: und überdies wenn, d. h. und besonders wenn. Ähnlich: ἄλλως τε καί, cum alia ratione, tum, was man durch zumal (prae-

sertim) übersetzen kann. Vgl. II 6, 30. 8, 1. C. 624 b, 6 A. 1. K. § 131, 2. K. § 315, 3.
§ 60. τἀναντία τούτων] contra atque illi. Vgl. II 6, 5. 7, 8. IV 2, 22. — ἐπιθυμητάς] studiosos sui, von Schülern, die ihrem Lehrer zugethan sind. Apol. 28: Ἀπολλόδωρος ἐπιθυμητὴς μὲν ἰσχυρῶς αὐτοῦ. Vgl. I 2, 5. — ἐπήρκει τῶν ἑαυτοῦ] von dem Seinigen, d. h. von seinen Lehren. Vgl. II 1, 31. C. 419. Ko. § 84, 7 a. K. § 273, 1.
§ 61. πρὸς τοὺς ἄλλους ἀνθρώπους κόσμον — παρεῖχε]

πόλει παρεῖχε πολλῷ μᾶλλον ἢ Λίχας τῇ Λακεδαιμονίων, ὃς
ὀνομαστὸς ἐπὶ τούτῳ γέγονε. Λίχας μὲν γὰρ ταῖς γυμνοπαι-
δίαις τοὺς ἐπιδημοῦντας ἐν Λακεδαίμονι ξένους ἐδείπνιζε,
Σωκράτης δὲ διὰ παντὸς τοῦ βίου τὰ ἑαυτοῦ δαπανῶν τὰ
μέγιστα πάντας τοὺς βουλομένους ὠφέλει· βελτίους γὰρ ποιῶν
τοὺς συγγιγνομένους ἀπέπεμπεν.

62   Ἐμοὶ μὲν δὴ Σωκράτης τοιοῦτος ὢν ἐδόκει τιμῆς ἄξιος
εἶναι τῇ πόλει μᾶλλον ἢ θανάτου. Καὶ κατὰ τοὺς νόμους δὲ
σκοπῶν ἄν τις τοῦθ᾽ εὕροι. Κατὰ γὰρ τοὺς νόμους, ἐάν τις
φανερὸς γένηται κλέπτων ἢ λωποδυτῶν ἢ βαλαντιοτομῶν ἢ
τοιχωρυχῶν ἢ ἀνδραποδιζόμενος ἢ ἱεροσυλῶν, τούτοις θάνα-
τός ἐστιν ἡ ζημία· ὧν ἐκεῖνος πάντων ἀνθρώπων πλεῖστον
63 ἀπεῖχεν. Ἀλλὰ μὴν τῇ πόλει γε οὔτε πολέμου κακῶς συμβάν-
τος οὔτε στάσεως οὔτε προδοσίας οὔτε ἄλλου κακοῦ οὐδενὸς
πώποτε αἴτιος ἐγένετο. Οὐδὲ μὴν ἰδίᾳ γε οὐδένα πώποτε ἀν-
θρώπων οὔτε ἀγαθῶν ἀπεστέρησεν οὔτε κακοῖς περιέβαλεν·
64 ἀλλ᾽ οὐδ᾽ αἰτίαν τῶν εἰρημένων οὐδενὸς πώποτ᾽ ἔσχε. Πῶς
οὖν ἔνοχος ἂν εἴη τῇ γραφῇ; ὃς ἀντὶ μὲν τοῦ μὴ νομίζειν
θεούς, ὡς ἐν τῇ γραφῇ γέγραπτο, φανερὸς ἦν θεραπεύων τοὺς
θεοὺς μάλιστα τῶν ἄλλων ἀνθρώπων, ἀντὶ δὲ τοῦ διαφθείρειν
τοὺς νέους, ὃ δὴ ὁ γραψάμενος αὐτὸν ᾐτιᾶτο, φανερὸς ἦν τῶν
συνόντων τοὺς πονηρὰς ἐπιθυμίας ἔχοντας τούτων μὲν παύων,

πρός c. acc. drückt die Verbreitung
aus. Vgl. I 3, 3. Ebenso εἰς. —
τῇ πόλει] Athen. — Λίχας] war
Sohn des Arkesilaos und Zeit-
genosse des Sokrates. — ἐπὶ τού-
τῳ] in dieser Beziehung (ἐπὶ τῷ
κόσμον παρέχειν τῇ πόλει); wegen
ἐπί vgl. II 1, 27. 28. III 6, 16. K.
§ 301 b. — ταῖς γυμνοπαιδίαις]
ein Fest zu Sparta im Monate
Hekatombäon, an dem nackte
Knaben zu Ehren der bei Thyrea
gefallenen Spartiaten um die Bild-
säule des Ἀπόλλων Καρνεῖος Chor-
reigen aufführten. Wegen des Da-
tivs s. C. § 443. Ko. § 85, 9. K. § 283
A. 2. — τὰ μέγιστα πάντας —
ὠφέλει] vgl. IV 1, 1. S. C. § 401.
Ko. § 83, 9 u. 13. K. § 280 A. 2.
Sogar im Pass. πολλά, μεγάλα ὠφε-
λοῦμαι III 11, 3.

§ 62. Ἐμοὶ μὲν δή] μὲν δή
am Schlusse einer Erörterung. Vgl.
IV 3, 18. — τιμῆς ἄξιος εἶναι
τῇ πόλει] s. zu I 1, 1. — Καὶ δέ]
s. zu I 1, 3. — τούτοις] nach
τις. Constructio κατὰ σύνεσιν, s. zu
II 1, 31. Vgl. II 3, 2. 8, 6. III
10, 1.

§ 63. Οὐδὲ μὴν ἰδίᾳ γε] s.
zu I 2, 5; wegen ἀλλὰ μὴν zu I
1, 6.

§ 64. ὃς — φανερὸς ἦν] ὃς
nach einem Fragesatze für οὗτος
γάρ, er, der. Vgl. I 4, 11. III 5,
15. IV 3, 3; nachdrücklicher: ὃς
γε, wie III 5, 16. — γραφῇ γέ-
γραπτο] wohl richtiger zu schrei-
ben: γραφῇ γέγραπτο, als Aphä-
resis, s. die größere Ausgabe u. K.
ausführl. griech. Gr. T. I § 199, 11,
S. 506.

τῆς δὲ καλλίστης καὶ μεγαλοπρεπεστάτης ἀρετῆς, ᾗ πόλεις τε
καὶ οἴκους εὖ οἰκοῦσι, προτρέπων ἐπιθυμεῖν· ταῦτα δὲ πράτ-
των πῶς οὐ μεγάλης ἄξιος ἦν τιμῆς τῇ πόλει;

Drittes Kapitel.

Inhalt.

Kurze Wiederholung des schon in den vorigen Kapiteln Gesagten,
jedoch wird mehr die Art und Weise, wie Sokrates die Götter verehrt
hat, gezeigt und seine Mäfsigkeit in der Lebensweise weitläufiger aus-
einandergesetzt.

Ὡς δὲ δὴ καὶ ὠφελεῖν ἐδόκει μοι τοὺς ξυνόντας τὰ μὲν 1
ἔργῳ δεικνύων ἑαυτὸν οἷος ἦν, τὰ δὲ καὶ διαλεγόμενος, τού-
των δὴ γράψω, ὁπόσα ἂν διαμνημονεύσω. Τὰ μὲν τοίνυν
πρὸς τοὺς θεοὺς φανερὸς ἦν καὶ ποιῶν καὶ λέγων, ᾗπερ ἡ
Πυθία ὑποκρίνεται τοῖς ἐρωτῶσι, πῶς δεῖ ποιεῖν ἢ περὶ θυ-
σίας ἢ περὶ προγόνων θεραπείας ἢ περὶ ἄλλου τινὸς τῶν
τοιούτων· ἥ τε γὰρ Πυθία νόμῳ πόλεως ἀναιρεῖ ποιοῦντας
εὐσεβῶς ἂν ποιεῖν, Σωκράτης τε οὕτως καὲ αὐτὸς ἐποίει καὶ
τοῖς ἄλλοις παρῄνει, τοὺς δὲ ἄλλως πως ποιοῦντας περιέργους
καὶ ματαίους ἐνόμιζεν εἶναι. Καὶ εὔχετο δὲ πρὸς τοὺς θεοὺς 2
ἁπλῶς τἀγαθὰ διδόναι, ὡς τοὺς θεοὺς κάλλιστα εἰδότας,
ὁποῖα ἀγαθά ἐστι· τοὺς δ' εὐχομένους χρυσίον ἢ ἀργύριον ἢ
τυραννίδα ἢ ἄλλο τι τῶν τοιούτων οὐδὲν διάφορον ἐνόμιζεν
εὔχεσθαι, ἢ εἰ κυβείαν ἢ μάχην ἢ ἄλλο τι εὔχοιντο τῶν φανε-

---

§ 1. καὶ ὠφελεῖν] Sokrates
übte auf seine Schüler nicht nur
keinen nachteiligen Einfluſs aus,
wie wir gesehen haben, sondern
nützte ihnen auch. So bezieht sich
καί oft auf einen zu ergänzenden
Begriff oder Gedanken. — Τὰ μὲν
τοίνυν] Dem μέν entspricht § 5
διαίτῃ δέ. Wegen des einen Über-
gang zur Sache bezeichnenden τοί-
νυν s. zu I 2, 29. — ὑποκρίνεται]
für das gewöhnliche ἀποκρίνεται;
doch gebrauchen jenes Verb. in
dieser Bedeutung nicht allein die
Ionier, sondern auch Thukydides. —

ἀναιρεῖ] das eigentliche Verb. von
der Erteilung der Orakel. — οὕ-
τως καὶ] οὕτως vor einem Kon-
sonanten findet sich öfter, wenn
der Begriff so, auf diese
Weise nachdrücklicher hervorge-
hoben werden soll. Vgl. I 5, 5.
II 1, 12. 7, 11. III 3, 4. 6, 9.
9, 8. 11, 7. IV 4, 5. — παρῄνει]
scil. οὕτω ποιεῖν.

§ 2. Καὶ — δέ] und ferner. S.
zu I 1, 3. — ὡς τοὺς θεοὺς εἰδό-
τας] s. zu I 2, 20. Für τοὺς θεούς
erwartet man αὐτούς, s. jedoch zu
I 6, 1.

3 ῥῶς ἀδήλων, ὅπως ἀποβήσοιτο. Θυσίας δὲ θύων μικρὰς ἀπὸ
μικρῶν οὐδὲν ἡγεῖτο μειοῦσθαι τῶν ἀπὸ πολλῶν καὶ μεγάλων
πολλὰ καὶ μεγάλα θυόντων· οὔτε γὰρ τοῖς θεοῖς ἔφη καλῶς
ἔχειν, εἰ ταῖς μεγάλαις θυσίαις μᾶλλον ἢ ταῖς μικραῖς ἔχαιρον·
πολλάκις γὰρ ἂν αὐτοῖς τὰ παρὰ τῶν πονηρῶν μᾶλλον ἢ τὰ
παρὰ τῶν χρηστῶν εἶναι κεχαρισμένα· οὔτ' ἂν τοῖς ἀνθρώποις
ἄξιον εἶναι ζῆν, εἰ τὰ παρὰ τῶν πονηρῶν μᾶλλον ἦν κεχαρι-
σμένα τοῖς θεοῖς ἢ τὰ παρὰ τῶν χρηστῶν· ἀλλ' ἐνόμιζε τοὺς
θεοὺς ταῖς παρὰ τῶν εὐσεβεστάτων τιμαῖς μάλιστα χαίρειν.
Ἐπαινέτης δ' ἦν καὶ τοῦ ἔπους τούτου·

   Κὰδ δύναμιν δ' ἔρδειν ἱέρ' ἀθανάτοισι θεοῖσι·
καὶ πρὸς φίλους δὲ καὶ ξένους καὶ πρὸς τὴν ἄλλην δίαιταν
4 καλὴν ἔφη παραίνεσιν εἶναι τὴν Κὰδ δύναμιν ἔρδειν. Εἰ δέ
τι δόξειεν αὐτῷ σημαίνεσθαι παρὰ τῶν θεῶν, ἧττον ἂν ἐπεί-
σθη παρὰ τὰ σημαινόμενα ποιῆσαι, ἢ εἴ τις αὐτὸν ἔπειθεν
ὁδοῦ λαβεῖν ἡγεμόνα τυφλὸν καὶ μὴ εἰδότα τὴν ὁδὸν ἀντὶ
βλέποντος καὶ εἰδότος· καὶ τῶν ἄλλων δὲ μωρίαν κατηγόρει,
οἵτινες παρὰ τὰ παρὰ τῶν θεῶν σημαινόμενα ποιοῦσί τι φυ-
λαττόμενοι τὴν παρὰ τοῖς ἀνθρώποις ἀδοξίαν. Αὐτὸς δὲ πάντα
τἀνθρώπινα ὑπερεώρα πρὸς τὴν παρὰ τῶν θεῶν ξυμβουλίαν.
5   Διαίτη δὲ τήν τε ψυχὴν ἐπαίδευσε καὶ τὸ σῶμα, ᾗ χρώ-
μενος ἄν τις, εἰ μή τι δαιμόνιον εἴη, θαρραλέως καὶ ἀσφαλῶς
διάγοι καὶ οὐκ ἂν ἀπορήσειε τοσαύτης δαπάνης. Οὕτω γὰρ

§ 3. Vgl. zu dem Paragraphen
Ev. Luc. 21, 1—4. — ἀπὸ μικρῶν
— ἀπὸ πολλῶν] s. zu I 2, 14. —
καλῶς ἔχειν, εἰ — ἔχαιρον]
d. i. es würde sich gut ver-
halten, wenn sie sich freuten.
So wie man in direkter Rede sagt:
καλῶς εἶχεν (ohne ἄν), εἰ ἔχαιρον,
ebenso wird in indirekter Rede
bisweilen beim Infinitive ἄν weg-
gelassen. K. § 260 A. 2. — Κὰδ
δύναμιν] Hesiod. Ἔργ. κ. Ἡμέρ.
336. — πρὸς φίλους δὲ καὶ —
ξένους καὶ πρὸς τὴν ἄλλην
δίαιταν] Die Präp. πρός ist bei
ξένους nicht wiederholt, weil φίλοι
und ξένοι zu einem Ganzen verbun-
den der ἄλλη διαίτη entgegengesetzt
werden. Vgl. I 4, 17. — τὴν Κὰδ
δύναμιν] mittels einer Attraktion
für τὸ Κὰδ δύναμιν.

§ 4. Εἰ — δόξειεν —, ἧττον
ἂν ἐπείσθη] Quotienscunque —
videbatur, minus ei persuaderi
poterat. C. § 507 A. 3. Ko. § 118,
3 A. 1. K. § 260, 2, 2, β. Vgl. IV
6, 13. — ἢ εἴ τις αὐτὸν ἔπει-
θεν] quam si quis ei persuadere
conabatur. Das Präsens und das
Imperfekt bezeichnen öfters eine
Handlung, welche zwar noch nicht
ausgeführt, aber doch entweder in
Wirklichkeit oder in unserem Geiste
begonnen wird. K. § 255 A. 3.
Ebenso im Lat. K. lat. Schulgr.
§ 107, 3. — πρὸς τὴν — ξυμ-
βουλίαν] wegen πρός s. zu I 2, 52.

§ 5. εἰ μή τι δαιμόνιον εἴη]
wenn sich nicht etwas ganz Außer-
gewöhnliches ereignen sollte. Cyrop.
I 6, 18: ἢν μή τις θεὸς βλάπτῃ. —
τοσαύτης δαπάνης] als für eine

εὐτελὴς ἦν, ὥστ᾽ οὐκ οἶδ᾽, εἴ τις οὕτως ἂν ὀλίγα ἐργάζοιτο,
ὥστε μὴ λαμβάνειν τὰ Σωκράτει ἀρκοῦντα· σίτῳ μὲν γὰρ το-
σούτῳ ἐχρῆτο, ὅσον ἡδέως ἤσθιε· καὶ ἐπὶ τούτῳ οὕτω παρ-
εσκευασμένος ᾔει, ὥστε τὴν ἐπιθυμίαν τοῦ σίτου ὄψον αὐτῷ
εἶναι· ποτὸν δὲ πᾶν ἡδὺ ἦν αὐτῷ διὰ τὸ μὴ πίνειν, εἰ μὴ
διψῴη. Εἰ δέ ποτε κληθεὶς ἐθελήσειεν ἐπὶ δεῖπνον ἐλθεῖν, ὃ 6
τοῖς πλείστοις ἐργωδέστατόν ἐστιν, ὥστε φυλάξασθαι τὸ ὑπὲρ
τὸν κόρον ἐμπίπλασθαι, τοῦτο ῥᾳδίως πάνυ ἐφυλάττετο· τοῖς
δὲ μὴ δυναμένοις τοῦτο ποιεῖν συνεβούλευε φυλάττεσθαι τὰ
πείθοντα μὴ πεινῶντας ἐσθίειν μηδὲ διψῶντας πίνειν· καὶ γὰρ
τὰ λυμαινόμενα γαστέρας καὶ κεφαλὰς καὶ ψυχὰς ταῦτ᾽ ἔφη
εἶναι. Οἴεσθαι δ᾽ ἔφη ἐπισκώπτων καὶ τὴν Κίρκην ὗς ποιεῖν 7
τοιούτοις πολλοῖς δειπνίζουσαν· τὸν δὲ Ὀδυσσέα Ἑρμοῦ τε
ὑποθημοσύνῃ καὶ αὐτὸν ἐγκρατῆ ὄντα καὶ ἀποσχόμενον τὸ
ὑπὲρ τὸν κόρον τῶν τοιούτων ἅπτεσθαι διὰ ταῦτα οὐδὲ γενέ-
σθαι ὗν.

Τοιαῦτα μὲν περὶ τούτων ἔπαιζεν ἅμα σπουδάζων· ἀφρο- 8
δισίων δὲ παρήνει τῶν καλῶν ἰσχυρῶς ἀπέχεσθαι· οὐ γὰρ
ἔφη ῥᾴδιον εἶναι τῶν τοιούτων ἁπτόμενον σωφρονεῖν. Ἀλλὰ
καὶ Κριτόβουλόν ποτε τὸν Κρίτωνος πυθόμενος ὅτι ἐφίλησε
τὸν Ἀλκιβιάδου υἱὸν καλὸν ὄντα, παρόντος τοῦ Κριτοβούλου,

Lebensweise, wie sie Sokrates hatte,
nötig war. — οὐκ οἶδ᾽, εἴ τις
οὕτως ἂν — ἐργάζοιτο] s. zu I
1, 8. Wegen ἐργάζεσθαι s. zu II 8, 2.
Der Optat. m. ἄν in einem abhän-
gigen Fragesatze, wie in einem
Hauptsatze, s. C. §528, 4. Ko. §110, 2.
K. § 260, 4 u. 330, 2. — ἐπὶ τού-
τῳ] um dies zu erreichen
(nämlich um mit Appetit (ἡδέως)
zu essen); wegen ἐπί s. C. § 463,
2 A. c. Ko. § 89, 5b. K. § 301, b. —
ᾔει] scil. ἐπὶ σῖτον. — ὄψον] alles,
was man zum Brote (σίτῳ) ißt, be-
sonders Fleisch, vgl. I 6, 5, aber
auch das, was man ohne Brot ißt,
Fleisch, Fische, vgl. III 14, 2 u. 3,
überhaupt alle feineren Speisen,
vgl. III 14, 2.
§ 6. Εἰ ἐθελήσειεν —, ἐφυ-
λάττετο] s. zu I 2, 57. — ὥστε
φυλάξασθαι] nachdrücklicher als
der bloße Infin. — ὑπὲρ τὸν κό-

ρον] dafür hier u. § 7 in einigen
Handschriften ὑ. τ. καιρόν, praeter
modum.
§ 7. τὴν Κίρκην] Od. κ 289 ff.
— τοιούτοις πολλοῖς] ἃ πείθει
μὴ πεινῶντας ἐσθίειν μηδὲ διψῶν-
τας πίνειν. — ἀποσχόμενον τὸ
— ἅπτεσθαι] statt τοῦ ἅπτεσθαι;
so öfters. — διὰ ταῦτα] und διὰ
τοῦτο nach einem Participe, um
den Begriff der Ursache hervorzu-
heben.
§ 8. ἀφροδισίων — τῶν κα-
λῶν] der Liebesgenüsse, die aus
dem Umgange mit Schönen ge-
schöpft werden, 'welche die Schö-
nen gewähren'. Vgl. II 6, 22: τοῖς
τῶν ὡραίων ἀφροδισίοις ἡδόμενοι.
— ἁπτόμενον] das Subjekt liegt
im Participe, wenn man dergleichen
berührt. Vgl. § 11. I 4, 14. II 1,
17. 6, 26. III 6, 6. 9, 14. 13, 2.
IV 2, 37.

9 ἤρετο Ξενοφῶντα· Εἰπέ μοι, ἔφη, ὦ Ξενοφῶν, οὐ σὺ Κριτό-
βουλον ἐνόμιζες εἶναι τῶν σωφρονικῶν ἀνθρώπων μᾶλλον ἢ
τῶν θρασέων καὶ τῶν προνοητικῶν μᾶλλον ἢ τῶν ἀνοήτων .τε
καὶ ῥιψοκινδύνων; — Πάνα μὲν οὖν, ἔφη ὁ Ξενοφῶν. —
Νῦν τοίνυν νόμιζε αὐτὸν θερμουργότατον εἶναι καὶ λεωργό-
τατον· οὗτος κἂν εἰς μαχαίρας κυβιστήσειε, κἂν εἰς πῦρ
10 ἅλοιτο. — Καὶ τί δή, ἔφη ὁ Ξενοφῶν, ἰδὼν ποιοῦντα τοιαῦτα
κατέγνωκας αὐτοῦ; — Οὐ γὰρ οὗτος, ἔφη, ἐτόλμησε τὸν
Ἀλκιβιάδου υἱὸν φιλῆσαι, ὄντα εὐπροσωπότατον καὶ ὡραιό-
τατον; — Ἀλλ᾽ εἰ μέντοι, ἔφη ὁ Ξενοφῶν, τοιοῦτόν ἐστι τὸ
ῥιψοκίνδυνον ἔργον, κἂν ἐγὼ δοκῶ μοι τὸν κίνδυνον τοῦτον
11 ὑπομεῖναι. — Ὦ τλῆμον, ἔφη ὁ Σωκράτης, καὶ τί ἂν οἴει
παθεῖν καλὸν φιλήσας; Ἆρ᾽ οὐκ ἂν αὐτίκα μάλα δοῦλος μὲν
εἶναι ἀντ᾽ ἐλευθέρου; πολλὰ δὲ δαπανᾶν εἰς βλαβερὰς ἡδονάς;
πολλὴν δὲ ἀσχολίαν ἔχειν τοῦ ἐπιμεληθῆναί τινος καλοῦ κἀγα-
θοῦ; σπουδάζειν δ᾽ ἀναγκασθῆναι, ἐφ᾽ οἷς οὐδ᾽ ἂν μαινόμενος

§ 9. θρασέων] ein dreister, ver-
wegener Mensch, wie sich Kritobu-
lus gezeigt hatte, als er des Alkibia-
des Sohn geküßt hatte, wird ent-
gegengesetzt dem σωφρονικῷ, d. h.
dem, der in allen Dingen das rechte
Maß beobachtet. So wird de Venat.
13, 15 der σωφροσύνη θράσος entge-
gengestellt. — μὲν οὖν] haben be-
teuernde Kraft. Vgl. II 1, 2. Sehr
oft aber auch werden sie, wie immo,
immo vero, bei einer Berichtigung
gebraucht. Vgl. II 7, 5. III 8, 4.
K. § 313, 2. — λεωργότατον] ist
weder von λεῖος noch von λεώς ab-
zuleiten, sondern von der Wurzel
λᾶ (λας), vgl. λῶ, ich will, λῆ-μα,
λῆ-σις, Wille, also λεωργός (aus
λᾶ-Fοργός) nach Belieben han-
delnd, vgl. las-civus, zügellos,
übermütig. S. Curtius' Grund-
züge der griech. Etymol. Nr. 532.
— εἰς μαχαίρας κυβιστήσειε]
und das folg. εἰς πῦρ ἅλοιτο sind
sprichwörtliche Redensarten, durch
die man eine große Gefahr be-
zeichnet. — ἅλοιτο] A. II ἡλόμην
seltner als A. I ἡλάμην.
§ 10. Καὶ τί δή —;] und was
denn —? mit Verwunderung und
Unwillen. Vgl. II 6, 7. III 13, 6.

IV 4, 10. — τοιαῦτα κατέγνω-
κας αὐτοῦ] hast du eine so üble
Meinung von ihm. Vgl. III 7, 3. —
Οὐ γάρ —;] nun nicht —? nonne
igitur —? Γάρ hat in Fragen oft
folgernde Bedeutung. Vgl. 4, 14.
II 3, 16. 17. III 4, 1 u. sonst. —
Ἀλλ᾽ εἰ μέντοι] at si profecto,
wie II 1, 12. Vgl. I 4, 18: ἢν μέν-
τοι. K. § 313, 2. — τὸ ῥιψοκίν-
δυνον ἔργον] ein halsbrechen-
des Werk; ῥιψοκίνδυνος wird
eigentlich von Menschen gebraucht;
der Artikel ist dem Prädikate hinzu-
gefügt, weil X. das schon oben (§ 9)
von Sokrates gebrauchte Wort wie-
derholt. — Κἂν ἐγὼ δοκῶ — ὑπο-
μεῖναι] etiam ego videor posse
hoc periculum subire. S. zu I 1, 14.
§ 11. Ἆρ᾽ οὐκ —; nonne —?
Vgl. I 5, 4. 7, 2 u. 3. II 1, 16. 6, 38;
das Gegenteil ἆρα μή — num
(doch nicht) —? C. § 608. Ko.
§ 107. K. § 330, 5, c. — πολλὴν
ἀσχολίαν ἔχειν τοῦ ..] nimis
occupatum esse, quominus. — ἐφ᾽
οἷς — σπουδάσειεν] ἐπί c. dat.
bezeichnet den Zweck; vgl. III 11,
18. IV 4, 3 σπουδάζειν ἐπί τινι,
rem studiose curare, sectari. — μαι-
νόμενος] s. § 8.

σπουδάσειεν; —. Ὦ Ἡράκλεις, ἔφη ὁ Ξενοφῶν, ὡς δεινήν 12
τινα λέγεις δύναμιν τοῦ φιλήματος εἶναι. — Καὶ τοῦτο, ἔφη ὁ
Σωκράτης, θαυμάζεις; Οὐκ οἶσθα, ἔφη, [ὅτι] τὰ φαλάγγια, οὐδ'
ἡμιωβολιαῖα τὸ μέγεθος ὄντα, προσαψάμενα μόνον τῷ στόματι
ταῖς τε ὀδύναις ἐπιτρίβει τοὺς ἀνθρώπους καὶ τοῦ φρονεῖν
ἐξίστησιν; — Ναὶ μὰ Δί', ἔφη ὁ Ξενοφῶν· ἐνίησι γάρ τι τὰ
φαλάγγια κατὰ τὸ δῆγμα. — Ὦ μῶρε, ἔφη ὁ Σωκράτης, τοὺς 13
δὲ καλοὺς οὐκ οἴει φιλοῦντας ἐνιέναι τι, ὅτι σὺ οὐχ ὁρᾷς;
Οὐκ οἶσθ', ὅτι τοῦτο τὸ θηρίον, ὃ καλοῦσι καλὸν καὶ ὡραῖον,
τοσούτῳ δεινότερόν ἐστι τῶν φαλαγγίων, ὅσῳ ἐκεῖνα μὲν
ἀψάμενα, τοῦτο δὲ οὐδ' ἁπτόμενον[, ἐὰν δέ τις αὐτὸ θεᾶται,]
ἐνίησί τι καὶ πάνυ πρόσωθεν τοιοῦτον, ὥστε μαίνεσθαι ποιεῖν;
ἴσως δὲ καὶ οἱ Ἔρωτες τοξόται διὰ τοῦτο καλοῦνται, ὅτι καὶ
πρόσωθεν οἱ καλοὶ τιτρώσκουσιν. Ἀλλὰ συμβουλεύω σοι, ὦ
Ξενοφῶν, ὁπόταν ἴδῃς τινὰ καλόν, φεύγειν προτροπάδην· σοὶ
δέ, ὦ Κριτόβουλε, συμβουλεύω ἀπενιαυτίσαι· μόλις γὰρ ἂν
ἴσως ἐν τοσούτῳ χρόνῳ [τὸ δῆγμα] ὑγιὴς γένοιο. Οὕτω δὴ καὶ 14
ἀφροδισιάζειν τοὺς μὴ ἀσφαλῶς ἔχοντας πρὸς ἀφροδίσια ᾤετο
χρῆναι πρὸς τοιαῦτα, οἷα, μὴ πάνυ μὲν δεομένου τοῦ σώμα-

---

§ 12. δεινήν τινα — δύνα-
μιν] τὶς wird, wie das lat. *quidam*,
dem Adjektive hinzugefügt, um
den Begriff hervorzuheben. — τοῦ
φρονεῖν ἐξίστησιν] d. i. τὸν
νοῦν ἐκπλήττει, vgl. IV 5, 6. —
κατὰ τὸ δῆγμα] infolge des Bis-
ses, durch den Biss.

§ 13. τοὺς δὲ καλούς] δέ wird
oft in lebhaften Fragen so gebraucht,
daß es sich auf einen zu ergänzen-
den Gedanken bezieht, z. B. hier:
τὰ μὲν φαλάγγια ἐνιέναι τι οἴει,
τοὺς δὲ καλοὺς οὐκ οἴει; vgl. I 6,
15. II 1, 26. 30. 2, 2. 7. 3, 6. 6, 10.
14. 37. III 3, 11. 5, 20 u. sonst. —
θηρίον] vom Menschen, wie III
11, 11. — τοσούτῳ δεινότερόν
ἐστι, — ὅσῳ — ἐνίησί τι] dieses
Tier ist in eben dem Maße ge-
fährlicher, als die Taranteln, in
welchem Maße (ὅσῳ) oder als
oder insofern es Gift einhaucht,
Tacit. Ann. I 57: *barbaris, quanto
quis audacia promptus, tanto
magis fidus rebusque motis potior
habetur.* — ἐκεῖνα — τοῦτο] wie

im Lat. *hic,* so wird im Griech. οὗ-
τος oft nicht auf den näher stehen-
den, sondern den wichtigeren Gegen-
stand, auf den es gerade ankommt,
ἐκεῖνος hingegen, wie *ille,* auf
den näherstehenden, aber minder
wichtigen Gegenstand bezogen. Vgl.
IV 3, 10.

§ 14. καὶ ἀφροδισιάζειν] καὶ
bezieht sich auf § 6, wo gelehrt
wird, man müsse sich der feinen
Speisen enthalten; ἀφρ. πρός τι, wie
παίζειν πρός τινα Cyr. VI 1, 6, αἱ
πρὸς τοὺς παῖδας ἐπιθυμίαι Rp.
Lac. II 14, ἡ πρὸς τοὺς θεοὺς ἐπι-
μέλεια Demosth. p. 618, 7. — τοὺς
μὴ ἀσφαλῶς ἔχοντας πρὸς
ἀφροδίσια] in den Liebesgenüs-
sen unmäßig, gegen die L. nicht ge-
sichert. — οἷα — οὐκ ἂν προσ-
δέξαιτο ἡ ψυχή] Gegenstände,
welche das Verlangen nicht zulas-
sen, d. i. nicht begehren würde; we-
gen ψυχή von dem tierischen Triebe
s. zu I 2, 4, hier aber um so passen-
der, als es einen Gegensatz zu dem
vorhergehenden τοῦ σώματος bildet.

τος, οὐκ ἂν προσδέξαιτο ἡ ψυχή, δεομένου δέ, οὐκ ἂν πράγ-
ματα παρέχοι. Αὐτὸς δὲ πρὸς ταῦτα φανερὸς ἦν οὕτω παρ-
εσκευασμένος, ὥστε ῥᾷον ἀπέχεσθαι τῶν καλλίστων καὶ ὡραιο-
15 τάτων, ἢ οἱ ἄλλοι τῶν αἰσχίστων καὶ ἀωροτάτων. Περὶ μὲν
δὴ βρώσεως καὶ πόσεως καὶ ἀφροδισίων οὕτω κατεσκευασμένος
ἦν· καὶ ᾤετο οὐδὲν ἂν ἧττον ἀρκούντως ἥδεσθαι τῶν πολλὰ
ἐπὶ τούτοις πραγματευομένων, λυπεῖσθαι δὲ πολὺ ἔλαττον.

Viertes Kapitel.

Inhalt.

Unterredung des Sokrates mit Aristodemus, einem Verächter der
Religion, über die Gottheit. Die Götter, welche die Menschen ge-
schaffen haben, sorgen auch für die Menschen. Die göttliche Vorsehung
zeigt sich in der Einrichtung der ganzen Welt, in den körperlichen und
geistigen Eigenschaften des Menschen und in der Verkündung ihres
Willens mittels der Seherkunst.

1   Εἰ δέ τινες Σωκράτην νομίζουσιν, ὡς ἔνιοι γράφουσί τε
καὶ λέγουσι περὶ αὐτοῦ τεκμαιρόμενοι, προτρέψασθαι μὲν
ἀνθρώπους ἐπ᾽ ἀρετὴν κράτιστον γεγονέναι, προαγαγεῖν δ᾽
ἐπ᾽ αὐτὴν οὐχ ἱκανόν· σκεψάμενοι, μὴ μόνον ἃ ἐκεῖνος κολα-
στηρίου ἕνεκα τοὺς πάντ᾽ οἰομένους εἰδέναι ἐρωτῶν ἤλεγχεν,
ἀλλὰ καὶ ἃ λέγων συνημέρευε τοῖς συνδιατρίβουσι, δοκιμα-
2 ζόντων, εἰ ἱκανὸς ἦν βελτίους ποιεῖν τοὺς συνόντας. Δέξω δὲ
πρῶτον ἅ ποτε αὐτοῦ ἤκουσα περὶ τοῦ δαιμονίου διαλεγομένου
πρὸς Ἀριστόδημον τὸν Μικρὸν ἐπικαλούμενον. Καταμαθὼν

— οὐκ ἂν πράγματα παρέχοι]
non negotia animo facesserent, d. h. das
Gemüt nicht weiter beunruhigen wür-
den; oἷα erst Objekt, dann Subjekt.
§ 15. οὐδὲν ἂν ἧττον ἀρ-
κούντως ἥδεσθαι] d. i. er würde,
wenn er hierin Mäßigkeit beob-
achtete, nicht weniger genügenden
Genuſs daraus ziehen. Wegen ἄν b.
Inf. s. zu I 1, 14; zu dem folg. Inf.
λυπεῖσθαι ist ἄν zu wiederholen.
Vgl. II 1, 18. 27. III 3, 2. IV 4,
17. Wegen des Gegensatzes sollte
man erwarten ἥδεσθαι μὲν —, λυ-
πεῖσθαι δέ; jedoch zuweilen wird
μέν weglassen, wenn der folgende

Gegensatz nicht zugleich mit auf-
gefaſst, sondern nachträglich hinzu-
gefügt wird.
§ 1. τεκμαιρόμενοι] sich bloſs
auf Mutmaſsung stützend, ohne
seine ganze Lehrweise und alle
seine Vorschriften genau zu kennen.
— προαγαγεῖν] den Weg zeigen,
auf dem man zur Tugend vorwärts
schreiten kann. — μὴ μόνον] μὴ
wegen des folgenden Imperativs
δοκιμαζόντων. — τοὺς πάντ᾽ οἰο-
μένους εἰδέναι] er meint be-
sonders die Sophisten, deren Dün-
kel Sokrates überall entgegentrat.
§ 2. Ἀριστόδημον] der später

γὰρ αὐτὸν οὔτε θύοντα τοῖς θεοῖς [*οὔτ' εὐχόμενον*] οὔτε
μαντικῇ χρώμενον, ἀλλὰ καὶ τῶν ποιούντων ταῦτα κατα-
γελῶντα. Εἰπέ μοι, ἔφη, ὦ Ἀριστόδημε, ἔστιν οὕστινας ἀν-
θρώπους τεθαύμακας ἐπὶ σοφίᾳ; — Ἔγωγε, ἔφη. — Καὶ ὅς·
Λέξον ἡμῖν, ἔφη, τὰ ὀνόματα αὐτῶν. — Ἐπὶ μὲν τοίνυν 3
ἐπῶν ποιήσει Ὅμηρον ἔγωγε μάλιστα τεθαύμακα, ἐπὶ δὲ δι-
θυράμβῳ Μελανιππίδην, ἐπὶ δὲ τραγῳδίᾳ Σοφοκλέα, ἐπὶ δὲ
ἀνδριαντοποιίᾳ Πολύκλειτον, ἐπὶ δὲ ζωγραφίᾳ Ζεῦξιν. —
Πότερά σοι δοκοῦσιν οἱ ἀπεργαζόμενοι εἴδωλα ἄφρονά τε καὶ 4
ἀκίνητα ἀξιοθαυμαστότεροι εἶναι ἢ οἱ ζῷα ἔμφρονά τε καὶ
ἐνεργά; — Πολύ, νὴ Δία, οἱ ζῷα, εἴπερ γε μὴ τύχῃ τινί,
ἀλλὰ ὑπὸ γνώμης ταῦτα γίγνεται. — Τῶν δὲ ἀτεκμάρτως
ἐχόντων, ὅτου ἕνεκά ἐστι, καὶ τῶν φανερῶς ἐπ' ὠφελείᾳ
ὄντων πότερα τύχης καὶ πότερα γνώμης ἔργα κρίνεις; —
Πρέπει μὲν τὰ ἐπ' ὠφελείᾳ γιγνόμενα γνώμης ἔργα εἶναι. —
Οὐκοῦν δοκεῖ σοι ὁ ἐξ ἀρχῆς ποιῶν ἀνθρώπους ἐπ' ὠφελείᾳ 5
προσθεῖναι αὐτοῖς δι' ὧν αἰσθάνονται ἕκαστα, ὀφθαλμοὺς μέν,
ὥστε ὁρᾶν τὰ ὁρατά, ὦτα δέ, ὥστε ἀκούειν τὰ ἀκουστά; Ὀσμῶν
γε μήν, εἰ μὴ ῥῖνες προσετέθησαν, τί ἂν ἡμῖν ὄφελος ἦν;
Τίς δ' ἂν αἴσθησις ἦν γλυκέων καὶ δριμέων καὶ πάντων τῶν

---

dem Sokrates mit ganzer Seele zu-
gethan war. — Statt οὔτ' εὐχόμενον
steht in den Handschriften und
alten Ausgaben μὴ μαχόμενον oder
μηχανώμενον, was man in οὔτ' εὐ-
χόμενον verändert hat; die meisten
neueren Herausgeber lassen die
Worte weg. — ἔστιν οὕστινας]
C. § 603. Ko. § 78, 6. K. § 319 A. 4.
— Καὶ ὅς] K. § 319, A. 1. Vgl. III
1, 5. 3, 3. 4, 4. 1. 12, 1. IV. 3, 3.
6, 2. 4.

§ 3. ἐπὶ δὲ διθυράμβῳ] man
hat vorgeschlagen, zu lesen, ἐπὶ δὲ
διθυράμβων (scil. ποιήσει), weil
sonst nur im Plural διθύραμβοι ge-
sagt wird. — Μελανιππίδην] es
gab zwei Dichter dieses Namens,
Großvater und Enkel; der erstere
aus Melos (um 520 v. Chr.) schrieb
Dithyramben, epische Gedichte, Epi-
gramme, Elegieen und vieles an-
dere; der andere, der Sohn des
Kritou, Zeitgenosse des Sokrates,
schrieb lyrische Gedichte und Di-

thyramben und machte in der letz-
ten Gattung sehr viele Neuerungen.
Wahrscheinlich ist dieser letztere
hier gemeint. — Σοφοκλέα] den
berühmten Tragiker aus Athen,
geb. 497 (?) v. Chr., gest. 406. —
Πολύκλειτον] aus Sikyon, um
430 v. Chr. — Ζεῦξιν] aus Hera-
klea oder Ephesus, um 430 v. Chr.

§ 4. εἴπερ γε] wenn anders
nämlich, wenn anders ja. —
τύχῃ — ὑπὸ γνώμης] die τύχη
wird als Werkzeug gedacht, durch
das etwas bewirkt wird, die γνώμη
gleichsam als Person, durch die
etwas geschaffen wird. — Πρέπει
μέν] μέν hier = μήν, profecto.

§ 5. γὲ μήν] werden oft bei der
Aufzählung mehrerer Dinge mit
Steigerung gebraucht, hier nach
Erwähnung der Augen und Ohren,
sowie auch bei dem Übergange zu
einem neuen Gedanken, der nach-
drücklich hervorgehoben werden
soll = iam vero, ferner; γέ schließt

διὰ στόματος ἡδέων, εἰ μὴ γλῶττα τούτων γνώμων ἐνειργάσθη;
6 Πρὸς δὲ τούτοις οὐ δοκεῖ σοι καὶ τόδε προνοίας ἔργον ἐοι-
κέναι, τό, ἐπεὶ ἀσθενὴς μέν ἐστιν ἡ ὄψις, βλεφάροις αὐτὴν
θυρῶσαι, ἅ, ὅταν μὲν αὐτῇ χρῆσθαί τι δέῃ, ἀναπετάννυται,
ἐν δὲ τῷ ὕπνῳ συγκλείεται; ὡς δ᾽ ἂν μηδὲ ἄνεμοι βλάπτωσιν,
ἠθμὸν βλεφαρίδας ἐμφῦσαι· ὀφρύσι τε ἀπογεισῶσαι τὰ ὑπὲρ
τῶν ὀμμάτων, ὡς μηδ᾽ ὁ ἐκ τῆς κεφαλῆς ἱδρὼς κακουργῇ· τὸ
δὲ τὴν ἀκοὴν δέχεσθαι μὲν πάσας φωνάς, ἐμπίπλασθαι δὲ
μήποτε· καὶ τοὺς μὲν πρόσθεν ὀδόντας πᾶσι ζῴοις οἵους τέ-
μνειν εἶναι, τοὺς δὲ γομφίους οἵους παρὰ τούτων δεξαμένους
λεαίνειν· καὶ στόμα μέν, δι᾽ οὗ ὧν ἐπιθυμεῖ τὰ ζῷα εἰσπέμ-
πεται, πλησίον ὀφθαλμῶν καὶ ῥινῶν καταθεῖναι· ἐπεὶ δὲ τὰ
ἀποχωροῦντα δυσχερῆ, ἀποστρέψαι τοὺς τούτων ὀχετοὺς [καὶ
ἀπενεγκεῖν], ᾗ δυνατὸν προσωτάτω, ἀπὸ τῶν αἰσθήσεων· ταῦτα
οὕτω προνοητικῶς πεπραγμένα ἀπορεῖς πότερα τύχης ἢ γνώμης
7 ἔργα ἐστίν; — Οὐ μὰ τὸν Δί᾽, ἔφη, ἀλλ᾽ οὕτω γε σκοπου-
μένῳ πάνυ ἔοικε ταῦτα σοφοῦ τινος δημιουργοῦ καὶ φιλοζῴου
τεχνήματι. — Τὸ δὲ ἐμφῦσαι μὲν ἔρωτα τῆς τεκνοποιίας, ἐμ-
φῦσαι δὲ ταῖς γειναμέναις ἔρωτα τοῦ ἐκτρέφειν, τοῖς δὲ τρα-
φεῖσι μέγιστον μὲν πόθον τοῦ ζῆν, μέγιστον δὲ φόβον τοῦ
θανάτου; — Ἀμέλει καὶ ταῦτα ἔοικε μηχανήμασί τινος ζῷα
8 εἶναι βουλευσαμένου. — Σὺ δὲ σαυτὸν δοκεῖς τι φρόνιμον
ἔχειν; — Ἐρώτα γοῦν καὶ ἀποκρινοῦμαι. — Ἄλλοθι δὲ οὐδα-

sich an das Wort an, das besonders
hervorgehoben werden soll. Vgl.
I 6, 6. III 6, 12. 8, 10. 9, 6. 11, 10.
§ 6. δοκεῖ — ἔργον ἐοικέναι]
videtur — putari (haberi). So δοκεῖν,
φαίνεσθαι II 1, 22. III 1, 4. Cyrop.
VIII 3, 14. — θυρῶσαι] das Sub-
jekt dieses und des folgenden Inf.
liegt in τὸ προνοίας ἔργον. — χρῆ-
σθαί τι] zu etwas. — ὡς ἂν —
βλάπτωσιν] C. § 531, Anm. Ko.
§ 111, 1. A. 1. K. § 318, 5. — ἀπο-
γεισῶσαι] Cicer. N. D. II, 57: su-
periora, superciliis obducta, sudorem
a capite et a fronte defluentem re-
pellunt. — τὸ δὲ — δέχεσθαι]
dieser und die folgenden Infinitive
sind Subjekte des letzten Satzes
dieses Paragraphen, wo sie durch
das Pronomen ταῦτα noch einmal
zusammengefaßt werden. — οἵους

τέμνειν] C. § 553, 4 c. u. 601. Ko.
§ 113, 3. K. § 327, A. 3. Vgl. § 12.
II-1, 15. 6, 37. 9, 4 III 11, 1. —
ἐπεὶ — δυσχερῇ] scil. ἐστίν. —
καὶ ἀπενεγκεῖν] scheint ein spä-
terer Zusatz (als Erklärung von
ἀποστρέψαι) zu sein.
§ 7. Ἀμέλει] eig. Imper., sei un-
besorgt = certe. — ζῷα εἶναι
βουλευσαμένου] „der mit Über-
legung das Dasein lebendiger Wesen
beschlossen hatte".
§ 8. σαυτὸν — ἔχειν] σαυτόν
wegen des Gegensatzes hinzugefügt,
wie nachher σε — δοκεῖς συν-
αρπάσαι. C. § 569, Anm. Ko. § 119.
2, A. 1. K. § 308. A. 1. Vgl. II 6,
35. 38. — Ἐρώτα γοῦν καὶ ἀπο-
κρινοῦμαι] Sokrates fragt den A.,
ob er glaube, φρόνιμόν τι zu haben.
A., durch diese unerwartete Frage

μοῦ οὐδὲν οἴει φρόνιμον εἶναι, καὶ ταῦτα εἰδώς, ὅτι γῆς τε
μικρὸν μέρος ἐν τῷ σώματι πολλῆς οὔσης ἔχεις, καὶ ὑγροῦ
βραχὺ πολλοῦ ὄντος καὶ τῶν ἄλλων δήπου μεγάλων ὄντων
ἑκάστου μικρὸν μέρος λαβόντι τὸ σῶμα συνήρμοσταί σοι; νοῦν
δὲ μόνον ἄρα οὐδαμοῦ ὄντα σὲ εὐτυχῶς πως δοκεῖς συναρ-
πάσαι, καὶ τάδε τὰ ὑπερμεγέθη καὶ πλῆθος ἄπειρα δι᾽ ἀφρο-
σύνην τινά, ὡς οἴει, εὐτάκτως ἔχειν; — Μὰ Δί᾽· οὐ γὰρ ὁρῶ 9
τοὺς κυρίους, ὥσπερ τῶν ἐνθάδε γιγνομένων τοὺς δημιουρ-
γούς. — Οὐδὲ γὰρ τὴν σεαυτοῦ σύ γε ψυχὴν ὁρᾷς, ἣ τοῦ
σώματος κυρία ἐστίν· ὥστε κατά γε τοῦτο ἔξεστί σοι λέγειν,
ὅτι οὐδὲν γνώμῃ, ἀλλὰ τύχῃ πάντα πράττεις. — Καὶ ὁ Ἀρι- 10
στόδημος· Οὗτοι, ἔφη, ἐγώ, ὦ Σώκρατες, ὑπερορῶ τὸ δαιμό-
νιον, ἀλλ᾽ ἐκεῖνο μεγαλοπρεπέστερον ἡγοῦμαι, ἢ ὡς τῆς ἐμῆς
θεραπείας προσδεῖσθαι. — Οὐκοῦν, ἔφη, ὅσῳ μεγαλοπρεπέ-
στερον ἀξιοῖ σε θεραπεύειν, τοσούτῳ μᾶλλον τιμητέον αὐτό; —
Εὖ ἴσθι, ἔφη, ὅτι, εἰ νομίζοιμι θεοὺς ἀνθρώπων τι φροντίζειν, 11
οὐκ ἂν ἀμελοίην αὐτῶν. — Ἔπειτ᾽ οὐκ οἴει φροντίζειν; οἳ
πρῶτον μὲν μόνον τῶν ζῴων ἄνθρωπον ὀρθὸν ἀνέστησαν·
ἡ δὲ ὀρθότης καὶ προορᾶν πλεῖον ποιεῖ δύνασθαι καὶ τὰ
ὕπερθεν μᾶλλον θεᾶσθαι καὶ ἧττον κακοπαθεῖν· [καὶ ὄψιν
καὶ ἀκοὴν καὶ στόμα ἐνεποίησαν·] ἔπειτα τοῖς μὲν ἄλλοις

bestürzt, will nicht schlechtweg
antworten, er glaube φρόνιμόν τι
zu haben, sondern will die Frage
des Sokrates von sich abwenden,
und erwidert daher: Nun ja, fahre
nur fort in deinen Fragen,
und ich will dir antworten;
ἐρώτα γοῦν heifst eigentlich: jeden-
falls (οὖν) frage wenigstens (γέ);
so öfters in der Antwort, vgl. III
3, 5. 6. 7. 6, 5. 10, 8. — καὶ ταῦτα]
idque, und zwar. — νοῦν δὲ —
συναρπάσαι] Cic. N. D. II 6, 18:
Unde enim hanc (mentem) homo
arripuit? ut ait apud Xenophon-
tem Socrates. Vgl. IV 3, 14.
§ 9. Μὰ Δί᾽] ist zu beziehen
auf die Worte: ἄλλοθι δὲ οὐδα-
μοῦ οὐδὲν φρόνιμον εἶναι. Μὰ
Δία nämlich steht für οὐ μὰ Δία,
wenn eine Negation entweder vor-
ausgeht, wie hier und IV 6, 10 oder
nachfolgt, oft in Verbindung mit
einer adversativen Partikel, wie III

4, 3. Zuweilen aber liegt die Ne-
gation im ganzen Zusammenhange
und wird durch die folgende ad-
versative Partikel angedeutet, wie
III 13, 3. — Οὐδὲ γάρ] Γάρ =
ja fürwahr wird oft in Erwide-
rungen und Antworten gebraucht;
οὐδέ gehört zu τὴν σεαυτοῦ ψυ-
χήν = auch deine Seele siehst du
ja fürwahr nicht. Vgl. II 1, 2. 15.
3, 6. 6, 7. 15. III 5, 21. 6, 12. 11,
7. IV 4, 13.
§ 10. Οὗτοι] Certe non. — ἢ
ὥς] = ἢ ὥστε, wie III 5, 17. —
ὅσῳ μεγαλοπρεπέστερον] scil.
ὄν, was Cobet und Gilbert in
den Text aufgenommen haben (und
leicht wegen des vorherg. ον aus-
fallen konnte). Vgl. II 1, 32. 3, 15.
IV 6, 8.
§ 11. Ἔπειτ᾽ οὐκ —;] s. zu I
2, 26. — οἵ] s. zu I 2, 64. — Die
eingeklammerten Worte sind wahr-
scheinlich unecht, vgl. krit. Anhang.

ἑρπετοῖς πόδας ἔδωκαν, οἳ τὸ πορεύεσθαι μόνον παρέχουσιν·
ἀνθρώπῳ δὲ καὶ χεῖρας προσέθεσαν, αἳ τὰ πλεῖστα, οἷς εὐδαι-
12 μονέστεροι ἐκείνων ἐσμέν, ἐξεργάζονται. Καὶ μὴν γλῶττάν γε
πάντων τῶν ζῴων ἐχόντων, μόνην τὴν τῶν ἀνθρώπων ἐποίη-
σαν οἵαν, ἄλλοτε ἀλλαχῇ ψαύουσαν τοῦ στόματος, ἀρθροῦν
τε τὴν φωνὴν καὶ σημαίνειν πάντα ἀλλήλοις, ἃ βουλόμεθα;
Τὸ δὲ καὶ τὰς τῶν ἀφροδισίων ἡδονὰς τοῖς μὲν ἄλλοις ζῴοις
δοῦναι περιγράψαντας τοῦ ἔτους χρόνον, ἡμῖν δὲ συνεχῶς
13 μέχρι γήρως ταύτας παρέχειν; Οὐ τοίνυν μόνον ἤρκεσε τῷ
θεῷ τοῦ σώματος ἐπιμεληθῆναι, ἀλλ', ὅπερ μέγιστόν ἐστι,
καὶ τὴν ψυχὴν κρατίστην τῷ ἀνθρώπῳ ἐνέφυσε· τίνος γὰρ
ἄλλου ζῴου ψυχὴ πρῶτα μὲν θεῶν τῶν τὰ μέγιστα καὶ κάλ-
λιστα συνταξάντων ᾔσθηται ὅτι εἰσί; τί δὲ φῦλον ἄλλο ἢ
ἄνθρωποι θεοὺς θεραπεύουσι; ποία δὲ ψυχὴ τῆς ἀνθρωπίνης
ἱκανωτέρα προφυλάττεσθαι ἢ λιμὸν ἢ δίψος ἢ ψύχη ἢ θάλπη,
ἢ νόσοις ἐπικουρῆσαι ἢ ῥώμην ἀσκῆσαι ἢ πρὸς μάθησιν ἐκ-
πονῆσαι, ἢ ὅσα ἂν ἀκούσῃ ἢ ἴδῃ ἢ μάθῃ ἱκανωτέρα ἐστὶ δια-
14 μεμνῆσθαι; Οὐ γὰρ πάνυ σοι κατάδηλον, ὅτι παρὰ τὰ ἄλλα
ζῶα ὥσπερ θεοὶ ἄνθρωποι βιοτεύουσι, φύσει καὶ τῷ σώματι
καὶ τῇ ψυχῇ κρατιστεύοντες; Οὔτε γὰρ βοὸς ἂν ἔχων σῶμα,

— ἑρπετοῖς] ἑρπετά für ζῶα ist
eigentlich dichterisch; aber hier ab-
sichtlich gewählt, weil von den
Füſsen erst nachher die Rede ist;
ohne diese sind die Tiere also noch
ἑρπετά.

§ 12. Καὶ μὴν — γέ] ac profecto
— quidem. Vgl. I 6, 3. 8. II 2, 4.
7, 1. 8, 2. III 4, 4 u. sonst. Oft
hat μήν in dieser Beziehung ad-
versative Bedeutung: et vero oder
tamen certe oder atqui certum est,
atqui certe. Vgl. II 3, 10. 14. 19.
8, 4. 5 u. sonst. — οἵαν—ἀρθροῦν]
s. zu § 6. — καὶ σημαίνειν πάν-
τα ἀλλήλοις, ἃ βουλόμεθα] d. i.
καὶ ὥστε (ἡμᾶς) σημαίνειν, indem
ὥστε aus dem vorhergehenden οἵαν
zu entnehmen ist. — Τὸ δὲ
δοῦναι — παρέχειν] scil. οὐ
θαυμαστόν ἐστιν; So wird öfters
der Infinitiv mit dem Accusative
des Artikels bei Exclamationen
gebraucht. Vgl. IV 3, 5 ff.

§ 13. τοίνυν] Übergangspartikel.

— τὴν ψυχὴν κρατίστην] Wa-
rum nicht τὴν κρατίστην ψυχήν?
S. K. § 245 b. Vgl. § 12. II 1, 9. 30.
III 10, 8. VI 7, 7. — θεῶν ᾔσθηται
ὅτι εἰσί] s. zu I 2, 13. — τί δὲ
ψῦλον ἄλλο ἢ ἄνθρωποι — θε-
ραπεύουσι;] Attraktion. So auch
öfter im Lat., z. B. Sallust Jug. 50,
6: opportunior fugae collis, quam
campi fuerunt. — Ψύχη ἢ θάλ-
πη] wegen des Plurals s. C. § 362,
2. K. § 242, 3. Vgl. II 1, 6. — ἐκ-
πονῆσαι] hier intransitiv: sich
anstrengen zum Lernen. — ἱκα-
νωτέρα ἐστί] diese Worte konnten
wegen des vorhergehenden ἱκανω-
τέρα sc. ἐστί weggelassen werden,
sind aber des Nachdrucks wegen
wiederholt.

§ 14. Οὐ γὰρ —;] nonne igi-
tur —? S. zu I 4, 10. — παρὰ τὰ
ἄλλα ζῶα] in Vergleich mit
den übrigen Geschöpfen, vor d. ü.
G. s. K. § 302 c. Vgl. IV 4, 1. —
βοὸς ἂν ἔχων σῶμα — ἐδύνατ'

ἀνθρώπου δὲ γνώμην ἐδύνατ᾽ ἂν πράττειν ἃ ἐβούλετο, οὔθ᾽
ὅσα χεῖρας ἔχει, ἄφρονα δ᾽ ἐστί, πλέον οὐδὲν ἔχει· σὺ δὲ ἀμ-
φοτέρων τῶν πλείστου ἀξίων τετυχηκὼς οὐκ οἴει σοῦ θεοὺς
ἐπιμελεῖσθαι· ἀλλ᾽ ὅταν τί ποιήσωσι, νομιεῖς αὐτοὺς σοῦ φρον-
τίζειν; — Ὅταν πέμπωσιν, ὥσπερ σὺ σοὶ φῂς πέμπειν αὐτούς, 15
συμβούλους, ὅ τι χρὴ ποιεῖν καὶ μὴ ποιεῖν. — Ὅταν δὲ Ἀθη-
ναίοις, ἔφη, πυνθανομένοις τι διὰ μαντικῆς φράζωσιν, οὐ καὶ
σοὶ δοκεῖς φράζειν αὐτούς, οὐδ᾽ ὅταν τοῖς Ἕλλησι τέρατα πέμ-
ποντες προσημαίνωσιν, οὐδ᾽ ὅταν πᾶσιν ἀνθρώποις; ἀλλὰ μό-
νον σὲ ἐξαιροῦντες ἐν ἀμελείᾳ κατατίθενται; Οἴει δ᾽ ἂν τοὺς 16
θεοὺς τοῖς ἀνθρώποις δόξαν ἐμφῦσαι, ὡς ἱκανοί εἰσιν εὖ καὶ
κακῶς ποιεῖν, εἰ μὴ δυνατοὶ ἦσαν, καὶ τοὺς ἀνθρώπους ἐξ-
απατωμένους τὸν πάντα χρόνον οὐδέποτ᾽ ἂν αἰσθέσθαι; Οὐχ
ὁρᾷς, [ὅτι] τὰ πολυχρονιώτατα καὶ σοφώτατα τῶν ἀνθρωπίνων,
πόλεις καὶ ἔθνη, θεοσεβέστατά ἐστι, καὶ αἱ φρονιμώταται
ἡλικίαι θεῶν ἐπιμελέσταται; Ὠγαθέ, ἔφη, κατάμαθε, ὅτι καὶ 17
ὁ σὸς νοῦς ἐνὼν τὸ σὸν σῶμα, ὅπως βούλεται, μεταχειρίζεται.
Οἴεσθαι οὖν χρὴ καὶ τὴν ἐν *τῷ* παντὶ φρόνησιν τὰ πάντα,
ὅπως ἂν αὐτῇ ἡδὺ ᾖ, οὕτω τίθεσθαι, καὶ μὴ τὸ σὸν μὲν ὄμμα

ἂν πράττειν] das erstere ἂν ist
hinter βοός gesetzt, um es hervor-
zuheben. C. § 639, 3, A. K. § 261,
2 b. In ἔχων liegt das Subjekt:
einer, der da hat. S. zu I 3, 8. —
ἃ ἐβούλετο] quae vellet (nicht
volebat oder vult) mittels einer
Attraktion und Assimilation des
Modus, s. K. § 326, 2, wie im Lat.
(s. K. lat. Schulgr. § 140 a, A. 10).
Vgl. III 5, 8: εἰ μὲν ἐβουλόμεθα
χρημάτων αὐτοὺς ὧν οἱ ἄλλοι εἶχον
ἀντιποιεῖσθαι, si vellemus eos
ad se vindicare opes, quas alii
haberent (st. habent). — ὅσα
ἔχει] was Hände hat, z. B. die
Affen. — πλέον οὐδὲν ἔχει] nihil
proficiunt. — ἀμφοτέρων] scil.
σώματός τε καὶ ψυχῆς. — ὅταν τί
ποιήσωσι —;] im Deutschen: was
sollen sie thun, wenn du glauben
sollst, daſs sie für dich sorgen?
at quid cum fecerint, eos te curare pu-
tabis? C. § 606, A. 2. K. § 330, A. 2.
§ 15. συμβούλους] A. deutet
auf das δαιμόνιον des Sokrates hin.
— σὲ — κατατίθενται] Über-

gang der abhängigen Rede in die
direkte. Vgl. III 5, 14. IV 1, 4.
§ 16. εἰ μὴ δυνατοὶ ἦσαν]
Scil. εὖ καὶ κακῶς ποιεῖν, — ἐξα-
πατωμένους] scil. τῇ δόξῃ, ὡς οἱ
θεοὶ ἱκανοί εἰσιν εὖ καὶ κακῶς ποι-
εῖν. — ἡλικίαι] aetates, der Plu-
ral, insofern der abstrakte Begriff
Lebensalter auf alle Menschen
bezogen ist, s. K. § 242, 3. Der
Sinn ist: je vernünftiger die Men-
schen mit der Zunahme ihres Alters
werden, um so mehr bekümmern
sie sich um die Götter.
§ 17. Ὠγαθέ] eine freundschaft-
liche Anrede, wenn man einem
eine leise Zurechtweisung oder Ver-
mahnung geben will, wie im Lat.
o bone. Vgl. II, 3, 16. III 7, 9. —
ἔφη] ist eingeschoben, obwohl die
redende Person dieselbe bleibt,
was besonders in Ermahnungen ge-
schieht. Vgl. II 3, 16. 7, 10. III 4,
12. — ἐνὼν] scil. ἐν τῷ σώματι.
— τῷ παντί] dem Weltall. —
καὶ μή] scil. οἴεσθαι χρή, was
gleichfalls bei dem folg. μηδέ zu

δύνασθαι ἐπὶ πολλὰ στάδια ἐξικνεῖσθαι, τὸν δὲ τοῦ θεοῦ
ὀφθαλμὸν ἀδύνατον εἶναι ἅμα πάντα ὁρᾶν, μηδὲ τὴν σὴν μὲν
ψυχὴν καὶ περὶ τῶν ἐνθάδε καὶ περὶ τῶν ἐν Αἰγύπτῳ καὶ ἐν
Σικελίᾳ δύνασθαι φροντίζειν, τὴν δὲ τοῦ θεοῦ φρόνησιν μὴ
18 ἱκανὴν εἶναι ἅμα πάντων ἐπιμελεῖσθαι. Ἢν μέντοι, ὥσπερ
ἀνθρώπους θεραπεύων γιγνώσκεις τοὺς ἀντιθεραπεύειν ἐθέ-
λοντας καὶ χαριζόμενος τοὺς ἀντιχαριζομένους καὶ συμβουλευό-
μενος καταμανθάνεις τοὺς φρονίμους, οὕτω καὶ τῶν θεῶν
πεῖραν λαμβάνῃς θεραπεύων, εἴ τι σοὶ θελήσουσι περὶ τῶν
ἀδήλων ἀνθρώποις συμβουλεύειν, γνώσῃ τὸ θεῖον ὅτι τοσοῦ-
τον καὶ τοιοῦτόν ἐστιν, ὥσθ᾽ ἅμα πάντα ὁρᾶν καὶ πάντα
ἀκούειν καὶ πανταχοῦ παρεῖναι καὶ ἅμα πάντων ἐπιμελεῖσθαι
19 [αὐτούς]. Ἐμοὶ μὲν ταῦτα λέγων οὐ μόνον τοὺς συνόντας
ἐδόκει ποιεῖν, ὁπότε ὑπὸ τῶν ἀνθρώπων ὁρῷντο, ἀπέχεσθαι
τῶν ἀνοσίων τε καὶ ἀδίκων καὶ αἰσχρῶν, ἀλλὰ καὶ ὁπότε ἐν
ἐρημίᾳ εἶεν, ἐπείπερ ἡγήσαιντο μηδὲν ἄν ποτε ὧν πράττοιεν
θεοὺς διαλαθεῖν.

Fünftes Kapitel.

Inhalt.

Die Selbstbeherrschung (ἐγκράτεια) ist die Grundlage aller
Tugend. Vgl. II Kap. 1 und IV Kap. 5.

1　　Εἰ δὲ δὴ καὶ ἐγκράτεια καλόν τε κἀγαθὸν ἀνδρὶ κτῆμά
ἐστιν, ἐπισκεψώμεθα, εἴ τι προὐβίβαζε λέγων εἰς αὐτὴν τοιάδε·

wiederholen ist. Warum steht erst
καὶ μή und dann μηδέ? S. K.
§ 315, 4. Vgl. III 7, 9. — περὶ
τῶν ἐν Αἰγύπτῳ κα‚ ἐν Σ.]
Warum nicht καὶ περὶ τῶν ἐν Σ.?
s. zu I 3, 3.

§ 18. Ἢν μέντοι] si profecto. S.
zu I 3, 10. — ἐθέλοντας — σοὶ
θελήσουσι] Wahrscheinlich zu
schreiben: σοὶ ᾿θελήσουσι. S. K.
ausführl. griech. Gr. T. I § 44,
Anm. 3. Derselbe Wechsel II 6, 27:
συμμαχεῖν ἐθέλοντες .. ἵνα θέλωσι
(ἵνα ᾿θέλωσι). — γνώσῃ τὸ θεῖον
ὅτι] s. zu I 2, 13. — ἐπιμελεῖ-
σθαι αὐτούς] scil. τοὺς θεούς,
was aus dem vorhergehenden τὸ
θεῖον mittelst der Konstruktion κα-

τὰ σύνεσιν zu entnehmen ist. Übri-
gens ist αὐτούς grammatisch über-
flüssig. Vgl. II 3, 9. Eine Handschr.
läfst αὐτούς ganz fort.

§ 19. οὐ μόνον] diese Worte
gehören eigentlich erst vor ὁπότε
ὑπὸ τ. ἀ. ὁρῷντο. — ὁπότε —
ὁρῷντο] s. zu I 2, 57. — ἐπεί-
περ ἡγήσαιντο] mittelst der At-
traktion oder Assimilation des Mo-
dus für ἡγήσαντο. S. K. § 326, 2.
Vgl. II 1, 18. III 2, 2. 14, 6 am
Ende. IV 2, 20.

§ 1. Εἰ δὲ δή] εἰ δή entspricht
dem lat. si iam, wenn nun ein-
mal, von etwas Bekanntem und
Ausgemachtem. Vgl. I 6, 9. II 6,
20. — προὐβίβαζε] s. zu I 2, 17.

Ὦ ἄνδρες, εἰ πολέμου ἡμῖν γενομένου βουλοίμεθα ἑλέσθαι
ἄνδρα, ὑφ᾽ οὗ μάλιστ᾽ ἂν αὐτοὶ μὲν σωζοίμεθα, τοὺς δὲ πο-
λεμίους χειροίμεθα, ἆρ᾽ ὄντιν᾽ ἂν αἰσθανοίμεθα ἥττω γαστρὸς
ἢ οἴνου ἢ ἀφροδισίων ἢ πόνου ἢ ὕπνου, τοῦτον ἂν αἱροί-
μεθα; καὶ πῶς ἂν οἰηθείημεν τὸν τοιοῦτον ἢ ἡμᾶς σῶσαι ἢ
τοὺς πολεμίους κρατῆσαι; Εἰ δ᾽ ἐπὶ τελευτῇ τοῦ βίου γενό- 2
μενοι βουλοίμεθά τῳ ἐπιτρέψαι ἢ παῖδας ἄρρενας παιδεῦσαι
ἢ θυγατέρας παρθένους διαφυλάξαι ἢ χρήματα διασῶσαι, ἆρ᾽
ἀξιόπιστον εἰς ταῦτα ἡγησόμεθα τὸν ἀκρατῆ; δούλῳ δ᾽ ἀκρατεῖ
ἐπιτρέψαιμεν ἂν ἢ βοσκήματα ἢ ταμιεῖα ἢ ἔργων ἐπίστασιν;
διάκονον δὲ καὶ ἀγοραστὴν τοιοῦτον ἐθελήσαιμεν ἂν προῖκα
λαβεῖν; Ἀλλὰ μὴν εἴ γε μηδὲ δοῦλον ἀκρατῆ δεξαίμεθ᾽ ἄν, 3
πῶς οὐκ ἄξιον αὐτόν γε φυλάξασθαι τοιοῦτον γενέσθαι; Καὶ
γὰρ οὐχ, ὥσπερ οἱ πλεονέκται τῶν ἄλλων ἀφαιρούμενοι χρή-
ματα ἑαυτοὺς δοκοῦσι πλουτίζειν, οὕτως ὁ ἀκρατὴς τοῖς μὲν
ἄλλοις βλαβερός, ἑαυτῷ δ᾽ ὠφέλιμος, ἀλλὰ κακοῦργος μὲν
τῶν ἄλλων, ἑαυτοῦ δὲ πολὺ κακουργότερος, εἴ γε κακουργό-
τατόν ἐστι μὴ μόνον τὸν οἶκον τὸν ἑαυτοῦ φθείρειν, ἀλλὰ
καὶ τὸ σῶμα καὶ τὴν ψυχήν. Ἐν συνουσίᾳ δὲ τίς ἂν ἡσθείη 4
τῷ τοιούτῳ, ὃν εἰδείη τῷ ὄψῳ τε καὶ τῷ οἴνῳ χαίροντα μᾶλ-
λον ἢ τοῖς φίλοις καὶ τὰς πόρνας ἀγαπῶντα μᾶλλον ἢ τοὺς
ἑταίρους; Ἀρά γε οὐ χρὴ πάντα ἄνδρα, ἡγησάμενον τὴν ἐγ-

Dazu gehört εἰς αὐτήν. — ὄντιν᾽
ἂν αἰσθανοίμεθα ἥττω] scil.
ὄντα; sowie der Optativ mit ἄν in
einem Hauptsatze von einer unent-
schiedenen Möglichkeit gebraucht
wird, ebenso in einem relativen
Nebensatze: von dem wir wissen
dürften, könnten. — ἥττω γα-
στρὸς κτλ.] C. § 416. Ko. § 84, 14.
K. § 274, 1. Vgl. IV 5, 11. —
τοὺς πολεμίους κρατῆσαι] be-
siegen, wie IV 5, 10, dagegen
κρατεῖν τινος potiri re. K. § 274 A.
§ 2. Εἰ — βουλοίμεθα —,
ἡγησόμεθα] s. K. § 325 A. —
ἔργων] vom Landbaue, vgl. opus
facere — agrum colere.
§ 3. εἴ γε μηδὲ δοῦλον ἀκρα-
τῆ δεξαίμεθ᾽ ἄν] εἰ wird oft
statt ἐπεί, ἐπειδή gebraucht, d. h.
ein konditionaler Adverbialsatz statt
eines grundangebenden, wenn man

den Grund als einen allgemein
gültigen bezeichnen will. Da in
solchen Konditionalsätzen ebenso
wie in Sätzen mit ἐπεί, weil, eine
Behauptung ausgesprochen wird,
so wird der Optativ mit ἄν ge-
braucht, wenn die Behauptung als
eine unentschiedene Möglichkeit
bezeichnet werden soll: da wir ja
auch einen unmäßigen Sklaven
nicht annehmen dürften, möch-
ten, könnten. — αὐτόν γε]
αὐτός, im Ggs. zu den Sklaven
bezeichnet den Freigeborenen, den
Herrn. — τῶν ἄλλων ἀφαιρού-
μενοι χρήματα] eine seltenere
Konstruktion für: ἀφαιρεῖσθαί τινά
τι. — βλαβερός] sc. ἐστιν.
§ 4. Ἀρά γε οὐ] s. zu I 3, 11;
γέ beschränkt die Frage auf eine
Sache, die als gewiß gesetzt wird:
nonne certe —? Vgl. III 2, 1. 2. 8, 3.

κράτειαν ἀρετῆς εἶναι κρηπῖδα, ταύτην πρῶτον ἐν τῇ ψυχῇ
5 κατασκευάσασθαι; Τίς γὰρ ἄνευ ταύτης ἢ μάθοι τι ἂν ἀγα-
θὸν ἢ μελετήσειεν ἀξιολόγως; ἢ τίς οὐκ ἂν ταῖς ἡδοναῖς
δουλεύων· αἰσχρῶς διατεθείη καὶ τὸ σῶμα καὶ τὴν ψυχήν;
Ἐμοὶ μὲν δοκεῖ, νὴ τὴν Ἥραν, ἐλευθέρῳ μὲν ἀνδρὶ εὐκτὸν
εἶναι μὴ τυχεῖν δούλου τοιούτου, δουλεύοντα δὲ ταῖς τοιαύ-
ταις ἡδοναῖς ἱκετεύειν τοὺς θεοὺς δεσποτῶν ἀγαθῶν τυχεῖν·
6 οὕτως γὰρ ἂν μόνως ὁ τοιοῦτος σωθείη. Τοιαῦτα δὲ λέγων
ἔτι ἐγκρατέστερον τοῖς ἔργοις ἢ τοῖς λόγοις ἑαυτὸν ἐπεδείκνυεν·
οὐ γὰρ μόνον τῶν διὰ τοῦ σώματος ἡδονῶν ἐκράτει, ἀλλὰ
καὶ τῆς διὰ τῶν χρημάτων, νομίζων τὸν παρὰ τοῦ τυχόντος
χρήματα λαμβάνοντα δεσπότην ἑαυτοῦ καθιστάναι καὶ δου-
λεύειν δουλείαν οὐδεμιᾶς ἧττον αἰσχράν.

§ 5. διατεθείη καὶ τὸ σῶμα
καὶ τὴν ψυχήν] constitutus sit
et corpore et animo. — Ἐμοὶ μέν]
wegen μέν s. zu I 1, 1. — νὴ τὴν
Ἥραν] dieser Beteuerungsformel,
die sonst von Weibern gebraucht
zu werden pflegte, bedient sich
Sokrates oft. Vgl. III 10, 9. 11, 5.
IV 2, 9. 4, 8 und oft bei Platon.
— δουλεύοντα δὲ — ἱκετεύ-
ειν] die Konstruktion der Verbal-
adjektive geht häufig in den Infi-
nitiv über, indem man sich δεῖ
(hier δεῖν abhängig von δοκεῖ) vor-
hergehend denkt; δουλεύοντα
wird dem ἐλευθέρῳ ἀνδρί entgegen-

gestellt. — δεσποτῶν ἀγαθῶν]
Herren, die den Sklaven mit einem
guten Beispiele vorangehen und
sich ihrer Bildung annehmen.

§ 6. οὐδεμιᾶς ἧττον αἰσχράν]
die allerschimpflichste, keiner an
Schimpflichkeit nachstehend. So
wird bei den Attikern sehr häufig
ein Komparativ, in dem ein nega-
tiver Sinn liegt, wie ἐλάσσων, ἧσ-
σων, ἐνδεέστερος mit dem voran-
gehenden Genetive οὐδενός in dem
Sinne von allergröfster, kei-
nem nachstehend, verbunden.
Vgl. III 5, 18. IV 2, 12.

Sechstes Kapitel.

Inhalt.

Drei Unterredungen mit dem Sophisten Antiphon.

I. Antiphon verlacht den Sokrates, weil derselbe für seine Lehre
keine Bezahlung von seinen Schülern nehme. Hierauf erwidert Sokrates:
a) Wer kein Lehrgeld nimmt, dem steht es frei sich mit denen zu unter-
reden, mit denen er will. — b) Eine einfache Lebensweise ist der Ge-
sundheit zuträglicher, wohlfeiler und dem Weisen angenehmer. — c) Das
ist die reinste und schönste Freude, die aus dem Bewuſstsein hervor-
geht, daſs man teils selbst besser werde, teils seine Freunde besser
mache. — d) Der genügsame Mensch wird seine Pflichten gegen Freunde
und Staat weit leichter erfüllen, als der, der groſsen Aufwand macht.
— e) Je weniger Bedürfnisse jemand hat, desto mehr nähert er sich der
Gottheit (§ 1—10).

II. Wer seine Weisheit für Lohn verkauft, der befleckt die Weisheit; wer aber einen Menschen, an dem er gute Eigenschaften erkannt hat, Weisheit lehrt und ihn sich zum Freunde macht: der erfüllt die Pflichten eines guten Bürgers und schöpft aus dem Umgange mit guten Freunden und aus ihren Fortschritten in der Tugend mehr Genuß als aus dem Lohne (§ 11—14). III. Auf die Frage des A., wie er andere Staatskunst lehren könne, da er selbst sie nicht ausübe, erwidert Sokrates, wer dafür sorge, daß möglichst viele in dieser Kunst unterrichtet würden, der sorge für den Staat mehr, als wenn er allein an der Verwaltung des Staates teilnehme (§ 15).

"Άξιον δ' αὐτοῦ καὶ ἃ πρὸς Ἀντιφῶντα, τὸν σοφιστήν, 1
διελέχθη μὴ παραλιπεῖν· ὁ γὰρ Ἀντιφῶν ποτε βουλόμενος
τοὺς συνουσιαστὰς αὐτοῦ παρελέσθαι προσελθὼν τῷ Σωκράτει
παρόντων αὐτῶν ἔλεξε τάδε· Ὦ Σώκρατες, ἐγὼ μὲν ᾤμην 2
τοὺς φιλοσοφοῦντας εὐδαιμονεστέρους χρῆναι γίγνεσθαι, σὺ
δέ μοι δοκεῖς τἀναντία τῆς φιλοσοφίας ἀπολελαυκέναι· ζῆς
γοῦν οὕτως, ὡς οὐδ' ἂν εἷς δοῦλος ὑπὸ δεσπότῃ διαιτώμενος
μείνειε· σιτία τε σιτῇ καὶ ποτὰ πίνεις τὰ φαυλότατα καὶ ἱμά-
τιον ἠμφίεσαι οὐ μόνον φαῦλον, ἀλλὰ τὸ αὐτὸ θέρους τε καὶ
χειμῶνος, ἀνυπόδητός τε καὶ ἀχίτων διατελεῖς. Καὶ μὴν χρή- 3
ματά γε οὐ λαμβάνεις, ἃ καὶ κτωμένους εὐφραίνει καὶ κεκτη-
μένους ἐλευθεριώτερόν τε καὶ ἥδιον ποιεῖ ζῆν. Εἰ οὖν, ὥσπερ
καὶ τῶν ἄλλων ἔργων οἱ διδάσκαλοι τοὺς μαθητὰς μιμητὰς
ἑαυτῶν ἀποδεικνύουσιν, οὕτω καὶ σὺ τοὺς συνόντας διαθή-
σεις, νόμιζε κακοδαιμονίας διδάσκαλος εἶναι. Καὶ ὁ Σωκράτης 4

§ 1. "Άξιον δ' αὐτοῦ κτλ.] der Genetiv ist von ἃ πρὸς Ἀ. διελέχθη (= αὐτοῦ πρὸς Ἀ. λόγους) abhängig. K. § 270, A. 3. — Ἀντιφῶν] aus Kreta, ein Sophist. — τῷ Σωκράτει] wegen des zweimal vorausgegangenen αὐτοῦ erwartet man hier αὐτῷ, aber auch sonst ist die Wiederholung eines Substantivs nach einem Pronomen oder Substantive nicht selten. Vgl. II 5, 4.
§ 2. τἀναντία τῆς φιλοσοφίας ἀπολελαυκέναι] contrarium fructum e sapientiae studio percepisse. C. § 419 a. K. § 271, 1. Vgl. IV 3, 10. — ζῆς γοῦν] vivis certe, d. h. wenn auch von allem anderen abgesehen wird, so steht doch wenigstens das fest. Vgl. § 11. II 1, 1. III 3, 1. 10, 1. IV 3, 10. —

οὐδ' ἂν εἷς] nachdrücklicher als οὐδεὶς ἄν. Vgl. II 6, 4. 7, 14. III 5, 21 u. sonst; vgl. non ullus. — σιτία τε . . διατελεῖς] diese Worte enthalten die Erklärung der vorangehenden; das τέ nach σιτία bezieht sich auf καί vor ἱμάτιον ἠμφίεσαι. — οὐ μόνον —, ἀλλά] wie im Lat. non modo —, sed, wenn der zweite Begriff wichtiger oder umfassender als der erste ist. — ἀχίτων] d. h. ohne das Oberkleid (χιτὼν ἐπενδύτης), das vorzugsweise χιτών genannt wurde; auf dem Leibe aber trug er den χιτὼν ὑπενδύτης. — διατελεῖς] ohne Particip. Vgl. II 8, 5.
§ 3. Καὶ μὴν — γέ] s. zu I 4, 12. — ὥσπερ καὶ — οὕτω καί] s. zu I 1, 6.

πρὸς ταῦτα εἶπε· Δοκεῖς μοι, [ἔφη,] ὦ Ἀντιφῶν, ὑπειληφέναι
με οὕτως ἀνιαρῶς ζῆν, ὥστε πέπεισμαί σε μᾶλλον ἀποθανεῖν
ἂν ἑλέσθαι ἢ ζῆν ὥσπερ ἐγώ. Ἴθι οὖν ἐπισκεψώμεθα, τί
5 χαλεπὸν ᾔσθησαι τοὐμοῦ βίου. Πότερον, ὅτι τοῖς μὲν λαμ-
βάνουσιν ἀργύριον ἀναγκαῖόν ἐστιν ἀπεργάζεσθαι τοῦτο, ἐφ'
ᾧ ἂν μισθὸν λαμβάνωσιν, ἐμοὶ δὲ μὴ λαμβάνοντι οὐκ ἀνάγκη
διαλέγεσθαι, ᾧ ἂν μὴ βούλωμαι; ἢ τὴν δίαιτάν μου φαυλί-
ζεις ὡς ἧττον μὲν ὑγιεινὰ ἐσθίοντος ἐμοῦ ἢ σοῦ, ἧττον δὲ
ἰσχὺν παρέχοντα; ἢ ὡς χαλεπώτερα πορίσασθαι τὰ ἐμὰ διαι-
τήματα τῶν σῶν διὰ τὸ σπανιώτερά τε καὶ πολυτελέστερα
εἶναι; ἢ ὡς ἡδίω σοὶ ἃ σὺ παρασκευάζῃ ὄντα ἢ ἐμοὶ ἃ ἐγώ;
Οὐκ οἶσθ', ὅτι ὁ μὲν ἥδιστα ἐσθίων ἥκιστα ὄψου δεῖται,
ὁ δὲ ἥδιστα πίνων ἥκιστα τοῦ μὴ παρόντος ἐπιθυμεῖ πο-
6 τοῦ; Τά γε μὴν ἱμάτια οἶσθ' ὅτι οἱ μεταβαλλόμενοι ψύχους
καὶ θάλπους ἕνεκα μεταβάλλονται καὶ ὑποδήματα ὑποδοῦν-
ται, ὅπως μὴ διὰ τὰ λυποῦντα τοὺς πόδας κωλύωνται πο-
ρεύεσθαι· ἤδη οὖν ποτε ᾔσθου ἐμὲ ἢ διὰ ψῦχος μᾶλλόν του
ἔνδον μένοντα ἢ διὰ θάλπος μαχόμενόν τῳ περὶ σκιᾶς ἢ διὰ
τὸ ἀλγεῖν τοὺς πόδας οὐ βαδίζοντα, ὅπου ἂν βούλωμαι;
7 Οὐκ οἶσθ', ὅτι οἱ φύσει ἀσθενέστατοι τῷ σώματι μελετήσαν-

---

§ 4. [εἶπε — ἔφη] so öfter, wie
Symp. I 15.] — τί χαλεπὸν ἤ-
σθησαι τοὐμοῦ βίου] s. zu I 1,
12: αὐτῶν ἐσκόπει πότερα — ἔρχον-
ται.

§ 5. Πότερον] scil. χαλεπὸν
ᾔσθησαι τοῦτο τοῦ ἐμοῦ βίου; —
τοῖς μὲν — ἐμοὶ δὲ κτλ.] nach-
drücklicher als: ἐκείνοις λαμβάνου-
σιν ἀργύριον ἀναγκαῖον ὄν, ἐμοὶ
μὴ λαμβάνοντι οὐκ ἀνάγκη δια-
λέγεσθαι. Oft werden zwei einander
entgegengesetzte Sätze, von denen
der erstere dem zweiten unterge-
ordnet sein sollte, durch μέν und
δέ einander beigeordnet, um den
Kontrast zwischen beiden nach-
drücklich hervorzuheben. Vgl. II 1,
6. 8. 7, 11. III 9, 8. IV 3, 4. —
ὡς — ἐσθίοντος ἐμοῦ] s. zu I
1, 4. Die *genetivi absoluti* statt des
participii coniuncti, um das Satz-
glied nachdrücklicher hervorzu-
heben. — ὡς χαλεπώτερα] scil.
ὄντα, was aus dem folgenden zu

entnehmen ist: oder hältst du
deshalb meine Lebensweise
für schlecht, weil du meinst,
meine Kost sei schwerer an-
zuschaffen? Wegen der *accu-
sativi absoluti* mit ὡς s. C. § 588 u.
586, 2. Ko. § 124, 4 a. K. § 312,
5 d. — τοῦ μὴ παρόντος] d. i.
ein Trank, der nicht zu Gebote
steht (der schwer anzuschaffen ist).

§ 6. γὲ μήν] s. zu I 4, 5. Des
Nachdrucks wegen sind die von οἱ
μεταβαλλόμενοι abhängigen Accu-
sative vorangeschickt. — ἐμὲ — ἔν-
δον μένοντα] daſs ich, obwohl
ich mich keiner Fuſsbekleidung
bediene, mehr als ein anderer, der
sich derselben bedient, zu Hause
geblieben sei. — βαδίζοντα, ὅπου
ἂν βούλωμαι] βαδίζειν = *ince-
dere, ambulare*, daher ὅπου, nicht
ὅποι.

§ 7. οἱ φύσει ἀσθενέστατοι
τῷ σώματι] die von Natur körper-
lich Schwächsten; statt des Dativs

τες τῶν ἰσχυροτάτων ἀμελησάντων κρείττους τε γίγνονται
πρὸς ἂν μελετῶσι καὶ ῥᾷον αὐτὰ φέρουσιν; Ἐμὲ δὲ ἄρα οὐκ
οἴει τῷ σώματι ἀεὶ τὰ συντυγχάνοντα μελετῶντα καρτερεῖν
πάντα ῥᾷον φέρειν σοῦ μὴ μελετῶντος; Τοῦ δὲ μὴ δουλεύειν 8
γαστρὶ μηδὲ ὕπνῳ καὶ λαγνείᾳ οἴει τι ἄλλο αἰτιώτερον εἶναι
ἢ τὸ ἕτερα ἔχειν τούτων ἡδίω, ἃ οὐ μόνον ἐν χρείᾳ ὄντα
εὐφραίνει, ἀλλὰ καὶ ἐλπίδας παρέχοντα ὠφελήσειν ἀεί; Καὶ
μὴν τοῦτό γε οἶσθα, ὅτι οἱ μὲν οἰόμενοι μηδὲν εὖ πράττειν
οὐκ εὐφραίνονται, οἱ δὲ ἡγούμενοι καλῶς προχωρεῖν ἑαυτοῖς
ἢ γεωργίαν ἢ ναυκληρίαν ἢ ἄλλ', ὅ τι ἂν τυγχάνωσιν ἐργα-
ζόμενοι, ὡς εὖ πράττοντες εὐφραίνονται. Οἴει οὖν ἀπὸ πάν- 9
των τούτων τοσαύτην ἡδονὴν εἶναι, ὅσην ἀπὸ τοῦ ἑαυτόν τε
ἡγεῖσθαι βελτίω γίγνεσθαι καὶ φίλους ἀμείνους κτᾶσθαι; Ἐγὼ
τοίνυν διατελῶ ταῦτα νομίζων. Ἐὰν δὲ δὴ φίλους ἢ πόλιν
ὠφελεῖν δέῃ, ποτέρῳ ἡ πλείων σχολὴ τούτων ἐπιμελεῖσθαι,
τῷ, ὡς ἐγὼ νῦν, ἢ τῷ, ὡς σὺ μακαρίζεις, διαιτωμένῳ; στρα-
τεύοιτο δὲ πότερος ἂν ῥᾷον, ὁ μὴ δυνάμενος ἄνευ πολυτελοῦς
διαίτης ζῆν, ἢ ᾧ τὸ παρὸν ἀρκοίη; ἐκπολιορκηθείη δὲ πότερος
ἂν θᾶττον, ὁ τῶν χαλεπωτάτων εὑρεῖν δεόμενος, ἢ ὁ τοῖς
ῥᾴστοις ἐντυγχάνειν ἀρκούντως χρώμενος; Ἔοικας, ὦ Ἀντι- 10
φῶν, τὴν εὐδαιμονίαν οἰομένῳ τρυφὴν καὶ πολυτέλειαν εἶναι·
ἐγὼ δὲ νομίζω τὸ μὲν μηδενὸς δέεσθαι θεῖον εἶναι, τὸ δ' ὡς

τῷ σώματι wird häufiger der Accu-
sativ gebraucht.— μελετήσαντες]
scil. τὸ σῶμα. — πρὸς ἄν] d. i.
πρὸς ἃ ἄν. — τῷ σώματι ἀεί]
diese Worte sind auf das Verb
καρτερεῖν zu beziehen: mit dem
Körper immer tragen, und zu
συντυγχάνοντα ist σώματι zu wieder-
holen: me, qui semper me exerceo
ad fortiter ferenda corpore omnia,
quae ei accidunt. Wegen μελετᾶν
c. infin. vgl. III 9, 14.

§ 8. εὐφραίνει] gehört beiden
Satzgliedern gemeinschaftlich an;
konstruiere: ἃ οὐ μόνον ἐν χρείᾳ
ὄντα (= so lange wir sie geniefsen),
ἀλλὰ καὶ ἐλπίδας παρέχοντα ἀεὶ
ὠφελήσειν εὐφραίνει. Vgl. I 7, 3
(ἀγαθὸς μὴ ὤν), II 4, 2 (φροντίζον-
τας). — Καὶ μὴν — γέ] s. zu I
4, 12. — εὖ πράττειν] glück-

lich sein; darauf ὡς εὖ πράτ-
τοντες existimantes se rem bene
gerere: ein Wortspiel.

§ 9. φίλους ἀμείνους κτᾶ-
σθαι] die Freunde sich zu besseren
erwerben, d. h. so zu erwerben,
dafs sie besser werden, also da-
durch, dafs man sie besser macht,
sich recht innig verbinden. — τοί-
νυν] s. zu I 2, 34. — ταῦτα νο-
μίζων] scil. μείζω ἡδονὴν εἶναι —
κτᾶσθαι. — Ἐὰν δὲ δή] s. zu I 6, 1.
— ἡ πλείων σχολή] der Artikel
ist hier wegen ποτέρῳ notwendig.
— ἀρκούντως χρώμενος] = ἀρ-
κούμενος, contentus.

§ 10. Ἔοικας — οἰομένῳ] Symp.
II 15: ἐπαινοῦντι ἔοικας. C. § 591,
2 A. - δέεσθαι] st. δεῖσθαι öfter
b. Xen. Vgl. II 1, 30. 8, 1. III 6,
13. 14. IV 8. 11. Anab. VII 7, 31.

ἐλαχίστων ἐγγυτάτω τοῦ θείου· καὶ τὸ μὲν θεῖον κράτιστον,
τὸ δὲ ἐγγυτάτω τοῦ θείου ἐγγυτάτω τοῦ κρατίστου.

11   Πάλιν δέ ποτε ὁ Ἀντιφῶν διαλεγόμενος τῷ Σωκράτει
εἶπεν· Ὦ Σώκρατες, ἐγώ τοι σὲ μὲν δίκαιον νομίζω, σοφὸν
δὲ οὐδ᾽ ὁπωστιοῦν. Δοκεῖς δέ μοι καὶ αὐτὸς τοῦτο γιγνώ-
σκειν· οὐδένα γοῦν τῆς συνουσίας ἀργύριον πράττῃ· καίτοι
τό γε ἱμάτιον ἢ τὴν οἰκίαν ἢ ἄλλο τι ὧν κέκτησαι νομίζων
ἀργυρίου ἄξιον εἶναι οὐδενὶ ἂν μὴ ὅτι προῖκα δοίης, ἀλλ᾽
12 οὐδ᾽ ἔλαττον τῆς ἀξίας λαβών. Δῆλον δή, ὅτι εἰ καὶ τὴν
συνουσίαν ᾤου τινὸς ἀξίαν εἶναι, καὶ ταύτης ἂν οὐκ ἔλαττον
τῆς ἀξίας ἀργύριον ἐπράττου. Δίκαιος μὲν οὖν ἂν εἴης, ὅτι
οὐκ ἐξαπατᾷς ἐπὶ πλεονεξίᾳ, σοφὸς δὲ οὐκ ἄν, μηδενός γε
13 ἄξια ἐπιστάμενος. Ὁ δὲ Σωκράτης πρὸς ταῦτα εἶπεν· Ὦ Ἀν-
τιφῶν, παρ᾽ ἡμῖν νομίζεται τὴν ὥραν καὶ τὴν σοφίαν ὁμοίως
μὲν καλόν, ὁμοίως δὲ αἰσχρὸν διατίθεσθαι εἶναι· τήν τε γὰρ
ὥραν ἐὰν μέν τις ἀργυρίου πωλῇ τῷ βουλομένῳ, πόρνον
αὐτὸν ἀποκαλοῦσιν, ἐὰν δέ τις, ὃν ἂν γνῷ καλόν τε κἀγαθὸν
ἐραστὴν ὄντα, τοῦτον φίλον ἑαυτῷ ποιῆται, σώφρονα νομίζο-
μεν· καὶ τὴν σοφίαν ὡσαύτως τοὺς μὲν ἀργυρίου τῷ βουλο-

---

§ 11. ἐγώ τοι] ego quidem. Vgl.
II 1, 11. 13. 5, 4. III 5, 1. — σὲ
μὲν δίκαιον] man erwartet σὲ
δίκαιον μέν; doch auch sonst hat
μέν öfters eine freie Stellung, s. d.
größere Ausg. — γοῦν] s. zu § 2.
— καίτοι — γέ] s. zu I 2, 3. —
οὐδενὶ ἂν μὴ ὅτι προῖκα δοί-
ης] d. i. οὐδενὶ ἂν μὴ εἴης, ὅτι
πρ. δοίης, nemini ne dicam gratis
des, sed. Vgl. II 9, 8. C. § 422, 4.
Ko. § 131, 55 A. 3. K. § 315, 5. —
ἔλαττον τῆς ἀξίας] d. i. ἔλατ-
τον ἢ ἡ ἀξία τούτων τῶν χρημάτων
ἐστί. Vgl. II 5, 5. II 1, 22. Ἀξία
sc. τιμή, der Wert einer Sache.
§ 12. εἰ καὶ] καὶ verbinde mit
τὴν συνουσίαν. — σοφὸς δὲ οὐκ
ἄν] scil. εἴης.
§ 13. παρ᾽ ἡμῖν νομίζεται]
Konstruiere: παρ᾽ ἡμῖν νομίζεται
ὁμοίως μὲν καλόν, ὁμοίως δὲ αἰ-
σχρὸν εἶναι τὴν ὥραν καὶ τὴν σο-
φίαν διατίθεσθαι, d. h. bei uns
wird es sowohl für schön als für
schimpflich gehalten, die Schönheit
und Weisheit anderen zu verkaufen.

Nämlich schimpflich ist es, die
Schönheit anderen zu verkaufen,
wenn man des Gewinnes wegen
seinen Körper anderen preisgiebt;
schön dagegen ist es, die Schönheit
anderen zu verkaufen, wenn man
denjenigen, den man als Freund
der Tugend erkannt hat, sich zum
Freunde zu machen strebt und aus
diesem Grunde allein ihn an der
Schönheit der Seele teilnehmen
läfst, d. h. die Liebe zur Tugend
und Weisheit in ihm entzündet.
Ferner ist es schimpflich, die Weis-
heit des Gewinnes wegen jedem
beliebigen zu verkaufen; schön da-
gegen, die Weisheit anderen be-
gabten Menschen mitzuteilen aus
dem einzigen Grunde, daſs uns ein
solcher Mensch inniger befreundet
werde. Ὁμοίως μέν — ὁμοίως δέ,
pariter atque, ist ebenso gebraucht.
Hier. 10, 5. Plat. Symp. p. 181 B.
— ἑαυτῷ ποιῆται] bald darauf
φίλον ποιῆται ohne ἑαυτῷ. — τὴν
σοφίαν — τοὺς μὲν — πωλοῦν-
τας] wegen des Gegensatzes für:

μένῳ πωλοῦντας σοφιστὰς ὥσπερ πόρνους ἀποκαλοῦσιν, ὅστις
δέ, ὃν ἂν γνῷ εὐφυᾶ ὄντα, διδάσκων ὅ τι ἂν ἔχῃ ἀγαθόν,
φίλον ποιῆται, τοῦτον νομίζομεν, ἃ τῷ καλῷ κἀγαθῷ πολίτῃ
προσήκει, ταῦτα ποιεῖν. Ἐγὼ δ' οὖν καὶ αὐτός, ὦ Ἀντιφῶν, 14
ὥσπερ ἄλλος τις ἢ ἵππῳ ἀγαθῷ ἢ κυνὶ ἢ ὄρνιθι ἥδεται, οὕτω
καὶ ἔτι μᾶλλον ἥδομαι φίλοις ἀγαθοῖς· καὶ ἐάν τι σχῶ ἀγα-
θόν, διδάσκω καὶ ἄλλοις συνίστημι, παρ' ὧν ἂν ἡγῶμαι ὠφε-
λήσεσθαί τι αὐτοὺς εἰς ἀρετήν. Καὶ τοὺς θησαυροὺς τῶν
πάλαι σοφῶν ἀνδρῶν, οὓς ἐκεῖνοι κατέλιπον ἐν βιβλίοις γρά-
ψαντες, ἀνελίττων κοινῇ σὺν τοῖς φίλοις διέρχομαι καί, ἄν
τι ὁρῶμεν ἀγαθόν, ἐκλεγόμεθα καὶ μέγα νομίζομεν κέρδος,
ἐὰν ἀλλήλοις φίλοι γιγνώμεθα. Ἐμοὶ μὲν δὴ ταῦτα ἀκούοντι
ἐδόκει αὐτός τε μακάριος εἶναι καὶ τοὺς ἀκούοντας ἐπὶ καλο-
κἀγαθίαν ἄγειν.

Καὶ πάλιν ποτὲ τοῦ Ἀντιφῶντος ἐρομένου αὐτόν, πῶς 15
ἄλλους μὲν ἡγεῖται πολιτικοὺς ποιεῖν, αὐτὸς δὲ οὐ πράττει
τὰ πολιτικά, εἴπερ ἐπίσταται· Ποτέρως δ' ἄν, ἔφη, ὦ Ἀντι-
φῶν, μᾶλλον τὰ πολιτικὰ πράττοιμι, εἰ μόνος αὐτὰ πράτ-
τοιμι, ἢ εἰ ἐπιμελοίμην τοῦ ὡς πλείστους ἱκανοὺς εἶναι πράτ-
τειν αὐτά;

τοὺς μὲν τὴν σοφίαν π. Vgl. II 2,
4. IV 4, 7. — ὥσπερ πόρνους]
gleichsam Buhler der Weisheit.
Sokrates will damit sagen, der
Name der Sophisten sei durch ihr
Streben, aus dem Unterrichte in der
Weisheit Gewinn zu ziehen, aufs
äußerste beschimpft worden (cf.
Cicer. Brut. 8). — ὅστις δέ —
φίλον ποιῆται] man erwartet:
ὅστις δὲ ἄν — ποιῆται (oder ὅστις
— ποιεῖται, was eine Hs. hat);
die Konstruktion und Bildung des
vorhergehenden Satzes: ἐάν τις
— τοῦτον φίλον ἑαυτῷ ποιῆται
hat sich diesem mitgeteilt. Ebenso
de Re Equ. X, 6.
§ 14. συνίστημι] ich em-
pfehle sie. — ὠφελήσεσθαι]

Nutzen ziehen, nicht passivisch.
— ἀλλήλοις φίλοι] Sokrates will
sagen: ich lese die Bücher. mit
meinen Freunden, und wenn wir
in ihnen etwas Nützliches finden,
so wählen wir es aus und halten
es für einen großen Gewinn, wenn
wir, schon vorher einander befreun-
det (οἱ φίλοι), auch durch die Ge-
meinschaft dieser Studien uns lieb
und teuer werden.
§ 15. εἴπερ ἐπίσταται] wenn
er wirklich davon Kenntnis habe,
ironisch. Durch die präsentischen
Indikative ἡγεῖται, πράττει, ἐπί-
σταται wird der abhängigen Rede
der Charakter der direkten ver-
liehen. — Ποτέρως δέ] wegen δέ
s. zu I 3, 13.

Siebentes Kapitel.

Inhalt.

Es wird gezeigt, wie Sokrates seine Freunde von der Prahlsucht abgewandt und zur Tugend hingeleitet habe. Worin einer sich auszeichnen will, darin muſs er tüchtig sein. Das ist der rechte Weg zum Ruhme. Scheinsucht ist nicht nur lächerlich, sondern auch verderblich.

1 Ἐπισκεψώμεθα δέ, εἰ καὶ ἀλαζονείας ἀποτρέπων τοὺς συνόντας ἀρετῆς ἐπιμελεῖσθαι προέτρεπεν· ἀεὶ γὰρ ἔλεγεν, ὡς οὐκ εἴη καλλίων ὁδὸς ἐπ' εὐδοξίαν, ἢ δι' ἧς ἄν τις ἀγαθὸς 2 τοῦτο γένοιτο, ὃ καὶ δοκεῖν βούλοιτο. Ὅτι δ' ἀληθῆ ἔλεγεν, ὧδε ἐδίδασκεν· Ἐνθυμώμεθα γάρ, ἔφη, εἴ τις μὴ ὢν ἀγαθὸς αὐλητὴς δοκεῖν βούλοιτο, τί ἂν αὐτῷ ποιητέον εἴη; ἆρ' οὐ τὰ ἔξω τῆς τέχνης μιμητέον τοὺς ἀγαθοὺς αὐλητάς; Καὶ πρῶτον μέν, ὅτι ἐκεῖνοι σκεύη τε καλὰ κέκτηνται καὶ ἀκολούθους πολλοὺς περιάγονται, καὶ τούτῳ ταῦτα ποιητέον· ἔπειτα, ὅτι ἐκείνους πολλοὶ ἐπαινοῦσι, καὶ τούτῳ πολλοὺς ἐπαινέτας παρασκευαστέον. Ἀλλὰ μὴν ἔργον γε οὐδαμοῦ ληπτέον, ἢ εὐθὺς ἐλεγχθήσεται γελοῖος ὢν καὶ οὐ μόνον αὐλητὴς κακός, ἀλλὰ καὶ ἄνθρωπος ἀλαζών. Καίτοι πολλὰ μὲν δαπανῶν, μηδὲν δὲ ὠφελούμενος, πρὸς δὲ τούτοις κακοδοξῶν πῶς οὐκ ἐπι- 3 πόνως τε καὶ ἀλυσιτελῶς καὶ καταγελάστως βιώσεται; Ὡς δ' αὕτως εἴ τις βούλοιτο στρατηγὸς ἀγαθὸς μὴ ὢν φαίνεσθαι ἢ κυβερνήτης, ἐννοῶμεν, τί ἂν αὐτῷ συμβαίνοι. Ἆρ' οὐκ ἄν, εἰ μὲν ἐπιθυμῶν τοῦ δοκεῖν ἱκανὸς εἶναι ταῦτα πράττειν μὴ δύναιτο πείθειν, ταύτῃ λυπηρόν; εἰ δὲ πείσειεν, ἔτι ἀθλιώ- τερον; Δῆλον γάρ, ὅτι κυβερνᾶν τε κατασταθεὶς ὁ μὴ ἐπι- στάμενος ἢ στρατηγεῖν ἀπολέσειεν ἂν οὓς ἥκιστα βούλοιτο καὶ

---

§ 1. ἀλαζονείας] vgl. Cyrop. 2, 2. 12.

§ 2. Ἐνθυμώμεθα γάρ] γάρ ja (γέ). — ἆρ' οὐ] s. zu I 3, 11. — τὰ ἔξω τῆς τέχνης μιμη- τέον τοὺς ἀγαθοὺς αὐλητάς] Cyrop. I 3, 10 τἆλλα μιμούμενος τὸν Σάκαν. K. § 280, A. 1. — ἔπει- τα] s. zu I 2, 1. — ἀλλὰ μὴν γέ] s. zu 1 1, 6. — ἔργον — λη- πτέον] Probe ablegen, III 1, 2:

ἐργολαβεῖν. — Καίτοι ist nicht mit den folgenden Participien, son- dern mit βιώσεται zu verbinden.

§ 3. ταύτῃ λυπηρόν] scil. εἴη, hac ratione molestum sit. Vgl. III 5, 2. IV 3, 12. — κυβερνᾶν τε κατασταθεὶς] III 2, 1: στρατ- ηγεῖν ᾑρημένος, 3, 1; die Partikel τέ hat diese Stelle eingenommen, weil οὓς ἥκιστα βούλοιτο und αὐ- τός entgegengestellt sind: eigent-

αὐτὸς αἰσχρῶς τε καὶ κακῶς ἀπαλλάξειεν. Ὡσαύτως δὲ καὶ 4
τὸ πλούσιον καὶ τὸ ἀνδρεῖον καὶ τὸ ἰσχυρὸν μὴ ὄντα δοκεῖν
ἀλυσιτελὲς ἀπέφαινε· προστάττεσθαι γὰρ αὐτοῖς ἔφη μείζω ἢ
κατὰ δύναμιν, καὶ μὴ δυναμένους ταῦτα ποιεῖν, δοκοῦντας
ἱκανοὺς εἶναι συγγνώμης οὐκ ἂν τυγχάνειν. Ἀπατεῶνα δ' 5
ἐκάλει οὐ μικρὸν μέν, εἴ τις ἀργύριον ἢ σκεῦος παρά του
πειθοῖ λαβὼν ἀποστεροίη, πολὺ δὲ μέγιστον, ὅστις μηδενὸς
ἄξιος ὢν ἐξηπατήκοι πείθων, ὡς ἱκανὸς εἴη τῆς πόλεως ἡγεῖ-
σθαι. Ἐμοὶ μὲν οὖν ἐδόκει καὶ τοῦ ἀλαζονεύεσθαι ἀποτρέπειν
τοὺς συνόντας τοιάδε διαλεγόμενος.

lich gehört τέ zu ἀπολέσειεν, s. d.
gröfsere Ausg. — ἀπαλλάξειεν]
intransitiv: turpiter et male discedat.
Vgl. III 13, 6.

§ 4. μὴ ὄντα δοκεῖν] zu δο-
κεῖν ist εἶναι und ὄντα zu entneh-
men. — ἀλυσιτελὲς — ἀπέφαινε]
statt des gewöhnlichen ἀλυσιτελὲς
ἀπέφαινεν ὄν. K. § 311, 1 b. Vgl.
II 3, 14. IV 2, 12. — μείζω ἢ

κατὰ δύναμιν] Vgl. IV 4, 24.
7, 10.

§ 5. παρά του — λαβὼν ἀπο-
στεροίη] die Worte ἀργύριον ἢ
σκεῦος παρά του sind mit λαβών zu
verbinden. — ἐξηπατήκοι] scil.
τὴν πόλιν. — τοιάδε] Man er-
wartet τοιαῦτα, s. zu I 2, 3: es hat
hier vergegenwärtigende Kraft,
durch die vorliegenden Reden.

Zweites Buch.

Erstes Kapitel.

Inhalt.

Sokrates, in der Meinung, Aristippus, ein vergnügungssüchtiger Mensch, wolle sich der Staatsverwaltung widmen, zeigt ihm, für einen Staatsmann sei Mäfsigkeit und Selbstbeherrschung die Haupttugend. Auf die Erklärung des Aristippus, er wolle nicht Staatsmann werden, sondern ein müfsiges, angenehmes und freies Leben führen, zeigt Sokrates, eine solche Freiheit streite mit der menschlichen Gesellschaft, in der man entweder herrschen oder dienen müsse (§ 1—16). Da Aristippus die Staatsmänner verlacht, weil sie sich aus freien Stücken Mühen und Lasten aufbürdeten, so lehrt Sokrates, die freiwillig übernommenen Arbeiten seien nicht lästig, sondern angenehm, und nichts Schönes und Edeles werde den Sterblichen ohne Mühe und Arbeit zuteil, wie dies auch Dichter bezeugten und in der Erzählung des Prodikus von Herkules auf dem Scheidewege auf das schönste dargestellt werde (§ 17—34).

Ἐδόκει δέ μοι καὶ τοιαῦτα λέγων προτρέπειν τοὺς συνόντας ἀσκεῖν ἐγκράτειαν [πρὸς ἐπιθυμίαν] βρωτοῦ καὶ ποτοῦ καὶ λαγνείας καὶ ὕπνου, καὶ ῥίγους καὶ θάλπους καὶ πόνου.

§ 1. τοιαῦτα λέγων] Τοιαῦτα bezieht sich auf das Folgende. S. zu I 2, 3. — ἀσκεῖν ἐγκράτειαν [πρὸς ἐπιθυμίαν] βρωτοῦ — πόνου] Xenophon hat sich hier, wenn die Worte πρὸς ἐπιθ. echt sind, offenbar etwas dunkel ausgedrückt, indem er das Substantiv ἐγκράτειαν erst mit πρός und dem Accusative, dann aber mit den Genetiven ῥίγους καὶ θάλπους καὶ πόνου verbunden hat. Deutlicher würde er sich so ausgedrückt haben: ἀσκεῖν ἐγκράτειαν πρὸς ἐπιθυμίαν βρωτοῦ καὶ ποτοῦ καὶ λαγνείας καὶ πρὸς ῥῖγος καὶ θάλπος καὶ πόνον, oder so: ἀσκ. ἐγκράτειαν βρωτοῦ καὶ ποτοῦ καὶ λαγνείας καὶ ῥίγους καὶ θάλπους καὶ πόνου. Vgl. den krit. Anh. Die ἐγκράτεια, temperantia, Selbstbeherrschung, zeigt sich entweder in Beziehung auf die sinnlichen Genüsse als Mäfsigung, Enthaltsamkeit (moderatio, abstinentia) oder in Beziehung auf Beschwerden als Ausdauer, Duldsamkeit (patientia, tolerantia). Daher kann man ebenso gut sagen ἐγκράτεια, ἐγκρατὴς βρωτοῦ, ποτοῦ, λαγνείας, als ἐγκράτεια, ἐγκρατὴς ῥίγους, θάλπους, πόνου. Vgl. § 7: τοὺς ἐγκρατεῖς τούτων ἁπάντων, und I 5, 1, wo einem ἐγκρατεῖ entgegengestellt wird ἄνθρωπος ἥττων γαστρὸς ἢ οἴνου ἢ ἀφροδι-

Γνοὺς δέ τινα τῶν συνόντων ἀκολαστοτέρως ἔχοντα πρὸς τὰ
τοιαῦτα· Εἰπέ μοι, ἔφη, ὦ Ἀρίστιππε, εἰ δέοι σε παιδεύειν
παραλαβόντα δύο τῶν νέων, τὸν μέν, ὅπως ἱκανὸς ἔσται
ἄρχειν, τὸν δέ, ὅπως μηδ' ἀντιποιήσεται ἀρχῆς, πῶς ἂν ἑκά-
τερον παιδεύοις; Βούλει σκοπῶμεν ἀρξάμενοι ἀπὸ τῆς τροφῆς,
ὥσπερ ἀπὸ τῶν στοιχείων; — Καὶ ὁ Ἀρίστιππος ἔφη· Δοκεῖ
γοῦν μοι ἡ τροφὴ ἀρχὴ εἶναι· οὐδὲ γὰρ ζῴη γε ἄν τις, εἰ μὴ
τρέφοιτο. — Οὐκοῦν τὸ μὲν βούλεσθαι σίτου ἅπτεσθαι, ὅταν 2
ὥρα ἥκῃ, ἀμφοτέροις εἰκὸς παραγίγνεσθαι; — Εἰκὸς γάρ,
ἔφη. — Τὸ οὖν προαιρεῖσθαι τὸ κατεπεῖγον μᾶλλον πράττειν
ἢ τῇ γαστρὶ χαρίζεσθαι πότερον ἂν αὐτῶν ἐθίζοιμεν; — Τὸν
εἰς τὸ ἄρχειν, ἔφη, νὴ Δία, παιδευόμενον, ὅπως μὴ τὰ τῆς
πόλεως ἄπρακτα γίγνηται παρὰ τὴν ἐκείνου ἀρχήν. — Οὐκ-
οῦν, ἔφη, καὶ ὅταν πιεῖν βούλωνται, τὸ δύνασθαι διψῶντα
ἀνέχεσθαι τῷ αὐτῷ προσθετέον; — Πάνυ μὲν οὖν, ἔφη. —
Τὸ δὲ ὕπνου ἐγκρατῆ εἶναι, ὥστε δύνασθαι καὶ ὀψὲ κοιμη- 3
θῆναι καὶ πρωῒ ἀναστῆναι καὶ ἀγρυπνῆσαι, εἴ τι δέοι, ποτέρῳ
ἂν προσθείημεν; — Καὶ τοῦτο, ἔφη, τῷ αὐτῷ. — Τί δέ;
ἔφη, τὸ ἀφροδισίων ἐγκρατῆ εἶναι, ὥστε μὴ διὰ ταῦτα κω-
λύεσθαι πράττειν, εἴ τι δέοι; — Καὶ τοῦτο, ἔφη, τῷ αὐτῷ.
— Τί δέ; τὸ μὴ φεύγειν τοὺς πόνους, ἀλλὰ ἐθελοντὴν ὑπο-
μένειν, ποτέρῳ ἂν προσθείημεν; — Καὶ τοῦτο, ἔφη, τῷ ἄρχειν
παιδευομένῳ. — Τί δέ; τὸ μαθεῖν, εἴ τι ἐπιτήδειόν ἐστι μά-
θημα πρὸς τὸ κρατεῖν τῶν ἀντιπάλων, ποτέρῳ ἂν προσθεῖναι
μᾶλλον πρέποι; — Πολύ, νὴ Δί', ἔφη, τῷ ἄρχειν παιδευο-

σίων ἢ πόνον ἢ ὕπνου. — Γνοὺς
δέ] δέ drückt hier nicht einen
Gegensatz aus, sondern dient blofs
zur Anreihung des Satzes an das
Vorhergehende und kann daher
auch, wie gleichfalls oft im Lat.
autem, erklärende Bedeutung haben.
Vgl. II 5, 5. III 6, 14. — Ἀρίστιπ-
πε] aus Kyrene in Afrika, Gründer
der kyrenaischen Schule, die das
Vergnügen für das höchste Gut und
den Schmerz für das höchste Übel
hielt. Vgl. III 8. — Βούλει σκο-
πῶμεν] Vgl. § 10. III 5, 1. IV 2,
13. 16.
§ 2. Εἰκὸς γάρ] s. zu I 4, 9. —
τὸ κατεπεῖγον] res necessariae.

προαιρεῖσθαι — μᾶλλον] so
wird öfter μᾶλλον zu προαιρεῖσθαι
hinzugefügt. Vgl. III 5, 16. IV 2,
9. 4, 4. — ἐθίζοιμεν] De re equ.
9, 9: ἀγαθὸν δὲ ἐθίζειν αὐτὸν
καὶ τὸ ἠρεμεῖν. Hellen. VI 1, 15:
καὶ τοὺς μετ' αὐτοῦ δὲ ταὐτὰ
εἴθικεν. Ist aber das Objekt der
Sache ein Substantiv, so sagt man
ἐθίζειν τινὰ πρὸς χρῆμά τι. — μὴ
— ἄπρακτα γίγνηται] ne res
publicae infectae vel neglectae re-
linquantur. — παρὰ τὴν ἐκείνου
ἀρχήν] während seiner Verwal-
tung. K. § 302 c.
§ 3. St. προσθεῖναι der zwei Pariser
Hss. haben d. übr. προσεῖναι. — Πολύ]

μένῳ· καὶ γὰρ τῶν ἄλλων οὐδὲν ὄφελος ἄνευ τῶν τοιούτων
4 μαθημάτων. — Οὐκοῦν ὁ οὕτω πεπαιδευμένος ἧττον ἂν δοκεῖ
σοι ὑπὸ τῶν ἀντιπάλων ἢ τὰ λοιπὰ ζῷα ἁλίσκεσθαι; Τούτων
γὰρ δήπου τὰ μὲν γαστρὶ δελεαζόμενα, καὶ μάλα ἔνια δυσ-
ωπούμενα, ὅμως τῇ ἐπιθυμίᾳ τοῦ φαγεῖν ἀγόμενα πρὸς τὸ δέ-
λεαρ ἁλίσκεται, τὰ δὲ ποτῷ ἐνεδρεύεται. — Πάνυ μὲν οὖν,
ἔφη. — Οὐκοῦν καὶ ἄλλα ὑπὸ λαγνείας, οἷον οἵ τε ὄρτυγες
καὶ οἱ πέρδικες, πρὸς τὴν τῆς θηλείας φωνὴν τῇ ἐπιθυμίᾳ καὶ
τῇ ἐλπίδι τῶν ἀφροδισίων φερόμενοι καὶ ἐξιστάμενοι τοῦ τὰ
5 δεινὰ ἀναλογίζεσθαι τοῖς θηράτροις ἐμπίπτουσι; — Συνέφη
καὶ ταῦτα. — Οὐκοῦν δοκεῖ σοι αἰσχρὸν εἶναι ἀνθρώπῳ ταὐτὰ
πάσχειν τοῖς ἀφρονεστάτοις τῶν θηρίων; ὥσπερ οἱ μοιχοὶ
εἰσέρχονται εἰς τὰς εἰρκτὰς εἰδότες, ὅτι κίνδυνος τῷ μοιχεύοντι
ἅ τε ὁ νόμος ἀπειλεῖ παθεῖν καὶ ἐνεδρευθῆναι καὶ ληφθέντα
ὑβρισθῆναι· καὶ τηλικούτων μὲν ἐπικειμένων τῷ μοιχεύοντι
κακῶν τε καὶ αἰσχρῶν, ὄντων δὲ πολλῶν τῶν ἀπολυσόντων
τῆς τῶν ἀφροδισίων ἐπιθυμίας, ὅμως εἰς τὰ ἐπικίνδυνα φέρε-
σθαι, ἆρ᾽ οὐκ ἤδη τοῦτο παντάπασι κακοδαιμονῶντός ἐστιν;
6 Ἔμοιγε δοκεῖ, ἔφη. — Τὸ δὲ εἶναι μὲν τὰς ἀναγκαιοτάτας
πλείστας πράξεις τοῖς ἀνθρώποις ἐν ὑπαίθρῳ, οἷον τάς τε
πολεμικὰς καὶ τὰς γεωργικὰς καὶ τῶν ἄλλων οὐ τὰς ἐλαχίστας,
τοὺς δὲ πολλοὺς ἀγυμνάστως ἔχειν πρός τε ψύχη καὶ θάλπη
οὐ δοκεῖ σοι πολλὴ ἀμέλεια εἶναι; — Συνέφη καὶ τοῦτο. —
Οὐκοῦν δοκεῖ σοι τὸν μέλλοντα ἄρχειν ἀσκεῖν δεῖν καὶ ταῦτα
7 εὐπετῶς φέρειν; — Πάνυ μὲν οὖν, ἔφη. — Οὐκοῦν, εἰ τοὺς
ἐγκρατεῖς τούτων ἁπάντων εἰς τοὺς ἀρχικοὺς τάττομεν, τοὺς
ἀδυνάτους ταῦτα ποιεῖν εἰς τοὺς μηδ᾽ ἀντιποιησομένους τοῦ

scil. μᾶλλον ἂν πρέποι. — καὶ γὰρ]
nam etiam. Vgl. I 2, 11. 37. 59.
II 1, 8 u. sonst. So auch καὶ γὰρ
— καί, nam et — et. Vgl. III 1, 6.
11, 16. 12, 4. — τῶν ἄλλων] von
τὰ ἄλλα.
§ 4. τὰ μὲν — δελεαζόμενα,
καὶ μάλα ἔνια δυσωπούμενα]
Partitive Apposition. S. zu I 2, 24.
Vgl. II 7, 1. III 10, 11. IV 2, 31.
— ἐξιστάμενοι] s. zu I 3, 12.
§ 5. ταὐτὰ — τοῖς ἀφρονε-
στάτοις] C. § 436b. Ko. § 85, 2b.
A. 3. K. § 282, 2. — ὥσπερ] ve-
luti, zum Beispiel. Vgl. III 3, 12.

— κίνδυνος] scil. ἐστί. — ὄν-
των δὲ πολλῶν] cum multa etiam
sint, quae eos rerum venerearum
cupiditate liberare possint, ut stu-
dium philosophiae et bonarum ar-
tium, venatio, alia. Wegen des
Particip. Fut. mit dem Artikel vgl.
II 2, 4. 8, 3. III 8, 2. IV 4, 5. —
ἆρ᾽ οὐκ ἤδη τοῦτο — κακοδαι-
μονῶντός ἐστιν;] ist denn das
nicht erst ein rechter Unsinn?
Wegen ἤδη s. zu § 14.
§ 6. εἶναι μὲν — τοὺς δέ]
cum — sint, tamen. S. zu I 6, 5.
Vgl. § 8.

ἄρχειν τάξομεν; — Συνέφη καὶ τοῦτο. — Τί οὖν; ἐπειδὴ
καὶ τούτων ἑκατέρου τοῦ φύλου τὴν τάξιν οἶσθα, ἤδη ποτ'
ἐπεσκέψω, εἰς ποτέραν. τῶν τάξεων τούτων σαυτὸν δικαίως
ἂν τάττοις; — Ἔγωγ', ἔφη ὁ Ἀρίστιππος· καὶ οὐδαμῶς γε 8
τάττω ἐμαυτὸν εἰς τὴν τῶν ἄρχειν βουλομένων τάξιν. Καὶ
γὰρ πάνυ μοι δοκεῖ ἄφρονος ἀνθρώπου εἶναι τό, μεγάλου
ὄντος τοῦ ἑαυτῷ τὰ δέοντα παρασκευάζειν, μὴ ἀρκεῖν τοῦτο,
ἀλλὰ προσαναθέσθαι τὸ καὶ τοῖς ἄλλοις πολίταις, ὧν δέονται,
πορίζειν· καὶ ἑαυτῷ μὲν πολλὰ ὧν βούλεται ἐλλείπειν, τῆς δὲ
πόλεως προεστῶτα, ἐὰν μὴ πάντα, ὅσα ἡ πόλις βούλεται,
καταπράττῃ, τούτου δίκην ὑπέχειν, τοῦτο πῶς οὐ πολλὴ
ἀφροσύνη ἐστί; Καὶ γὰρ ἀξιοῦσιν αἱ πόλεις τοῖς ἄρχουσιν, 9
ὥσπερ ἐγὼ τοῖς οἰκέταις, χρῆσθαι· ἐγώ τε γὰρ ἀξιῶ τοὺς
θεράποντας ἐμοὶ μὲν ἄφθονα τὰ ἐπιτήδεια παρασκευάζειν,
αὐτοὺς δὲ μηδενὸς τούτων ἅπτεσθαι· αἵ τε πόλεις οἴονται
χρῆναι τοὺς ἄρχοντας ἑαυταῖς μὲν ὡς πλεῖστα ἀγαθὰ πορίζειν,
αὐτοὺς δὲ πάντων τούτων ἀπέχεσθαι. Ἐγὼ οὖν τοὺς μὲν
βουλομένους πολλὰ πράγματα ἔχειν αὐτοῖς τε καὶ ἄλλοις παρ-
έχειν οὕτως ἂν παιδεύσας εἰς τοὺς ἀρχικοὺς καταστήσαιμι·
ἐμαυτὸν τοίνυν τάττω εἰς τοὺς βουλομένους ᾗ ῥᾷστά τε καὶ

§ 7. ἐπειδὴ καὶ τούτων —
τὴν τάξιν οἶσθα] da du weifst,
welcher von beiden Menschenklas-
sen (φύλου) diese angehören.
§ 8. μὴ ἀρκεῖν τοῦτο] scil.
αὐτῷ. Man erwartet μὴ ἀρκεῖσθαι
(contentum esse) τούτῳ, ἀλλὰ προσ-
αναθέσθαι. Sehr häufig wird aber
im Griechischen das Objekt des
Satzes im folgenden Satze Subjekt.
— βούλεται] das Subjekt ist aus
den vorhergehenden Worten ἄφρο-
νος ἀνθρώπου zu entnehmen. —
Ἐλλείπειν τι ἑαυτῷ = sich
etwas versagen. — τοῦτο πῶς οὐ
πολλὴ ἀφροσύνη ἐστί;] was zu-
vor ohne Frage gesagt ist: πάνυ
μοι δοκεῖ ἄφρονος ἀνθρώπου εἶναι,
das wird jetzt nach der langen da-
zwischen geschobenen Rede fra-
gend auf nachdrückliche Weise
wiederholt. Ganz ähnlich Oecon.
8, 17.
§ 9. ἄφθονα τὰ ἐπιτήδεια]
warum nicht τὰ ἄφθονα ἐπ.? s. zu

I 4, 13. — πολλὰ πράγματα
ἔχειν αὐτοῖς τε καὶ ἄλλοις
παρέχειν] ein tüchtiger Staats-
mann unterzieht sich nicht allein
selbst vielen Mühen und Geschäften,
sondern legt auch anderen Arbeit
auf und treibt sie zur Thätigkeit
an. Gewöhnlich sagt man blofs
πράγματα ἔχειν; hier ist aber des
Gegensatzes wegen αὐτοῖς hinzu-
gefügt. — οὕτως .. παιδεύσας]
eo modo, quo antea demonstratum
est. — ἐμαυτὸν τοίνυν] der Re-
dende hatte erst im Sinne die Rede
so zu gestalten: τοὺς μὲν βουλομέ-
νους κτλ., τοὺς δὲ βουλομένους
ἡδέως βιοτεύειν εἰς τοὺς ἀρχῆς
ἀπεχομένους; darauf aber wendet
er mit Übergehung des Gegensatzes
die Rede plötzlich auf sich selbst,
und zwar mittelst der Partikel τοί-
νυν (igitur), wodurch angezeigt
wird, dafs aus dem Vorhergehenden
folge, er sei nicht unter die Zahl
τῶν ἀρχικῶν zu rechnen.

10 ἥδιστα βιοτεύειν. Καὶ ὁ Σωκράτης ἔφη· Βούλει οὖν καὶ
τοῦτο σκεψώμεθα, πότεροι ἥδιον ζῶσιν, οἱ ἄρχοντες ἢ οἱ ἀρχό-
μενοι; — Πάνυ μὲν οὖν, ἔφη. — Πρῶτον μὲν τοίνυν τῶν
ἐθνῶν ὧν ἡμεῖς ἴσμεν ἐν μὲν τῇ Ἀσίᾳ Πέρσαι μὲν ἄρχουσιν,
ἄρχονται δὲ Σύροι καὶ Φρύγες καὶ Λυδοί, ἐν δὲ τῇ Εὐρώπῃ
Σκύθαι μὲν ἄρχουσι, Μαιῶται δὲ ἄρχονται, ἐν δὲ τῇ Λιβύῃ
Καρχηδόνιοι μὲν ἄρχουσι, Λίβυες δὲ ἄρχονται. Τούτων οὖν
ποτέρους ἥδιον οἴει ζῆν; Ἡ τῶν Ἑλλήνων, ἐν οἷς καὶ αὐτὸς
εἶ, πότεροί σοι δοκοῦσιν ἥδιον, οἱ κρατοῦντες ἢ οἱ κρατού-
11 μενοι, ζῆν; — Ἀλλ' ἐγώ τοι, ἔφη ὁ Ἀρίστιππος, οὐδὲ εἰς τὴν
δουλείαν αὖ ἐμαυτὸν τάττω, ἀλλ' εἶναί τίς μοι δοκεῖ μέση
τούτων ὁδός, ἣν πειρῶμαι βαδίζειν, οὔτε δι' ἀρχῆς οὔτε διὰ
δουλείας, ἀλλὰ δι' ἐλευθερίας, ἥπερ μάλιστα πρὸς εὐδαι-
12 μονίαν ἄγει. — Ἀλλ' εἰ μέντοι, ἔφη ὁ Σωκράτης, ὥσπερ οὔτε
δι' ἀρχῆς οὔτε διὰ δουλείας ἡ ὁδὸς αὕτη φέρει, οὕτως μηδὲ
δι' ἀνθρώπων, ἴσως ἄν τι λέγοις· εἰ μέντοι ἐν ἀνθρώποις ὢν
μήτε ἄρχειν ἀξιώσεις μήτε ἄρχεσθαι μηδὲ τοὺς ἄρχοντας ἑκὼν
θεραπεύσεις, οἶμαί σε ὁρᾶν, ὡς ἐπίστανται οἱ κρείττονες τοὺς
ἥττονας καὶ κοινῇ καὶ ἰδίᾳ κλαίοντας καθιστάντες δούλοις
13 χρῆσθαι· ἢ λανθάνουσί σε οἱ ἄλλων σπειράντων καὶ φυτευ-
σάντων τόν τε σῖτον τέμνοντες καὶ δενδροκοποῦντες καὶ πάντα
τρόπον πολιορκοῦντες τοὺς ἥττονας καὶ μὴ θέλοντας θερα-
πεύειν, ἕως ἂν πείσωσιν ἑλέσθαι δουλεύειν ἀντὶ τοῦ πολεμεῖν
τοῖς κρείττοσι; καὶ ἰδίᾳ αὖ οἱ ἀνδρεῖοι καὶ δυνατοὶ τοὺς ἀν-

§ 10. Πάνυ μὲν οὖν] scil. σκε-
ψώμεθα. — Μαιῶται] am Asow-
schen Meere. — Ἡ τῶν Ἑλλήνων]
nach πρῶτον μέν erwartet man
ἔπειτα, εἶτα δέ st. ἤ.
§ 11. Ἀλλ' ἐγώ τοι] at ego qui-
dem. Vgl. § 13. Über τοί in der
Antwort s. zu I 2, 46. — αὖ] con-
tra, rursus. Gegensatz zu § 8: καὶ
οὐδαμῶς γε τάττω ἐμαυτὸν εἰς τὴν
τῶν ἄρχειν βουλομένων τάξιν. —
εἰς τὴν δουλείαν] = εἰς τὴν
τῶν δούλων τάξιν.
§ 12. Ἀλλ' εἰ μέντοι] at si
profecto; s. zu I 3, 10; das folgende
μέντοι (εἰ μέντοι) bezieht sich auf
das erstere und steht adversativ:
wenn jedoch. — δι' ἀνθρώ-
πων] scil. φέροι, das aus dem vor-

hergehenden φέρει zu ergänzen ist.
— ἴσως ἄν τι λέγοις] fortasse
aliquid dicas, etwas was sich
hören ließe, was Grund hätte. —
κλαίοντας καθιστάντες] Eurip.
Androm. 635: ὃς κλαίοντά σε καὶ
τὴν ἐν οἴκοις σὴν καταστήσει κόρην.
Xen. Symp. 3, 11: κλαίοντα καθ-
ίξειν u. Cyr. II 2, 14: κλαίειν καθ-
ίξειν. — δούλοις χρῆσθαι] χρῶ-
μαί τινι δούλῳ, ich habe einen zu
meinem Sklaven, χρ. τινι ὡς δούλῳ,
ich behandle einen als meinen Skla-
ven; χρ. τινι πιστῷ φίλῳ, ich habe
an einem einen treuen Freund, ὡς
π. φ., ich betrachte einen als einen
treuen Freund.
§ 13. πολιορκοῦντες] vexantes,
prementes, vgl. § 17. — καὶ — αὖ]

ἄνδρους καὶ ἀδυνάτους οὐκ οἶσθα ὅτι καταδουλωσάμενοι καρ-
ποῦνται; — Ἀλλ᾽ ἐγώ τοι, ἔφη, ἵνα μὴ πάσχω ταῦτα, οὐδ᾽
εἰς πολιτείαν ἐμαυτὸν κατακλείω, ἀλλὰ ξένος πανταχοῦ εἰμι.
Καὶ ὁ Σωκράτης ἔφη· Τοῦτο μέντοι ἤδη λέγεις δεινὸν πάλαι- 14
σμα· τοὺς γὰρ ξένους, ἐξ οὗ ὅ τε Σίνις καὶ ὁ Σκείρων καὶ
ὁ Προκρούστης ἀπέθανον, οὐδεὶς ἔτι ἀδικεῖ· ἀλλὰ νῦν οἱ μὲν
πολιτευόμενοι ἐν ταῖς πατρίσι καὶ νόμους τίθενται, ἵνα μὴ
ἀδικῶνται, καὶ φίλους πρὸς τοῖς ἀναγκαίοις καλουμένοις
ἄλλους κτῶνται βοηθοὺς καὶ ταῖς πόλεσιν ἐρύματα περιβάλλον-
ται καὶ ὅπλα κτῶνται, οἷς ἀμύνονται τοὺς ἀδικοῦντας, καὶ
πρὸς τούτοις ἄλλους ἔξωθεν συμμάχους κατασκευάζονται· καὶ 15
οἱ μὲν πάντα ταῦτα κεκτημένοι ὅμως ἀδικοῦνται· σὺ δὲ οὐδὲν
μὲν τούτων ἔχων, ἐν δὲ ταῖς ὁδοῖς, ἔνθα πλεῖστοι ἀδικοῦνται,
πολὺν χρόνον διατρίβων, εἰς ὁποίαν δ᾽ ἂν πόλιν ἀφίκῃ, τῶν
πολιτῶν πάντων ἥττων ὢν καὶ τοιοῦτος, οἷος μάλιστα ἐπιτί-
θενται οἱ βουλόμενοι ἀδικεῖν, ὅμως διὰ τὸ ξένος εἶναι οὐκ
ἂν οἴει ἀδικηθῆναι; ἢ διότι αἱ πόλεις σοι κηρύττουσιν ἀσφά-
λειαν καὶ προσιόντι καὶ ἀπιόντι, θαρρεῖς; ἢ διότι καὶ δοῦλος

---

et rursus privatim. Das vorher Er-
wähnte bezieht sich auf ganze Staa-
ten und Länder.

§ 14. Τοῦτο μέντοι ἤδη πά-
λαισμα] μέντοι, fürwahr, vero,
ἤδη drückt eine Steigerung aus,
nun ja, nun erst, ja erst.
Wahrlich das ist mir erst eine
recht meisterliche Finte. Vgl. § 5.
II 9, 7: ἤδη τότε, tum vero. — Σί-
νις — Σκείρων — Προκρού-
στης] drei berüchtigte Räuber, die
Theseus tötete. S. Plut. Thes. c. 8—11.
Apollod. III 16, 1. — οὐδεὶς ἔτι
ἀδικεῖ] diese Worte sind ironisch
aufzufassen und drücken daher das
Gegenteil aus. Wenn nicht einmal
Bürger in einem geordneten und
befestigten Staate sicher vor Belei-
digungen sind, so sind es noch weit
weniger die Fremden, die alles
Schutzes entbehren. — τοῖς ἀναγ-
καίοις καλουμένοις] οἱ ἀναγκαῖοι
sind im allgemeinen alle, welche
mit uns in einer näheren Verbin-
dung stehen, hier aber, wie im Lat.
necessarii, vorzugsweise die Ver-
wandten; daher der Zusatz καλου-

μένοις. — οἷς ἀμύνονται] mit
denen sie abzuwehren gedenken.
S. K. § 255 A. 3. [Andere lesen
nach Vermutung ἀμυνοῦνται.]

§ 15. ἐν δὲ ταῖς ὁδοῖς — εἰς
ὁποίαν δ᾽ ἂν πόλιν ἀφίκῃ] diese
beiden Sätze werden den Worten
οὐδὲν μὲν τούτων ἔχων entgegen-
gestellt; daher das doppelte δέ: et
in viis longum tempus commorans
et, quamcunque in urbem veneris,
civibus omnibus inferior. — τοιοῦ-
τος] keinen festen Wohnsitz, keine
Freunde habend, sondern von einer
Stadt in die andere wandernd. —
διὰ τὸ ξένος εἶναι] wegen der
Attraktion s. zu I 2, 3. — ἢ διότι
καὶ δοῦλος] der Gedankenzu-
sammenhang ist folgender: Einen
Fremden kannst du keineswegs vor
Unrecht gesichert halten, da selbst
die Bewohner der Städte vielfachen
Unbilden ausgesetzt sind. Da du
nun immer auf den Straßen liegst
und alles Schutzes entbehrst, so
kannst du leicht in Sklaverei ge-
raten. Aber auch als Sklave darfst
du nicht hoffen vor Mißhandlungen

ἂν οἴει τοιοῦτος εἶναι, οἷος μηδενὶ δεσπότῃ λυσιτελεῖν; τίς
γὰρ ἂν ἐθέλοι ἄνθρωπον ἐν οἰκίᾳ ἔχειν πονεῖν μὲν μηδὲν
16 ἐθέλοντα, τῇ δὲ πολυτελεστάτῃ διαίτῃ χαίροντα; Σκεψώμεθα
δὲ καὶ τοῦτο, πῶς οἱ δεσπόται τοῖς τοιούτοις οἰκέταις χρῶνται·
ἆρα οὐ τὴν μὲν λαγνείαν αὐτῶν τῷ λιμῷ σωφρονίζουσι; κλέ-
πτειν δὲ κωλύουσιν ἀποκλείοντες ὅθεν ἄν τι λαβεῖν ᾖ; τοῦ δὲ
δραπετεύειν δεσμοῖς ἀπείργουσι; τὴν ἀργίαν δὲ πληγαῖς ἐξ-
αναγκάζουσιν; ἢ σὺ πῶς ποιεῖς, ὅταν τῶν οἰκετῶν τινα τοιοῦ-
τον ὄντα καταμανθάνῃς; — Κολάζω, ἔφη, πᾶσι κακοῖς, ἕως
17 ἂν δουλεύειν ἀναγκάσω. Ἀλλὰ γάρ, ὦ Σώκρατες, οἱ εἰς τὴν
βασιλικὴν τέχνην παιδευόμενοι, ἣν δοκεῖς μοι σὺ νομίζειν
εὐδαιμονίαν εἶναι, τί διαφέρουσι τῶν ἐξ ἀνάγκης κακοπα-
θούντων, εἴ γε πεινήσουσι καὶ διψήσουσι καὶ ῥιγώσουσι καὶ
ἀγρυπνήσουσι καὶ τἆλλα πάντα μοχθήσουσιν ἑκόντες; ἐγὼ μὲν
γὰρ οὐκ οἶδ', ὅ τι διαφέρει τὸ αὐτὸ δέρμα ἑκόντα ἢ ἄκοντα
μαστιγοῦσθαι, ἢ ὅλως τὸ αὐτὸ σῶμα πᾶσι τοῖς τοιούτοις ἑκόντα
ἢ ἄκοντα πολιορκεῖσθαι, ἄλλο γε ἢ ἀφροσύνη πρόσεστι τῷ θέ-
18 λοντι τὰ λυπηρὰ ὑπομένειν. — Τί δέ, ὦ Ἀρίστιππε, ὁ Σωκρά-
της ἔφη, οὐ δοκεῖ σοι τῶν τοιούτων διαφέρειν τὰ ἑκούσια τῶν
ἀκουσίων, ᾗ ὁ μὲν ἑκὼν πεινῶν φάγοι ἄν, ὁπότε βούλοιτο;

gesichert zu leben, da du nicht ar-
beiten willst und Schwelgerei liebst
und daher auch deinem Herrn nicht
nützlich sein kannst. — καὶ δοῦ-
λος = καὶ εἰ δοῦλος εἴης, daher ἂν
zu εἶναι. — οἷος — λυσιτελεῖν]
s. zu I 4, 6. — Τίς γὰρ ἂν ἐθέλοι]
wer möchte nun wohl etc.? So
wird γάρ oft in Fragen gebraucht,
besonders in lebhaften.
§ 17. Ἀλλὰ γάρ] at enim. Aber
(ἀλλά) worin unterscheiden sich
ja (γάρ)? — εἴ γε πεινήσουσι]
wenn anders sie hungern sollen]
εἴ γε, si quidem; wegen des Fu-
turs s. K. § 255, 3. — οὐκ οἶδ',
ὅ τι — ὑπομένειν] ich weifs
nicht, worin anders (ὅ τι ἄλλο) frei-
willig oder unfreiwillig gezüchtigt
und mifshandelt zu werden sich un-
terscheiden soll, als dadurch, dafs
der, der freiwillig Unangenehmes
ertragen will, auch noch ein Narr
ist, während der, der unfreiwillig
solches erträgt, wenigstens kein
Narr ist. Das Wort ἄλλο ist mit

ὅ τι zu verbinden; da in διαφέρει
der Begriff von ἄλλο schon liegt,
so könnte es auch fehlen; es ist
aber hinzugefügt nicht allein, um
den Begriff der Verschiedenheit
mehr hervorzuheben, daher auch
γέ ihm beigesellt ist, sondern auch
der Deutlichkeit wegen, weil die
Worte ἢ ἀφροσύνη — ὑπομένειν
zu weit von ὅ τι διαφέρει getrennt
sind. Statt ὅ τι διαφέρει — ἄλλο
γε ἢ ἀφροσύνη πρόσεστι erwartet
man nach dem Deutschen: ὅ τι
διαφ. ἄλλο γε, ἢ ὅτι ἀφρ. πρόσεστι;
aber im Griechischen wird nach
οὐδὲν ἄλλο ἤ, ἄλλο τι ἤ, τί ἄλλο ἤ
der Satz ohne ὅτι als Hauptsatz
angereiht. Vgl. II 3, 17: τί γὰρ
ἄλλο ἢ κινδυνεύσεις;
§ 18. τῶν τοιούτων] scil. τοῦ
πεινῆν, διψῆν, ῥιγοῦν, ἀγρυπνεῖν.
Die Worte sind so zu konstruieren:
οὐ δοκεῖ σοι τὰ ἑκούσια τῶν τοι-
ούτων διαφέρειν τῶν ἀκουσίων; —
ᾗ] quatenus. I 7, 3: ταύτῃ, hacte-
nus. — ὁπότε βούλοιτο] mittels

καὶ ὁ ἐκὼν διψῶν πίοι καὶ τἄλλα ὡσαύτως· τῷ δ᾽ ἐξ ἀνάγκης
ταῦτα πάσχοντι οὐκ ἔξεστιν, ὁπόταν βούληται, παύεσθαι;
ἔπειτα ὁ μὲν ἑκουσίως ταλαιπωρῶν ἐπ᾽ ἀγαθῇ ἐλπίδι πονῶν
εὐφραίνεται, οἷον οἱ τὰ θηρία θηρῶντες ἐλπίδι τοῦ λήψεσθαι
ἡδέως μοχθοῦσι. Καὶ τὰ μὲν τοιαῦτα ἆθλα τῶν πόνων μικροῦ 19
τινος ἄξιά ἐστι· τοὺς δὲ πονοῦντας, ἵνα φίλους ἀγαθοὺς κτή-
σωνται, ἢ ὅπως ἐχθροὺς χειρώσωνται, ἢ ἵνα δυνατοὶ γενόμε-
νοι καὶ τοῖς σώμασι καὶ ταῖς ψυχαῖς καὶ τὸν ἑαυτῶν οἶκον
καλῶς οἰκῶσι καὶ τοὺς φίλους εὖ ποιῶσι καὶ τὴν πατρίδα
εὐεργετῶσι, πῶς οὐκ οἴεσθαι χρὴ τούτους καὶ πονεῖν ἡδέως
εἰς τὰ τοιαῦτα καὶ ζῆν εὐφραινομένους, ἀγαμένους μὲν ἑαυ-
τούς, ἐπαινουμένους δὲ καὶ ζηλουμένους ὑπὸ τῶν ἄλλων;
Ἔτι δὲ αἱ μὲν ῥᾳδιουργίαι καὶ ἐκ τοῦ παραχρῆμα ἡδοναὶ οὔτε 20
σώματι εὐεξίαν ἱκαναί εἰσιν ἐνεργάζεσθαι, ὥς φασιν οἱ γυμνα-
σταί, οὔτε ψυχῇ ἐπιστήμην ἀξιόλογον οὐδεμίαν ἐμποιοῦσιν·
αἱ δὲ διὰ καρτερίας ἐπιμέλειαι τῶν καλῶν τε κἀγαθῶν ἔργων
ἐξικνεῖσθαι ποιοῦσιν, ὥς φασιν οἱ ἀγαθοὶ ἄνδρες· λέγει δέ
που καὶ Ἡσίοδος·
  Τὴν μὲν γὰρ κακότητα καὶ ἰλαδὸν ἔστιν ἑλέσθαι
  Ῥηϊδίως· λείη μὲν ὁδός, μάλα δ᾽ ἐγγύθι ναίει.
  Τῆς δ᾽ ἀρετῆς ἱδρῶτα θεοὶ προπάροιθεν ἔθηκαν
  Ἀθάνατοι· μακρὸς δὲ καὶ ὄρθιος οἶμος ἐς αὐτὴν
  Καὶ τρηχὺς τὸ πρῶτον· ἐπὴν δ᾽ εἰς ἄκρον ἵκηται,
  Ῥηϊδίη δὴ ἔπειτα πέλει, χαλεπή περ ἐοῦσα.
Μαρτυρεῖ δὲ καὶ Ἐπίχαρμος ἐν τῷδε·

---

einer Attraktion oder Assimilation
des Modus wegen des vorhergehen-
den φάγοι ἄν für ὁπόταν βούληται,
wie bald darauf, von einer öfter
wiederholten Handlung. S. zu I 4, 19.
— πίοι] aus dem Vorhergehenden
ist ἄν zu ergänzen. S. zu I 3, 15.
— παύεσθαι] scil. πεινῶντι,
διψῶντι u. s. w. — ἐπ᾽ ἀγαθῇ
ἐλπίδι] bona spe nisus. K.
§ 301 b.

§ 19. καλῶς οἰκῶσι] s. zu I 1, 7.
— τούτους] des Nachdrucks we-
gen hinzugefügt. Vgl. III 7, 4. IV
6, 5. 11.

§ 20. αἱ ἐκ τοῦ παραχρῆμα
ἡδοναί] die sich sofort von selbst
und ohne alle Anstrengung darbie-

tenden Genüsse. IV 5, 10 werden
sie αἱ ἐγγυτάτω ἡδοναί genannt.
Sie werden den Genüssen entgegen-
gesetzt, welche durch Anstrengung
gewonnen werden, hier ταῖς διὰ
καρτερίας ἐπιμελείαις. — καλῶν τε
κἀγαθῶν ἔργων ἐξικνεῖσθαι]
ebenso ἐφικνεῖσθαί τινος. C. § 419 d.
Ko. § 84, 7 c. K. § 273, 3. — Ἡσίο-
δος] in Ἔργα καὶ ἡμέραι 287 ff. —
ναίει] scil. ἡ κακότης. — ἵκηται]
scil. οἶμος (andere ohne Grund mit
A.: ἵκηαι). — ῥηϊδίη] scil. ἡ ἀρετή.
— Ἐπίχαρμος] ein Komödien-
dichter aus Kos, einer Insel des
ägäischen Meeres, um 500 v. Chr. Er
lebte zu Syrakus. Die angeführten
Verse sind tetrametri trochaici ca-

Τῶν πόνων πωλοῦσιν ὑμῖν πάντα τἀγάϑ' οἱ ϑεοί.

[Καὶ ἐν ἄλλῳ δὲ τόπῳ φησίν·

Ὦ πονηρέ, μὴ τὰ μαλακὰ μῶσο, μὴ τὰ σκλήρ' ἔχῃς.]

21 Καὶ Πρόδικος δέ, ὁ σοφός, ἐν τῷ συγγράμματι τῷ περὶ τοῦ
Ἡρακλέους, ὅπερ δὴ καὶ πλείστοις ἐπιδείκνυται, ὡσαύτως
περὶ τῆς ἀρετῆς ἀποφαίνεται ὧδέ πως λέγων, ὅσα ἐγὼ μέμνη-
μαι· φησὶ γὰρ Ἡρακλέα, ἐπεὶ ἐκ παίδων εἰς ἥβην ὡρμᾶτο,
ἐν ᾗ οἱ νέοι ἤδη αὐτοκράτορες γιγνόμενοι δηλοῦσιν, εἴτε τὴν
δι' ἀρετῆς ὁδὸν τρέψονται ἐπὶ τὸν βίον εἴτε τὴν διὰ κακίας,
ἐξελϑόντα εἰς ἡσυχίαν καϑῆσϑαι ἀποροῦντα, ὁποτέραν τῶν
22 ὁδῶν τράπηται· καὶ φανῆναι αὐτῷ δύο γυναῖκας προϊέναι με-
γάλας, τὴν μὲν ἑτέραν εὐπρεπῆ τε ἰδεῖν καὶ ἐλευϑέριον, φύσει
κεκοσμημένην τὸ μὲν σῶμα καϑαρότητι, τὰ δὲ ὄμματα αἰδοῖ,
τὸ δὲ σχῆμα σωφροσύνῃ, ἐσϑῆτι δὲ λευκῇ· τὴν δ' ἑτέραν
τεϑραμμένην μὲν εἰς πολυσαρκίαν τε καὶ ἁπαλότητα, κεκαλλω-
πισμένην δὲ τὸ μὲν χρῶμα, ὥστε λευκοτέραν τε καὶ ἐρυϑρο-
τέραν τοῦ ὄντος δοκεῖν φαίνεσϑαι, τὸ δὲ σχῆμα, ὥστε δοκεῖν
ὀρϑοτέραν τῆς φύσεως εἶναι, τὰ δὲ ὄμματα ἔχειν ἀναπεπτα-
μένα, ἐσϑῆτα δέ, ἐξ ἧς ἂν μάλιστα ὥρα διαλάμποι, κατα-
σκοπεῖσϑαι δὲ ϑαμὰ ἑαυτήν, ἐπισκοπεῖν δὲ καί, εἴ τις ἄλλος
αὐτὴν ϑεᾶται, πολλάκις δὲ καὶ εἰς τὴν ἑαυτῆς σκιὰν ἀποβλέπειν.
23 Ὡς δ' ἐγένοντο πλησιαίτερον τοῦ Ἡρακλέους, τὴν μὲν πρόσϑεν
ῥηϑεῖσαν ἰέναι τὸν αὐτὸν τρόπον, τὴν δ' ἑτέραν φϑάσαι βου-

---

talectici. — τ ῶ ν π ό ν ω ν] genet.
pretii, wie II 8, 2 μισϑοῦ τὰ ἐπι-
τήδεια ἐργάζεσϑαι. — Statt μ ώ ε ο
(in einigen Hss.) ist μῶσο Imper. v.
μῶμαι (erstreben) zu lesen. S. Küh-
ner, ausführl. griech. Gr. I § 343.
S. 864. Übrigens scheinen die in
Klammern eingeschlossenen Worte
ein späterer Zusatz zu sein, da das
Wort τόπος von einer Stelle einer
Schrift erst von späteren Schrift-
stellern, wie Lucian u. a., gebraucht
wird, s. Passow unter τόπος.
  § 21. Πρόδικος] aus Keos, einer
kykladischen Insel, ein berühmter
Sophist zur Zeit des Sokrates. —
ὅπερ δή] was bekanntlich. S. zu
II 2, 3. — ἐπιδείκνυται] recitat,
vorträgt. So werden auch die
Deklamationen der Sophisten ἐπι-
δείξεις, Prunkstücke, genannt. —

ἐξελϑόντα εἰς ἡσυχίαν καϑ-
ῆσϑαι] Cicer. Off. I 32, 118: (Her-
culem) exisse in solitudinem atque
ibi sedentem diu secum multumque
dubitasse etc. — τράπηται] Con-
iunctivus deliberativus. S. zu I 2, 15.
Vgl. § 23.
  § 22. ἐσϑῆτι δὲ λευκῇ] ab-
hängig von κεκοσμημένην — τοῦ
ὄντος] s. zu I 6, 11. — ὥστε δο-
κεῖν φαίνεσϑαι] ut candidiorem
et rubicundiorem speciem prae se
ferre (φαίνεσϑαι) videretur (δο-
κεῖν). Vgl. zu I 4, 6. — ὥρα] ju-
gendliche Schönheit. Dieses
Wort wird öfter, wie ähnliche, nach
der Weise der Eigennamen ohne
Artikel gebraucht.
  § 23. τὸν αὐτὸν τρόπον] in
demselben Gange, wie bisher, weder

λομένην προσδραμεῖν τῷ Ἡρακλεῖ καὶ εἰπεῖν· Ὁρῶ σε, ὦ
Ἡράκλεις, ἀποροῦντα, ποίαν ὁδὸν ἐπὶ τὸν βίον τράπῃ· ἐὰν
οὖν ἐμὲ φίλην ποιησάμενος, [ἐπὶ] τὴν ἡδίστην τε καὶ ῥᾴστην
ὁδὸν ἄξω σε, καὶ τῶν μὲν τερπνῶν οὐδενὸς ἄγευστος ἔσῃ,
τῶν δὲ χαλεπῶν ἄπειρος διαβιώσῃ. Πρῶτον μὲν γὰρ οὐ πο- 24
λέμων οὐδὲ πραγμάτων φροντιεῖς, ἀλλὰ σκοπούμενος διέσῃ,
τί ἂν κεχαρισμένον ἢ σιτίον ἢ ποτὸν εὕροις; ἢ τί ἂν ἰδὼν ἢ
τί ἀκούσας τερφθείης ἢ τίνων ἂν ὀσφραινόμενος ἢ ἁπτόμενος
ἡσθείης, τίσι δὲ παιδικοῖς ὁμιλῶν μάλιστ' ἂν εὐφρανθείης, καὶ
πῶς ἂν μαλακώτατα καθεύδοις, καὶ πῶς ἂν ἀπονώτατα τούτων
πάντων τυγχάνοις. Ἐὰν δέ ποτε γένηταί τις ὑποψία σπάνεως 25
ἀφ' ὧν ἔσται ταῦτα, οὐ φόβος, μή σε ἀγάγω ἐπὶ τὸ πονοῦντα
καὶ ταλαιπωροῦντα τῷ σώματι καὶ τῇ ψυχῇ ταῦτα πορίζεσθαι,
ἀλλ' οἷς ἂν οἱ ἄλλοι ἐργάζωνται, τούτοις σὺ χρήσῃ, οὐδενὸς
ἀπεχόμενος, ὅθεν ἂν δυνατὸν ᾖ τι κερδᾶναι· πανταχόθεν γὰρ
ὠφελεῖσθαι τοῖς ἐμοὶ ξυνοῦσιν ἐξουσίαν ἔγωγε παρέχω. Καὶ 26
ὁ Ἡρακλῆς ἀκούσας ταῦτα· Ὦ γύναι, ἔφη, ὄνομα δέ σοι τί
ἔστιν; Ἡ δέ· Οἱ μὲν ἐμοὶ φίλοι, ἔφη, καλοῦσί με Εὐδαιμο-
νίαν, οἱ δὲ μισοῦντές με ὑποκοριζόμενοι ὀνομάζουσί με Κακίαν.
Καὶ ἐν τούτῳ ἡ ἑτέρα γυνὴ προσελθοῦσα εἶπε· Καὶ ἐγὼ ἥκω 27
πρὸς σέ, ὦ Ἡράκλεις, εἰδυῖα τοὺς γεννήσαντάς σε καὶ τὴν
φύσιν τὴν σὴν ἐν τῇ παιδείᾳ καταμαθοῦσα· ἐξ ὧν ἐλπίζω, εἰ
τὴν πρὸς ἐμὲ ὁδὸν τράποιο, σφόδρ' ἄν σε τῶν καλῶν καὶ
σεμνῶν ἐργάτην ἀγαθὸν γενέσθαι, καὶ ἐμὲ ἔτι πολὺ ἐντιμοτέ-
ραν καὶ ἐπ' ἀγαθοῖς διαπρεπεστέραν φανῆναι· οὐκ ἐξαπατήσω

---

schneller noch langsamer. — ἀπο-
ροῦντα, ποίαν ὁδόν — τράπῃ]
§ 21: ἀποροῦντα, ὁποτέραν τῶν
ὁδῶν τράπηται. S. zu I 1, 1. —
ποιησάμενος] scil. τὴν ἐπὶ τὸν
βίον ὁδὸν τράπῃ. Vgl. 2, 42. — [ἐπὶ]
vgl. d. krit. Anh.

§ 24. διέσῃ] ist hier mit dem
Participe verbunden, wie διαγίγνο-
μαι, διατελῶ, διάγω [andere verm.
διοίσεις oder διοίσει].

§ 25. σπάνεως ἀφ' ὧν ἔσται
ταῦτα] d. i. σπάνεως τούτων, ἀφ'
ὧν ἔ. τ. Wegen ἀπό s. zu I 2, 14.
— οἷς — τούτοις] Attrakt. C.
§ 598. Ko. § 78, 4. K. § 319, 4.

§ 26. ὄνομα δέ] Über δέ in der
Frage s. zu I 3, 13. — ὑποκορι-
ζόμενοι] verkleinernd, herab-
setzend, verunglimpfend;
sonst heißt es etwas Unangenehmes
mit einem gefälligen Namen be-
zeichnen, beschönigen.

§ 27. ἐπ' ἀγαθοῖς διαπρεπε-
στέραν] durch die Güter, mit de-
nen ich dich beschenken werde,
ansehnlicher. Der Sinn: der Ruhm,
den du durch die von mir verlie-
henen Güter erreichen wirst, wird
auch auf mich zurückstrahlen. —
φανῆναι] aus dem Vorhergehen-
den ist ἄν zu wiederholen. S. zu
I 3, 15.

δέ σε προοιμίοις ἡδονῆς, ἀλλ᾽, ἧπερ οἱ θεοὶ διέθεσαν, τὰ
28 ὄντα διηγήσομαι μετ᾽ ἀληθείας. Τῶν γὰρ ὄντων ἀγαθῶν καὶ
καλῶν οὐδὲν ἄνευ πόνου καὶ ἐπιμελείας θεοὶ διδόασιν ἀνθρώ-
ποις· ἀλλ᾽ εἴτε τοὺς θεοὺς ἵλεως εἶναί σοι βούλει, θεραπευ-
τέον τοὺς θεούς· εἴτε ὑπὸ φίλων ἐθέλεις ἀγαπᾶσθαι, τοὺς
φίλους εὐεργετητέον· εἴτε ὑπό τινος πόλεως ἐπιθυμεῖς τιμᾶ-
σθαι, τὴν πόλιν ὠφελητέον· εἴτε ὑπὸ τῆς Ἑλλάδος πάσης
ἀξιοῖς ἐπ᾽ ἀρετῇ θαυμάζεσθαι, τὴν Ἑλλάδα πειρατέον εὖ
ποιεῖν· εἴτε γῆν βούλει σοι καρποὺς ἀφθόνους φέρειν, τὴν
γῆν θεραπευτέον· εἴτε ἀπὸ βοσκημάτων οἴει δεῖν πλουτίζεσθαι,
τῶν βοσκημάτων ἐπιμελητέον· εἴτε διὰ πολέμου ὁρμᾷς αὔξε-
σθαι καὶ βούλει δύνασθαι τούς τε φίλους ἐλευθεροῦν καὶ
τοὺς ἐχθροὺς χειροῦσθαι, τὰς πολεμικὰς τέχνας αὐτάς τε παρὰ
τῶν ἐπισταμένων μαθητέον καὶ ὅπως αὐταῖς δεῖ χρῆσθαι ἀσκη-
τέον· εἰ δὲ καὶ τῷ σώματι βούλει δυνατὸς εἶναι, τῇ γνώμῃ
ὑπηρετεῖν ἐθιστέον τὸ σῶμα καὶ γυμναστέον σὺν πόνοις καὶ
29 ἱδρῶτι. Καὶ ἡ Κακία ὑπολαβοῦσα εἶπεν, ὥς φησι Πρόδικος·
Ἐννοεῖς, ὦ Ἡράκλεις, ὡς χαλεπὴν καὶ μακρὰν ὁδὸν ἐπὶ τὰς
εὐφροσύνας ἡ γυνή σοι αὕτη διηγεῖται; ἐγὼ δὲ ῥαδίαν καὶ
30 βραχεῖαν ὁδὸν ἐπὶ τὴν εὐδαιμονίαν ἄξω σε. Καὶ ἡ Ἀρετὴ
εἶπεν· Ὦ τλῆμον, τί δὲ σὺ ἀγαθὸν ἔχεις; ἢ τί ἡδὺ οἶσθα,
μηδὲν τούτων ἕνεκα πράττειν ἐθέλουσα; ἥτις οὐδὲ τὴν τῶν
ἡδέων ἐπιθυμίαν ἀναμένεις, ἀλλὰ πρὶν ἐπιθυμῆσαι πάντων
ἐμπίπλασαι, πρὶν μὲν πεινῆν ἐσθίουσα, πρὶν δὲ διψῆν πίνουσα,

---

§ 28. Τῶν γὰρ ὄντων ἀγαθῶν
κτλ.] d. i. ἃ γάρ ἐστιν ἀγαθὰ καὶ
καλά, τούτων οὐδὲν ἄνευ πόνου —
θεοὶ διδόασιν. — ἀπὸ βοσκημά-
των] s. zu I 2, 14. — τέχνας
αὐτάς τε] τέ steht nach αὐτάς,
indem der Schriftsteller im Sinne
hatte zu schreiben: τὰς πολεμικὰς
τέχνας αὐτάς τε καὶ ὅπως αὐταῖς
δεῖ χρῆσθαι μαθητέον (non solum
ipsae artes, sed etiam earum
exercitatio perdiscenda est); dann
aber fügt er zu den Worten καὶ
ὅπως αὐταῖς δεῖ χρῆσθαι ein neues
Prädikat (ἀσκητέον) hinzu. Die
Worte: ὅπως αὐταῖς δεῖ χρ. muſs
man gleichsam wie ein Substantiv
auffassen: τὴν χρῆσιν αὐτῶν ἀσκη-
τέον ἐστίν. — τῇ γνώμῃ ὑπηρε-

τεῖν] Wer körperlich stark sein
will, muſs seinen Körper gewöhnen
der Vernunft zu dienen, die uns
zur Stärkung des Körpers Arbeiten
und Anstrengungen übernehmen
heiſst. Cic. Off. I 23: *Exercendum
corpus et ita afficiendum est, ut
oboedire consilio et rationi possit
in exsequendis negotiis et in labore
tolerando.* — γυμναστέον σὺν
πόνοις καὶ ἱδρῶτι] gleichsam
unter Begleitung von Mühen und
Schweiſs.

§ 29. εὐφροσύνας] über den
Plural s. zu I 1, 11.

§ 30. ἥτις] steht nicht für ἥ,
sondern bezieht sich auf die Be-
schaffenheit der Person: die du
von der Art bist, daſs. —

καὶ ἵνα μὲν ἡδέως φάγῃς, ὀψοποιοὺς μηχανωμένη, ἵνα δὲ
ἡδέως πίῃς, οἴνους τε πολυτελεῖς παρασκευάζῃ καὶ τοῦ
θέρους χιόνα περιθέουσα ζητεῖς· ἵνα δὲ καθυπνώσῃς ἡδέως,
οὐ μόνον τὰς στρωμνὰς μαλακάς, ἀλλὰ καὶ τὰς κλίνας καὶ τὰ
ὑπόβαθρα ταῖς κλίναις παρασκευάζῃ· οὐ γὰρ διὰ τὸ πονεῖν,
ἀλλὰ διὰ τὸ μηδὲν ἔχειν, ὅ τι ποιῇς, ὕπνου ἐπιθυμεῖς· τὰ δὲ
ἀφροδίσια πρὸ τοῦ δέεσθαι ἀναγκάζεις, πάντα μηχανωμένη,
καὶ γυναιξὶ τοῖς ἀνδράσι χρωμένη· οὕτω γὰρ παιδεύεις τοὺς
ἑαυτῆς φίλους, τῆς μὲν νυκτὸς ὑβρίζουσα, τῆς δ' ἡμέρας τὸ
χρησιμώτατον κατακοιμίζουσα. Ἀθάνατος δὲ οὖσα ἐκ θεῶν 31
μὲν ἀπέρριψαι, ὑπὸ δὲ ἀνθρώπων ἀγαθῶν ἀτιμάζῃ· τοῦ δὲ
πάντων ἡδίστου ἀκούσματος, ἐπαίνου ἑαυτῆς, ἀνήκοος εἶ καὶ
τοῦ πάντων ἡδίστου θεάματος ἀθέατος· οὐδὲν γὰρ πώποτε
σεαυτῆς ἔργον καλὸν τεθέασαι. Τίς δ' ἄν σοι λεγούσῃ τι
πιστεύσειε; τίς δ' ἂν δεομένῃ τινὸς ἐπαρκέσειεν; ἢ τίς ἂν εὖ
φρονῶν τοῦ σοῦ θιάσου τολμήσειεν εἶναι· οἳ νέοι μὲν ὄντες
τοῖς σώμασιν ἀδύνατοί εἰσι, πρεσβύτεροι δὲ γενόμενοι ταῖς

μηχανωμένη — παρασκευάζῃ]
man erwartet: ἵνα μὲν ἡδέως φά-
γῃς, ὀψ. μηχανᾷ, ἵνα δὲ —, πα-
ρασκευάζῃ; aber der Schriftsteller,
durch die vorhergehenden Partici-
pien ἐσθίουσα und πίνουσα ver-
leitet, setzte μηχανωμένη; darauf
aber kehrt er zu der regelrechten
Konstruktion zurück. Dergleichen
Übergänge vom Verbum finitum zu
dem Participe finden sich auch
sonst. Vgl. zu II 2, 5. IV 4, 1. —
χιόνα] zur Kühlung des Weines. —
ὑπόβαθρα] Stützen, eine unter der
Bettstelle angebrachte Vorrichtung,
durch die dieselbe geschaukelt wer-
den konnte, ähnlich wie bei uns
die Wiegen. — ὅ τι ποιῇς] Conj.
deliberat. S. zu I 2, 15. — δέ-
εσθαι] s. zu I 6, 10. — τὰ ἀφρο-
δίσια ἀναγκάζεις] du er-
zwingst Liebeslust. — γυν.
τοῖς ἀνδρ. χρ.] viris tanquam
mulieribus utens. Vgl. § 12. — οὕτω
γὰρ παιδεύεις — ὑβρίζουσα —
κατακοιμίζουσα] das Particip
dient oft zur Ergänzung und Er-
klärung eines mit einem vorher-
gegangenen Demonstrative verbun-

denen Verbs. Anab. IV 1, 4: τὴν
— ἐμβολὴν ὧδε ποιοῦνται, ἅμα
μὲν λαθεῖν πειρώμενοι, ἅμα δὲ
φθάσαι. — Κατακοιμίζειν, ein-
schläfern, consopire, ist hier sehr
schön von dem gebraucht, der die
Zeit unnütz zubringt und gleich-
sam verschläft. — παιδεύεις
τοὺς ἑαυτῆς φίλους] statt σεαυ-
τῆς, so gleich darauf (§ 31): ἐπαί-
νου ἑαυτῆς (Eigenlob) ἀνήκοος
εἶ. C. § 471 A. 3. K. § 305, 8.

§ 31. ἀκούσματος] Hier. I 14:
τοῦ μὲν ἡδίστου ἀκροάματος
ἐπαίνου οὔποτε σπανίζετε. Cic.
pr. Arch. 9, 32: Themistoclem di-
xisse aiunt, cum ex eo quaereretur,
quod acroama aut cuius vocem
libentissime audiret: Eius, a quo
sua virtus optime praedicaretur. —
λεγούσῃ τι πιστεύσειε] das
Pron. τὶ ist mit πιστεύσειε, sowie
τινὸς mit ἐπαρκέσειεν (s. zu I 2, 60)
zu verbinden. — θιάσου] θίασος,
eigentlich ein Verein von Menschen,
um den Göttern zu opfern, ist
hier ironisch von den Anhängern
der Κακία gebraucht. — Οἳ] scil.
θιασῶται, das aus θιάσου zu ent-

ψυχαῖς ἀνόητοι, ἀπόνως μὲν λιπαροὶ διὰ νεότητος τρεφόμενοι,
ἐπιπόνως δὲ αὐχμηροὶ διὰ γήρως περῶντες, τοῖς μὲν πεπρα-
γμένοις αἰσχυνόμενοι, τοῖς δὲ πραττομένοις βαρυνόμενοι, τὰ
μὲν ἡδέα ἐν τῇ νεότητι διαδραμόντες, τὰ δὲ χαλεπὰ εἰς τὸ
32 γῆρας ἀποθέμενοι. Ἐγὼ δὲ σύνειμι μὲν θεοῖς, σύνειμι δὲ
ἀνθρώποις τοῖς ἀγαθοῖς· ἔργον δὲ καλὸν οὔτε θεῖον οὔτε
ἀνθρώπινον χωρὶς ἐμοῦ *οὐ* γίγνεται· τιμῶμαι δὲ μάλιστα
πάντων καὶ παρὰ θεοῖς καὶ παρὰ ἀνθρώποις, οἷς προσήκει,
ἀγαπητὴ μὲν συνεργὸς τεχνίταις, πιστὴ δὲ φύλαξ οἴκων δεσπό-
ταις, εὐμενὴς δὲ παραστάτις οἰκέταις, ἀγαθὴ δὲ συλλήπτρια
τῶν ἐν εἰρήνῃ πόνων, βεβαία δὲ τῶν ἐν πολέμῳ σύμμαχος
33 ἔργων, ἀρίστη δὲ φιλίας κοινωνός. Ἔστι δὲ τοῖς μὲν ἐμοῖς
φίλοις ἡδεῖα μὲν καὶ ἀπράγμων σίτων καὶ ποτῶν ἀπόλαυσις·
ἀνέχονται γάρ, ἕως ἂν ἐπιθυμήσωσιν αὐτῶν. Ὕπνος δ' αὐτοῖς
πάρεστιν ἡδίων ἢ τοῖς ἀμόχθοις, καὶ οὔτε ἀπολείποντες αὐτὸν
ἄχθονται οὔτε διὰ τοῦτο μεθιᾶσι τὰ δέοντα πράττειν. Καὶ
οἱ μὲν νέοι τοῖς τῶν πρεσβυτέρων ἐπαίνοις χαίρουσιν, οἱ δὲ
γεραίτεροι ταῖς τῶν νέων τιμαῖς ἀγάλλονται· καὶ ἡδέως μὲν
τῶν παλαιῶν πράξεων μέμνηνται, εὖ δὲ τὰς παρούσας ἥδονται
πράττοντες, δι' ἐμὲ φίλοι μὲν θεοῖς ὄντες, ἀγαπητοὶ δὲ φίλοις,
τίμιοι δὲ πατρίσιν· ὅταν δ' ἔλθῃ τὸ πεπρωμένον τέλος, οὐ
μετὰ λήθης ἄτιμοι κεῖνται, ἀλλὰ μετὰ μνήμης τὸν ἀεὶ χρόνον
ὑμνούμενοι θάλλουσι. Τοιαῦτά σοι, ὦ παῖ τοκέων ἀγαθῶν
Ἡράκλεις, ἔξεστι διαπονησαμένῳ τὴν μακαριστοτάτην εὐδαι-

---

nehmen ist. Constructio κατὰ σύν-
εσιν. K. § 391 A. 3. Vgl. III 5, 20.
6, 10. IV 2, 15. — λιπαροὶ — τρε-
φόμενοι] sich im Überflusse (nitidi)
von anderen erhalten lassend.

§ 32. σύνειμι μὲν — σύνειμι
δὲ] wegen der Anaphora mit μέν
und δέ s. Ko. § 131, 39 b. K. § 315,
8. — οὐ γίγνεται] so Zenne, in
den Handschr. fehlt οὐ; Cobet l. d.
p. 693: ἔργον δὲ καλὸν οὐδὲν
οὔτε θεῖον οὔτε ἀνθρώπινον χω-
ρὶς ἐμοῦ γίγνεται streitet gegen
den griechischen Sprachgebrauch.
Vgl. III 3, 8 ἄνευ γὰρ δὴ τούτου
οὔτε ἵππων οὔτε ἱππέων .. οὐδὲν
ὄφελος. — παρὰ ἀνθρώποις, οἷς]
statt: παρ' οἷς. Vgl. III 7, 3. Eben-

so im Latein. (incidit in eandem
invidiam, quam). Seltener wird
die Präp. wiederholt, wie III 3, 6.
— Zu προσήκει muſs man aus
τιμῶμαι den Infinitiv τιμᾶσθαι ent-
nehmen. Vgl. II 6, 22. 7, 6. IV 5, 7.
— συνεργὸς] scil. οὖσα, vgl. zu
I 4, 10.

§ 33. εὖ δὲ τὰς παρούσας
ἥδονται πράττοντες] um den
Gegensatz zu dem vorhergehenden
Satze schärfer zu bezeichnen, ist
εὖ von πράττοντες getrennt. —
θάλλουσι] Cic. Tusc. I 49: Har-
modius in ore est et Aristogiton, Lace-
daemonius Leonidas, Thebanus Epa-
minondas viget. — Τοιαῦτα]
über das Asyndeton s. zu I 1, 9.

μονίαν κεκτῆσθαι. /Οὕτω πως διώκει Πρόδικος τὴν ὑπ' Ἀρετῆς 34
Ἡρακλέους παίδευσιν, ἐκόσμησε μέντοι τὰς γνώμας ἔτι μεγα-
λειοτέροις ῥήμασιν ἢ ἐγὼ νῦν. Σοὶ δ' οὖν ἄξιον, ὦ Ἀρίστιππε,
τούτων ἐνθυμουμένῳ πειρᾶσθαί τι καὶ τῶν εἰς τὸν μέλλοντα
χρόνον τοῦ βίου φροντίζειν.

Zweites Kapitel.

Inhalt.

Gespräch des Sokrates mit seinem Sohne Lamprokles über die Liebe
der Kinder zu ihren Eltern. Der Undankbare ist unter die Zahl
der Ungerechten zu rechnen, und zwar um so mehr, je größere Wohl-
thaten er empfangen hat. Nun aber sind die Wohlthaten für die höch-
sten zu halten, welche die Kinder von ihren Eltern, namentlich von
ihrer Mutter, empfangen haben (§ 1—6). Also muß ein Kind seine
Mutter, wenn sie auch in der Erziehung hart und unfreundlich ist, lieben
und achten, da es weiß, daß dieser Strenge die beste Absicht zu Grunde
liegt (§ 7—12). Der gegen seine Eltern pflichtvergessene Mensch wird
vom Staate bestraft und von seinen Mitmenschen verachtet.

Αἰσθόμενος δέ ποτε Λαμπροκλέα, τὸν πρεσβύτατον υἱὸν 1
αὐτοῦ, πρὸς τὴν μητέρα χαλεπαίνοντα· Εἰπέ μοι, ἔφη, ὦ
παῖ, οἶσθά τινας ἀνθρώπους ἀχαρίστους καλουμένους; —
Καὶ μάλα, ἔφη ὁ νεανίσκος. — Καταμεμάθηκας οὖν τοὺς τί
ποιοῦντας τὸ ὄνομα τοῦτο ἀποκαλοῦσιν; — Ἔγωγε, ἔφη· τοὺς
γὰρ εὖ παθόντας, ὅταν δυνάμενοι χάριν ἀποδοῦναι μὴ ἀπο-
δῶσιν, ἀχαρίστους καλοῦσιν. — Οὐκοῦν δοκοῦσί σοι ἐν τοῖς
ἀδίκοις καταλογίζεσθαι τοὺς ἀχαρίστους; — Ἔμοιγε, ἔφη. —

§ 34. διώκει] wie im Latein. ora-
tione persequitur, ist sonst un-
gebräuchlich, weshalb man vorge-
schlagen hat mit Stobaeus zu lesen
διοικεῖ oder διώκει, das aber hier
unpassend ist. — τὴν ὑπ' Ἀρε-
τῆς — παίδευσιν] die passive
Konstruktion ist auf das Verbal-
substantiv übertragen. Vgl. IV 4, 4.
Cyrop. III 3, 2: ἥδεσθαι τῇ ὑπὸ
πάντων τιμῇ. — Σοὶ — ἄξιον —
πειρᾶσθαι] te decet (oportet) tem-
ptare, s. zu II 3, 6. τι = aliquo
modo. Von πειρᾶσθαι hängt φρον-
τίζειν und von φροντίζειν der Ge-

netiv τῶν ab. — τούτων ἐνθυ-
μουμένῳ] s. zu I 1, 17.
§ 1. Λαμπροκλέα] Sokrates
hatte zwei Frauen gehabt, Xan-
thippe und Myrto; die erstere hatte
ihm den Lamprokles, die zweite
den Sophroniskus und Menexenus
geboren. — τοὺς τί ποιοῦντας
τὸ ὄνομα τοῦτο ἀποκαλοῦσιν]
mit großer Kürze für: τί ποιοῦσιν
οὗτοι, οὓς τὸ ὄνομα τοῦτο (ἀχαρί-
στους) ἀποκαλοῦσιν; C. § 606 A. 2.
K. § 330 A. 4. Wegen des doppelten
Accus. s. C. § 400a und 402 A. 3.
K. § 280, 1.

5*

2 Ἤδη δέ ποτ᾽ ἐσκέψω, εἰ ἄρα, ὥσπερ τὸ ἀνδραποδίζεσθαι τοὺς
μὲν φίλους ἄδικον εἶναι δοκεῖ, τοὺς δὲ πολεμίους δίκαιον, καὶ
τὸ ἀχαριστεῖν πρὸς μὲν τοὺς φίλους ἄδικόν ἐστι, πρὸς δὲ τοὺς
πολεμίους δίκαιον; — Καὶ μάλα, ἔφη· καὶ δοκεῖ μοι, ὑφ᾽ οὗ
ἄν τις εὖ παθὼν εἴτε φίλου εἴτε πολεμίου μὴ πειρᾶται χάριν
3 ἀποδιδόναι, ἄδικος εἶναι. — Οὐκοῦν, εἴ γε οὕτως ἔχει τοῦτο,
εἰλικρινής τις ἂν εἴη ἀδικία ἡ ἀχαριστία; — Συνωμολόγει. —
Οὐκοῦν, ὅσῳ ἄν τις μείζω ἀγαθὰ παθὼν μὴ ἀποδιδῷ χάριν,
τοσούτῳ ἀδικώτερος ἂν εἴη; — Συνέφη καὶ τοῦτο. — Τίνας
οὖν, ἔφη, ὑπὸ τίνων εὕροιμεν ἂν μείζονα εὐεργετημένους ἢ
παῖδας ὑπὸ γονέων; οὓς οἱ γονεῖς ἐκ μὲν οὐκ ὄντων ἐποίησαν
εἶναι, τοσαῦτα δὲ καλὰ ἰδεῖν καὶ τοσούτων ἀγαθῶν μετασχεῖν,
ὅσα οἱ θεοὶ παρέχουσι τοῖς ἀνθρώποις· ἃ δὴ καὶ οὕτως ἡμῖν
δοκεῖ παντὸς ἄξια εἶναι, ὥστε πάντες τὸ καταλιπεῖν αὐτὰ πάν-
των μάλιστα φεύγομεν, καὶ αἱ πόλεις ἐπὶ τοῖς μεγίστοις ἀδική-
μασι ζημίαν θάνατον πεποιήκασιν, ὡς οὐκ ἂν μείζονος κακοῦ
4 φόβῳ τὴν ἀδικίαν παύσοντες. Καὶ μὴν οὐ τῶν γε ἀφροδισίων
ἕνεκα παιδοποιεῖσθαι τοὺς ἀνθρώπους ὑπολαμβάνεις, ἐπεὶ
τούτου γε τῶν ἀπολυσόντων μεσταὶ μὲν αἱ ὁδοί, μεστὰ δὲ τὰ
οἰκήματα· φανεροὶ δ᾽ ἐσμὲν καὶ σκοπούμενοι, ἐξ ὁποίων ἂν
γυναικῶν βέλτιστα ἡμῖν τέκνα γένοιτο, αἷς συνελθόντες τε-

§ 2. Ἤδη δέ] s. zu I 3, 13: τοὺς
δὲ καλούς. — εἰ] ob nicht. S. zu
I 1, 8: δῆλον, εἰ ἀνιάσεται. Das
konfirmative ἄρα wird oft zu dem
Frageworte hinzugefügt, um die
Frage lebhafter zu machen: ist es
wirklich so? ist es denn so?
vgl. II 5, 2. 4. IV 3, 9. — ὥσπερ
— καὶ τὸ ἀχαρ.] statt ὥσπερ —
οὕτω καὶ τὸ ἀχ. Vgl. IV 4, 7; so
auch ὥσπερ — οὐδέ, vgl. III 1, 4.
— ὑφ᾽ οὗ ἄν τις] Verschränkung
des Satzes, statt: καὶ δοκεῖ μοι,
ὅστις ἂν ὑπό τινος εὖ παθὼν (oder
ἐὰν ὑπό τινος εὖ πάθῃ) μὴ πειρᾶ-
ται χάριν ἀποδιδόναι, ἄδικος εἶναι.
K. § 319, 7. Vgl. § 6. Im Latein.
findet sich dieselbe Erscheinung:
ʻvidetur mihi a quo quis beneficiis
affectus sive amico sive inimico gra-
tiam referre non studeat, iniustus
esse.ʼ S. K. lat. Schulgr. § 145, 8.
§ 3. εἰ — ἔχει, — ἂν εἴη] s. zu
I 2, 28. — Τίνας — ὑπὸ τίνων]

über die Verschmelzung zweier
Fragesätze in einen s. C. § 606, 1.
K. § 330 A. 3. — ἃ δή] was be-
kanntlich. Vgl. II 1, 21. — θά-
νατον] ohne Artikel nach Art der
Eigennamen. — ὡς οὐκ ἂν — παύ-
σοντες] h. e. existimantes (ὡς) se
non gravioris mali metu iniuriam
coercituros esse (ἄν). Wegen ὡς
b. Partic. s. C. § 588. Ko. § 124, 4.
K. § 312, 5; wegen ἄν b. Partie.
s. C. § 595. Ko. § 128. K. § 260, 5
(vgl. Plat. Apol. 32 C ὡς ἐμοῦ οὐκ
ἂν ποιήσοντος); wegen παύ-
σοντες κατὰ σύνεσιν für παύσουσαι
s. zu II 1, 31: οἴ.
§ 4. Καὶ μὴν — γέ] s. zu I 4,
12. — τούτου γε τῶν ἀπολυ-
σόντων] τούτου ist nicht auf ἀφρο-
δισίων zu beziehen, sondern auf
den Gesamtbegriff der vorhergehen-
den Worte: τὸ τῶν ἀφροδισίων
ἐπιθυμεῖν. Wegen der Stellung des
Artikels s. zu I 6, 13 und wegen

κνοποιούμεθα. Καὶ ὁ μέν γε ἀνὴρ τήν τε συντεκνοποιήσουσαν 5
ἑαυτῷ τρέφει καὶ τοῖς μέλλουσιν ἔσεσθαι παισὶ προπαρασκευάζει
πάντα, ὅσα ἂν οἴηται συνοίσειν αὐτοῖς πρὸς τὸν βίον, καὶ
ταῦτα ὡς ἂν δύνηται πλεῖστα· ἡ δὲ γυνὴ ὑποδεξαμένη τε
φέρει τὸ φορτίον τοῦτο βαρυνομένη τε καὶ κινδυνεύουσα περὶ
τοῦ βίου καὶ μεταδιδοῦσα τῆς τροφῆς, ᾗ καὶ αὐτὴ τρέφεται,
καὶ σὺν πολλῷ πόνῳ διενέγκασα καὶ τεκοῦσα τρέφει τε καὶ
ἐπιμελεῖται, οὔτε προπεπονθυῖα οὐδὲν ἀγαθόν, οὔτε γιγνῶσκον
τὸ βρέφος, ὑφ' ὅτου εὖ πάσχει, οὐδὲ σημαίνειν δυνάμενον,
ὅτου δεῖται, ἀλλ' αὐτὴ στοχαζομένη τά τε συμφέροντα καὶ
κεχαρισμένα πειρᾶται ἐκπληροῦν καὶ τρέφει πολὺν χρόνον καὶ
ἡμέρας καὶ νυκτὸς ὑπομένουσα πονεῖν, οὐκ εἰδυῖα, τίνα τού-
των χάριν ἀπολήψεται. Καὶ οὐκ ἀρκεῖ θρέψαι μόνον, ἀλλὰ 6
καί, ἐπειδὰν δόξωσιν ἱκανοὶ εἶναι οἱ παῖδες μανθάνειν τι, ἃ
μὲν ἂν αὐτοὶ ἔχωσιν οἱ γονεῖς ἀγαθὰ πρὸς τὸν βίον, διδά-
σκουσιν· ἃ δ' ἂν οἴωνται ἄλλον ἱκανώτερον εἶναι διδάξαι,
πέμπουσι πρὸς τοῦτον δαπανῶντες καὶ ἐπιμελοῦνται πάντα
ποιοῦντες, ὅπως οἱ παῖδες αὐτοῖς γένωνται ὡς δυνατὸν βέλτι-
στοι. — Πρὸς ταῦτα ὁ νεανίσκος ἔφη· Ἀλλά τοι, εἰ καὶ πάντα 7
ταῦτα πεποίηκε καὶ ἄλλα τούτων πολλαπλάσια, οὐδεὶς ἂν
δύναιτο αὐτῆς ἀνασχέσθαι τὴν χαλεπότητα. — Καὶ ὁ Σωκρά-
της· Πότερα δὲ οἴει, ἔφη, θηρίου ἀγριότητα δυσφορωτέραν

des Artikels mit dem Partic. Fut.
zu II 1, 5. Zu dem Gedanken vgl.
II 1, 5.

§ 5. ὑποδεξαμένη τε] diesen
Worten entsprechen die Worte: καὶ
σὺν πολλῷ πόνῳ δ. κ. τ. τρ. τε καὶ
ἐπ. — οὔτε γιγνῶσκον τὸ βρέ-
φος οὐδὲ σημαίνειν δυνάμε-
νον] man erwartet die Periode so
gebildet: τεκοῦσα τρέφει τε καὶ
ἐπιμελεῖται οὔτε προπεπονθυῖα οὐ-
δὲν ἀγαθόν, οὔτε γιγνώσκοντος
τοῦ βρέφους, ὑφ' ὅτου εὖ πά-
σχει, οὐδὲ σημαίνειν δυναμένου,
ὅτου δεῖται, ἀλλ' αὐτὴ στοχαζομένη
τά τε συμφέροντα καὶ κεχαρισμένα
πειρωμένη ἐκπληροῦν· καὶ τρέ-
φει κτλ. Xenophon aber hat die
Periode ohne Rücksicht auf die
Grammatik auf rhetorische Weise
gebildet. Zuerst setzt er statt der
Gen. absol. den Nomin. γιγνῶσκον

τὸ βρέφος, um die Konzinnität der
Satzglieder zu bewahren, weil diese
Worte auf beiden Seiten von No-
minativen (προπεπονθυῖα und στο-
χαζομένη) umgeben sind. Dann
setzt er statt des Particips πειρω-
μένη das Verb. fin. πειρᾶται, um
den Gedanken hervorzuheben, vgl.
zu II 1, 30. Endlich wiederholt er
mit den Worten καὶ τρέφει κτλ.
das Vorhergehende wieder kurz;
καί bedeutet daher s. v. a. und
zwar. — οὐδὲ — δυνάμενον]
auf οὔτε, weder, folgt zuweilen
οὐδέ, und nicht.

§ 7. Ἀλλά τοι] s. zu I 2, 36. —
εἰ — πεποίηκε —, οὐδεὶς ἂν
δύναιτο] s. zu I 2, 28. Das Sub-
jekt zu πεποίηκε ist ἡ ἐμὴ μήτηρ.
— τούτων πολλαπλάσια] C.
§ 416 A. 3. Ko. § 84, 14. K. § 274, 1.
— Πότερα δέ] s. zu I 3, 13. —

εἶναι ἢ μητρός; — Ἐγὼ μὲν οἶμαι, ἔφη, τῆς μητρός, τῆς γε
τοιαύτης. — Ἤδη πώποτε οὖν ἢ δακοῦσα κακόν τί σοι ἔδωκεν
8 ἢ λακτίσασα, οἷα ὑπὸ θηρίων ἤδη πολλοὶ ἔπαθον; — Ἀλλά,
νὴ Δία, ἔφη, λέγει, ἃ οὐκ ἄν τις ἐπὶ τῷ βίῳ παντὶ βούλοιτο
ἀκοῦσαι. — Σὺ δὲ πόσα, ἔφη ὁ Σωκράτης, οἴει ταύτῃ [δυσ-
άνεκτα] καὶ τῇ φωνῇ καὶ τοῖς ἔργοις ἐκ παιδίου δυσκολαίνων
καὶ ἡμέρας καὶ νυκτὸς πράγματα παρασχεῖν, πόσα δὲ λυπῆσαι
κάμνων; — Ἀλλ' οὐδεπώποτε αὐτήν, ἔφη, οὔτ' εἶπα οὔτ'
9 ἐποίησα οὐδέν, ἐφ' ᾧ ᾐσχύνθη. — Τί δ'; οἴει, ἔφη, χαλεπώ-
τερον εἶναί σοι ἀκούειν ὧν αὕτη λέγει, ἢ τοῖς ὑποκριταῖς,
ὅταν ἐν ταῖς τραγῳδίαις ἀλλήλους τὰ ἔσχατα λέγωσιν; —
Ἀλλ', οἶμαι, ἐπειδὴ οὐκ οἴονται τῶν λεγόντων οὔτε τὸν ἐλέγ-
χοντα ἐλέγχειν, ἵνα ζημιώσῃ, οὔτε τὸν ἀπειλοῦντα ἀπειλεῖν,
ἵνα κακόν τι ποιήσῃ, ῥᾳδίως φέρουσι. — Σὺ δ' εὖ εἰδώς, ὡς
ὅ τι λέγει σοι ἡ μήτηρ, οὐ μόνον οὐδὲν κακὸν νοοῦσα λέγει,
ἀλλὰ καὶ βουλομένη σοι ἀγαθὰ εἶναι ὅσα οὐδενὶ ἄλλῳ, χαλε-
παίνεις; ἢ νομίζεις κακόνουν τὴν μητέρα σοι εἶναι; — Οὐ
10 δῆτα, ἔφη, τοῦτό γε οὐκ οἴομαι. — Καὶ ὁ Σωκράτης· Οὐκοῦν,
ἔφη, σὺ ταύτην εὔνουν τέ σοι οὖσαν καὶ ἐπιμελομένην, ὡς
μάλιστα δύναται, κάμνοντος, ὅπως ὑγιαίνῃς τε καὶ ὅπως τῶν
ἐπιτηδείων μηδενὸς ἐνδεὴς ἔσῃ, καὶ πρὸς τούτοις πολλὰ τοῖς
θεοῖς εὐχομένην ἀγαθὰ ὑπὲρ σοῦ καὶ εὐχὰς ἀποδιδοῦσαν χαλε-
πὴν εἶναι φῄς; ἐγὼ μὲν οἶμαι, εἰ τοιαύτην μὴ δύνασαι φέρειν
11 μητέρα, τἀγαθά σε οὐ δύνασθαι φέρειν. Εἰπὲ δέ μοι, ἔφη,
πότερον ἄλλον τινὰ οἴει δεῖν θεραπεύειν, ἢ παρεσκευάσαι
μηδενὶ ἀνθρώπων πειρᾶσθαι ἀρέσκειν μηδ' ἕπεσθαι μηδὲ πεί-

τῆς μητρός] warum hier mit dem
Artikel, kurz vorher aber ohne Ar-
tikel?

§ 8. ἐπὶ τῷ βίῳ παντί] für
das ganze Leben; ἐπί c. dat.
vom Preise. K. § 301 b. — εἶπα]
selten st. εἶπον.

§ 9. τοῖς ὑποκριταῖς] wenn
Schauspieler, auf der Bühne sich
mit den heftigsten Schmähworten
angreifend, nicht vom Zorne ent-
brennen, weil sie wissen, daſs der
Tadelnde nicht tadelt, um zu ver-
letzen, und der Drohende nicht
droht, um Böses zuzufügen: so darfst
du noch weit weniger deiner Mut-
ter zürnen, da du weiſst, daſs sie

dir wohl will und dich nur zu dei-
nem Besten tadelt.

§ 10. ὅπως ὑγιαίνῃς τε καὶ
ὅπως — ἔσῃ] erst steht der Kon-
junktiv, dann der Indik. des Fut.,
weil der Erfolg der ersteren Absicht
weniger, der Erfolg der letzteren
Absicht mehr in der Macht der
Mutter liegt. Vgl. II 4, 2. — πολλὰ
τοῖς θεοῖς εὐχομένην ἀγαθά]
= πολλὰ ἀγ. παρὰ τῶν θεῶν αἰ-
τουμένην. Vgl. III 14, 3. IV 2, 36.
— Εὐχὰς ἀποδιδοῦσαν] vota
reddentem, persolventem, quae diis
promisit.

§ 11. μηδενὶ — ἀρέσκειν, μηδ'
ἕπεσθαι μηδὲ πείθεσθαι] die

θεσθαι μήτε στρατηγῷ μήτε ἄλλῳ ἄρχοντι; — Ναὶ μὰ Δί'
ἔγωγε, ἔφη. — Οὐκοῦν, ἔφη ὁ Σωκράτης, καὶ τῷ γείτονι 12
βούλει σὺ ἀρέσκειν, ἵνα σοι καὶ πῦρ ἐναύῃ, ὅταν τούτου δέῃ,
καὶ ἀγαθοῦ τέ σοι γίγνηται συλλήπτωρ καί, ἄν τι σφαλλόμε-
νος τύχῃς, εὐνοϊκῶς ἐγγύθεν βοηθῇ σοι; — Ἔγωγε, ἔφη. —
Τί δέ; συνοδοιπόρον ἢ σύμπλουν ἢ εἴ τῳ ἄλλῳ ἐντυγχάνοις,
οὐδὲν ἄν σοι διαφέροι φίλον ἢ ἐχθρὸν γενέσθαι, ἢ καὶ τῆς
παρὰ τούτων εὐνοίας οἴει δεῖν ἐπιμελεῖσθαι; — Ἔγωγε ἔφη.
— Εἶτα τούτων μὲν ἐπιμελεῖσθαι παρεσκεύασαι, τὴν δὲ μητέρα 13
τὴν πάντων μάλιστά σε φιλοῦσαν οὐκ οἴει δεῖν θεραπεύειν;
οὐκ οἶσθ', ὅτι καὶ ἡ πόλις ἄλλης μὲν ἀχαριστίας οὐδεμιᾶς ἐπι-
μελεῖται οὐδὲ δικάζει, ἀλλὰ περιορᾷ τοὺς εὖ πεπονθότας χάριν
οὐκ ἀποδιδόντας, ἐὰν δέ τις γονέας μὴ θεραπεύῃ, τούτῳ δίκην
τε ἐπιτίθησι καὶ ἀποδοκιμάζουσα οὐκ ἐᾷ ἄρχειν τοῦτον, ὡς
οὔτε ἂν τὰ ἱερὰ εὐσεβῶς θυόμενα ὑπὲρ τῆς πόλεως τούτου
θύοντος, οὔτε ἄλλο καλῶς καὶ δικαίως οὐδὲν ἂν τούτου πρά-
ξαντος; Καὶ νὴ Δία ἐάν τις τῶν γονέων τελευτησάντων τοὺς
τάφους μὴ κοσμῇ, καὶ τοῦτο ἐξετάζει ἡ πόλις ἐν ταῖς τῶν ἀρ-
χόντων δοκιμασίαις. Σὺ οὖν, ὦ παῖ, ἂν σωφρονῇς, τοὺς μὲν 14
θεοὺς παραιτήσῃ συγγνώμονάς σοι εἶναι, εἴ τι παρημέληκας
τῆς μητρός, μή σε καὶ οὗτοι νομίσαντες ἀχάριστον εἶναι οὐκ
ἐθέλωσιν εὖ ποιεῖν· τοὺς δὲ ἀνθρώπους [αὖ] φυλάξῃ, μή σε
αἰσθόμενοι τῶν γονέων ἀμελοῦντα πάντες ἀτιμάσωσιν, εἶτα
ἐν ἐρημίᾳ φίλων ἀναφανῇς· εἰ γάρ σε ὑπολάβοιεν πρὸς τοὺς
γονεῖς ἀχάριστον εἶναι, οὐδεὶς ἂν νομίσειεν εὖ σε ποιήσας
χάριν ἀπολήψεσθαι.

Worte μηδ' ἔπ. μ. πειθ. dienen
zur näheren Erklärung der vorher-
gehenden Worte μηδενὶ ἀρέσκειν.
Die Infinitive (ἔπεσθαι πείθεσθαι)
hängen von παρεσκεύασαι ab.
§ 12. οὐδὲν ἄν σοι διαφέροι]
nihil tua referat (intersit). — τῆς
παρὰ τούτων εὐνοίας] benevo-
lentiae ab his profectae. Vgl. III
11, 3.
§ 13. Εἶτα] s. zu I 2, 26. —
ἄρχειν] Archon sein. — ὡς —
ἂν θυόμενα] s. zu § 3. — δι-
καίως οὐδὲν ἄν] scil. πραττόμε-
νον, was aus dem folg. πράξαντος
zu entnehmen ist. — δοκιμασίαις]

diejenigen, welche sich in Athen
um ein Staatsamt bewarben, muß-
ten sich einer Prüfung unterziehen,
in der ihr Geschlecht, Alter und
Sitten untersucht wurden.
§ 14. μή — οὐκ ἐθέλωσιν] da-
mit sie nicht die Lust verlieren.
— εἶτα] εἶτα und ἔπειτα werden
oft nach dem Verbum finitum für
καὶ εἶτα, καὶ ἔπειτα in der Bedeu-
tung entweder von dann, darauf
oder (jedoch seltener) von und
dann, καὶ τότε (wie hier und IV
5, 3) gesetzt. — ἐν ἐρημίᾳ — ἀνα-
φανῇς] gewöhnlich wird ἄν hin-
zugesetzt, s. aber zu I 5, 1.

Drittes Kapitel.

Inhalt.

Sokrates, der erfahren hatte, daſs zwei Brüder, Chärephon und
Chärekrates, in Unfrieden mit einander lebten, empfiehlt dem jüngeren
von ihnen die **brüderliche Eintracht** mit folgenden Beweisen:
1) Der Bruder muſs dir mehr wert sein als Hab und Gut. Der Besitz
   deines Vermögens wird dir nur durch den Schutz wahrer Freunde
   gesichert. Der wahrste Freund aber ist der dir von der Natur ge-
   gebene, d. h. dein Bruder (§ 1—4).
2) Die Pflicht fordert also, daſs du, wenn auch der Bruder eine feind-
   selige Gesinnung gegen dich haben sollte, ihn nicht hassest, son-
   dern durch Freundlichkeit mit dir zu versöhnen suchest, zumal da
   du der jüngere bist (§ 5—17).
3) Die Brüder müssen nicht einander widerstreben, sondern in Ein-
   tracht mit einander leben. Sie sind zu gegenseitiger Hülfe und
   Unterstützung von der Gottheit geschaffen.

1　　Χαιρεφῶντα δέ ποτε καὶ Χαιρεκράτην, ἀδελφὼ μὲν ὄντε
ἀλλήλοιν, ἑαυτῷ δὲ γνωρίμω, αἰσθόμενος διαφερομένω, ἰδὼν
τὸν Χαιρεκράτην· Εἰπέ μοι, ἔφη, ὦ Χαιρέκρατες, οὐ δήπου
καὶ σὺ εἶ τῶν τοιούτων ἀνθρώπων, οἳ χρησιμώτερον νομίζουσι
χρήματα ἢ ἀδελφούς; καὶ ταῦτα τῶν μὲν ἀφρόνων ὄντων, τοῦ
δὲ φρονίμου, καὶ τῶν μὲν βοηθείας δεομένων, τοῦ δὲ βοηθεῖν
δυναμένου, καὶ πρὸς τούτοις τῶν μὲν πλειόνων ὑπαρχόντων,
2 τοῦ δὲ ἑνός. Θαυμαστὸν δὲ καὶ τοῦτο, εἴ τις τοὺς μὲν ἀδελ-
φοὺς ζημίαν ἡγεῖται, ὅτι οὐ καὶ τὰ τῶν ἀδελφῶν κέκτηται,
τοὺς δὲ πολίτας οὐχ ἡγεῖται ζημίαν, ὅτι οὐ καὶ τὰ τῶν πολι-
τῶν ἔχει, ἀλλ᾽ ἐνταῦθα μὲν δύναται λογίζεσθαι, ὅτι κρεῖττον
σὺν πολλοῖς οἰκοῦντα ἀσφαλῶς ἀρκοῦντα ἔχειν, ἢ μόνον διαι-
τώμενον τὰ τῶν πολιτῶν ἐπικινδύνως πάντα κεκτῆσθαι, ἐπὶ δὲ
3 τῶν ἀδελφῶν τὸ αὐτὸ τοῦτο ἀγνοοῦσι. Καὶ οἰκέτας μὲν οἱ

---

§ 1. *Χαιρεφῶντα*] Chärephon
war ein dem Sokrates von ganzer
Seele ergebener Schüler. — *οὐ δή-
που*] doch wohl nicht, hoffent-
lich nicht, in ironischen Fragen.
Vgl. IV 2, 11. — *χρησιμώτερον
νομίζουσι χρήματα*] C. § 366.
Ko. § 69, 4. K. § 240, 5. — *καὶ
ταῦτα*] und zwar, vgl. I 4, 8. —
τοῦ δὲ φρονίμου] vorher der
Plural *ἀδελφούς*, insofern Sokr. hier
im allgemeinen von Brüdern redet,
οἳ χρησιμώτερον νομίζουσι χρ. ἢ

ἀδελφούς, sodann aber den Chäre-
krates im Sinne hat, der nur einen
Bruder hatte. — *τῶν μὲν βοη-
θείας δεομένων*] unter *χρήματα*
ist alles zu verstehen, *οἷς χρώμεθα*,
Hab und Gut, Geld, liegende Gründe,
Herden, Sklaven u. s. w.
　§ 2. *ἐνταῦθα*] hier, d. h. in
diesem Falle. — *ἐπὶ δὲ τῶν
ἀδελφῶν — ἀγνοοῦσι*] über *ἐπὶ*
c. gen. bei den verbis sentiendi s.
K. § 301 a. Vgl. III 9, 3. Wegen
des Flur. nach *εἴ τις* s. zu I 2, 62.

δυνάμενοι ὠνοῦνται, ἵνα συνεργοὺς ἔχωσι, καὶ φίλους κτῶνται,
ὡς βοηθῶν δεόμενοι, τῶν δ' ἀδελφῶν ἀμελοῦσιν, ὥσπερ ἐκ
πολιτῶν μὲν γιγνομένους φίλους, ἐξ ἀδελφῶν δὲ οὐ γιγνομέ-
νους. Καὶ μὴν πρὸς φιλίαν μέγα μὲν ὑπάρχει τὸ ἐκ τῶν αὐ- 4
τῶν φῦναι, μέγα δὲ τὸ ὁμοῦ τραφῆναι, ἐπεὶ καὶ τοῖς θηρίοις
πόθος τις ἐγγίγνεται τῶν συντρόφων· πρὸς δὲ τούτοις καὶ οἱ
ἄλλοι ἄνθρωποι τιμῶσί τε μᾶλλον τοὺς συναδέλφους ὄντας
τῶν ἀναδέλφων καὶ ἧττον τούτοις ἐπιτίθενται. Καὶ ὁ Χαιρε- 5
κράτης εἶπεν· Ἀλλ' εἰ μέν, ὦ Σώκρατες, μὴ μέγα εἴη τὸ διά-
φορον, ἴσως ἂν δέοι φέρειν τὸν ἀδελφὸν καὶ μὴ μικρῶν ἕνεκα
φεύγειν· ἀγαθὸν γάρ, ὥσπερ καὶ σὺ λέγεις, ἀδελφὸς ὢν οἷον
δεῖ· ὁπότε μέντοι παντὸς ἐνδέοι καὶ πᾶν τὸ ἐναντιώτατον εἴη,
τί ἄν τις ἐπιχειροίη τοῖς ἀδυνάτοις; Καὶ ὁ Σωκράτης ἔφη· 6
Πότερα δέ, ὦ Χαιρέκρατες, οὐδενὶ ἀρέσαι δύναται Χαιρεφῶν,
ὥσπερ οὐδὲ σοί, ἢ ἔστιν οἷς καὶ πάνυ ἀρέσκει; Διὰ τοῦτο γάρ
τοι, ἔφη, ὦ Σώκρατες, ἄξιόν ἐστιν ἐμοὶ μισεῖν αὐτόν, ὅτι
ἄλλοις μὲν ἀρέσκειν δύναται, ἐμοὶ δέ, ὅπου ἂν παρῇ, παντα-
χοῦ καὶ ἔργῳ καὶ λόγῳ ζημία μᾶλλον ἢ ὠφέλειά ἐστιν. Ἆρ' 7
οὖν, ἔφη ὁ Σωκράτης, ὥσπερ ἵππος τῷ ἀνεπιστήμονι μέν,
ἐγχειροῦντι δὲ χρῆσθαι ζημία ἐστίν, οὕτω καὶ ἀδελφός, ὅταν
τις αὐτῷ μὴ ἐπιστάμενος ἐγχειρῇ χρῆσθαι, ζημία ἐστίν; Πῶς 8
δ' ἂν ἐγώ, ἔφη ὁ Χαιρεκράτης, ἀνεπιστήμων εἴην ἀδελφῷ
χρῆσθαι, ἐπιστάμενός γε καὶ εὖ λέγειν τὸν εὖ λέγοντα καὶ εὖ
ποιεῖν τὸν εὖ ποιοῦντα; τὸν μέντοι καὶ λόγῳ καὶ ἔργῳ πειρώ-
μενον ἐμὲ ἀνιᾶν οὐκ ἂν δυναίμην οὔτ' εὖ λέγειν οὔτ' εὖ ποιεῖν,
ἀλλ' οὐδὲ πειράσομαι. Καὶ ὁ Σωκράτης ἔφη· Θαυμαστά γε λέγεις, 9
ὦ Χαιρέκρατες, εἰ κύνα μέν, εἴ σοι ἦν ἐπὶ προβάτοις ἐπιτήδειος
ὢν καὶ τοὺς μὲν ποιμένας ἠσπάζετο, σοὶ δὲ προσιόντι ἐχαλέ-

§ 3. ὥσπερ — γιγνομένους
φίλους] Accusativi absoluti mit
ὥσπερ, quasi. C. § 588 und 586, 2.
Ko. § 124, 4a. K. § 312 A. 4.
§ 4. Καὶ μήν] atqui, et tamen.
— μέγα ὑπάρχει] trägt viel da-
zu bei.
§ 5. ὁπότε μέντοι παντὸς
ἐνδέοι] scil. ὥστε τὸν ἀδελφὸν
τοιοῦτον εἶναι, οἷον δεῖ oder ὁπότε
παντὸς ἐνδέοι τῷ ἀδελφῷ τοιούτῳ
εἶναι, οἷον δεῖ. — τοῖς ἀδυνά-
τοις] dafs nämlich das vereinigt

werde, was sich ganz entgegenge-
setzt ist.
§ 6. Πότερα δέ] s. zu I 3, 13.
— Διὰ τοῦτο γάρ τοι] ja ge-
rade aus diesem Grunde. Vgl.
II 5, 4. III 5, 19. Wegen γάρ s. zu
I 4, 9. — ἄξιόν ἐστιν ἐμοὶ μι-
σεῖν αὐτόν] iustum est, oportet,
decet me illum odisse.
§ 7. ἀνεπιστήμονι] scil. χρῆ-
σθαι, was aus dem folgenden Satz-
gliede zu entnehmen ist.
§ 9. εἰ — εἰ] s. zu I 2, 36. —

παινεν, ἀμελήσας ἂν τοῦ ὀργίζεσθαι ἐπειρῶ εὖ ποιήσας πραΰ-
νειν αὐτόν, τὸν δὲ ἀδελφὸν φῂς μὲν μέγα ἂν ἀγαθὸν εἶναι
ὄντα πρὸς σὲ οἷον δεῖ, ἐπίστασθαι δὲ ὁμολογῶν καὶ εὖ ποιεῖν
καὶ εὖ λέγειν οὐκ ἐπιχειρεῖς μηχανᾶσθαι, ὅπως σοι ὡς βέλτι-
10 στος ἔσται. Καὶ ὁ Χαιρεκράτης· Δέδοικα, ἔφη, ὦ Σώκρατες,
μὴ οὐκ ἔχω ἐγὼ τοσαύτην σοφίαν, ὥστε Χαιρεφῶντα ποιῆσαι
πρὸς ἐμὲ οἷον δεῖ. Καὶ μὴν οὐδέν γε ποικίλον, ἔφη ὁ Σωκρά-
της, οὐδὲ καινὸν δεῖ ἐπ᾽ αὐτόν, ὡς ἐμοὶ δοκεῖ, μηχανᾶσθαι,
οἷς δὲ καὶ σὺ ἐπίστασαι αὐτὸς οἴομαι ἂν αὐτὸν ἁλόντα περὶ
11 πολλοῦ ποιεῖσθαί σε. — Οὐκ ἂν φθάνοις, ἔφη, λέγων, εἴ τι
ᾔσθησαί με φίλτρον ἐπιστάμενον, ὃ ἐγὼ εἰδὼς λέληθα ἐμαυ-
τόν. — Λέγε δή μοι, ἔφη, εἴ τινα τῶν γνωρίμων βούλοιο κατ-
εργάσασθαι, ὁπότε θύοι, καλεῖν σε ἐπὶ δεῖπνον, τί ἂν ποιοίης;
— Δῆλον, ὅτι κατάρχοιμι ἂν τοῦ αὐτός, ὅτε θύοιμι, καλεῖν
12 ἐκεῖνον. — Εἰ δὲ βούλοιο τῶν φίλων τινὰ προτρέψασθαι,
ὁπότε ἀποδημοίης, ἐπιμελεῖσθαι τῶν σῶν, τί ἂν ποιοίης; —
Δῆλον, ὅτι πρότερος ἂν ἐγχειροίην ἐπιμελεῖσθαι τῶν ἐκείνου,
13 ὁπότε ἀποδημοίη. — Εἰ δὲ βούλοιο ξένον ποιῆσαι ὑποδέχεσθαι
σεαυτόν, ὁπότε ἔλθοις εἰς τὴν ἐκείνου, τί ἂν ποιοίης; — Δῆ-
λον, ὅτι καὶ τοῦτον πρότερος ὑποδεχοίμην ἄν, ὁπότε ἔλθοι
Ἀθήναζε· καὶ εἴ γε βουλοίμην αὐτὸν προθυμεῖσθαι διαπράτ-
τειν μοι ἐφ᾽ ἃ ἥκοιμι, δῆλον, ὅτι καὶ τοῦτο δέοι ἂν πρότερον
14 αὐτὸν ἐκείνῳ ποιεῖν. — Πάντ᾽ ἄρα σύ γε τὰ ἐν ἀνθρώποις
φίλτρα ἐπιστάμενος πάλαι ἀπεκρύπτου· ἢ ὀκνεῖς, ἔφη, ἄρξαι,

πραΰνειν αὐτόν] wegen des
hinzugefügten αὐτόν s. zu I 4, 18.
— φῂς μὲν — ἐπίστασθαι δὲ
κτλ.] st. φῂς μὲν — δεῖ, μηχανᾶ-
σθαι δὲ οὐκ ἐπιχειρεῖς; da aber
die Worte ἐπίστασθαι ὁμολογῶν
καὶ εὖ ποιεῖν καὶ εὖ λέγειν, obwohl
du zugiebst, dafs u. s. w., vorangeschickt
sind, so mufste δέ seine
eigentliche Stellung aufgeben.
§ 10. Καὶ μὴν — γέ] s. zu I 4,
12. — οὐδὲν ποικίλον] nichts
Verwickeltes, Schwieriges. — οἷς
— ἐπίστασαι] d. i. τούτοις δὲ, ἃ
u. s. w.; τούτοις hängt von ἁλόντα
(captum) ab. S. zu II 1, 25. — αὐ-
τός] verbinde mit ἐπίστασαι, sed
quae tu ipse nosti, iis credo eum
captum magni te (dich) facturum esse.

§ 11. Οὐκ ἂν φθάνοις — λέ-
γων] sage es auf der Stelle. Vgl.
III 11, 1. S. C. § 591 e A. 2. Ko.
§ 105, 5 c. K. § 311, 4.
§ 13. εἰς τὴν ἐκείνου] scil.
πόλιν. — τοῦτο — ἐκείνῳ ποι-
εῖν] nicht ἐκεῖνον nach der gewöhnlichen
Regel, sondern ἐκείνῳ
als Dat. commodi.
§ 14. τὰ ἐν ἀνθρώποις] s. zu
III 6, 2. — ἐπιστάμενος — ἀπ-
εκρύπτου] ἀποκρύπτομαι mit dem
Partic., wie λανθάνω, vgl. Symp.
1, 6. — ἢ ὀκνεῖς — ἄρξαι, μὴ
αἰσχρὸς φανῇς] d. i. ὀκνῶν (das
aus ὀκνεῖς zu entnehmen ist), μή
κτλ. Vgl. II 5, 5; ἤ, lat. an, bezieht
sich auf die im vorhergehenden
liegende Frage: ἢ ἄρα — ἀπ-

μὴ αἰσχρὸς φανῇς, ἐὰν πρότερος τὸν ἀδελφὸν εὖ ποιῇς; καὶ
μὴν πλείστου γε δοκεῖ ἀνὴρ ἐπαίνου ἄξιος εἶναι, ὃς ἂν φθάνῃ
τοὺς μὲν πολεμίους κακῶς ποιῶν, τοὺς δὲ φίλους εὐεργετῶν·
εἰ μὲν οὖν ἐδόκει μοι Χαιρεφῶν ἡγεμονικώτερος εἶναι σοῦ
πρὸς τὴν φύσιν ταύτην, ἐκεῖνον ἂν ἐπειρώμην πείθειν πρό-
τερον ἐγχειρεῖν τῷ σε φίλον ποιεῖσθαι· νῦν δέ μοι σὺ δοκεῖς
ἡγούμενος μᾶλλον ἂν ἐξεργάζεσθαι τοῦτο. Καὶ ὁ Χαιρεκράτης 15
εἶπεν· Ἄτοπα λέγεις, ὦ Σώκρατες, καὶ οὐδαμῶς πρὸς σοῦ,
ὅς γε κελεύεις ἐμὲ νεώτερον ὄντα καθηγεῖσθαι· καίτοι τούτου
γε παρὰ πᾶσιν ἀνθρώποις τἀναντία νομίζεται, τὸν πρεσβύτερον
ἡγεῖσθαι παντὸς καὶ ἔργου καὶ λόγου. Πῶς; ἔφη ὁ Σωκράτης· 16
οὐ γὰρ καὶ ὁδοῦ παραχωρῆσαι τὸν νεώτερον πρεσβυτέρῳ
συντυγχάνοντι πανταχοῦ νομίζεται καὶ καθήμενον ὑπαναστῆναι
καὶ κοίτῃ μαλακῇ τιμῆσαι καὶ λόγων ὑπεῖξαι; ὠγαθέ, μὴ
ὄκνει, ἔφη, ἀλλ' ἐγχείρει τὸν ἄνδρα καταπραΰνειν, καὶ πάνυ
ταχύ σοι ὑπακούσεται· οὐχ ὁρᾷς, ὡς φιλότιμός ἐστι καὶ
ἐλευθέριος; τὰ μὲν γὰρ πονηρὰ ἀνθρώπια οὐκ ἂν ἄλλως μᾶλ-
λον ἕλοις, ἢ εἰ δοίης τι, τοὺς δὲ καλοὺς κἀγαθοὺς ἀνθρώ-
πους προσφιλῶς χρώμενος μάλιστ' ἂν κατεργάσαιο. Καὶ ὁ 17
Χαιρεκράτης εἶπεν· Ἐὰν οὖν ἐμοῦ ταῦτα ποιοῦντος ἐκεῖνος
μηδὲν βελτίων γίγνηται; Τί γὰρ ἄλλο, ἔφη ὁ Σωκράτης, ἢ
κινδυνεύσεις ἐπιδεῖξαι, σὺ μὲν χρηστός τε καὶ φιλάδελφος

εκρύπτου; — καὶ μὴν — γέ] atqui
certe. S. zu I 4, 12. — εἰ — ἡγε-
μονικώτερος εἶναι σοῦ πρὸς
τὴν φύσιν ταύτην] wenn mir
Ch. geeigneter zu sein schiene als
du, eine solche Sinnesweise zuerst
anzunehmen, wie sie nötig ist, wenn
einer εὐεργετῶν φθάνειν will. —
νῦν δέ] wie im Lat. nunc autem
und im Deutschen nun aber, von
einem Gegensatze. — ἡγούμενος]
den Anfang machend, ἡγεμονι-
κὸς ὤν, πρότερος.

§ 15. πρὸς σοῦ] scil. ὄντα (s. zu
I 4, 10: ὅσῳ μεγαλοπρεπέστερον)
d. h. deinem Wesen entsprechend.
K. § 303 a. — ὅς γε κελεύεις]
qui quidem iubes, der du ja, γέ
steht hier erklärend. Vgl. IV 4, 14.
— καίτοι γε] s. zu I 2, 3. — τά-
ναντία νομίζεται] so § 16: παν-
ταχοῦ νομίζεται, more receptum est,

in more positum est, iustum habetur.
Vgl. IV 4, 19. 20 u. zu I 1, 1.

§ 16. οὐ γάρ] s. zu I 3, 10. Vgl.
§ 17. — ὠγαθέ] s. zu I 4, 17. —
τὸν ἄνδρα] nachdrücklicher für
ἐκεῖνον. — φιλότιμος] hier in
gutem Sinne: ehrliebend. Vgl.
zu § 17. — τὰ μὲν γάρ] γάρ giebt
den Grund an von καὶ πάνυ ταχύ
σοι ὑπακούσεται. — κατεργάσαιο]
tibi concilies.

§ 17. Τί γὰρ ἄλλο — ἢ κινδυ-
νεύσεις] s. zu II 1, 17. So im
Latein. nihil aliud, quam st. nihil
aliud facere, quam. — ἐπιδεῖξαι
— εἶναι] δείκνυμι wird mit dem
Infin. verbunden entweder in der
Bedeutung lehren (C. § 594. K.
§ 311, 11), oder wenn es, wie hier,
von einer nur möglichen Sache
gebraucht wird. Vgl. IV 4, 18. Die
Worte σὺ μέν sind wegen des Ge-

εἶναι, ἐκεῖνος δὲ φαῦλός τε καὶ οὐκ ἄξιος εὐεργεσίας; Ἀλλ᾽
οὐδὲν οἶμαι τούτων ἔσεσθαι· νομίζω γὰρ αὐτόν, ἐπειδὰν αἴσθη-
ταί σε προκαλούμενον ἑαυτὸν εἰς τὸν ἀγῶνα τοῦτον, πάνυ
φιλονεικήσειν, ὅπως περιγένηταί σου καὶ λόγῳ καὶ ἔργῳ εὖ
18 ποιῶν. Νῦν μὲν γὰρ οὕτως, ἔφη, διάκεισθον, ὥσπερ εἰ τὼ
χεῖρε, ἃς ὁ θεὸς ἐπὶ τῷ συλλαμβάνειν ἀλλήλοιν ἐποίησεν,
ἀφεμένω τούτου τράποιντο πρὸς τὸ διακωλύειν ἀλλήλω, ἢ εἰ
τὼ πόδε θείᾳ μοίρᾳ πεποιημένω πρὸς τὸ συνεργεῖν ἀλλήλοιν
19 ἀμελήσαντε τούτου ἐμποδίζοιεν ἀλλήλω. Οὐκ ἂν πολλὴ ἀμαθία
εἴη καὶ κακοδαιμονία τοῖς ἐπ᾽ ὠφελείᾳ πεποιημένοις ἐπὶ βλάβῃ
χρῆσθαι; Καὶ μὴν ἀδελφώ γε, ὡς ἐμοὶ δοκεῖ, ὁ θεὸς ἐποίησεν
ἐπὶ μείζονι ὠφελείᾳ ἀλλήλοιν ἢ χεῖρέ τε καὶ πόδε καὶ ὀφθαλμὼ
τἆλλά τε, ὅσα ἀδελφὰ ἔφυσεν ἀνθρώποις. Χεῖρες μὲν γάρ, εἰ
δέοι αὐτὰς τὰ πλέον ὀργυιᾶς διέχοντα ἅμα ποιῆσαι, οὐκ ἂν
δύναιντο, πόδες δὲ οὐδ᾽ ἂν ἐπὶ τὰ ὀργυιὰν διέχοντα ἔλθοιεν
ἅμα, ὀφθαλμοὶ δὲ οἱ καὶ δοκοῦντες ἐπὶ πλεῖστον ἐξικνεῖσθαι
οὐδ᾽ ἂν τῶν ἔτι ἐγγυτέρω ὄντων τὰ ἔμπροσθεν ἅμα καὶ τὰ
ὄπισθεν ἰδεῖν δύναιντο, ἀδελφὼ δὲ φίλω ὄντε καὶ πολὺ δι-
εστῶτε πράττετον ἅμα καὶ ἐπ᾽ ὠφελείᾳ ἀλλήλοιν.

gensatzes nach κινδυνεύσεις ἐπι-
δεῖξαι gesetzt, und zu ἐκεῖνος δέ
muſs man ergänzen κινδυνεύσει
ἐπιδεῖξαι εἶναι. — φιλονεική-
σειν] im guten Sinne.

§ 18. τὼ χεῖρε — ἀφεμένω —
ἀλλήλω] die Dualformen τώ, ἀφε-
μένω, ἀλλήλω sind hier generis
communis, wie dies gewöhnlich bei
τώ der Fall ist. K. § 91 A. 1, daher
auch mit Cobet ἀλλήλοιν zu lesen
ist. Wegen des Wechsels des Duals
und Plurals (τὼ χεῖρε, ἃς) s. zu
I 2, 33. — ἐπὶ τῷ συλλ.] vgl.
I 3, 11.

§ 19. Οὐκ ἂν πολλὴ κτλ.] man
erwartet Οὐκοῦν ἂν πολλή κτλ., s.
jedoch zu I 1, 9. — Καὶ μὴν —
γέ] s. zu I 4, 12. — τἆλλά τε]
τέ bezieht sich nicht auf das vor-
hergehende καί, sondern reiht einen
bloſsen Zusatz an das vorher-
gehende Satzglied an (= praeter-
eaque); so im Latein. et — et — que.
— οἱ καὶ δοκοῦντες] = εἰ καὶ
δοκοῦσιν. C. § 587, 5. K. § 312 A. 3.
So bald darauf καὶ πολὺ διεστῶτε.
II 4, 4. — πράττετον ἅμα καὶ
ἐπ᾽ ὠφελείᾳ] wirken gemein-
schaftlich (ἅμα) und zwar (καί)
zu gegenseitigem Nutzen.

Viertes Kapitel.

Inhalt.

Dieses Kapitel handelt über den Wert der Freundschaft. Vielen
Menschen liegt alles andere mehr am Herzen als die Sorge Freunde zu
gewinnen und zu erhalten; und doch giebt es kein kostbareres und nütz-
licheres Gut in allen Lagen des Lebens als einen guten Freund.

Ἤκουσα δέ ποτε αὐτοῦ καὶ περὶ φίλων διαλεγομένου, ἐξ 1
ὧν ἔμοιγε ἐδόκει μάλιστ᾽ ἄν τις ὠφελεῖσθαι πρὸς φίλων κτῆ-
σίν τε καὶ χρείαν· τοῦτο μὲν γὰρ δὴ πολλῶν ἔφη ἀκούειν, ὡς
πάντων κτημάτων κράτιστον ἂν εἴη φίλος σαφὴς καὶ ἀγαθός,
ἐπιμελουμένους δὲ παντὸς μᾶλλον ὁρᾶν ἔφη τοὺς πολλοὺς ἢ
φίλων κτήσεως. Καὶ γὰρ οἰκίας καὶ ἀγροὺς καὶ ἀνδράποδα 2
καὶ βοσκήματα καὶ σκεύη κτωμένους τε ἐπιμελῶς ὁρᾶν ἔφη καὶ
τὰ ὄντα σώζειν πειρωμένους, φίλον δέ, ὃ μέγιστον ἀγαθὸν
εἶναί φασιν, ὁρᾶν ἔφη τοὺς πολλοὺς οὔτε ὅπως κτήσονται
φροντίζοντας, οὔτε ὅπως οἱ ὄντες ἑαυτοῖς σώζωνται. Ἀλλὰ 3
καὶ καμνόντων φίλων τε καὶ οἰκετῶν ὁρᾶν τινας ἔφη τοῖς μὲν
οἰκέταις καὶ ἰατροὺς εἰσάγοντας καὶ τἆλλα πρὸς ὑγίειαν ἐπι-
μελῶς παρασκευάζοντας, τῶν δὲ φίλων ὀλιγωροῦντας, ἀπο-
θανόντων τε ἀμφοτέρων ἐπὶ μὲν τοῖς οἰκέταις ἀχθομένους καὶ
ζημίαν ἡγουμένους, ἐπὶ δὲ τοῖς φίλοις οὐδὲν οἰομένους ἐλατ-
τοῦσθαι καὶ τῶν μὲν ἄλλων κτημάτων οὐδὲν ἐῶντας ἀθερά-
πευτον οὐδ᾽ ἀνεπίσκεπτον, τῶν δὲ φίλων ἐπιμελείας δεομένων
ἀμελοῦντας. Ἔτι δὲ πρὸς τούτοις ὁρᾶν ἔφη τοὺς πολλοὺς τῶν
μὲν ἄλλων κτημάτων, καὶ πάνυ πολλῶν αὐτοῖς ὄντων, τὸ 4

§ 1. ἐξ ὧν] = τοιαῦτα, ἐξ ὧν. —
τοῦτο μὲν γὰρ δή] verbinde
τοῦτο δή, hoc ipsum. An anderen
Stellen ist δή mit γάρ zu verbinden
(= denn ja, denn bekannt-
lich), wie III 10, 10. 11, 17. 14, 2.
IV 2, 24. — κράτιστον ἂν εἴη]
scil. εἴ τις εἴη, nicht jedoch be-
mühen sie sich einen guten Freund
zu gewinnen. — ὁρᾶν ἔφη] Ob-
wohl ἔφη kurz vorher steht, so
wird es doch wiederholt, wie § 2.
Dasselbe geschieht auch oft in der
or. recta, vgl. III 6, 11. 8, 3. 10, 10.
11, 5. S. zu I 6, 4.

§ 2. Vgl. Cicer. Lael. 15, 55. —
φίλον δέ, ὃ μέγιστον ἀγαθὸν
εἶναί φασιν] ὃ mittels der At-
traktion für ὄν. S. C. § 367. K.
§ 319 A. 3. — κτήσονται — σώ-
ζωνται] s. zu II 2, 10. — οἱ ὄντες]
scil. φίλοι, das aus dem vorher-
gehenden φίλον zu entnehmen ist,
wie oft die Rede vom Singular zum
Plural übergeht; streng genommen,
hätte X. schreiben müssen: οὔτε
ὅπως, ὃν ἂν ἔχωσι, σώζωνται.
§ 4. καὶ πάνυ πολλῶν — ὄν-
των] s. zu II 3, 19. — τὸ πλῆθος
εἰδότας] vgl. Cicer. Lael. 17, 62:

πλῆθος εἰδότας, τῶν δὲ φίλων, ὀλίγων ὄντων, οὐ μόνον τὸ
πλῆθος ἀγνοοῦντας, ἀλλὰ καὶ τοῖς πυνθανομένοις τοῦτο κατα-
λέγειν ἐγχειρήσαντας, οὓς ἐν τοῖς φίλοις ἔθεσαν, πάλιν τού-
τους ἀνατίθεσθαι· τοσοῦτον αὐτοὺς τῶν φίλων φροντίζειν·
5 Καίτοι πρὸς ποῖον κτῆμα τῶν ἄλλων παραβαλλόμενος φίλος
ἀγαθὸς οὐκ ἂν πολλῷ κρείττων φανείη; ποῖος γὰρ ἵππος ἢ
ποῖον ζεῦγος οὕτω χρήσιμον, ὥσπερ ὁ χρηστὸς φίλος, ποῖον
δὲ ἀνδράποδον οὕτως εὔνουν καὶ παραμόνιμον, ἢ ποῖον ἄλλο
6 κτῆμα οὕτω πάγχρηστον; Ὁ γὰρ ἀγαθὸς φίλος ἑαυτὸν τάττει
πρὸς πᾶν τὸ ἐλλεῖπον τῷ φίλῳ καὶ τῆς τῶν ἰδίων κατασκευῆς
καὶ τῶν κοινῶν πράξεων καί, ἄν τέ τινα εὖ ποιῆσαι δέῃ, συν-
επισχύει, ἄν τέ τις φόβος ταράττῃ, συμβοηθεῖ τὰ μὲν συνανα-
λίσκων, τὰ δὲ συμπράττων καὶ τὰ μὲν συμπείθων, τὰ δὲ
βιαζόμενος καὶ εὖ μὲν πράττοντας πλεῖστα εὐφραίνων, σφαλ-
7 λομένους δὲ πλεῖστα ἐπανορθῶν. Ἃ δὲ αἵ τε χεῖρες ἑκάστῳ
ὑπηρετοῦσι καὶ οἱ ὀφθαλμοὶ προορῶσι καὶ τὰ ὦτα προακού-
ουσι καὶ οἱ πόδες διανύτουσι, τούτων φίλος εὐεργετῶν οὐδενὸς
λείπεται· πολλάκις δέ, ἃ πρὸ αὐτοῦ τις ἢ οὐκ ἐξειργάσατο ἢ
οὐκ εἶδεν ἢ οὐκ ἤκουσεν ἢ οὐ διήνυσε, ταῦτα ὁ φίλος πρὸ
τοῦ φίλου ἐξήρκεσεν. Ἀλλ’ ὅμως ἔνιοι δένδρα μὲν πει-

saepe (Scipio) querebatur, quod om-
nibus in rebus homines diligentiores
essent: capras et oves quot quisque
haberet, dicere posse, amicos quot
haberet, non posse dicere. — ἀλλὰ
καὶ — ἀνατίθεσθαι] sondern
auch nachdem sie versucht haben
den danach Fragenden die aufzu-
zählen, die sie zu ihren Freunden
rechnen, verwerfen sie diese wie-
derum. Wegen ἀνατίθεσθαι s. zu
I 2, 44. Für das Partic. ἀνατιθε-
μένους steht der Infin., wahrschein-
lich wegen des vorhergehenden
ἐγχειρήσαντας. Vgl. zu II 1, 30. —
τοσοῦτον] so wenig.
§ 5. χρήσιμον — χρηστός]
eine passende Allitteration. Vgl.
II 3, 1.
§ 6. πρὸς πᾶν τὸ ἐλλεῖπον
τῷ φίλῳ κτλ.] zu allem, was dem
Freunde mangelt an der Einrich-
tung u. s. w. — καὶ τῶν κοινῶν
πράξεων] d. h. καὶ τῆς τῶν κοι-
νῶν πράξεων (sc. κατασκευῆς). Der

Artikel τῆς ist weggelassen, weil
beide Begriffe gleichsam in einen
zusammengefaſst werden. S. zu
I 1, 19.
§ 7. οἱ ὀφθαλμοί] die Hand-
schr. lassen οἱ weg, das aber hier
nicht fehlen kann; es konnte wegen
des folgenden ο leicht ausfallen. —
τὰ ὦτα προακούουσι] das Neu-
trum im Plur. ist hier mit dem
Plurale wegen der Konzinnität der
Glieder verbunden. — προακούειν
wird von dem gesagt, der etwas
eher als der andere hört. — τούτων
φίλος εὐεργετῶν οὐδενὸς λεί-
πεται] in keinem dieser Dinge
bleibt der Freund mit seiner Hilfe
zurück; λείπεσθαι c. partic., wie
II 6, 5. C. 591 e. K. § 311, 1 f.;
auſserdem c. gen. (οὐδενός) s. C.
§ 423. Ko. § 84, 11. — ταῦτα ὁ
φίλος πρὸ τοῦ φίλου ἐξ-
ήρκεσεν] das reichte der Freund
für den Freund in reichlichem
Maſse dar.

ρῶνται θεραπεύειν τοῦ καρποῦ ἕνεκεν, τοῦ δὲ παμφορωτάτου κτήματος, ὃ καλεῖται φίλος, ἀργῶς καὶ ἀνειμένως οἱ πλεῖστοι ἐπιμέλονται.

Fünftes Kapitel.

Inhalt.

Der Hauptgedanke dieses Kapitels ist folgender: Ein jeder muſs sich prüfen, wie hoch er von seinen Freunden geschätzt werden könne, und sich bemühen seinen Freunden möglichst wertvoll zu sein.

Ἤκουσα δέ ποτε καὶ ἄλλον αὐτοῦ λόγον, ὃς ἐδόκει μοι 1 προτρέπειν τὸν ἀκούοντα ἐξετάζειν ἑαυτόν, ὁπόσου τοῖς φίλοις ἄξιος εἴη. Ἰδὼν γάρ τινα τῶν ξυνόντων ἀμελοῦντα φίλου πενίᾳ πιεζομένου, ἤρετο Ἀντισθένη ἐναντίον τοῦ ἀμελοῦντος αὐτοῦ καὶ ἄλλων πολλῶν· Ἆρ', ἔφη, ὦ Ἀντίσθενες, εἰσί τινες 2 ἀξίαι φίλων, ὥσπερ οἰκετῶν; Τῶν γὰρ οἰκετῶν ὁ μέν που δύο μναῖν ἄξιός ἐστιν, ὁ δὲ οὐδ' ἡμιμναίου, ὁ δὲ πέντε μνῶν, ὁ δὲ καὶ δέκα· Νικίας δέ, ὁ Νικηράτου, λέγεται ἐπιστάτην εἰς τἀργύρια πρίασθαι ταλάντου· σκοποῦμαι δὴ τοῦτο, ἔφη, εἰ ἄρα, ὥσπερ τῶν οἰκετῶν, οὕτω καὶ τῶν φίλων εἰσὶν ἀξίαι. Ναὶ μὰ Δί', ἔφη ὁ Ἀντισθένης· ἐγὼ γοῦν βουλοίμην ἂν τὸν 3 μέν τινα φίλον μοι εἶναι μᾶλλον ἢ δύο μνᾶς, τὸν δ' οὐδ' ἂν ἡμιμναίου προτιμησαίμην, τὸν δὲ καὶ πρὸ δέκα μνῶν ἑλοίμην ἄν, τὸν δὲ πρὸ πάντων χρημάτων καὶ πόνων πριαίμην ἂν φίλον μοι εἶναι. Οὐκοῦν, ἔφη ὁ Σωκράτης, εἴ γε ταῦτα 4 τοιαῦτά ἐστι, καλῶς ἂν ἔχοι ἐξετάζειν τινὰ ἑαυτόν, πόσου

§ 1. Ἀντισθένη] A., ein Schüler des Sokrates, war Stifter der cynischen Schule. Diese Form des Accusatives auf η begegnet bei Xenophon nur vereinzelt, s. uns. Bmrk. ad III 8, 1 in der gröſseren Ausg., in der Regel gebraucht er bei diesen Substantiven die auf ην.

§ 2. ἀξία = Wert, vgl. I 6, 11. — Νικίας] besaſs groſse Reichtümer. S. Plutarch. Nic. c. 4. Xen. de Vectig. 4, 14. — σκοποῦμαι δή] ich frage also. Sokrates kehrt zu der vorher aufgeworfenen Frage zurück. — εἰ ἄρα] s. zu II 2, 2.

§ 3. Ναὶ μὰ Δί'] scil. εἰσὶ καὶ τῶν φίλων ἀξίαι. — γοῦν] s. zu I 6, 2. — τὸν μέν τινα] manchen. — πρὸ πάντων χρημάτων καὶ πόνων πριαίμην] in πρό liegt der Begriff des Vorzuges, veranlaſst durch das vorherg. ἑλοίμην. Wegen πόνων πρίασθαι vgl. II 1, 20: τῶν πόνων πωλοῦσιν ἡμῖν πάντα τἀγάθ' οἱ θεοί. — φίλον μοι εἶναι] ὥστε φ. μ. εἶναι, wie Cyrop. III 1, 36: πόσου ἂν πρίαιο, ὥστε τὴν γυναῖκα ἀπολαβεῖν;

§ 4. εἴ γε — ἔστι, καλῶς ἂν

ἄρα τυγχάνει τοῖς φίλοις ἄξιος ὤν, καὶ πειρᾶσθαι ὡς πλείστου
ἄξιος εἶναι, ἵνα ἧττον αὐτὸν οἱ φίλοι προδιδῶσιν· ἐγὼ γάρ
τοι, ἔφη, πολλάκις ἀκούω τοῦ μέν, ὅτι προὔδωκεν αὐτὸν φίλος
ἀνήρ, τοῦ δέ, ὅτι μνᾶν ἀνθ᾽ ἑαυτοῦ μᾶλλον εἵλετο ἀνήρ, ὃν
5 ᾤετο φίλον εἶναι. Τὰ τοιαῦτα πάντα σκοπῶ, μή, ὥσπερ ὅταν
τις οἰκέτην πονηρὸν πωλῇ καὶ ἀποδιδῶται τοῦ εὑρόντος, οὕτω
καὶ τὸν πονηρὸν φίλον, ὅταν ἐξῇ τὸ πλεῖον τῆς ἀξίας λαβεῖν,
ἐπαγωγὸν ᾖ ἀποδίδοσθαι· τοὺς δὲ χρηστοὺς οὔτε οἰκέτας
πάνυ τι πωλουμένους ὁρῶ οὔτε φίλους προδιδομένους.

ἔχοι] s. zu I 2, 28. — ὡς πλεί-
στου ἄξιος εἶναι] man erwartet
ἄξιον εἶναι; der Nomin. ἄξιος ist
durch eine Art von Attraktion ent-
standen, indem sich das Satzglied
ὡς πλ. ἄ. εἶναι an die vorhergehen-
den Worte: πόσον ἄρα τυγχάνει
τοῖς φίλοις ἄξιος ὤν angelehnt hat.
— ἐγὼ γάρ τοι] s. zu II 3, 6. —
ἀνθ᾽ ἑαυτοῦ μᾶλλον εἵλετο]
statt des bloßen Genet. findet sich
zuweilen ἀντί c. gen. beim Kom-
parative.
§ 5. Τὰ τοιαῦτα πάντα σκο-
πῶ, μή] d. i. τὰ τ. π. σκοπῶν (aus
dem folg. σκοπῶ zu entnehmen)
σκοπῶ, μὴ (num). S. zu II 3, 14.
— τοῦ εὑρόντος] für den
Preis, den der zu verkaufende
Sklave findet, = quovis pretio;
τὸ εὑρόν ist das oder der Preis,

den die verkäufliche Sache findet.
Oecon. II 3: πόσον ἂν οἴει εὑρεῖν
σὰ τὰ κτήματα πωλούμενα; — τὸ
πλεῖον τῆς ἀξίας] = plus quam
est aestimatio amici mali, d. h. mehr
als ein schlechter Freund wert ist.
Der Sinn der Stelle ist: wenn je-
mand einen Freund von geringem
Werte hat, so kann es leicht ge-
schehen, daß er, wenn er für den
Freund von geringem Werte mehr
erhalten kann, als dieser ihm
wert ist, diesen verkauft, d. h. daß
er ihn verläßt und einen neuen
Freund wählt, der ihm mehr wert
ist. Die guten Freunde dagegen
werden nicht preisgegeben, eben
so wenig wie man die guten Skla-
ven verkauft. — πάνυ τι] gehört
zu beiden οὔτε; οὐ πάνυ τι, durch-
aus nicht.

Sechstes Kapitel.

Inhalt.

Was ist bei der Wahl der Freunde zu thun? Untersuche
zuerst, wie der Freund beschaffen sein müsse; dann, wie wir die Eigen-
schaften eines Menschen, den wir zum Freunde wählen wollen, erforschen
können; endlich wenn einer uns unserer Freundschaft würdig zu sein
scheint, auf welche Weise wir ihn uns zum Freunde machen müssen
(§ 1—8). Vorerst müssen wir die Götter um Rat fragen; dann müssen
wir dem, dessen Freundschaft wir erstreben, in Wort und That unsere
Liebe zeigen (§ 9—13). Die Freundschaft kann aber nur unter guten
Menschen stattfinden (§ 14—16). Wenn auch unter edlen Menschen
Eifersucht und Streit auftaucht, so wird doch immer bei ihnen die
Freundschaft siegreich durchdringen und sie unter einander verbinden.
Denn die Tugend, die in ihnen wohnt, hält die Leidenschaften in Schran-

ken und unterwirft sie der Herrschaft der Vernunft (§ 19—28). Bei der Wahl der Freunde muſs man nicht körperliche Schönheit, sondern nur die innere Vortrefflichkeit berücksichtigen (§ 29—32). Die Freundschaft muſs aus der Bewunderung der Tugenden hervorgehen, und die Grundlage der Freundschaft ist die Wahrheit (§ 33—39).

Ἐδόκει δέ μοι καὶ εἰς τὸ δοκιμάζειν φίλους, ὁποίους ἄξιον 1 κτᾶσθαι, φρενοῦν τοιάδε λέγων· Εἰπέ μοι, ἔφη, ὦ Κριτόβουλε, εἰ δεοίμεθα φίλου ἀγαθοῦ, πῶς ἂν ἐπιχειροίημεν σκοπεῖν; ἆρα πρῶτον μὲν ζητητέον, ὅστις ἄρχει γαστρός τε καὶ φιλοποσίας καὶ λαγνείας καὶ ὕπνου καὶ ἀργίας; ὁ γὰρ ὑπὸ τούτων κρατούμενος οὔτ' αὐτὸς ἑαυτῷ δύναιτ' ἂν οὔτε φίλῳ τὰ δέοντα πράττειν; — Μὰ Δί', οὐ δῆτα, ἔφη. — Οὐκοῦν τοῦ μὲν ὑπὸ τούτων ἀρχομένου ἀφεκτέον δοκεῖ σοι εἶναι; — Πάνυ μὲν οὖν, ἔφη. — Τί γάρ; ἔφη, ὅστις δαπανηρὸς ὢν μὴ 2 αὐτάρκης ἐστίν, ἀλλ' ἀεὶ τῶν πλησίον δεῖται καὶ λαμβάνων μὲν μὴ δύναται ἀποδιδόναι, μὴ λαμβάνων δὲ τὸν μὴ διδόντα μισεῖ, οὐ δοκεῖ σοι καὶ οὗτος χαλεπὸς φίλος εἶναι; — Πάνυ, ἔφη. — Οὐκοῦν ἀφεκτέον καὶ τούτου; — Ἀφεκτέον μέντοι, ἔφη. — Τί γάρ; ὅστις χρηματίζεσθαι μὲν δύναται, πολλῶν 3 δὲ χρημάτων ἐπιθυμεῖ καὶ διὰ τοῦτο δυσξύμβολός ἐστι καὶ λαμβάνων μὲν ἥδεται, ἀποδιδόναι δὲ οὐ βούλεται; — Ἐμοὶ μὲν δοκεῖ, ἔφη, οὗτος ἔτι πονηρότερος ἐκείνου εἶναι. — Τί 4 δέ; ὅστις διὰ τὸν ἔρωτα τοῦ χρηματίζεσθαι μηδὲ πρὸς ἓν ἄλλο σχολὴν ποιεῖται, ἢ ὁπόθεν αὐτὸς κερδανεῖ; — Ἀφεκτέον καὶ

§ 1. Εἰς τὸ δοκιμάζειν φίλους, ὁποίους] = εἰς τὸ δοκιμάζειν, ὁποίους φίλους ἄξιόν ἐστι κτᾶσθαι, εἰς = in Beziehung auf. — Κριτόβουλε] s. zu I 3, 8. — ἆρα] stellt, wie das Lat. *ne*, die Frage ganz unentschieden hin und kann daher sowohl bei solchen Fragen gebraucht werden, auf welche eine bejahende Antwort, als auch bei solchen, auf welche eine verneinende Antwort erwartet wird. In dem ersteren Falle scheint es für ἆρ' οὐ (*nonne*) zu stehen, wie hier, II 7, 5. III 2, 1. 6, 4. 10, 1. 4. 7. 11, 12. IV 2, 12. 5, 2; in dem zweiten Falle für ἆρα μή, *num*, wie § 16. III 13, 3. IV 2, 22. S. K. § 330, 5 b und lat. Schulgr. § 158 A. 4. — πρῶτον μέν] diesem ent-

spricht Τί γάρ; im folgenden Paragraphen. — τοῦ μὲν — ἀρχομένου] über das μὲν *solitarium* s. zu I 1, 1.

§ 2. Τί γάρ;] Wie nun? Oft bei einem lebhaften Übergange zu einem neuen Gegenstande. Vgl. III 10, 3. — Ἀφεκτέον μέντοι] μέντοι, wie *vero*, in der Antwort. Vgl. IV 2, 12. 14.

§ 3. ἀποδιδόναι οὐ βούλεται] οὐ βούλεται = *recusat*, daher οὔ, aber § 2: ὅστις — μὴ δύναται ἀποδιδόναι = εἴ τις μή τι δ. ἀ. — Ἐμοὶ μὲν δοκεῖ] wie I 2, 62; s. zu I 1, 1.

§ 4. Τί δέ] wie ferner? auch beim Übergange, wie τί γάρ; § 2. — μηδὲ πρὸς ἕν] s. zu I 6, 2. — σχολὴν ποιεῖται] III 6, 6: οὐδὲ

τούτου, ὡς ἐμοὶ δοκεῖ· ἀνωφελὴς γὰρ ἂν εἴη τῷ χρωμένῳ. —
Τί δέ; ὅστις στασιώδης τέ ἐστι καὶ θέλων πολλοὺς τοῖς φίλοις
ἐχθροὺς παρέχειν; — Φευκτέον, νὴ Δία, καὶ τοῦτον. — Εἰ
δέ τις τούτων μὲν τῶν κακῶν μηδὲν ἔχοι, εὖ δὲ πάσχων
ἀνέχεται, μηδὲν φροντίζων τοῦ ἀντευεργετεῖν; — Ἀνωφελὴς
ἂν εἴη καὶ οὗτος· ἀλλὰ ποῖον, ὦ Σώκρατες, ἐπιχειρήσομεν
5 φίλον ποιεῖσθαι; — Οἶμαι μέν, ὃς τἀναντία τούτων ἐγκρατὴς
μέν ἐστι τῶν διὰ τοῦ σώματος ἡδονῶν, εὔορκος δὲ καὶ εὐξύμ-
βολος ὢν τυγχάνει καὶ φιλόνεικος πρὸς τὸ μὴ ἐλλείπεσθαι εὖ
ποιῶν τοὺς εὐεργετοῦντας αὐτόν, ὥστε λυσιτελεῖν τοῖς χρω-
μένοις. — Πῶς οὖν ἂν ταῦτα δοκιμάσαιμεν, ὦ Σώκρατες, πρὸ
6 τοῦ χρῆσθαι; — Τοὺς μὲν ἀνδριαντοποιούς, ἔφη, δοκιμάζο-
μεν, οὐ τοῖς λόγοις αὐτῶν τεκμαιρόμενοι, ἀλλ' ὃν ἂν ὁρῶμεν
τοὺς πρόσθεν ἀνδριάντας καλῶς εἰργασμένον, τούτῳ πιστεύο-
7 μεν καὶ τοὺς λοιποὺς εὖ ποιήσειν. — Καὶ ἄνδρα δὴ λέγεις,
ἔφη, ὃς ἂν τοὺς φίλους τοὺς πρόσθεν εὖ ποιῶν φαίνηται, δῆ-
λον εἶναι καὶ τοὺς ὕστερον εὐεργετήσοντα; — Καὶ γὰρ ἵπ-
ποις, ἔφη, ὃν ἂν τοῖς πρόσθεν ὁρῶ καλῶς χρώμενον, τοῦ-
8 τον καὶ ἄλλοις οἶμαι καλῶς χρῆσθαι. — Εἶεν, ἔφη· ὃς δ' ἂν
ἡμῖν ἄξιος φιλίας δοκῇ εἶναι, πῶς χρὴ φίλον τοῦτον ποιεῖσθαι;
— Πρῶτον μέν, ἔφη, τὰ παρὰ τῶν θεῶν ἐπισκεπτέον, εἰ
συμβουλεύουσιν αὐτὸν φίλον ποιεῖσθαι. — Τί οὖν; ἔφη,

πρὸς ταῦτά πω ἐσχόλασα, eis rebus
vacavi. — Εἰ — ἔχοι, — ἀνέ-
χεται] wenn einer — hätte (bloße
Annahme) und sich gefallen läßt.
Ἀνέχομαι εὖ πάσχων, ich lasse mir
Wohlthaten gefallen, ist ironisch
aufzufassen. — Ἀνωφελής] ver-
derblich. S. zu I 7, 4.
§ 5. Οἶμαι μέν] ohne folgen-
des δέ, ich glaube zwar, ob sich
aber die Sache wirklich so verhält,
weiß ich nicht. — τἀναντία] ad-
verbialisch, wie IV 2, 22. — εὔορ-
κος] iustus, im Gegens. zu dem
Habsüchtigen § 4, der in dem Stre-
ben sich zu bereichern die Gerech-
tigkeit vernachlässigt und daher
§ 19 ἄπιστος genannt wird. — ἐλ-
λείπεσθαι εὖ ποιῶν] s. zu
II 4, 7.
§ 6. τούτῳ πιστεύομεν —

ποιήσειν] mittels einer Attraktion
für: τοῦτον πιστεύομεν ποιήσειν.
Cyrop. III 3, 55: τούτοις ἐπίστευον
ἐμμόνοις ἔσεσθαι. Commentar. IV
8, 6: οὐδενὶ ὑφείμην ἂν — ἥδιον
ἐμοῦ βεβιωκέναι.
§ 7. καὶ — δή] und so nun
auch. — δῆλον εἶναι .. εὐερ-
γετήσοντα] es ist offenbar, daß
ein Mann .. Wohlthaten erweisen
wird. Über die persönliche Kon-
struktion vgl. III 3, 10. 5, 10. K.
§ 311 A. 3. — καὶ γάρ] ja auch;
καί verbinde mit ἵπποις s. zu II 1, 3;
wegen γάρ s. zu I 4, 9.
§ 8. τὰ παρὰ τῶν θεῶν —
συμβουλεύουσιν] κατὰ σύνεσιν
für συμβουλεύει, — τὰ παρὰ τῶν θεῶν
= οἱ θεοί. Apol. § 4: τὰ Ἀθη-
ναίων δικαστήρια .. πολλάκις
.. οὐδὲν ἀδικοῦντας λόγῳ παρα-

ὃν ἂν ἡμῖν τε δοκῇ καὶ οἱ θεοὶ μὴ ἐναντιῶνται, ἔχεις εἰπεῖν,
ὅπως οὗτος θηρατέος; — Μὰ Δί', ἔφη, οὐ κατὰ πόδας, 9
ὥσπερ ὁ λαγώς, οὐδ' ἀπάτῃ, ὥσπερ αἱ ὄρνιθες, οὐδὲ βίᾳ,
ὥσπερ οἱ ἐχθροί· ἄκοντα γὰρ φίλον ἑλεῖν ἐργῶδες· χαλεπὸν
δὲ καὶ δήσαντα κατέχειν, ὥσπερ δοῦλον· ἐχθροὶ γὰρ μᾶλλον
ἢ φίλοι γίγνονται ταῦτα πάσχοντες. — Φίλοι δὲ πῶς; ἔφη. —
Εἶναι μέν τινάς φασιν ἐπῳδάς, ἃς οἱ ἐπιστάμενοι ἐπᾴδοντες 10
οἷς ἂν βούλωνται φίλους ἑαυτοῖς ποιοῦνται, εἶναι δὲ καὶ
φίλτρα, οἷς οἱ ἐπιστάμενοι πρὸς οὓς ἂν βούλωνται χρώμενοι
φιλοῦνται ὑπ' αὐτῶν. — Πόθεν οὖν, ἔφη, ταῦτα μάθοιμεν 11
ἄν; — Ἃ μὲν αἱ Σειρῆνες ἐπῆδον τῷ Ὀδυσσεῖ, ἤκουσας
Ὁμήρου, ὧν ἐστιν ἀρχὴ τοιάδε τις·

    Δεῦρ' ἄγε δή, πολύαιν' Ὀδυσεῦ, μέγα κῦδος Ἀχαιῶν.

— Ταύτην οὖν, ἔφη, τὴν ἐπῳδήν, ὦ Σώκρατες, καὶ τοῖς
ἄλλοις ἀνθρώποις αἱ Σειρῆνες ἐπᾴδουσαι κατεῖχον, ὥστε μὴ
ἀπιέναι ἀπ' αὐτῶν τοὺς ἐπασθέντας; — Οὔκ, ἀλλὰ τοῖς ἐπ'
ἀρετῇ φιλοτιμουμένοις οὕτως ἐπῆδον. — Σχεδόν τι λέγεις 12
τοιαῦτα χρῆναι ἑκάστῳ ἐπᾴδειν, οἷα μὴ νομιεῖ ἀκούων τὸν
ἐπαινοῦντα καταγελῶντα λέγειν· οὕτω μὲν γὰρ ἐχθίων τ' ἂν
εἴη καὶ ἀπελαύνοι τοὺς ἀνθρώπους ἀφ' ἑαυτοῦ, εἰ τὸν εἰδότα,
ὅτι μικρός τε καὶ αἰσχρὸς καὶ ἀσθενής ἐστιν, ἐπαινοίη λέγων,
ὅτι καλός τε καὶ μέγας καὶ ἰσχυρός ἐστιν. Ἄλλας δέ τινας

χθέντες ἀπέκτειναν —. ὃν ἂν
ἡμῖν τε δοκῇ] scil. φίλον ποιεῖ-
σθαι.

§ 9. κατὰ πόδας] insistendo
vestigiis, wie III 11, 8. — οἱ ἐχ-
θροί] als der allgemeinere Begriff
(feindselig gesinnt), kann auch
für οἱ πολέμιοι gesetzt werden.

§ 10. Φίλοι δὲ πῶς;] s.zu I 3,13.
— ἐπῳδάς — φίλτρα] vgl. III
11, 16f. u. Plat. Charmid. 157 A:
θεραπεύεσθαι δὲ τὴν ψυχὴν ἔφη
.. ἐπῳδαῖς τισι· τὰς δ' ἐπῳδὰς
ταύτας τοὺς λόγους εἶναι
τοὺς καλούς. — ἐπᾴδοντες οἷς
ἂν βούλωνται] statt: ἐπ. τού-
τοις, οὓς ἂν β. Ἐπῳδὰς ἐπᾴδειν
τινί, einen bezaubern.

§ 11. Ἃ μέν] wegen μέν ohne
folgendes δέ s. zu I 1, 1. Homers
Worte finden sich Odyss. 12, 184,

— Οὔκ, ἀλλά] bei einer vernei-
nenden Antwort sagt man οὔ,
wenn es so viel ist als unser nein,
gleichviel ob ein Konsonant oder
ein Vokal darauf folgt: οὐκ aber
vor einem Vokale und ohne Accent,
wenn es so viel ist als das bloße
nicht, zu dem man das voraus-
gegangene Verb ergänzen muß.
Vgl. § 13. 36. IV 6, 2. 5. 11. K.
§ 15, 4. — τοῖς ἐπ' ἀρετῇ φι-
λοτιμουμένοις] denen, die ihre
Ehre in die Tugend setzten.

§ 12. Σχεδόν τι] verbinde mit
τοιαῦτα, talia fere. — οἷα μὴ νο-
μιεῖ — λέγειν] quae si audiat,
non putet laudantem per ludibrium
dicere. — ἐχθίων τ' ἂν εἴη] scil.
ὁ ἐπαινῶν. Man erwartet ἐχθρὸς
μᾶλλον, ἐχθίων ist minder richtig
gesagt, vgl. § 19 am Ende.

13 οἶσθα ἐπῳδάς; — Οὐκ, ἀλλ᾽ ἤκουσα μέν, ὅτι Περικλῆς πολλὰς ἐπίσταιτο, ἃς ἐπᾴδων τῇ πόλει ἐποίει αὐτὴν φιλεῖν αὐτόν.
— Θεμιστοκλῆς δὲ πῶς ἐποίησε τὴν πόλιν φιλεῖν αὐτόν; —
14 Μὰ Δί᾽ οὐκ ἐπᾴδων, ἀλλὰ περιάψας τι ἀγαθὸν αὐτῇ. — Δοκεῖς μοι λέγειν, ὦ Σώκρατες, ὡς, εἰ μέλλοιμεν ἀγαθόν τινα κτήσασθαι φίλον, αὐτοὺς ἡμᾶς ἀγαθοὺς δεῖ γενέσθαι λέγειν τε καὶ πράττειν. — Σὺ δ᾽ ᾤου, ἔφη ὁ Σωκράτης, οἷόν τ᾽
15 εἶναι πονηρὸν ὄντα χρηστοὺς φίλους κτήσασθαι; — Ἑώρων γάρ, ἔφη ὁ Κριτόβουλος, ῥήτοράς τε φαύλους ἀγαθοῖς δημηγόροις φίλους ὄντας καὶ στρατηγεῖν οὐχ ἱκανοὺς πάνυ στρα-
16 τηγικοῖς ἀνδράσιν ἑταίρους. — Ἆρ᾽ οὖν, ἔφη, καὶ περὶ οὗ διαλεγόμεθα, οἶσθά τινας, οἳ ἀνωφελεῖς ὄντες ὠφελίμους δύνανται φίλους ποιεῖσθαι; — Μὰ Δί᾽ οὐ δῆτ᾽, ἔφη· ἀλλ᾽ εἰ ἀδύνατόν ἐστι πονηρὸν ὄντα καλοὺς κἀγαθοὺς φίλους κτήσασθαι, ἐκεῖνο ἤδη μέλει μοι, εἰ ἔστιν αὐτὸν καλὸν κἀγαθὸν γε-
17 νόμενον ἐξ ἑτοίμου τοῖς καλοῖς κἀγαθοῖς φίλον εἶναι. — Ὁ ταράττει σε, ὦ Κριτόβουλε, ὅτι πολλάκις ἄνδρας καὶ τὰ καλὰ πράττοντας καὶ τῶν αἰσχρῶν ἀπεχομένους ὁρᾷς ἀντὶ τοῦ φίλους εἶναι στασιάζοντας ἀλλήλοις καὶ χαλεπώτερον χρω-
18 μένους τῶν μηδενὸς ἀξίων ἀνθρώπων. — Καὶ οὐ μόνον γ᾽, ἔφη ὁ Κριτόβουλος, οἱ ἰδιῶται τοῦτο ποιοῦσιν, ἀλλὰ καὶ πόλεις αἱ τῶν τε καλῶν μάλιστα ἐπιμελόμεναι καὶ τὰ αἰσχρὰ ἥκιστα
19 προσιέμεναι πολλάκις πολεμικῶς ἔχουσι πρὸς ἀλλήλας. Ἃ λογι-

§ 13. ἐπίσταιτο — ἐποίει] wegen der or. obliq. sollte man ποιοίη erwarten; aber wenn in der or. recta der indicativus praeteriti steht, wie hier: Π. πολλὰς ἐπ. ἐπίσταται, ἃς .. ἐποίει; so wird er auch in der Regel in der or. obl. beibehalten, weil der Optativ unentschieden lassen würde, ob in der direkten Rede entweder der Indikativ eines Haupttempus (sowie der Konjunktiv) oder der Indikativ einer historischen Zeitform gestanden hätte.
§ 14. κτήσασθαι] gewöhnlicher wäre der Inf. Fut. κτήσεσθαι. Vgl. II 7, 10. — σὺ δ᾽ ᾤου] s. zu I 3, 13.
§ 15. Ἑώρων γάρ] s. zu I 4, 9.
§ 16. καὶ, περὶ οὗ διαλεγό-μεθα] καί verbinde mit οἶσθά τινας. — ἐξ ἑτοίμου] leicht.
§ 17. Ὁ ταράττει σε, ὦ Κ., ὅτι] d. i. ὃ ταράττει σε, τοῦτό ἐστιν, ὅτι. Oder der Hauptsatz: πολλάκις — ὁρᾷς ist vom Nebensatze ὃ ταράττει σε abhängig gemacht, wie dies zuweilen im Griech. geschieht. — καὶ τὰ καλὰ πράτ-τοντας] so richtig Cobet p. 697 st. καὶ καλὰ πρ., vgl. καὶ τῶν αἰσχρῶν ἀπεχομένους u. § 18 τῶν τε καλῶν .. καὶ τὰ αἰσχρά; τά konnte zwischen καί u. καλά leicht ausfallen. — χαλεπώτερον χρω-μένους] scil. ἀλλήλοις.
§ 18. τὰ αἰσχρὰ ἥκιστα προσ-ιέμεναι] das Schimpfliche nicht zulassend, es mißbilligend, verwerfend. Vgl. II 7, 11. 8, 5. IV 2, 17.

ξόμενος πάνυ ἀθύμως ἔχω πρὸς τὴν τῶν φίλων κτῆσιν· οὔτε
γὰρ τοὺς πονηροὺς ὁρῶ φίλους ἀλλήλοις δυναμένους εἶναι·
πῶς γὰρ ἂν ἢ ἀχάριστοι ἢ ἀμελεῖς ἢ πλεονέκται ἢ ἄπιστοι ἢ
ἀκρατεῖς ἄνθρωποι δύναιντο φίλοι γενέσθαι; Οἱ μὲν οὖν
πονηροὶ πάντως ἔμοιγε δοκοῦσιν ἀλλήλοις ἐχθροὶ μᾶλλον ἢ
φίλοι πεφυκέναι. Ἀλλὰ μήν, ὥσπερ σὺ λέγεις, οὐδ' ἂν τοῖς 20
χρηστοῖς οἱ πονηροί ποτε συναρμόσειαν εἰς φιλίαν· πῶς γὰρ
οἱ τὰ πονηρὰ ποιοῦντες τοῖς τὰ τοιαῦτα μισοῦσι φίλοι γένοιντ'
ἄν; Εἰ δὲ δὴ καὶ οἱ ἀρετὴν ἀσκοῦντες στασιάζουσί τε περὶ
τοῦ πρωτεύειν ἐν ταῖς πόλεσι καὶ φθονοῦντες ἑαυτοῖς μισοῦ-
σιν ἀλλήλους, τίνες ἔτι φίλοι ἔσονται, καὶ ἐν τίσιν ἀνθρώ-
ποις εὔνοια καὶ πίστις ἔσται; Ἀλλ' ἔχει μέν, ἔφη ὁ Σωκράτης, 21
ποικίλως πως ταῦτα, ὦ Κριτόβουλε. φύσει γὰρ ἔχουσιν οἱ
ἄνθρωποι τὰ μὲν φιλικά· δέονταί τε γὰρ ἀλλήλων καὶ ἐλεοῦσι
καὶ συνεργοῦντες ὠφελοῦσι καὶ τοῦτο συνιέντες χάριν ἔχουσιν
ἀλλήλοις· τὰ δὲ πολεμικά· τά τε γὰρ αὐτὰ καλὰ καὶ ἡδέα νομί-
ζοντες ὑπὲρ τούτων μάχονται καὶ διχογνωμονοῦντες ἐναντι-
οῦνται· πολεμικὸν δὲ καὶ ἔρις καὶ ὀργή, καὶ δυσμενὲς μὲν ὁ
τοῦ πλεονεκτεῖν ἔρως, μισητὸν δὲ ὁ φθόνος. Ἀλλ' ὅμως διὰ 22
τούτων πάντων ἡ φιλία διαδυομένη συνάπτει τοὺς καλούς τε
κἀγαθούς· διὰ γὰρ τὴν ἀρετὴν αἱροῦνται μὲν ἄνευ πόνου τὰ
μέτρια κεκτῆσθαι μᾶλλον ἢ διὰ πολέμου πάντων κυριεύειν, καὶ
δύνανται πεινῶντες καὶ διψῶντες ἀλύπως σίτου καὶ ποτοῦ
κοινωνεῖν καὶ τοῖς τῶν ὡραίων ἀφροδισίοις ἡδόμενοι ἐγκαρ-

---

§ 19. οὔτε γὰρ τοὺς πονη-
ροὺς ὁρῶ κτλ.] Anakoluth. Es
müfste eigentlich folgen: οὔτ' ἂν
τοῖς χρηστοῖς οἱ πονηροί ποτε συν-
αρμόσειαν εἰς φιλίαν, statt dessen
aber folgt § 20: ἀλλὰ μὴν — οὐδ'
ἂν τοῖς χρηστοῖς κτλ. S. zu I 2, 31.
Vgl. zu II 2, 5: οὐδὲ — δυνά-
μενον.
§ 20. Εἰ δὲ δή] wenn aber
nun einmal. Vgl. zu I 5, 1. —
ἑαυτοῖς — ἀλλήλους] wo kein
Gegensatz stattfindet, wechselt das
Reflexiv oft mit dem Reciprocum.
Vgl. II 7, 12. III 5, 16.
§ 21. ἔχει μέν — ποικίλως]
„Es sind hierin die Farben
auf eine gewisse Art ge-
mischt". Vgl. zu II 3, 10; dem

μέν entspricht § 22 Ἀλλ' ὅμως.
— πολεμικὸν — ἔρις] s. zu
II 3, 1.
§ 22. αἱροῦνται μέν] ist ge-
sagt, als ob folgte: δύνανται δέ;
da aber der folgende Gedanke eine
Steigerung enthält (καὶ δύνανται,
ja sie vermögen), so wird die
begonnene Konstruktion aufgege-
ben. Vgl. Anab. V 2, 21: τοὺς
μὲν σταυροὺς διήρουν καὶ τοὺς
ἀχρείους — ἐξεπέμποντο. — τοῖς
τῶν ὡραίων ἀφροδισίοις ἡδό-
μενοι ἐγκαρτερεῖν] in der Liebe
zu den Schönen wissen sie ihre
Leidenschaft in Schranken zu hal-
ten; ἐγκαρτερεῖν steht für sich und
ist nicht mit ἡδόμενοι zu verbin-
den. — οὓς μὴ προσήκει] scil.

23 τερεῖν, ὥστε μὴ λυπεῖν οὓς μὴ προσήκει· δύνανται δὲ καὶ
χρημάτων οὐ μόνον τοῦ πλεονεκτεῖν ἀπεχόμενοι νομίμως κοι-
νωνεῖν, ἀλλὰ καὶ ἐπαρκεῖν ἀλλήλοις· δύνανται δὲ καὶ τὴν ἔριν
οὐ μόνον ἀλύπως, ἀλλὰ καὶ συμφερόντως ἀλλήλοις διατίθε-
σθαι καὶ τὴν ὀργὴν κωλύειν εἰς τὸ μεταμελησόμενον προϊέναι·
τὸν δὲ φθόνον παντάπασιν ἀφαιροῦσι τὰ μὲν ἑαυτῶν ἀγαθὰ
τοῖς φίλοις οἰκεῖα παρέχοντες, τὰ δὲ τῶν φίλων ἑαυτῶν νομί-
24 ζοντες. Πῶς οὖν οὐκ εἰκὸς τοὺς καλούς τε κἀγαθοὺς καὶ τῶν
πολιτικῶν τιμῶν μὴ μόνον ἀβλαβεῖς, ἀλλὰ καὶ ὠφελίμους ἀλ-
λήλοις κοινωνοὺς εἶναι; οἱ μὲν γὰρ ἐπιθυμοῦντες ἐν ταῖς πό-
λεσι τιμᾶσθαί τε καὶ ἄρχειν, ἵνα ἐξουσίαν ἔχωσι χρήματά τε
κλέπτειν καὶ ἀνθρώπους βιάζεσθαι καὶ ἡδυπαθεῖν ἄδικοί τε
25 καὶ πονηροὶ ἂν εἶεν καὶ ἀδύνατοι ἄλλῳ συναρμόσαι. Εἰ δέ
τις ἐν πόλει τιμᾶσθαι βουλόμενος, ὅπως αὐτός τε μὴ ἀδικῆται
καὶ τοῖς φίλοις τὰ δίκαια βοηθεῖν δύνηται, καὶ ἄρξας ἀγαθόν
τι ποιεῖν τὴν πατρίδα πειρᾶται, διὰ τί ὁ τοιοῦτος ἄλλῳ τοι-
ούτῳ οὐκ ἂν δύναιτο συναρμόσαι; πότερον τοὺς φίλους ὠφε-
λεῖν μετὰ τῶν καλῶν κἀγαθῶν ἧττον δυνήσεται, ἢ τὴν πόλιν
εὐεργετεῖν ἀδυνατώτερος ἔσται καλούς τε κἀγαθοὺς ἔχων συν-
26 εργούς; Ἀλλὰ καὶ ἐν τοῖς γυμνικοῖς ἀγῶσι δῆλόν ἐστιν, ὅτι,
εἰ ἐξῆν τοῖς κρατίστοις συνθεμένους ἐπὶ τοὺς χείρους ἰέναι,
πάντας ἂν τοὺς ἀγῶνας οὗτοι ἐνίκων, καὶ πάντα τὰ ἆθλα οὗτοι
ἐλάμβανον. Ἐπεὶ οὖν ἐκεῖ μὲν οὐκ ἐῶσι τοῦτο ποιεῖν, ἐν δὲ
τοῖς πολιτικοῖς, ἐν οἷς οἱ καλοὶ κἀγαθοὶ κρατιστεύουσιν, οὐδεὶς
κωλύει, μεθ᾽ οὗ ἄν τις βούληται, τὴν πόλιν εὐεργετεῖν· πῶς
οὖν οὐ λυσιτελεῖ τοὺς βελτίστους φίλους κτησάμενον πολι-
τεύεσθαι, τούτοις κοινωνοῖς καὶ συνεργοῖς τῶν πράξεων μᾶλλον

λυπεῖν. S. zu II 1, 32; οὓς] näm-
lich die Freunde.
§ 23. νομίμως] δικαίως. Vgl.
IV 4, 1. 11. 12. 8, 11. — διατίθε-
σθαι] schlichten. — τὸ μετα-
μελησόμενον] d. i. τὴν μεταμέ-
λειαν γενησομένην. Vgl. zu III 4, 4.
§ 24. τῶν πολιτικῶν τιμῶν]
abhängig von κοινωνοὺς εἶναι.
§ 25. Εἰ δέ τις] verbinde mit
πειρᾶται. — τοῖς φίλοις τὰ δί-
καια βοηθεῖν] kurz für: τοῖς φ.
βοηθῶν τὰ δίκαια ἀποδιδόναι. Vgl.
III 5, 16. — ἄρξας] s. zu I
1, 18.

§ 26. ἐξῆν τοῖς κρατίστοις
συνθεμένους — ἰέναι] s. zu I
1, 9; συντίθεσθαι, einen Ver-
trag schließen. — πάντας — τοὺς
ἀγῶνας—ἐνίκων] C. § 400 c. Ko.
§ 83, 8 u. A. 3. K. § 278, 1. Vgl.
III 7, 1. — ἐκεῖ μὲν] ἐν τοῖς γυμ-
νικοῖς ἀγῶσιν. In den gymnischen
Wettkämpfen läfst man nicht zu,
dafs οἱ κράτιστοι συνθέμενοι· ἐπὶ
τοὺς χείρους ἴασιν. — πολιτικοῖς]
sc. ἀγῶσιν. — πῶς οὖν] οὖν ist
wegen der langen Zwischensätze
wiederholt. — κτησάμενον] s. zu
I 3, 8.

ἢ ἀνταγωνισταῖς χρώμενον; Ἀλλὰ μὴν κἀκεῖνο δῆλον, ὅτι, 27
κἂν πολεμῇ τίς τινι, συμμάχων δεήσεται, καὶ τούτων πλειό-
νων, ἐὰν καλοῖς κἀγαθοῖς ἀντιτάττηται. Καὶ μὴν οἱ συμ-
μαχεῖν ἐθέλοντες εὖ ποιητέοι, ἵνα θέλωσι προθυμεῖσθαι· πολὺ
δὲ κρεῖττον τοὺς βελτίστους ἐλάττονας εὖ ποιεῖν ἢ τοὺς χεί-
ρονας πλείονας ὄντας· οἱ γὰρ πονηροὶ πολὺ πλειόνων εὐερ-
γεσιῶν ἢ οἱ χρηστοὶ δέονται. Ἀλλὰ θαρρῶν, ἔφη, ὦ Κριτό- 28
βουλε, πειρῶ ἀγαθὸς γίγνεσθαι καὶ τοιοῦτος γενόμενος θηρᾶν
ἐπιχείρει τοὺς καλούς τε κἀγαθούς. Ἴσως δ᾽ ἄν τί σοι κἀγὼ
συλλαβεῖν εἰς τὴν τῶν καλῶν τε κἀγαθῶν θήραν ἔχοιμι διὰ
τὸ ἐρωτικὸς εἶναι· δεινῶς γάρ, ὧν ἂν ἐπιθυμήσω ἀνθρώπων,
ὅλος ὥρμημαι ἐπὶ τὸ φιλῶν τε αὐτοὺς ἀντιφιλεῖσθαι ὑπ᾽ αὐ-
τῶν καὶ ποθῶν ἀντιποθεῖσθαι καὶ ἐπιθυμῶν ξυνεῖναι καὶ
ἀντεπιθυμεῖσθαι τῆς ξυνουσίας. Ὁρῶ δὲ καὶ σοὶ τούτων δεή- 29
σον, ὅταν ἐπιθυμήσῃς φιλίαν πρός τινας ποιεῖσθαι· Μὴ σὺ
οὖν ἀποκρύπτου με, οἷς ἂν βούλοιο φίλος γενέσθαι· διὰ γὰρ
τὸ ἐπιμελεῖσθαι τοῦ ἀρέσαι τῷ ἀρέσκοντί μοι οὐκ ἀπείρως
οἶμαι ἔχειν πρὸς θήραν ἀνθρώπων. Καὶ ὁ Κριτόβουλος ἔφη· 30
Καὶ μήν, ὦ Σώκρατες, τούτων ἐγὼ τῶν μαθημάτων πάλαι
ἐπιθυμῶ, ἄλλως τε καὶ εἰ ἐξαρκέσει μοι ἡ αὐτὴ ἐπιστήμη ἐπὶ
τοὺς ἀγαθοὺς τὰς ψυχὰς καὶ ἐπὶ τοὺς καλοὺς τὰ σώματα.
Καὶ ὁ Σωκράτης ἔφη· Ἀλλ᾽, ὦ Κριτόβουλε, οὐκ ἔνεστιν ἐν 31
τῇ ἐμῇ ἐπιστήμῃ τὸ τὰς χεῖρας προσφέροντα ποιεῖν ὑπομένειν

§ 27. Ἀλλὰ μήν] s. zu I 1, 6. —
καὶ μήν] atqui. S. zu II 3, 4. —
κρεῖττον] besser ist es zu u. s. w.
§ 28. διὰ τὸ ἐρωτικὸς εἶναι]
weil ich in der Kunst der Liebe
erfahren bin. Unter dieser Liebe
ist die Liebe zu der wahren Schön-
heit, der Tugend und Sittlichkeit,
zu verstehen, die Sokrates seinen
Jüngern einzuflößen und dadurch
eine feste und unwandelbare Freund-
schaft zu stiften suchte. Wegen der
Attraktion s. I 2, 3: τῷ φανερὸς
εἶναι. — ἀντεπιθυμεῖσθαι τῆς
ξυνουσίας] ich bin darauf be-
dacht (ὥρμημαι), dafs, indem
ich mit ihnen umzugehen be-
gehre, auch ich hinwiederum
von ihnen wegen des Umgan-
ges mit mir begehrt werde.
Die Worte τῆς ξυνουσίας sind aus

dem Streben nach Konzinnität der
Satzglieder hinzugefügt, damit die
Worte ἀντεπιθυμεῖσθαι τῆς ξυνου-
σίας den vorhergehenden ἐπιθυμῶν
ξυνεῖναι entsprechen. Wegen der
persönlichen Konstruktion ἀντεπι-
θυμοῦμαι von ἀντεπιθυμεῖν τινος
vgl. ἄρχομαι v. ἄρχειν τινός, πι-
στεύομαι v. πιστεύειν τινί u. s. w.
S. C. § 483, 1. K. § 251, 3.
§ 29. τούτων] scil. τοῦ . . ἀντι-
φιλεῖσθαι κτλ. — οἷς ἂν βού-
λοιο φ. γενέσθαι] scil. εἰ δύναιο.
S. zu I 2, 6. Vgl. II 8, 1. 6. III
11, 10.
§ 30. ἄλλως τε καί] s. zu I
2, 59.
§ 31. τὸ τὰς χεῖρας — τοὺς
καλούς] d. i. τὸ ποιεῖν τοὺς κα-
λοὺς ὑπομένειν προσφέροντα τὰς
χεῖρας, efficere, ut pulchri susti-

τοὺς καλούς· πέπεισμαι δὲ καὶ ἀπὸ τῆς Σκύλλης διὰ τοῦτο
φεύγειν τοὺς ἀνθρώπους, ὅτι τὰς χεῖρας αὐτοῖς προσέφερε·
τὰς δέ γε Σειρῆνας, ὅτι τὰς χεῖρας οὐδενὶ προσέφερον, ἀλλὰ
πᾶσι πόρρωθεν ἐπῇδον, πάντας φασὶν ὑπομένειν καὶ ἀκούον-
32 τας αὐτῶν κηλεῖσθαι. Καὶ ὁ Κριτόβουλος ἔφη· Ὡς οὐ προσ-
οίσοντος τὰς χεῖρας, εἴ τι ἔχεις ἀγαθὸν εἰς φίλων κτῆσιν, δί-
δασκε. Οὐδὲ τὸ στόμα οὖν, ἔφη ὁ Σωκράτης, πρὸς τὸ στόμα
προσοίσεις; Θάρρει, ἔφη ὁ Κριτόβουλος· οὐδὲ γὰρ τὸ στόμα
πρὸς τὸ στόμα προσοίσω οὐδενί, ἐὰν μὴ καλὸς ᾖ. Εὐθύς,
ἔφη, σύ γε, ὦ Κριτόβουλε, τοὐναντίον τοῦ συμφέροντος εἴρη-
κας· οἱ μὲν γὰρ καλοὶ τὰ τοιαῦτα οὐχ ὑπομένουσιν, οἱ δὲ
αἰσχροὶ καὶ ἡδέως προσίενται, νομίζοντες διὰ τὴν ψυχὴν καλοὶ
33 καλεῖσθαι. Καὶ ὁ Κριτόβουλος ἔφη· Ὡς τοὺς μὲν καλοὺς
φιλήσοντός μου, τοὺς δ᾽ ἀγαθοὺς καταφιλήσοντος, θαρρῶν
δίδασκε τῶν φίλων τὰ θηρατικά. Καὶ ὁ Σωκράτης ἔφη· Ὅταν
οὖν, ὦ Κριτόβουλε, φίλος τινὶ βούλῃ γενέσθαι, ἐάσεις με
κατειπεῖν σου πρὸς αὐτόν, ὅτι ἄγασαί τε αὐτοῦ καὶ ἐπιθυμεῖς
φίλος αὐτοῦ εἶναι; — Κατηγόρει, ἔφη ὁ Κριτόβουλος· οὐδένα

neant eum, qui eis manus inferat.
Über die Skylla s. Odyss. 12, 85 ff.
— τὰς δέ γε Σειρῆνας] δέ = hin-
gegen; γέ, wenigstens, gehört
zu Σειρῆνας. Vgl. IV 3, 13. Über die
Sirenen s. Odyss. 12, 39. 52. —
πάντας] Subjekt des Acc. c. inf. —
ὑπομένειν] sustinere, non fugere.
§ 32. προσοίσοντος] scil. μοῦ.
C. § 585a. Ko. § 124, 2 A. 2. K.
§ 312 A. 1. Wegen ὡς s. zu I 1, 4.
— Εὐθύς] da hast du ja so-
gleich gesagt. — οἱ μὲν γὰρ
καλοὶ — καλεῖσθαι] Kr. hatte
scherzend gesagt: οὐδὲ τὸ στόμα
προσοίσω οὐδενί, ἐὰν μὴ καλὸς ᾖ,
indem er καλός von der körperlichen
Schönheit nimmt. Da aber das Wort
καλός nicht allein von der Schön-
heit des Körpers, sondern auch von
der der Seele gebraucht wird, so
ergreift Sokrates diese Zweideutig-
keit und scherzt nach seiner Weise,
indem er zwar das Wort καλός von
der Schönheit der Seele gebraucht,
aber αἰσχρός in seiner eigentlichen
Bedeutung von der körperlichen
Häfslichkeit nimmt und entgegen-

stellt. Auf diese Weise hatte Kr.
τοὐναντίον τοῦ συμφέροντος gesagt;
denn die Guten und Edlen (οἱ κα-
λοί nach des Sokrates Meinung)
werden sich nicht von ihm küssen
lassen; die körperlich Häfslichen
aber werden sich dies zwar von
ihm gefallen lassen, aber sie wer-
den von ihm zurückgewiesen wer-
den. Sobald Kr. die Ironie des So-
krates eingesehen hatte, beseitigt
er die Zweideutigkeit des Aus-
drucks, indem er καλός von der
Schönheit des Körpers und ἀγα-
θός von der Schönheit der Seele
gebraucht (ὡς τοὺς μὲν καλοὺς
φιλήσοντός μου, τοὺς δ᾽ ἀγαθοὺς
καταφιλήσοντος).
§ 33. κατειπεῖν σου] κατειπεῖν
τινος heifst eigentlich einem et-
was Böses nachsagen, hier
scherzhaft von einem etwas
Gutes sagen. In demselben Tone
fortfahrend sagt Kr. darauf κατη-
γόρει. Vgl. § 34 διαβάλλεσθαι. —
ἄγασαί τε αὐτοῦ] höchst selten
wird ἄγαμαι mit dem blofsen Ge-
netiv der Person ohne ein säch-

γὰρ οἶδα μισοῦντα τοὺς ἐπαινοῦντας. — Ἐὰν δέ σου προσ- 34
κατηγορήσω, ἔφη, ὅτι διὰ τὸ ἄγασθαι αὐτοῦ καὶ εὐνοϊκῶς
ἔχεις πρὸς αὐτόν, ἄρα μὴ διαβάλλεσθαι δόξεις ὑπ' ἐμοῦ; —
Ἀλλὰ καὶ αὐτῷ μοι, ἔφη, ἐγγίγνεται εὔνοια πρὸς οὓς ἂν ὑπο-
λάβω εὐνοϊκῶς ἔχειν πρὸς ἐμέ. — Ταῦτα μὲν δή, ἔφη ὁ Σω- 35
κράτης, ἐξέσται μοι λέγειν περὶ σοῦ πρὸς οὓς ἂν βούλῃ φί-
λους ποιήσασθαι· ἐὰν δέ μοι ἔτι ἐξουσίαν δῷς λέγειν περὶ
σοῦ, ὅτι ἐπιμελής τε τῶν φίλων εἶ καὶ οὐδενὶ οὕτω χαίρεις
ὡς φίλοις ἀγαθοῖς, καὶ ἐπί τε τοῖς καλοῖς ἔργοις τῶν φίλων
ἀγάλλῃ οὐχ ἧττον ἢ ἐπὶ τοῖς σεαυτοῦ, καὶ ἐπὶ τοῖς ἀγαθοῖς
τῶν φίλων χαίρεις οὐδὲν ἧττον ἢ ἐπὶ τοῖς σεαυτοῦ, ὅπως τε
ταῦτα γίγνηται τοῖς φίλοις, οὐκ ἀποκάμνεις μηχανώμενος, καὶ
ὅτι ἔγνωκας ἀνδρὸς ἀρετὴν εἶναι νικᾶν τοὺς μὲν φίλους εὖ
ποιοῦντα, τοὺς δ' ἐχθροὺς κακῶς, πάνυ ἂν οἶμαί σοι ἐπιτή-
δειον εἶναί με σύνθηρον τῶν ἀγαθῶν φίλων. — Τί οὖν, ἔφη 36
ὁ Κριτόβουλος, ἐμοὶ τοῦτο λέγεις, ὥσπερ οὐκ ἐπὶ σοὶ ὂν ὅ τι
ἂν βούλῃ περὶ ἐμοῦ λέγειν; — Μὰ Δί' οὐχ, ὥς ποτε ἐγὼ
Ἀσπασίας ἤκουσα· ἔφη γὰρ τὰς ἀγαθὰς προμνηστρίδας μετὰ
μὲν ἀληθείας τἀγαθὰ διαγγελλούσας δεινὰς εἶναι συνάγειν
ἀνθρώπους εἰς κηδείαν, ψευδομένας δ' οὐκ ὠφελεῖν· τοὺς
γὰρ ἐξαπατηθέντας ἅμα μισεῖν ἀλλήλους τε καὶ τὴν προμνη-
σαμένην· ἃ δὴ καὶ ἐγὼ πεισθεὶς ὀρθῶς ἔχειν ἡγοῦμαι οὐκ
ἐξεῖναί μοι περὶ σοῦ λέγειν ἐπαινοῦντι οὐδέν, ὅ τι ἂν μὴ

liches Objekt konstruiert. S. § 34.
Verschieden davon ist Oec. 4, 21:
ἄγαμαι τοῦ καταμετρήσαντός σοι
καὶ διατάξαντος ἕκαστα τούτων,
denn hier bezeichnet der Genetiv
der Participien zugleich die Person,
die man bewundert, und die Sache,
wegen deren man die Person be-
wundert. S. zu I 1, 11 u. zu IV
2, 9.
§ 34. ἄρα μή] s. zu I 3, 11. Die
Frage ist ironisch aufzufassen. —
Ἀλλὰ καί] immo vero. Eigentlich:
οὐ μόνον οὐ δόξω διαβάλλεσθαι,
ἀλλὰ καὶ κτλ.
§ 35. ὅτι ἔγνωκας] ὅτι hätte
wegbleiben können; wegen ἔγνωκας
m. d. Infin. s. C. § 560, 2. Ko.
§ 126, 1, A 3. K. § 311, A. 4, 4. —
οἶμαι εἶναί με] s. zu I 4, 8.
§ 36. ὥσπερ οὐκ ἐπὶ σοὶ ὄν]

als ob es nicht in deiner Macht
läge. S. zu II 3, 3; wegen ἐπί s.
K. § 301 b. — Μὰ Δί' οὐχ] scil.
ἐπ' ἐμοί ἐστιν. — Ἀσπασίας] aus
Milet, der Gemahlin des Perikles,
einer durch Schönheit und feine
Bildung ausgezeichneten Frau. We-
gen ihres geistreichen und witzi-
gen Wesens liebte Sokrates ihren
Umgang und spricht öfter von ihr,
wie von seiner Lehrmeisterin, na-
türlich in seiner ironischen Weise.
— ψευδομένας δ' οὐκ ὠφε-
λεῖν] h. e. falsa autem laudantes
non prodesse, sed obesse. Die Les-
arten variieren zwischen δ' οὐκ
ὠφελεῖν ἐπαινεῖν (so die besten
und meisten codd.), δ' οὐκ ἐθέλειν
ἐπαινεῖν und δ' οὐκ ὠφελεῖν ἐπαι-
νούσας; Cobet l. d. p. 697 δ' οὐκ
ἐπαινεῖν (nämlich Aspasia). Da

37 ἀληθεύω. — Σὺ μὲν ἄρα, ἔφη ὁ Κριτόβουλος, τοιοῦτός μοι
φίλος εἶ, ὦ Σώκρατες, οἷος, ἂν μέν τι αὐτὸς ἔχω ἐπιτήδειον
εἰς τὸ φίλους κτήσασθαι, συλλαμβάνειν μοι· εἰ δὲ μή, οὐκ
ἂν ἐθέλοις πλάσας τι εἰπεῖν ἐπὶ τῇ ἐμῇ ὠφελείᾳ. — Πότερα
δ' ἄν, ἔφη ὁ Σωκράτης, ὦ Κριτόβουλε, δοκῶ σοι μᾶλλον ὠφε-
λεῖν σε τὰ ψευδῆ ἐπαινῶν ἢ πείθων πειρᾶσθαί σε ἀγαθὸν
38 ἄνδρα γενέσθαι; Εἰ δὲ μὴ φανερὸν οὕτω σοι, ἐκ τῶνδε σκέ-
ψαι· εἰ γάρ σε βουλόμενος φίλον ποιῆσαι ναυκλήρῳ ψευδό-
μενος ἐπαινοίην, φάσκων ἀγαθὸν εἶναι κυβερνήτην, ὁ δέ μοι
πεισθεὶς ἐπιτρέψειέ σοι τὴν ναῦν μὴ ἐπισταμένῳ κυβερνᾶν,
ἔχεις τινὰ ἐλπίδα μὴ ἂν σαυτόν τε καὶ τὴν ναῦν ἀπολέσαι;
ἢ εἴ σοι πείσαιμι κοινῇ τὴν πόλιν ψευδόμενος, ὡς ἂν στρα-
τηγικῷ τε καὶ δικαστικῷ καὶ πολιτικῷ, ἑαυτὴν ἐπιτρέψαι, τί
ἂν οἴει σεαυτὸν καὶ τὴν πόλιν ὑπὸ σοῦ παθεῖν; ἢ εἴ τινας
ἰδίᾳ τῶν πολιτῶν πείσαιμι ψευδόμενος, ὡς ὄντι οἰκονομικῷ
τε καὶ ἐπιμελεῖ τὰ ἑαυτῶν ἐπιτρέψαι, ἆρ' οὐκ ἂν πεῖραν δι-
39 δοὺς ἅμα τε βλαβερὸς εἴης καὶ καταγέλαστος φαίνοιο; Ἀλλὰ
συντομωτάτη τε καὶ ἀσφαλεστάτη καὶ καλλίστη ὁδός, ὦ Κρι-
τόβουλε, ὅ τι ἂν βούλῃ δοκεῖν ἀγαθὸς εἶναι, τοῦτο καὶ γε-
νέσθαι ἀγαθὸν πειρᾶσθαι. Ὅσαι δ' ἐν ἀνθρώποις ἀρεταὶ λέ-
γονται, σκοπούμενος εὑρήσεις πάσας μαθήσει τε καὶ μελέτῃ
αὐξανομένας. Ἐγὼ μὲν οὖν, ὦ Κριτόβουλε, οὕτως οἶμαι δεῖν
ποιεῖν ἡμᾶς· εἰ δὲ σύ πως ἄλλως γιγνώσκεις, δίδασκε. — Καὶ
ὁ Κριτόβουλος· Ἀλλ' αἰσχυνοίμην ἄν, ἔφη, ὦ Σώκρατες, ἀντι-
λέγων τούτοις· οὔτε γὰρ καλὰ οὔτε ἀληθῆ λέγοιμ' ἄν.

ὠφελεῖν sich in den meisten codd.
findet und ἐθέλειν wahrscheinlich
aus ὠφελεῖν korrumpiert ist, so
halte ich es für echt, ἐπαινεῖν
aber, ἐθέλειν und ἐπαινούσας für
Glosseme.
§ 37. οἷος — συλλαμβάνειν]
s. zu I 4. 6. — οὐκ ἂν ἐθέλοις]
Die Rede, die von οἷος noch ab-
hängig sein sollte, geht in einen
Hauptsatz über. — πείθων] mit
σε zu verbinden.
§ 38. ἐκ τῶνδε σκέψαι. εἰ
γάρ] s. zu I 1, 6. — ὡς ἂν στρα-
τηγικῷ] scil. ὄντι. S. zu I 4, 10.
Die Partikel ἄν bezieht sich auf
den ausgelassenen und dem vorher-
gehenden πείσαιμι zu entnehmen-

den Optativ πείσειεν. Vollständig
würde also die Rede so sein: εἰ
τὴν πόλιν ψευδόμενός σοι ἑαυτὴν
ἐπιτρέψαι πείσαιμι, ὡς ἂν τις αὐ-
τὴν πείσειεν, εἰ σὺ εἴης στρατηγι-
κός. Vgl. III 6, 4. 8, 1. Man kann
also ὡς ἂν durch wie, wenn
übersetzen; das folgende ὡς ὄντι
οἰκονομικῷ läfst sich auflösen in
λέγων σε εἶναι οἰκονομικόν. S. zu
I 1, 4. — τί ἂν οἴει σεαυτὸν —
παθεῖν] s. zu I 4, 8.
§ 39. συντομωτάτη — πει-
ρᾶσθαι] vgl. I 7, 1. Die Stelle hat
Cicero off. 2, 12, 43 übersetzt.
ἐν ἀνθρώποις] s. zu III 6, 2. —
δεῖν ποιεῖν ἡμᾶς] über die Les-
art s. die gröfsere Ausgabe.

Siebentes Kapitel.

Inħalt.

Kommt jemand, der eine gute Schule genossen hat, in Not und
Mangel, so gereicht es ihm nicht zur Schande, sondern vielmehr zum
Lobe, wenn er die zur Erhaltung des Lebens nützlichen Künste, die er
gelernt hat, zur Abhülfe seiner drückenden Verhältnisse ausübt, mag
auch die Beschäftigung mit ihnen eines freigeborenen Menschen weniger
würdig erscheinen.

Καὶ μὴν τὰς ἀπορίας γε τῶν φίλων τὰς μὲν δι' ἄγνοιαν 1
ἐπειρᾶτο γνώμῃ ἀκεῖσθαι, τὰς δὲ δι' ἔνδειαν διδάσκων κατὰ
δύναμιν ἀλλήλοις ἐπαρκεῖν. Ἐρῶ δὲ καὶ ἐν τούτοις ἃ σύνοιδα
αὐτῷ. Ἀρίσταρχον γάρ ποτε ὁρῶν σκυθρωπῶς ἔχοντα· Ἔοι-
κας, ἔφη, ὦ Ἀρίσταρχε, βαρέως φέρειν τι· χρὴ δὲ τοῦ βάρους
μεταδιδόναι τοῖς φίλοις· ἴσως γὰρ ἄν τί σε καὶ ἡμεῖς κουφί-
σαιμεν. Καὶ ὁ Ἀρίσταρχος· Ἀλλὰ μήν, ἔφη, ὦ Σώκρατες, ἐν 2
πολλῇ γέ εἰμι ἀπορίᾳ· ἐπεὶ γὰρ ἐστασίασεν ἡ πόλις, πολλῶν
φυγόντων εἰς τὸν Πειραιᾶ συνεληλύθασιν ὡς ἐμὲ καταλελειμ-
μέναι ἀδελφαί τε καὶ ἀδελφιδαῖ καὶ ἀνεψιαὶ τοσαῦται, ὥστ'
εἶναι ἐν τῇ οἰκίᾳ τεσσαρεσκαίδεκα τοὺς ἐλευθέρους· λαμβά-
νομεν δὲ οὔτε ἐκ τῆς γῆς οὐδέν· οἱ γὰρ ἐναντίοι κρατοῦσιν
αὐτῆς· οὔτε ἀπὸ τῶν οἰκιῶν· ὀλιγανθρωπία γὰρ ἐν τῷ ἄστει
γέγονε· τὰ ἔπιπλα δὲ οὐδεὶς ὠνεῖται, οὐδὲ δανείσασθαι οὐδα-
μόθεν ἔστιν ἀργύριον, ἀλλὰ πρότερον ἄν τις μοι δοκεῖ ἐν τῇ
ὁδῷ ζητῶν εὑρεῖν ἢ δανειζόμενος λαβεῖν. Χαλεπὸν μὲν οὖν
ἐστιν, ὦ Σώκρατες, τοὺς οἰκείους περιορᾶν ἀπολλυμένους,

§ 1. τὰς ἀπορίας — τὰς μὲν
— τὰς δέ] s. zu II 1, 4. — ἃ σύν-
οιδα αὐτῷ] was ich von ihm
weifs, indem ich es von ihm selbst
vernommen habe. — Ἀρίσταρχον]
ist sonst nicht bekannt.

§ 2. Ἀλλὰ μήν — γέ] s. zu I
1, 6. — ἐστασίασεν ἡ πόλις] als
Lysander Athen eingenommen und
die Herrschaft der dreifsig Tyrannen
eingesetzt hatte, so sammelten sich
die vertriebenen und ausgewander-
ten Bürger und vertrieben unter
Thrasybulus nach Einnahme des
Piräus die Tyrannen (404—403 v.
Chr.). S. Hellen. II 4. — ὥστ'

εἶναι] ὥστε ist mit dem Infinitive
verbunden, weil der Satz eine Folge
ausdrückt, die sich aus dem Begriffe
der Menge (τοσαῦται) entwickelt.
Vgl. § 3 u. 6. I 2, 1. III 3, 4. 11, 8.
IV 8, 11. C. § 553 b. b. Ko. § 113, 2.
K. § 327, 3. — τεσσαρεσκαί-
δεκα] indeklinabel (st. τέτταρας
καὶ δέκα) die Form gehört mehr
dem ionischen Dialekte an. — τοὺς
ἐλευθέρους] ist das Subjekt zu
dem Prädikate τεσσαρεσκαίδεκα,
daher der Artikel: das Masculin
giebt überhaupt nur das persönliche
Geschlecht an. — περιορᾶν ἀπολ-
λυμένους] C. § 593. Ko. § 126, 1.

ἀδύνατον δὲ τοσούτους τρέφειν ἐν τοιούτοις πράγμασιν. Ἀκού-
3 σας οὖν ταῦτα ὁ Σωκράτης· Τί ποτέ ἐστιν, ἔφη, ὅτι ὁ Κερά-
μων μὲν πολλοὺς τρέφων οὐ μόνον ἑαυτῷ τε καὶ τούτοις τὰ
ἐπιτήδεια δύναται παρέχειν, ἀλλὰ καὶ περιποιεῖται τοσαῦτα,
ὥστε καὶ πλουτεῖν, σὺ δὲ πολλοὺς τρέφων δέδοικας, μὴ δι'
ἔνδειαν τῶν ἐπιτηδείων ἅπαντες ἀπόλησθε; — Ὅτι νὴ Δί,
4 ἔφη, ὁ μὲν δούλους τρέφει, ἐγὼ δὲ ἐλευθέρους. — Καὶ πότε-
ρον, ἔφη, τοὺς παρὰ σοὶ ἐλευθέρους οἴει βελτίους εἶναι ἢ τοὺς
παρὰ Κεράμωνι δούλους; — Ἐγὼ μὲν οἶμαι, ἔφη, τοὺς παρὰ
ἐμοὶ ἐλευθέρους. — Οὐκοῦν, ἔφη, αἰσχρὸν τὸν μὲν ἀπὸ τῶν
πονηροτέρων εὐπορεῖν, σὲ δὲ πολλῷ βελτίους ἔχοντα ἐν ἀπο-
ρίαις εἶναι; — Νὴ Δί', ἔφη· ὁ μὲν γὰρ τεχνίτας τρέφει, ἐγὼ
5 δὲ ἐλευθερίως πεπαιδευμένους. — Ἆρ' οὖν, ἔφη, τεχνῖταί
εἰσιν οἱ χρήσιμόν τι ποιεῖν ἐπιστάμενοι; — Μάλιστά γε, ἔφη.
— Οὐκοῦν χρήσιμά γ' ἄλφιτα; — Σφόδρα γε. — Τί δὲ ἄρ-
τοι; — Οὐδὲν ἧττον. — Τί γάρ; ἔφη, ἱμάτιά τε ἀνδρεῖα καὶ
γυναικεῖα καὶ χιτωνίσκοι καὶ χλαμύδες καὶ ἐξωμίδες; —
Σφόδρα γε, ἔφη, καὶ πάντα ταῦτα χρήσιμα. — Ἔπειτα, ἔφη,
οἱ παρὰ σοὶ τούτων οὐδὲν ἐπίστανται ποιεῖν; — Πάντα μὲν
6 οὖν, ὡς ἐγῷμαι. — Εἶτ' οὐκ οἶσθα, ὅτι ἀφ' ἑνὸς μὲν τούτων,

A. 6. K. § 311, 1 d. — ἐν τοιού-
τοις πράγμασιν] in einer sol-
chen Lage.
§ 3. ὁ Κεράμων] wird sonst
nicht erwähnt, muſs aber eine be-
kannte Persönlichkeit gewesen sein,
wie man aus dem hinzugefügten
Artikel sieht: Ceramo ille. — πολ-
λούς] da der reiche Keramon ohne
Zweifel eine sehr grofse Anzahl von
Sklaven hatte, A. hingegen nur 14
Freie zu unterhalten hatte; so hat
man vor πολλούς die Negation οὐ
hinzufügen wollen; allein die 14
waren für die Verhältnisse des A.
eine grofse Anzahl. Der Gegensatz
liegt nicht in οὐ πολλοὺς τρέφων,
sondern in den Worten: δέδοικας,
μὴ .. ἀπόλησθε.
§ 4. Νὴ Δί'] ja wahrlich.
Arist., die Absicht der Frage des So-
krates nicht einsehend, antwortet:
Ja wahrlich es ist eine Schande, daſs
ich mich in solcher Not befinde;
denn ich muſs freigeborne Menschen
unterhalten, die doch billiger Weise
sich besser befinden sollen als ge-
ringe Sklaven. Andere beziehen
νὴ Δί' nicht auf αἰσχρόν, sondern
nur auf die Worte: τὸν μὲν ἀπὸ
τῶν π... ἐν ἀπορίαις εἶναι, s. die
gröfsere Ausg.

§ 5. ἱμάτιον, Oberkleid (toga),
ein viereckiger Mantel, der den gan-
zen Körper bedeckte; χιτών, Un-
terkleid mit weiten Armlöchern,
tunica, davon das Deminutiv χιτω-
νίσκος, tunicula; χλαμύς, der kurze
Kriegsmantel, auch das Kleid der
Epheben; ἐξωμίς, ein Mittelding
zwischen Mantel und Kleid, die
Tracht der Sklaven und gemeinen
Leute. (S. K. F. Hermann Lehrbuch
der Griech. Privataltertümer § 21.)
— Ἔπειτα] Et tamen. S. zu I 2,
26. So § 6 εἶτα. — Πάντα μὲν
οὖν] immo omnia, vgl. III 8, 4.
9, 14. K. § 313, 2.

§ 6. ἀφ' ἑνός] s. zu I 2, 14. —

ἀλφιτοποιίας, Ναυσικύδης οὐ μόνον ἑαυτόν τε καὶ τοὺς οἰκέ-
τας τρέφει, ἀλλὰ πρὸς τούτοις καὶ ὗς πολλὰς καὶ βοῦς καὶ
περιποιεῖται τοσαῦτα, ὥστε καὶ τῇ πόλει πολλάκις λειτουργεῖν,
ἀπὸ δὲ ἀρτοποιίας Κύρηβος τήν τε οἰκίαν πᾶσαν διατρέφει
καὶ ζῇ δαψιλῶς, Δημέας δέ, ὁ Κολλυτεύς, ἀπὸ χλαμυδουργίας,
Μένων δ᾽ ἀπὸ χλανιδοποιίας, Μεγαρέων δ᾽ οἱ πλεῖστοι[, ἔφη,]
ἀπὸ ἐξωμιδοποιίας διατρέφονται; — Νὴ Δί᾽, ἔφη· οὗτοι μὲν
γὰρ ὠνούμενοι βαρβάρους ἀνθρώπους ἔχουσιν, ὥστ᾽ ἀναγκά-
ζειν ἐργάζεσθαι ἃ καλῶς ἔχει, ἐγὼ δ᾽ ἐλευθέρους τε καὶ συγ-
γενεῖς. — Ἔπειτ᾽, ἔφη, ὅτι ἐλεύθεροί τ᾽ εἰσὶ καὶ συγγενεῖς 7
σοι, οἴει χρῆναι μηδὲν αὐτοὺς ποιεῖν ἄλλο ἢ ἐσθίειν καὶ καθ-
εύδειν; Πότερον καὶ τῶν ἄλλων ἐλευθέρων τοὺς οὕτω ζῶν-
τας ἄμεινον διάγοντας ὁρᾷς καὶ μᾶλλον εὐδαιμονίζεις ἢ τούς,
ἃ ἐπίστανται χρήσιμα πρὸς τὸν βίον, τούτων ἐπιμελομένους;
ἢ τὴν μὲν ἀργίαν καὶ τὴν ἀμέλειαν αἰσθάνῃ τοῖς ἀνθρώποις
πρός τε τὸ μαθεῖν ἃ προσήκει ἐπίστασθαι καὶ πρὸς τὸ μνη-
μονεύειν ἃ ἂν μάθωσι καὶ πρὸς τὸ ὑγιαίνειν τε καὶ ἰσχύειν
τοῖς σώμασι καὶ πρὸς τὸ κτήσασθαί τε καὶ σώζειν τὰ χρήσιμα
πρὸς τὸν βίον ὠφέλιμα ὄντα, τὴν δὲ ἐργασίαν καὶ τὴν ἐπι-
μέλειαν οὐδὲν χρήσιμα; Ἔμαθον δὲ ἃ φῇς αὐτὰς ἐπίστασθαι 8
πότερον ὡς οὔτε χρήσιμα ὄντα πρὸς τὸν βίον, οὔτε ποιήσου-
σαι αὐτῶν οὐδέν, ἢ τοὐναντίον, ὡς καὶ ἐπιμεληθησόμεναι
τούτων καὶ ὠφεληθησόμεναι ἀπ᾽ αὐτῶν; ποτέρως γὰρ ἂν
μᾶλλον ἄνθρωποι σωφρονοῖεν, ἀργοῦντες ἢ τῶν χρησίμων
ἐπιμελούμενοι; ποτέρως δ᾽ ἂν δικαιότεροι εἶεν, εἰ ἐργάζοιντο
ἢ εἰ ἀργοῦντες βουλεύοιντο περὶ τῶν ἐπιτηδείων; Ἀλλὰ καὶ 9
νῦν μέν, ὡς ἐγᾦμαι, οὔτε σὺ ἐκείνας φιλεῖς, οὔτε ἐκεῖναι σέ·
σὺ μὲν ἡγούμενος αὐτὰς ἐπιζημίους εἶναι σεαυτῷ, ἐκεῖναι δὲ
σὲ ὁρῶσαι ἀχθόμενον ἐφ᾽ ἑαυταῖς. Ἐκ δὲ τούτων κίνδυνος

Κολλυτεύς] aus dem Demos Κολ-
λυτός. — ὥστ᾽ ἀναγκάζειν] ea
condicione, ut cogant. K. § 327, 3.
— ἃ καλῶς ἔχει] scil. ἐργάζεσθαι,
s. zu II 1, 32.
§ 7. ὠφέλιμα ὄντα — χρή-
σιμα] wegen des Neutrums nach
Femininis s. K. § 241, 1. Vgl. III
1, 7.
§ 8. Ἔμαθον δὲ — πότερον]
warum sind die Worte ἔμαθον δὲ
dem Frageworte πότερον vorange-

schickt? Vgl. III 5, 2. 9, 1. IV
2, 20. 6, 5 und zu III 5, 13 und zu
IV 2, 29. — ὡς — ὄντα — ποιή-
σουσαι] s. zu II 2, 3. — ἐπιμε-
ληθησόμεναι] seltenere Form für
ἐπιμελησόμεναι, was eine Pariser
Hs. (E.) hat.
§ 9. Ἀλλὰ καί] aber hierzu
kommt auch noch. — νῦν] rebus
sic se habentibus, oder: ut nunc
quidem res comparatae sunt. —
κίνδυνος μείζω — ἀπέχθειαν

μείζω τε ἀπέχθειαν γίγνεσθαι, καὶ τὴν προγεγονυῖαν χάριν
μειοῦσθαι. Ἐὰν δὲ προστατήσῃς, ὅπως ἐνεργοὶ ὦσι, σὺ μὲν
ἐκείνας φιλήσεις ὁρῶν ὠφελίμους σεαυτῷ οὔσας, ἐκεῖναι· δὲ
σὲ ἀγαπήσουσιν αἰσθόμεναι χαίροντά σε αὐταῖς, τῶν δὲ προ-
γεγονυιῶν εὐεργεσιῶν ἥδιον μεμνημένοι τὴν ἀπ' ἐκείνων χάριν
αὐξήσετε καὶ ἐκ τούτων φιλικώτερόν τε καὶ οἰκειότερον ἀλλή-
10 λοις ἕξετε. Εἰ μὲν τοίνυν αἰσχρόν τι ἔμελλον ἐργάσασθαι,
θάνατον ἀντ' αὐτοῦ προαιρετέον ἦν· νῦν δὲ ἃ μὲν δοκεῖ κάλ-
λιστα καὶ πρεπωδέστερα γυναικὶ εἶναι ἐπίστανται, ὡς ἔοικε·
πάντες δὲ ἃ ἐπίστανται ῥᾷστά τε καὶ τάχιστα καὶ κάλλιστα
καὶ ἥδιστα ἐργάζονται. Μὴ οὖν ὄκνει, ἔφη, ταῦτα εἰσηγεῖσθαι
αὐταῖς, ἃ σοί τε λυσιτελεῖ κἀκείναις, καί, ὡς εἰκός, ἡδέως
11 ὑπακούσονται. — Ἀλλά, νὴ τοὺς θεούς, ἔφη ὁ Ἀρίσταρχος,
οὕτως μοι δοκεῖς καλῶς λέγειν, ὦ Σώκρατες, ὥστε πρόσθεν
μὲν οὐ προσιέμην δανείσασθαι εἰδώς, ὅτι ἀναλώσας, ὅ τι ἂν
λάβω, οὐχ ἕξω ἀποδοῦναι, νῦν δέ μοι δοκῶ εἰς ἔργων ἀφορ-
μὴν ὑπομένειν αὐτὸ ποιῆσαι.
12   Ἐκ τούτων δὲ ἐπορίσθη μὲν ἀφορμή, ἐωνήθη δὲ ἔρια·
καὶ ἐργαζόμεναι μὲν ἠρίστων, ἐργασάμεναι δὲ ἐδείπνουν, ἱλαραὶ
δὲ ἀντὶ σκυθρωπῶν ἦσαν· καὶ ἀντὶ ὑφορωμένων ἑαυτὰς ἡδέως
ἀλλήλας ἑώρων· καὶ αἱ μὲν ὡς κηδεμόνα ἐφίλουν, ὁ δὲ ὡς
ὠφελίμους ἠγάπα. Τέλος δὲ ἐλθὼν πρὸς τὸν Σωκράτην χαί-
ρων διηγεῖτο ταῦτά τε καὶ ὅτι αἰτιῶνται αὐτὸν μόνον τῶν ἐν

γίγνεσθαι] gewöhnlich wird κίν-
δυνος mit μή c. coni. oder opt.
konstruiert. — τῶν δὲ προ-
γεγονυιῶν εὐεργεσιῶν ἥδιον
μεμνημένοι] der früheren Wohl-
thaten, die du ihnen erwiesen
hast und sie empfangen haben.
— τὴν ἀπ' ἐκείνων] scil. εὐεργ-
εσιῶν.
§ 10. Εἰ — ἔμελλον ἐργάσα-
σθαι, θάνατον — προαιρετέον
ἦν] si futurum esset, ut turpe
quid admitterent: mors praefe-
renda erat (nicht pr. esset). K.
§ 260 A. 2. Über die lat. Sprache
s. K. lat. Schulgr. § 108, 2. — κάλ-
λιστα καὶ πρεπωδέστερα] was
für ein Weib am schönsten und
geziemender als jede andere
Kunst zu sein scheint.

§ 11. πρόσθεν μὲν — νῦν δέ]
s. zu I 6, 5. — οὐ προσιέμην] s.
zu II 6, 18. — εἰς ἔργων ἀφορ-
μήν] konstruiere: νῦν δέ μοι δοκῶ
ὑπομένειν (über mich gewinnen)
αὐτὸ ποιῆσαι (scil. δανείσασθαι)
εἰς ἔργων ἀφορμήν, um die für die
Arbeit nötigen Mittel herbeizu-
schaffen. Wegen ἀφορμή (Mittel)
vgl. III 5, 11. 12, 4.
§ 12. ἐωνήθη] passivisch. —
ἐργαζόμεναι, während der Ar-
beit, ἐργασάμεναι, nach der Ar-
beit. — ἑαυτὰς — ἀλλήλας] s.
zu II 6, 20. — ὡς κηδεμόνα] scil.
αὐτόν, das aus dem folgenden ὁ δέ
zu entnehmen ist, sowie zu ὡς
ὠφελίμους aus dem vorhergehenden
αἱ μέν der Accus. αὐτάς zu ent-
nehmen ist. — ὅτι αἰτιῶνται]

τῇ οἰκίᾳ ἀργὸν ἐσθίειν. Καὶ ὁ Σωκράτης ἔφη· Εἶτα οὐ λέ- 13
γεις αὐταῖς τὸν τοῦ κυνὸς λόγον; φασὶ γάρ, ὅτε φωνήεντα
ἦν τὰ ζῷα, τὴν ὄϊν πρὸς τὸν δεσπότην εἰπεῖν· Θαυμαστὸν
ποιεῖς, ὃς ἡμῖν μὲν ταῖς καὶ ἔριά σοι καὶ ἄρνας καὶ τυρὸν παρ-
εχούσαις οὐδὲν δίδως, ὅ τι ἂν μὴ ἐκ τῆς γῆς λάβωμεν, τῷ δὲ
κυνί, ὃς οὐδὲν τοιοῦτόν σοι παρέχει, μεταδίδως οὗπερ αὐτὸς
ἔχεις σίτου. Τὸν κύνα οὖν ἀκούσαντα εἰπεῖν· Ναὶ μὰ Δία· 14
ἐγὼ γάρ εἰμι ὁ καὶ ὑμᾶς αὐτὰς σώζων, ὥστε μήτε ὑπ' ἀνθρώπων
κλέπτεσθαι μήτε ὑπὸ λύκων ἁρπάζεσθαι, ἐπεὶ ὑμεῖς γε, εἰ μὴ
ἐγὼ προφυλάττοιμι ὑμᾶς, οὐδ' ἂν νέμεσθαι δύναισθε, φοβού-
μεναι, μὴ ἀπόλησθε. Οὕτω δὴ λέγεται καὶ τὰ πρόβατα συγ-
χωρῆσαι τὸν κύνα προτιμᾶσθαι. Καὶ σὺ οὖν ἐκείναις λέγε,
ὅτι ἀντὶ κυνὸς εἶ φύλαξ καὶ ἐπιμελητής, καὶ διὰ σὲ οὐδ' ὑφ'
ἑνὸς ἀδικούμεναι ἀσφαλῶς τε καὶ ἡδέως ἐργαζόμεναι ζῶσιν.

---

s. zu I 1, 13. — ἀργόν] ohne zu
arbeiten.
§ 13. Εἶτα] s. zu I 2, 26. —
ὄϊν] eine ionische Form (st. οἶν)
wie III 2, 1. 11, 5. IV 3, 10. —
Θαυμαστὸν ποιεῖς] s. zu I 2, 30.
— ἡμῖν μὲν ταῖς — παρεχού-
σαις] Durch den vorgesetzten Ar-
tikel wird das Particip gleichsam
zu einem Substantive gemacht und
sein Begriff als etwas Dauerndes
bezeichnet. Vgl. II 3, 19. 6, 18.
§ 14. Ναὶ μὰ Δία] diese Worte
enthalten nicht eine Antwort auf
das, was das Schaf dem Herrn ge-
sagt hatte, sondern beziehen sich

auf einen Gedanken, der dem Hunde
zwar in der Seele vorschwebt, den
er aber nicht wirklich ausspricht,
nämlich: Ja fürwahr mein Herr
handelt ganz gerecht, denn ich bin
es ja, der euch schützt. — καὶ
ὑμᾶς αὐτάς] καί bezieht sich auf
alles andere, was der Hund durch
seine Wachsamkeit seinem Herrn
beschützt und erhält. — φοβού-
μεναι, μὴ ἀπόλησθε] wegen des
vorhergehenden Optativ mit ἄν
könnte auch μὴ ἀπόλοισθε stehen.
Der Konjunktiv drückt den Gegen-
stand der Furcht entschiedener aus.
— οὐδ' ὑφ' ἑνός] s. zu S. I 6, 2.

Achtes Kapitel.

Inhalt.

Dem Eutherus, der früher in glücklichen Verhältnissen gelebt hatte
und jetzt durch seiner Hände Arbeit seinen Unterhalt zu gewinnen
suchte, giebt Sokrates den Rat eine angemessenere Lebensweise zu er-
greifen und fordert ihn auf das Amt eines Verwalters bei einem reichen
Manne zu übernehmen. Wenn es ihm lästig erscheine seinem Herrn
Rechenschaft von seinem Amte abzulegen, so möge er bedenken, daß
es nicht leicht ein Geschäft gebe, wo dies nicht der Fall sei.

1 Ἄλλον δέ ποτε ἀρχαῖον ἑταῖρον διὰ χρόνου ἰδών· Πόθεν,
ἔφη, Εὔθηρε, φαίνῃ; — Ὑπὸ μὲν τὴν κατάλυσιν τοῦ πολέ-
μου, ἔφη, ὦ Σώκρατες, ἐκ τῆς ἀποδημίας, νυνὶ μέντοι αὐτό-
θεν· ἐπειδὴ γὰρ ἀφῃρέθημεν τὰ ἐν τῇ ὑπερορίᾳ κτήματα,
ἐν δὲ τῇ Ἀττικῇ ὁ πατήρ μοι οὐδὲν κατέλιπεν, ἀναγκάζομαι
νῦν ἐπιδημήσας τῷ σώματι ἐργαζόμενος τὰ ἐπιτήδεια πορί-
ζεσθαι· δοκεῖ δέ μοι τοῦτο κρεῖττον εἶναι ἢ δέεσθαί τινος ἀν-
θρώπων, ἄλλως τε καὶ μηδὲν ἔχοντα, ἐφ᾽ ὅτῳ ἂν δανειζοίμην.
2 — Καὶ πόσον χρόνον οἴει σοι, ἔφη, τὸ σῶμα ἱκανὸν εἶναι
μισθοῦ τὰ ἐπιτήδεια ἐργάζεσθαι; — Μὰ τὸν Δί᾽, ἔφη, οὐ
πολὺν χρόνον. — Καὶ μήν, ἔφη, ὅταν γε πρεσβύτερος γένῃ,
δῆλον, ὅτι δαπάνης μὲν δεήσῃ, μισθὸν δὲ οὐδείς σοι θελήσει
τῶν τοῦ σώματος ἔργων διδόναι. — Ἀληθῆ λέγεις, ἔφη. —
3 Οὐκοῦν, ἔφη, κρεῖττόν ἐστιν αὐτόθεν τοῖς τοιούτοις τῶν ἔρ-
γων ἐπιτίθεσθαι, ἃ καὶ πρεσβυτέρῳ γενομένῳ ἐπαρκέσει, καὶ
προσελθόντα τῳ τῶν πλείονα χρήματα κεκτημένων, τῷ δεο-
μένῳ τοῦ συνεπιμελησομένου, ἔργων τε ἐπιστατοῦντα καὶ
συγκομίζοντα καρποὺς καὶ συμφυλάττοντα τὴν οὐσίαν ὠφε-
4 λοῦντα ἀντωφελεῖσθαι. — Χαλεπῶς ἄν, ἔφη, ἐγώ, ὦ Σώκρατες,
δουλείαν ὑπομείναιμι. — Καὶ μὴν οἵ γε ἐν ταῖς πόλεσι προ-
στατεύοντες καὶ τῶν δημοσίων ἐπιμελόμενοι οὐ δουλοπρεπέ-
5 στεροι ἕνεκα τούτου, ἀλλ᾽ ἐλευθεριώτεροι νομίζονται. — Ὅλως
μήν, ἔφη, ὦ Σώκρατες, τὸ ὑπαίτιον εἶναί τινι οὐ πάνυ προσ-
ίεμαι. — Καὶ μήν, ἔφη, Εὔθηρε, οὐ πάνυ γε ῥᾴδιόν ἐστιν
εὑρεῖν ἔργον, ἐφ᾽ ᾧ οὐκ ἄν τις αἰτίαν ἔχοι· χαλεπὸν γὰρ οὕτω
τι ποιῆσαι, ὥστε μηδὲν ἁμαρτεῖν, χαλεπὸν δὲ καὶ ἀναμαρτή-

§ 1. διὰ χρόνου] nach eini-
ger Zeit, nach längerer Zeit.
— Εὔθηρε] unbekannt. — ὑπὸ
τὴν κατάλυσιν τοῦ πολέμου]
wahrscheinlich des peloponnesi-
schen Krieges (404 v. Chr.). — αὐ-
τόθεν] indidem; von der Zeit, wie
§ 3 u. III 6, 12 e vestigio. — ἀφ-
ῃρέθην μέν] Konjektur st. ἀφη-
ρέθημεν. — δοκεῖ δέ μοι —
ἔχοντα] s. zu I 1, 9. — δέεσθαι]
s. zu I 6, 10. — ἄλλως τε καί]
s. zu I 2, 59. — ἐφ᾽ ὅτῳ ἂν δα-
νειζοίμην] scil. εἰ βουλοίμην s.
zu I 2, 6.
§ 2. τὰ ἐπιτήδεια ἐργάζε-

σθαι] den Lebensunterhalt durch
Arbeit zu gewinnen. Wegen des
Gen. μισθοῦ vgl. II 1, 20.

§ 3. τοῦ συνεπιμελησομένου]
s. zu II 1, 5. — ἔργων — ἐπι-
στατοῦντα] Cyrop. I 1, 2: ἂν
ἂν ἐπιστατῶσι ζῴων. Häufiger ist
der Dativ.

§ 4. Καὶ μὴν οἵ γε] Atqui certe.
S. zu I 4, 12. So auch § 5.

§ 5. Ὅλως μήν] wenn ich auch
das Gesagte nicht leugnen kann,
so verschmähe ich doch (μήν)
überhaupt (ὅλως) u. s. w. —
οὐ πάνυ προσίεμαι] s. zu II

τως τι ποιήσαντα μὴ ἀγνώμονι κριτῇ περιτυχεῖν, ἐπεὶ καὶ οἷς
νῦν ἐργάζεσθαι φῂς θαυμάζω εἰ ῥᾴδιόν ἐστιν ἀνέγκλητον
διαγίγνεσθαι. Χρὴ οὖν πειρᾶσθαι τούς τε φιλαιτίους φεύ- 6
γειν καὶ τοὺς εὐγνώμονας διώκειν καὶ τῶν πραγμάτων ὅσα
μὲν δύνασαι ποιεῖν, ὑπομένειν, ὅσα δὲ μὴ δύνασαι, φυλάττε-
σθαι, ὅ τι δ' ἂν πράττῃς, τούτου ὡς κάλλιστα καὶ προθυμό-
τατα ἐπιμελεῖσθαι· οὕτω γὰρ ἥκιστα μέν σε οἶμαι ἐν αἰτίᾳ
εἶναι, μάλιστα δὲ τῇ ἀπορίᾳ βοήθειαν εὑρεῖν, ῥᾷστα δὲ καὶ
ἀκινδυνότατα ζῆν καὶ εἰς τὸ γῆρας διαρκέστατα.

Neuntes Kapitel.

Inhalt.

Dem Kritou, einem reichen Manne, der viel von den Sykophanten
zu leiden hatte, empfiehlt Sokrates den Archedemus, einen armen, aber
braven und des Rechtes kundigen Mann, der ihn vor den Verfolgungen
seiner Feinde sicher stellen könne. Durch diesen Rat wurde beiden
geholfen.

Οἶδα δέ ποτε αὐτὸν καὶ Κρίτωνος ἀκούσαντα, ὡς χαλεπὸν 1
ὁ βίος Ἀθήνησιν εἴη ἀνδρὶ βουλομένῳ τὰ ἑαυτοῦ πράττειν.
Νῦν γάρ, ἔφη, ἐμέ τινες εἰς δίκας ἄγουσιν, οὐχ ὅτι ἀδικοῦνται
ὑπ' ἐμοῦ, ἀλλ' ὅτι νομίζουσιν ἥδιον ἄν με ἀργύριον τελέσαι ἢ
πράγματα ἔχειν. Καὶ ὁ Σωκράτης· Εἰπέ μοι, ἔφη, ὦ Κρίτων, 2
κύνας δὲ τρέφεις, ἵνα σοι τοὺς λύκους ἀπὸ τῶν προβάτων
ἀπερύκωσι; — Καὶ μάλα, ἔφη· μᾶλλον γάρ μοι λυσιτελεῖ τρέ-
φειν ἢ μή. — Οὐκ ἂν οὖν θρέψαις καὶ ἄνδρα, ὅστις ἐθέλοι τε
καὶ δύναιτό σου ἀπερύκειν τοὺς ἐπιχειροῦντας ἀδικεῖν σε; —
Ἡδέως γ' ἄν, ἔφη, εἰ μὴ φοβοίμην, ὅπως μὴ ἐπ' αὐτόν με
τράποιτο. — Τί δ'; ἔφη, οὐχ ὁρᾷς, ὅτι πολλῷ ἥδιόν ἐστι χαρι- 3
ζόμενον οἵῳ σοι ἀνδρὶ ἢ ἀπεχθόμενον ὠφελεῖσθαι; εὖ ἴσθι,
ὅτι εἰσὶν ἐνθάδε τῶν τοιούτων ἀνδρῶν οἳ πάνυ ἂν φιλοτιμη-
θεῖεν φίλῳ σοι χρῆσθαι.

6, 18. — ἀνέγκλητον διαγίγνε-
σθαι] ohne ὄντα s. zu I 6, 2.

§ 1. Κρίτωνος] s. zu I 2, 48.
— χαλεπὸν ὁ βίος] s. zu II 3, 1.
Die Sykophanten waren in Athen
für die Reichen eine wahre Pest. —
πράγματα] Prozesse.

§ 2. κύνας δέ] s. zu I 3, 13.
— φοβοίμην, ὅπως μή] häufiger
werden die verba metuendi mit
blofsem μή konstruiert.
§ 3. οἵῳ σοι ἀνδρί] C. § 600.
Ko. § 78, 4 A. 2. K. § 319, 5. —
τῶν τοιούτων ἀνδρῶν] ab-
hängig von dem folg. οἵ.

4   Καὶ ἐκ τούτων ἀνευρίσκουσιν Ἀρχέδημον, πάνυ μὲν ἱκανὸν
εἰπεῖν τε καὶ πρᾶξαι, πένητα δέ· οὐ γὰρ ἦν οἷος ἀπὸ παντὸς
κερδαίνειν, ἀλλὰ φιλόχρηστός τε καὶ ἔφη ῥᾷστον εἶναι ἀπὸ τῶν
συκοφαντῶν λαμβάνειν. Τούτῳ οὖν ὁ Κρίτων, ὁπότε συγ-
κομίζοι ἢ σῖτον ἢ ἔλαιον ἢ οἶνον ἢ ἔρια ἢ ἄλλο τι τῶν ἐν ἀγρῷ
γιγνομένων χρησίμων πρὸς τὸν βίον, ἀφελὼν ἂν ἔδωκε καί,
5 ὁπότε θύοι, ἐκάλει καὶ τὰ τοιαῦτα πάντα ἐπεμελεῖτο. Νομίσας
δὲ ὁ Ἀρχέδημος ἀποστροφήν οἱ τὸν Κρίτωνος οἶκον μάλα
περιεῖπεν αὐτόν· καὶ εὐθὺς τῶν συκοφαντούντων τὸν Κρίτωνα
ἀνευρήκει πολλὰ μὲν ἀδικήματα, πολλοὺς δὲ ἐχθρούς, καὶ
αὐτῶν τινα προσεκαλέσατο εἰς δίκην δημοσίαν, ἐν ᾗ αὐτὸν
6 ἔδει κριθῆναι, ὅ τι δεῖ παθεῖν ἢ ἀποτῖσαι. Ὁ δὲ συνειδὼς
αὐτῷ πολλὰ καὶ πονηρὰ πάντ᾽ ἐποίει, ὥστε ἀπαλλαγῆναι τοῦ
Ἀρχεδήμου. Ὁ δὲ Ἀρχέδημος οὐκ ἀπηλλάττετο, ἕως τόν τε
7 Κρίτωνα ἀφῆκε καὶ αὐτῷ χρήματα ἔδωκεν. Ἐπεὶ δὲ τοῦτό
τε καὶ ἄλλα τοιαῦτα ὁ Ἀρχέδημος διεπράξατο, ἤδη τότε,
ὥσπερ, ὅταν νομεὺς ἀγαθὸν κύνα ἔχῃ, καὶ οἱ ἄλλοι νομεῖς
βούλονται πλησίον αὐτοῦ τὰς ἀγέλας ἱστάναι, ἵνα τοῦ κυνὸς
ἀπολαύωσιν, οὕτω καὶ Κρίτωνος πολλοὶ τῶν φίλων ἐδέοντο

---

§ 4. ἐκ τούτων] nach diesen
Gesprächen. — οἷος — κερδαί-
νειν] s. zu I 4, 6. — ἀλλὰ φιλό-
χρηστός τε καὶ ἔφη ῥᾷστον
εἶναι κτλ.] der Sinn der Stelle ist:
A. war ein Mann, dem es nicht darum
zu thun war aus allem Möglichen
(ἀπὸ παντὸς) Gewinn zu ziehen,
der es aber, als ehrlicher Mann,
für erlaubt hielt (ἔφη ῥᾷστον εἶναι)
daraus, daſs er die Sykophanten
gerichtlich verfolgte, einen Ertrag
zu gewinnen. 'Arch. verstand es
den Sykophanten ihren Gewinn ab-
zujagen und sich so eine Einnahme
zu verschaffen.' Wegen der Redens-
art λαμβάνειν ἀπό τινος (nicht
παρά τινος, was accipere ab aliquo
bedeutet) vgl. II 7, 2. — ὁπότε
συγκομίζοι — θύοι] s. zu I 2,
57. — ἀφελὼν ἂν ἔδωκε] wegen
ἄν s. zu I 1, 16; in den Handschr.
fehlt ἄν s. aber die gröſsere Ausg.
— ἐκάλει] vgl. II 3, 11. Nach
vollbrachtem Opfer pflegte ein Mahl
zu sein, zu dem man auſser den
Verwandten auch Freunde, die man

ehren wollte, einlud. — τὰ τοι-
αῦτα πάντα ἐπεμελεῖτο] scil.
αὐτοῦ, bewies ihm alle dergleichen
Aufmerksamkeiten.

§ 5. περιεῖπεν] von περιέπω
(sehr ehren) selten in der att.
Prosa. — αὐτῶν τινα] diese
Worte stehen nur in einer Hand-
schrift von geringem Werte (Vos-
sianus I.), können aber wegen des
Folgenden nicht fehlen. — ἐν ᾗ
αὐτὸν ἔδει κριθῆναι] in qua
eum iudicium subire oportebat; über
ἔδει ohne ἄν s. zu II 7, 10. — πα-
θεῖν — ἀποτῖσαι] das erstere
drückt Leibesstrafe, das letztere
Geldstrafe aus.

§ 6. ἀπαλλαγῆναι, loskom-
men; οὐκ ἀπηλλάττετο, ließs
nicht ab, nämlich ihn zu bedrän-
gen; ἀφῆκε, die Klage gegen
Kr. aufgab. — αὐτῷ] dem Arche-
demos.

§ 7. ἤδη τότε] ebenso IV 8, 1,
häufiger τότ᾽ ἤδη; über ἤδη s. zu
II 1, 14.

καὶ σφίσι παρέχειν φύλακα τὸν Ἀρχέδημον. Ὁ δὲ Ἀρχέδημος 8
τῷ Κρίτωνι ἡδέως ἐχαρίζετο, καὶ οὐχ ὅτι μόνος ὁ Κρίτων ἐν
ἡσυχίᾳ ἦν, ἀλλὰ καὶ οἱ φίλοι αὐτοῦ· εἰ δέ τις αὐτῷ τούτων,
οἷς ἀπήχθετο, ὀνειδίζοι, ὡς ὑπὸ Κρίτωνος ὠφελούμενος κολα-
κεύοι αὐτόν· Πότερον οὖν, ἔφη ὁ Ἀρχέδημος, αἰσχρόν ἐστιν
εὐεργετούμενον ὑπὸ χρηστῶν ἀνθρώπων καὶ ἀντευεργετοῦντα
τοὺς μὲν τοιούτους φίλους ποιεῖσθαι, τοῖς δὲ πονηροῖς δια-
φέρεσθαι, ἢ τοὺς μὲν καλοὺς κἀγαθοὺς ἀδικεῖν πειρώμενον
ἐχθροὺς ποιεῖσθαι, τοῖς δὲ πονηροῖς συνεργοῦντα πειρᾶσθαι
φίλους ποιεῖσθαι καὶ χρῆσθαι τούτοις ἀντ᾽ ἐκείνων; Ἐκ δὲ
τούτου εἷς τε τῶν Κρίτωνος φίλων Ἀρχέδημος ἦν καὶ ὑπὸ
τῶν ἄλλων Κρίτωνος φίλων ἐτιμᾶτο.

Zehntes Kapitel.

Inhalt.

Sokrates fordert den Diodorus, einen reichen Mann, auf seinem
Freunde Hermogenes, einem rechtschaffenen, aber von Armut gedrückten
Manne, Hilfe zu leisten. Einen edlen Freund muſs man unterstützen;
er wird auch seinerseits auf jede Weise bemüht sein sich für die em-
pfangenen Wohlthaten durch Gefälligkeiten und Liebesdienste dankbar
zu beweisen.

Οἶδα δὲ καὶ Διοδώρῳ αὐτὸν ἑταίρῳ ὄντι τοιάδε διαλεχθέντα. 1
Εἰπέ μοι, ἔφη, ὦ Διόδωρε, ἄν τίς σοι τῶν οἰκετῶν ἀποδρᾷ,
ἐπιμελῇ, ὅπως ἀνακομίσῃ; — Καὶ ἄλλους γε νὴ Δί᾽, ἔφη, 2.
παρακαλῶ, σῶστρα τούτου ἀνακηρύσσων. — Τί γάρ; ἔφη, ἐάν
τίς σοι κάμνῃ τῶν οἰκετῶν, τούτου ἐπιμελῇ καὶ παρακαλεῖς
ἰατρούς, ὅπως μὴ ἀποθάνῃ; — Σφόδρα γ᾽, ἔφη, — Εἰ δέ τίς
σοι τῶν γνωρίμων, ἔφη, πολὺ τῶν οἰκετῶν χρησιμώτερος ὤν,
κινδυνεύει δι᾽ ἔνδειαν ἀπολέσθαι, οὐκ οἴει σοι ἄξιον εἶναι ἐπι-

§ 8. καὶ οὐχ ὅτι μόνος] d. i.
καὶ οὐ λέγω, ὅτι μ., nachdrück-
licher für: οὐ μόνον. Vgl. zu I 6,
11. — εἰ δὲ — ὀνειδίζοι] s.
I 2, 57.

§ 1. Διοδώρῳ] unbekannt. —
σοι ἀποδρᾷ] σοί ist dativus in-
commodi, wie § 2, ἐάν τίς σοι

κάμνῃ. So Hell. VII 5, 25 φεύγειν·
τινί. Statt ἀνακομίσῃ hat eine Hs.
ἀνασώσῃ.
§ 2. Καὶ ἄλλους γε] ja, und
zwar rufe ich auch andere zu
Hilfe. Vgl. III 8, 6. IV 2, 12. —
πολὺ τῶν οἰκετῶν χρησιμώτε-
ρος] durch die Trennung des πολύ
von dem Komparative wird es nach-

3 μεληθῆναι, ὅπως διασωθῇ; Καὶ μὴν οἶσθά γε, ὅτι οὐκ ἀγνώ-
μων ἐστὶν Ἑρμογένης, αἰσχύνοιτο δ᾽ ἄν, εἰ ὠφελούμενος ὑπὸ
σοῦ μὴ ἀντωφελοίη σε· καίτοι τὸ ὑπηρέτην ἑκόντα τε καὶ
εὔνουν καὶ παράμονον καὶ τὸ κελευόμενον ἱκανὸν ὄντα ποιεῖν
ἔχειν καὶ μὴ μόνον τὸ κελευόμενον ἱκανὸν ὄντα ποιεῖν, ἀλλὰ
δυνάμενον καὶ ἀφ᾽ ἑαυτοῦ χρήσιμον εἶναι καὶ προβουλεύεσθαι
4 πολλῶν οἰκετῶν οἶμαι ἀντάξιον εἶναι. Οἱ μέντοι ἀγαθοὶ οἰκο-
νόμοι, ὅταν τὸ πολλοῦ ἄξιον μικροῦ ἐξῇ πρίασθαι, τότε φασὶ
δεῖν ὠνεῖσθαι· νῦν δὲ διὰ τὰ πράγματα εὐωνοτάτους ἔστι
5 φίλους ἀγαθοὺς κτήσασθαι. Καὶ ὁ Διόδωρος· Ἀλλὰ καλῶς γε,
ἔφη, λέγεις, ὦ Σώκρατες, καὶ κέλευσον ἐλθεῖν ὡς ἐμὲ τὸν
Ἑρμογένην. — Μὰ Δί᾽, ἔφη, οὐκ ἔγωγε· νομίζω γὰρ οὔτε σοὶ
κάλλιον εἶναι τὸ καλέσαι ἐκεῖνον τοῦ αὐτὸν ἐλθεῖν πρὸς ἐκεῖνον,
6 οὔτε ἐκείνῳ μεῖζον ἀγαθὸν τὸ πραχθῆναι ταῦτα ἢ σοί. Οὕτω
δὴ ὁ Διόδωρος ᾤχετο πρὸς τὸν Ἑρμογένην καὶ οὐ πολὺ
τελέσας ἐκτήσατο φίλον, ὃς ἔργον εἶχε σκοπεῖν, ὅ τι ἂν ἢ λέγων
ἢ πράττων ὠφελοίη τε καὶ εὐφραίνοι Διόδωρον.

---

drücklicher hervorgehoben, wie im
lat. *multo servis utilior.*

§ 3. *Καὶ μὴν οἶσθά γε*] atqui
nosti. S. zu I 4, 12. — Ἑρμο-
γένης] war der Sohn des sehr
reichen Hipponikos, er selbst aber
arm, da sein Bruder Kallias das
Vermögen seines Vaters allein ge-
erbt hatte. Er war ein Schüler des
Sokrates und diesem ganz ergeben.
— τὸ ὑπηρέτην ἑκόντα κτλ.]
die Accusative hängen von ἔχειν ab:
τὸ ἔχειν ὑπηρέτην .. οἶμαι ἀντάξιον
εἶναι πολλῶν οἰκετῶν. — παρά-
μονον] ein dichterisches Wort für
παραμόνιμον, das Xen. auch II 4, 5.
III 11, 11 gebraucht.

§ 4. μέντοι] die guten Wirte
aber sagen. — διὰ τὰ πρά-
γματα] wegen der jetzigen Lage
das Staates.

§ 5. Ἀλλὰ καλῶς γε] so wird
ἀλλά oft in entschlossenen, raschen
Erwiderungen gebraucht. Vgl. III
3, 4. — τοῦ αὐτὸν ἐλθεῖν] = ἢ
τὸ αὐτὸν ἐλθεῖν, als selbst zu
kommen. — τὸ πραχθῆναι
ταῦτα] daſs jener von dir in
die Freundschaft aufgenommen
werde.

§ 6. οὐ πολὺ τελέσας] mit
nicht groſsen Kosten. — ἔργον
εἶχε] lieſs es sich angelegen
sein. Ebenso Cyrop. VIII 4, 6.
Agesil. XI 12. — ὅ τι ἂν ἢ λέγων
ἢ πράττων ὠφελοίη] d. i. ὅ τι
εἰ ἢ λέγοι ἢ πράττοι ὠφελοίη ἄν.
S. zu II 6, 29.

Drittes Buch.

Erstes Kapitel.

Inhalt.

Xenophon erzählt jetzt, wie Sokrates bewirkt habe, daſs diejenigen, welche sich dem Staatsdienste widmen wollten, die ihnen obliegenden Pflichten sorgfältig in Erwägung zogen und die zur Verwaltung der Ämter nötigen Wissenschaften erlernten. Zuerst wird über die Pflichten eines Feldherrn gesprochen.

Wer das Amt eines Feldherrn im Staate übernehmen will, muſs die Feldherrnkunst erlernen, und dies ist um so notwendiger, weil der Feldherr dem Staate entweder groſse Vorteile oder groſse Nachteile bereiten kann. Aber die bloſse Taktik reicht nicht aus; auch noch viele andere Eigenschaften und Kenntnisse muſs er besitzen.

Ὅτι δὲ τοὺς ὀρεγομένους τῶν καλῶν ἐπιμελεῖς ὧν ὀρέ- 1
γοιντο ποιῶν ὠφέλει, νῦν τοῦτο διηγήσομαι· ἀκούσας γάρ ποτε
Διονυσόδωρον εἰς τὴν πόλιν ἥκειν ἐπαγγελλόμενον στρατηγεῖν
διδάξειν, ἔλεξε πρός τινα τῶν ξυνόντων, ὃν ᾐσθάνετο βουλό-
μενον τῆς τιμῆς ταύτης ἐν τῇ πόλει τυγχάνειν· Αἰσχρὸν μέν- 2
τοι, ὦ νεανία, τὸν βουλόμενον ἐν τῇ πόλει στρατηγεῖν, ἐξὸν
τοῦτο μαθεῖν, ἀμελῆσαι αὐτοῦ, καὶ δικαίως ἂν οὗτος ὑπὸ τῆς
πόλεως ζημιοῖτο πολὺ μᾶλλον, ἢ εἴ τις ἀνδριάντας ἐργολαβοίη
μὴ μεμαθηκὼς ἀνδριαντοποιεῖν. Ὅλης γὰρ τῆς πόλεως ἐν τοῖς 3
πολεμικοῖς κινδύνοις ἐπιτρεπομένης τῷ στρατηγῷ, μεγάλα τά
τε ἀγαθὰ κατορθοῦντος αὐτοῦ καὶ τὰ κακὰ διαμαρτάνοντος

---

§ 1. τῶν καλῶν] honorum, Ehrenämter. — ὧν ὀρέγοιντο] der Optat. von einer unbestimmten Frequenz, wie IV 4, 1. 7, 1. S. K. § 320, 4. — Διονυσόδωρον] aus Chios, Bruder des Euthydemos. Er lehrte zuerst in Athen die Kriegskunst, dann widmete er sich der Sophistik. — ἀκούσας — ἥκειν] Wegen ἀκούειν c. inf. s. C. § 593

A. 1. Ko. § 126, 1 u. A. 4. K. § 311 A. 4, 1. — ἐν τῇ πόλει] hier u. § 2 nicht 'in der Stadt', sondern 'im Staate'.

§ 2. μέντοι] vero, fürwahr. S. zu I 3, 10.

§ 3. κατορθοῦντος αὐτοῦ] Gegensatz zu διαμαρτάνοντος ohne bestimmtes Objekt, 'wenn er Glück hat'.

εἰκὸς γίγνεσθαι· πῶς οὖν οὐκ ἂν δικαίως ὁ τοῦ μὲν μανθάνειν
τοῦτο ἀμελῶν, τοῦ δὲ αἱρεθῆναι ἐπιμελόμενος ζημιοῖτο; Τοι-
4 αῦτα μὲν δὴ λέγων ἔπεισεν αὐτὸν ἐλθόντα μανθάνειν. Ἐπεὶ
δὲ μεμαθηκὼς ἧκε, προσέπαιξεν αὐτῷ λέγων· Οὐ δοκεῖ ὑμῖν,
ὦ ἄνδρες, ὥσπερ Ὅμηρος τὸν Ἀγαμέμνονα γεραρὸν ἔφη εἶναι,
καὶ [οὕτως] ὅδε στρατηγεῖν μαθὼν γεραρώτερος φαίνεσθαι; καὶ
γὰρ ὥσπερ ὁ κιθαρίζειν μαθών, καὶ ἐὰν μὴ κιθαρίζῃ, κιθαρι-
στής ἐστι, καὶ ὁ μαθὼν ἰᾶσθαι, κἂν μὴ ἰατρεύῃ, ὅμως ἰατρός
ἐστιν, οὕτω καὶ ὅδε ἀπὸ τοῦδε τοῦ χρόνου διατελεῖ στρατηγὸς
ὤν, κἂν μηδεὶς αὐτὸν ἔληται· ὁ δὲ μὴ ἐπιστάμενος οὔτε στρα-
τηγὸς οὔτε ἰατρός ἐστιν, οὐδ' ἐὰν ὑπὸ πάντων ἀνθρώπων
5 αἱρεθῇ. Ἀτάρ, ἔφη, ἵνα καί, ἐὰν ἡμῶν τις ταξιαρχῇ ἢ λοχαγῇ
σοι, ἐπιστημονέστεροι τῶν πολεμικῶν ὦμεν, λέξον ἡμῖν, πόθεν
ἤρξατό σε διδάσκειν τὴν στρατηγίαν. Καὶ ὅς· Ἐκ τοῦ αὐτοῦ,
ἔφη, εἰς ὅπερ καὶ ἐτελεύτα· τὰ γὰρ τακτικὰ ἐμέ γε καὶ ἄλλο
6 οὐδὲν ἐδίδαξεν. Ἀλλὰ μήν, ἔφη ὁ Σωκράτης, τοῦτό γε πολλο-
στὸν μέρος ἐστὶ στρατηγίας· καὶ γὰρ παρασκευαστικὸν τῶν εἰς
τὸν πόλεμον τὸν στρατηγὸν εἶναι χρὴ καὶ ποριστικὸν καὶ ἐπι-
τηδείων τοῖς στρατιώταις καὶ μηχανικὸν καὶ ἐργαστικὸν καὶ
ἐπιμελῆ καὶ καρτερικὸν καὶ ἀγχίνουν καὶ φιλόφρονά τε καὶ
ὠμόν, καὶ ἁπλοῦν τε καὶ ἐπίβουλον, καὶ φυλακτικόν τε καὶ
κλέπτην, καὶ προετικὸν καὶ ἅρπαγα, καὶ φιλόδωρον καὶ πλεο-
νέκτην, καὶ ἀσφαλῆ καὶ ἐπιθετικόν, καὶ ἄλλα πολλὰ καὶ
7 φύσει καὶ ἐπιστήμῃ δεῖ τὸν εὖ στρατηγήσοντα ἔχειν. Καλὸν

§ 4. δοκεῖ — φαίνεσθαι] s.
zu I 4, 6. — Ὅμηρος] Iliad. III
170. — καὶ (οὕτως)] οὕτως ist
wahrscheinlich eingeschoben, s. d.
gröfsere Ausg. u. zu II 2, 2. — μα-
θών] schlechtweg von dem, der
etwas erlernte;· vorher aber μεμα-
θηκώς von dem, der etwas erlernt
hat und es nun weifs. Vgl. zu III
7, 7. Vgl. IV 2, 5. — Vor οὔτε
στρατηγός hätte noch οὔτε κι-
θαριστής stehen müssen.
§ 5. ἐὰν — λοχαγῇ σοι] wenn
er dir (d. i. unter deinem Befehle)
eine Taxis oder einen Lochos an-
führt. — ἤρξατό σε διδάσκειν]
C. § 560, 2. Ko. § 125, 2. K. § 311
A. 4, 16. — Καὶ ὅς] s. zu
I 4, 2.

§ 6. Ἀλλὰ μήν] atqui. Vgl. III
8, 3. — πολλοστὸν μέρος] mul-
tesima pars, i. e. exigua. Vgl. IV
6, 7. — παρασκευαστικὸς τῶν]
wegen des Gen. bei d. Adj. auf
ικός s. C. § 414, 5. Ko. § 84, 13 e.
K. § 271, 3. Vgl. I 1, 7. IV 1, 4.
Aber IV 1, 3: ἐπιθετικῶν θηρίοις
von ἐπιτίθεσθαί τινι. — καὶ γάρ]
s. zu II 1, 3. — μηχανικόν] er-
finderisch in neuen Plänen. Vgl. ·
IV 7, 1. — φυλακτικόν] bezeich-
net hier vorsichtig, indem man
sich in acht nimmt, um nicht vom
Feinde überrascht zu werden; an-
ders IV 4, 9; κλέπτης, der die
Pläne der Feinde heimlich ver-
nichtet, = hinterlistig; ἀσφα-
λής] der sich zu decken und gegen

δὲ καὶ τὸ τακτικὸν εἶναι· πολὺ γὰρ διαφέρει στράτευμα τετα-
γμένον ἀτάκτου· ὥσπερ λίθοι τε καὶ πλίνθοι καὶ ξύλα καὶ
κέραμος ἀτάκτως μὲν ἐρριμμένα οὐδὲν χρήσιμά ἐστιν, ἐπειδὰν
δὲ ταχθῇ κάτω μὲν καὶ ἐπιπολῆς τὰ μήτε σηπόμενα μήτε τη-
κόμενα, οἵ τε λίθοι καὶ ὁ κέραμος, ἐν μέσῳ δὲ αἵ τε πλίνθοι
καὶ τὰ ξύλα, ὥσπερ ἐν οἰκοδομίᾳ, συντίθεται, τότε γίγνεται
πολλοῦ ἄξιον κτῆμα οἰκία. Ἀλλὰ πάνυ, ἔφη ὁ νεανίσκος, 8
ὅμοιον, ὦ Σώκρατες, εἴρηκας· καὶ γὰρ ἐν τῷ πολέμῳ πρώ-
τους τε τοὺς ἀρίστους δεῖ τάττειν καὶ τελευταίους, ἐν δὲ
μέσῳ τοὺς χειρίστους, ἵνα ὑπὸ μὲν τῶν ἄγωνται, ὑπὸ δὲ [αὖ]
τῶν ὠθῶνται. — Εἰ μὲν τοίνυν, ἔφη, καὶ διαγιγνώσκειν σε 9
τοὺς ἀγαθοὺς καὶ τοὺς κακοὺς ἐδίδαξεν· εἰ δὲ μή, τί σοι
ὄφελος ἂν ἔμαθες; οὐδὲ γάρ, εἴ σε ἀργύριον ἐκέλευσε πρῶτον
μὲν καὶ τελευταῖον τὸ κάλλιστον τάττειν, ἐν μέσῳ δὲ τὸ χείρι-
στον, μὴ διδάξας διαγιγνώσκειν τό τε καλὸν καὶ τὸ κίβδηλον,
οὐδὲν ἄν σοι ὄφελος ἦν. — Ἀλλὰ μὰ Δί', ἔφη, οὐκ ἐδίδαξεν,
ὥστε αὐτοὺς ἂν ἡμᾶς δέοι τούς τε ἀγαθοὺς καὶ τοὺς κακοὺς
κρίνειν. — Τί οὖν οὐ σκοποῦμεν, ἔφη, πῶς ἂν αὐτῶν μὴ δια- 10
μαρτάνοιμεν; — Βούλομαι, ἔφη ὁ νεανίσκος. — Οὐκοῦν, ἔφη,
εἰ μὲν ἀργύριον δέοι ἁρπάζειν, τοὺς φιλαργυρωτάτους πρώ-
τους καθιστάντες ὀρθῶς ἂν τάττοιμεν; — Ἔμοιγε δοκεῖ. —
Τί δὲ τοὺς κινδυνεύειν μέλλοντας; ἆρα τοὺς φιλοτιμοτάτους
προτακτέον; — Οὗτοι γοῦν εἰσιν, ἔφη, οἳ ἕνεκα ἐπαίνου κιν-
δυνεύειν ἐθέλοντες· οὐ τοίνυν οὗτοί γε ἄδηλοι, ἀλλ' ἐπιφανεῖς
πανταχοῦ ὄντες εὐαίρετοι ἂν εἶεν. — Ἀτάρ, ἔφη, πότερά σε 11

---

die Angriffe zu schützen versteht,
= sicher gehend. Vgl. IV 6, 15.
§ 7. κέραμος] kollektiv. K. § 242,
1. — ἐρριμμένα — χρήσιμα] K.
§ 241, 1. Vgl. III 7, 5. — ἐπιπολῆς]
Adv. = in tecto. — συντίθεται]
schließt sich an das Neutrum plu-
rale ξύλα an, daher der Singular.
(συντίθενται in 2 Hss.)
§ 8. πρώτους τε τοὺς ἀρί-
στους] τοὺς ἀρίστους ist als Sub-
jekt, πρώτους und τελευταίους als
Prädikat (als die ersten und letz-
ten) aufzufassen. — ὑπὸ μὲν τῶν
— ὑπὸ δὲ [αὖ] τῶν] für: ὑπὸ
τῶν μὲν — ὑπὸ τῶν δὲ [αὖ]. Der
Grund dieser Stellung ist der zu

II 1, 32 σύνειμι μὲν —, σύνειμι δέ
angegebene.
§ 9. ἐδίδαξεν] scil. καλῶς ἔχει.
Vgl. III 9, 11. C. § 549, 1. K. § 326,
4. — ὥστε — ἂν — δέοι] C.
§ 553 b. a. Ko. § 131, 1 A. 1. K.
§ 327, 4.
§ 10. Τί οὖν οὐ σκοποῦμεν]
eine nachdrücklichere Formel der
Aufforderung für σκοπῶμεν οὖν.
Häufiger und noch weit nachdrück-
licher wird der Aörist gebraucht,
als: τί οὖν οὐκ ἐσκεψάμεθα; =
laßs uns sofort betrachten.
Vgl. III 11, 15. IV 6, 14. K. § 256
A. 3. — Τί δὲ τοὺς κινδινεύ-
ειν μέλλοντας] scil. ποιήσομεν;

τάττειν μόνον ἐδίδαξεν ἢ καὶ ὅπῃ καὶ ὅπως χρηστέον ἑκάστῳ
τῶν ταγμάτων; — Οὐ πάνυ, ἔφη. — Καὶ μὴν πολλά γ' ἐστί,
πρὸς ἃ οὔτε τάττειν οὔτε ἄγειν ὡσαύτως προσήκει. — Ἀλλὰ
μὰ Δί', ἔφη, οὐ διεσαφήνιζε ταῦτα. — Νὴ Δί', ἔφη, πάλιν
τοίνυν ἐλθὼν ἐπανερώτα· ἢν γὰρ ἐπίστηται καὶ μὴ ἀναιδὴς ᾖ,
αἰσχυνεῖται ἀργύριον εἰληφὼς ἐνδεᾶ σε ἀποπέμψασθαι.

Zweites Kapitel.

Inhalt.

Ein guter Feldherr muſs für die Wohlfahrt seiner Soldaten sorgen
und nicht sowohl auf seinen Vorteil als auf des ganzen Heeres Glück
bedacht sein.

1   Ἐντυχὼν δέ ποτε στρατηγεῖν ᾑρημένῳ τῳ· Τοῦ ἕνεκεν,
ἔφη, Ὅμηρον οἴει τὸν Ἀγαμέμνονα προσαγορεῦσαι ποιμένα
λαῶν; ἆρά γε ὅτι, ὥσπερ τὸν ποιμένα δεῖ ἐπιμελεῖσθαι, ὅπως
σῶαί τε ἔσονται αἱ ὄιες καὶ τὰ ἐπιτήδεια ἕξουσι, [καί, οὗ ἕνεκα
τρέφονται, τοῦτο ἔσται,] οὕτω καὶ τὸν στρατηγὸν ἐπιμελεῖσθαι
δεῖ, ὅπως σῶοί τε οἱ στρατιῶται ἔσονται καὶ τὰ ἐπιτήδεια
ἕξουσι, καί, οὗ ἕνεκα στρατεύονται, τοῦτο ἔσται; στρατεύονται
δέ, ἵνα κρατοῦντες τῶν πολεμίων εὐδαιμονέστεροι ὦσιν· ἢ τί
δήποτε οὕτως ἐπήνεσε τὸν Ἀγαμέμνονα εἰπών·

2   Ἀμφότερον, βασιλεύς τ' ἀγαθὸς κρατερός τ' αἰχμητής;
ἆρά γε ὅτι αἰχμητής τε κρατερὸς ἂν εἴη, οὐκ εἰ μόνος
αὐτὸς εὖ ἀγωνίζοιτο πρὸς τοὺς πολεμίους, ἀλλ' εἰ καὶ παντὶ τῷ
στρατοπέδῳ τούτου αἴτιος εἴη; καὶ βασιλεὺς ἀγαθός, οὐκ
εἰ μόνον τοῦ ἑαυτοῦ βίου καλῶς προεστήκοι, ἀλλ' εἰ καί, ὧν

---

§ 11. Καὶ μὴν — γέ] s. zu I 4,
12. — καὶ ὅπῃ καὶ ὅπως] et ubi
et quo modo. — πολλά γ' ἐστί,
πρὸς ἃ — προσήκει] es giebt
viele Fälle, für die es sich nicht
paſst das Heer auf ebendieselbe
Weise aufzustellen oder zu führen.
— ἀποπέμψασθαι] a se dimit-
tere.
§ 1. στρατηγεῖν ᾑρημένῳ] s.
zu I 7, 3. — Ὅμηρον] Il. II 243.
— ἆρα γε] γέ dient dazu die ganze
Frage hervorzuheben. Vgl. § 2. III

8, 8; wegen ἄρα· das für ἆρ' οὐ zu
stehen scheint, s. zu II 6, 1.
Wegen der ionischen Form ὄιες s.
zu II 7, 13. — Die Worte: καί, οὗ
ἕνεκα τρέφονται, τοῦτο ἔσται sind
wahrscheinlich wegen der folgen-
den Worte: καί, οὗ ἕνεκα στρ.,
τοῦτο ἔσται von fremder Hand hin-
zugefügt. S. die gröſsere Ausg.
§ 2. Ἀμφότερον] Il. III 170,
ein Lieblingsvers Alexanders des
Groſsen. — ἆρά γε ὅτι] d. i. ἆρα
γε ἐπήνεσεν αὐτόν, ὅτι. — ὧν βα-

βασιλεύοι, τούτοις εὐδαιμονίας αἴτιος εἴη; Καὶ γὰρ βασιλεὺς 3
αἱρεῖται, οὐχ ἵνα ἑαυτοῦ καλῶς ἐπιμελῆται, ἀλλ᾽ ἵνα καὶ οἱ
ἑλόμενοι δι᾽ αὐτὸν εὖ· πράττωσι· καὶ στρατεύονται δὲ πάντες,
ἵνα ὁ βίος αὐτοῖς ὡς βέλτιστος ᾖ· καὶ στρατηγοὺς αἱροῦνται
τούτου ἕνεκα, ἵνα πρὸς τοῦτο αὐτοῖς ἡγεμόνες ὦσι. Δεῖ οὖν 4
τὸν στρατηγοῦντα τοῦτο παρασκευάζειν τοῖς ἑλομένοις αὐτὸν
στρατηγόν· καὶ γὰρ οὔτε κάλλιον τούτου ἄλλο ῥᾴδιον εὑρεῖν
οὔτε αἴσχιον τοῦ ἐναντίου. Καὶ οὕτως ἐπισκοπῶν, τίς εἴη
ἀγαθοῦ ἡγεμόνος ἀρετή, τὰ μὲν ἄλλα περιήρει, κατέλειπε δὲ
τὸ εὐδαίμονας ποιεῖν, ὧν ἂν ἡγῆται.

Drittes Kapitel.

Inhalt.

Die Pflichten des Befehlshabers der Reiterei werden auseinander
gesetzt. Er mufs sowohl für die Pferde als für die Reiter Sorge tragen.

Καὶ ἱππαρχεῖν δέ τινι ᾑρημένῳ οἶδά ποτε αὐτὸν τοιάδε 1
διαλεχθέντα· Ἔχοις ἄν, ἔφη, ὦ νεανία, εἰπεῖν ἡμῖν, ὅτου
ἕνεκα ἐπεθύμησας ἱππαρχεῖν; οὐ γὰρ δὴ τοῦ πρῶτος τῶν
ἱππέων ἐλαύνειν· καὶ γὰρ οἱ ἱπποτοξόται τούτου γε ἀξιοῦνται,
προελαύνουσι γοῦν καὶ τῶν ἱππάρχων. — Ἀληθῆ λέγεις, ἔφη.
— Ἀλλὰ μὴν οὐδὲ τοῦ γνωσθῆναί γε, ἐπεὶ καὶ οἱ μαινόμενοί
γε ὑπὸ πάντων γιγνώσκονται. — Ἀληθές, ἔφη, καὶ τοῦτο λέ-
γεις. — Ἀλλ᾽ ἆρα ὅτι τὸ ἱππικὸν οἴει τῇ πόλει βέλτιον ἂν 2
ποιήσας παραδοῦναι καί, εἴ τις χρεία γίγνοιτο ἱππέων, τούτων
ἡγούμενος ἀγαθοῦ τινος αἴτιος γενέσθαι τῇ πόλει; — Καὶ

σιλεύοι] der Optativ steht *per
attractionem.* S. zu I 4, 19 und
II 1, 18.
§ 3. καὶ — δέ] s. zu I 1, 3.
§ 4. τίς εἴη] st. ἥτις εἴη. S. zu
I 1, 1. — περιήρει] liefs er un-
berücksichtigt. — ὧν ἂν ἡγῆται]
st. ὧν ἡγοῖτο. S. zu I 2, 2.
§ 1. Καὶ — δέ] s. zu I 1, 3.
Wegen des Inf. ἱππαρχεῖν s. zu I
7, 3. Die Athener hatten zwei ἵππ-
αρχοι, die den Befehl über die
Reiterei hatten, aber unter den

zehn στρατηγοῖς, d. h. den Führern
des Fufsvolks, standen. — οὐ γὰρ
δή] nam *profecto non.* Vgl. III 11,
7. — τοῦ πρῶτος — ἐλαύνειν]
aus dem Vorhergehenden ist ἕνεκα
zu wiederholen, ebenso bald darauf
zu τοῦ γνωσθῆναι. Wegen der At-
traktion (πρῶτος) s. zu I 2, 3. —
γοῦν] s. zu I 6, 2.
§ 2. οἴει — βέλτιον ἂν
παραδοῦναι] d. i. οἴει, ὅτι, εἰ τὸ
ἱππικὸν βέλτιον ποιήσειας, τῇ πόλει
παραδοίης ἄν; ἄν ist auch zu γε-

μάλα, ἔφη. — Καὶ ἔστι γε, νὴ Δί', ἔφη ὁ Σωκράτης, καλόν,
ἐὰν δύνῃ ταῦτα ποιῆσαι. Ἡ δὲ ἀρχή που, ἐφ' ἧς ᾔρησαι,
3 ἵππων τε καὶ ἀμβατῶν ἐστιν; —Ἔστι γὰρ οὖν, ἔφη. —Ἴθι δὴ
λέξον ἡμῖν πρῶτον τοῦτο, ὅπως διανοῇ τοὺς ἵππους βελτίους
ποιῆσαι; — Καὶ ὅς· Ἀλλὰ τοῦτο μέν, ἔφη, οὐκ ἐμὸν οἶμαι τὸ
ἔργον εἶναι, ἀλλὰ ἰδίᾳ ἕκαστον δεῖν τοῦ ἑαυτοῦ ἵππου ἐπιμελεῖ-
4 σθαι. — Ἐὰν οὖν, ἔφη ὁ Σωκράτης, παρέχωνταί σοι τοὺς ἵπ-
πους οἱ μὲν οὕτως κακόποδας ἢ κακοσκελεῖς ἢ ἀσθενεῖς, οἱ δὲ
οὕτως ἀτρόφους, ὥστε μὴ δύνασθαι ἀκολουθεῖν, οἱ δὲ οὕτως
ἀναγώγους, ὥστε μὴ μένειν, ὅπου ἂν σὺ τάξῃς, οἱ δὲ οὕτως
λακτιστάς, ὥστε μηδὲ τάξαι δυνατὸν εἶναι, τί σοι τοῦ ἱππικοῦ
ὄφελος ἔσται; ἢ πῶς δυνήσῃ τοιούτων ἡγούμενος ἀγαθόν τι
ποιῆσαι τὴν πόλιν; — Καὶ ὅς· Ἀλλὰ καλῶς τε λέγεις, ἔφη,
καὶ πειράσομαι τῶν ἵππων εἰς τὸ δυνατὸν ἐπιμελεῖσθαι. —
5 Τί δέ; τοὺς ἱππέας οὐκ ἐπιχειρήσεις, ἔφη, βελτίονας ποιῆσαι;
— Ἔγωγ', ἔφη. — Οὐκοῦν πρῶτον μὲν ἀναβατικωτέρους ἐπὶ
τοὺς ἵππους ποιήσεις αὐτούς; — Δεῖ γοῦν, ἔφη· καὶ γάρ,
6 εἴ τις αὐτῶν καταπέσοι, μᾶλλον ἂν οὕτω σώζοιτο. — Τί γάρ,
ἐὰν που κινδυνεύειν δέῃ, πότερον ἐπαγαγεῖν τοὺς πολεμίους
ἐπὶ τὴν ἄμμον κελεύσεις, ἔνθαπερ εἰώθατε ἱππεύειν, ἢ πειράσῃ
τὰς μελέτας ἐν τοιούτοις ποιεῖσθαι χωρίοις, ἐν οἷσπερ οἱ πο-
7 λέμιοι γίγνονται; — Βέλτιον γοῦν, ἔφη. — Τί γάρ; τοῦ βάλ-
λειν ὡς πλείστους ἀπὸ τῶν ἵππων ἐπιμέλειάν τινα ποιήσῃ;

νέσθαι zu wiederholen. s. zu I 3, 15.
— Ἡ δὲ ἀρχή που] πού ist =
credo, ni fallor. Vgl. III 5, 15. IV
2, 31. — ἐφ' ἧς ᾔρησαι] häufiger
ist ἐπί c. dat., wie Cyrop. I 2, 5:
ἐπὶ μὲν τοῖς παισὶν — ἐκ τῶν γε-
ραιτέρων ᾑρημένοι εἰσίν. — ἀμ-
βατῶν] eine bei Xen. öfter vor-
kommende Form für ἀναβατῶν. —
γὰρ οὖν] wegen γάρ in der Ant-
wort s. zu I 4, 9; οὖν = gewiſs,
sicherlich, sane; vgl. IV 6, 14.
    § 3. Καὶ — ὅς] s. zu I 4, 2. —
τοῦτο μὲν — εἶναι] konstruiere:
τοῦτο τὸ ἔργον οὐκ ἐμὸν εἶναι,
ἐμὸν εἶναι ist das Prädikat.
    § 4. Ἐὰν — παρέχωνταί σοι
τοὺς ἵππους οἱ μὲν — οἱ δέ]
οἱ μὲν — οἱ δέ ist auf die Reiter
zu beziehen, die ihre Pferde (daher
das Med.) dem Hipparchen vorfüh-

ren und zeigen. — Ἀλλὰ καλῶς]
wegen ἀλλά s. zu II 10, 5.
    § 5. ἀναβατικωτέρους] Hip-
parch. I 5: πρῶτον μὲν τοὺς ἱππέας
ἀσκητέον, ὅπως ἐπὶ τοὺς ἵππους
ἀναπηδᾶν δύνωνται· πολλοῖς γὰρ
ἤδη ἡ σωτηρία παρὰ τοῦτο ἐγένετο.
    § 6. τὴν ἄμμον] = τὸν ἀμμό-
δρομον, die mit Sand bestreute
Reitbahn. — ἢ πειράσῃ — γί-
γνονται] Hipparch. I 5: δεύτερον
δέ, ὅπως ἐν παντοίοις χωρίοις ἱπ-
πάζεσθαι δυνήσονται· καὶ γὰρ οἱ
πολέμιοι ἄλλοτε ἐν ἀλλοίοις τό-
ποις γίγνονται (= apparent, in
conspectum veniunt). — Βέλτιον]
es ist besser Sorge dafür zu tragen
als es zu vernachlässigen.
    § 7. τοῦ βάλλειν] = τοῦ ἀκον-
τίζειν, ut quam plurimi ab equis
iaculentur. Hipparch. I 6: ὅταν δὲ

— Βέλτιον γοῦν, ἔφη, καὶ τοῦτο. — Θήγειν δὲ τὰ ψυχὰς τῶν ἱππέων καὶ ἐξοργίζειν πρὸς τοὺς πολεμίους, εἴπερ ἀλκιμωτέρους ποιεῖν, διανενόησαι; — Εἰ δὲ μή, ἀλλὰ νῦν γε πειράσομαι, ἔφη. — Ὅπως δέ σοι πείθωνται οἱ ἱππεῖς, πεφρόντικάς 8 τι; ἄνευ γὰρ δὴ τούτου οὔτε ἵππων οὔτε ἱππέων ἀγαθῶν καὶ ἀλκίμων οὐδὲν ὄφελος. — Ἀληθῆ λέγεις, ἔφη· ἀλλὰ πῶς ἄν τις μάλιστα, ὦ Σώκρατες, ἐπὶ τοῦτο αὐτοὺς προτρέψαιτο; — Ἐκεῖνο μὲν δήπου οἶσθα, ὅτι ἐν παντὶ πράγματι οἱ ἄνθρωποι 9 τούτοις μάλιστα ἐθέλουσι πείθεσθαι, οὓς ἂν ἡγῶνται βελτίστους εἶναι· καὶ γὰρ ἐν νόσῳ, ὃν ἂν ἡγῶνται ἰατρικώτατον εἶναι, τούτῳ μάλιστα πείθονται, καὶ ἐν πλοίῳ οἱ πλέοντες, ὃν ἂν κυβερνητικώτατον, καὶ ἐν γεωργίᾳ, ὃν ἂν γεωργικώτατον. — Καὶ μάλα, ἔφη. — Οὐκοῦν εἰκός, ἔφη, καὶ ἐν ἱππικῇ, ὃς ἂν μάλιστα εἰδὼς φαίνηται ἃ δεῖ ποιεῖν, τούτῳ μάλιστα ἐθέλειν τοὺς ἄλλους πείθεσθαι; — Ἐὰν οὖν, ἔφη, ἐγώ, ὦ Σώκρατες, 10 βέλτιστός ὢν αὐτῶν δῆλος ὦ, ἀρκέσει μοι τοῦτο εἰς τὸ πείθεσθαι αὐτοὺς ἐμοί; — Ἐάν γε πρὸς τούτῳ, ἔφη, διδάξῃς αὐτούς, ὡς τὸ πείθεσθαί σοι κάλλιόν τε καὶ σωτηριώτερον αὐτοῖς ἔσται. — Πῶς οὖν, ἔφη, τοῦτο διδάξω; — Πολὺ νὴ Δί᾽, ἔφη, ῥᾷον, ἢ εἴ σοι δέοι διδάσκειν, ὡς τὰ κακὰ τῶν ἀγαθῶν ἀμείνω καὶ λυσιτελέστερά ἐστι. — Λέγεις, ἔφη, σὺ 11 τὸν ἵππαρχον πρὸς τοῖς ἄλλοις ἐπιμελεῖσθαι δεῖν καὶ τοῦ λέγειν δύνασθαι; — Σὺ δ᾽ ᾤου, ἔφη, χρῆναι σιωπῇ ἱππαρχεῖν; ἢ οὐκ ἐντεθύμησαι, ὅτι, ὅσα τε νόμῳ μεμαθήκαμεν κάλλιστα ὄντα, δι᾽ ὧν γε ζῆν ἐπιστάμεθα, ταῦτα πάντα διὰ λόγου ἐμάθομεν, καὶ εἴ τι ἄλλο καλὸν μανθάνει τις μάθημα, διὰ λόγου

ἤδη ἔποχοι ὦσι, δεῖ αὖ σκοπεῖσθαι, ὅπως ἀκοντιοῦσί τε ὡς πλεῖστοι ἀπὸ τῶν ἵππων. — εἴπερ — ποιεῖν] scil. διανενόησαι.

§ 9. καὶ ἐν πλοίῳ οἱ πλέοντες, ὃν ἂν κ.] konzinner würde sich X. ausgedrückt haben, wenn er, wie Cobet (Nov. Lectt. p. 657) will, geschrieben hätte: καὶ ἐν πλῷ, ὃν ἂν κ., mit Weglassung von οἱ πλέοντες.

§ 10. βέλτιστος ὢν — δῆλος ὦ] s. zu II 6, 7. — εἴ σοι δέοι διδάσκειν] eine seltene Konstruktion für εἴ σε δέοι διδάσκειν.

§ 11. Σὺ δ᾽ ᾤου —;] s. zu I 3, 13. — ὅσα τε νόμῳ] τέ entspricht dem folg. καὶ εἴ τι ἄλλο καλὸν μανθάνει τις μάθημα. — νόμῳ] more et instituto civitatis. — ζῆν] hier vorzugsweise von einem gesitteten und verfeinerten Leben. Isocr. Paneg. c. 5: εὑρήσομεν γὰρ αὐτὴν (τὴν πόλιν) οὐ μόνον τῶν πρὸς τὸν πόλεμον κινδύνων, ἀλλὰ καὶ τῆς ἄλλης κατασκευῆς, ἐν ᾗ κατοικοῦμεν καὶ μεθ᾽ ἧς πολιτευόμεθα καὶ δι᾽ ἣν ζῆν δυνάμεθα, σχεδὸν ἁπάσης αἰτίαν οὖσαν. — διὰ λόγου] IV 3, 12 δι᾽ ἧς.

μανθάνει; καὶ οἱ ἄριστα διδάσκοντες μάλιστα λόγῳ χρῶνται,
καὶ οἱ τὰ σπουδαιότατα μάλιστα ἐπιστάμενοι κάλλιστα δια-
12 λέγονται; Ἢ τόδε οὐκ ἐντεθύμησαι, ὡς᾽ ὅταν γε χορὸς εἷς ἐκ
τῆσδε τῆς πόλεως γίγνηται, ὥσπερ ὁ εἰς Δῆλον πεμπόμενος,
οὐδεὶς ἄλλοθεν οὐδαμόθεν τούτῳ ἐφάμιλλος γίγνεται, οὐδὲ
13 εὐανδρία ἐν ἄλλῃ πόλει ὁμοία τῇ ἐνθάδε συνάγεται; — Ἀληθῆ
λέγεις, ἔφη. — Ἀλλὰ μὴν οὔτε εὐφωνίᾳ τοσοῦτον διαφέρου-
σιν Ἀθηναῖοι τῶν ἄλλων οὔτε σωμάτων μεγέθει καὶ ῥώμῃ,
ὅσον φιλοτιμίᾳ, ἥπερ μάλιστα παροξύνει πρὸς τὰ καλὰ καὶ
14 ἔντιμα. — Ἀληθές, ἔφη, καὶ τοῦτο. — Οὐκοῦν οἴει, ἔφη, καὶ
τοῦ ἱππικοῦ τοῦ ἐνθάδε εἴ τις ἐπιμεληθείη, ὡς πολὺ ἂν καὶ
τούτῳ διενέγκοιεν τῶν ἄλλων, ὅπλων τε καὶ ἵππων παρα-
σκευῇ καὶ εὐταξίᾳ καὶ τῷ ἑτοίμως κινδυνεύειν πρὸς τοὺς πο-
λεμίους, εἰ νομίσειαν ταῦτα ποιοῦντες ἐπαίνου καὶ τιμῆς τεύ-
15 ξεσθαι; — Εἰκός γε, ἔφη. — Μὴ τοίνυν ὄκνει, ἔφη, ἀλλὰ
πειρῶ τοὺς ἄνδρας ἐπὶ ταῦτα προτρέπειν, ἀφ᾽ ὧν αὐτός τε
ὠφεληθήσῃ καὶ οἱ ἄλλοι πολῖται διὰ σέ. — Ἀλλὰ νὴ Δία
πειράσομαι, ἔφη.

§ 12. χορὸς εἷς] wenn aus allen
Athenern ein Chor gebildet wird,
in den die besten Sänger aufge-
nommen werden. — Δῆλον] die
Athener schickten sowohl alle Jahre
als auch alle vier Jahre eine heilige
Gesandtschaft (θεωρίαν) nach De-
los, bei welcher auch ein Chor war,
der zu Ehren des Apollo Wett-
kämpfe aufführen mußte. Vgl. zu
IV 8, 2. — εὐανδρία] an den
Panathenäen wurden die schönsten
Jünglinge und Greise auserwählt,
welche die der Athene geweihten Öl-
zweige tragen mußten (θαλλοφόροι).

§ 13. Ἀλλὰ μήν] die Athener
zeichnen sich in allen schönen Kün-
sten vor den übrigen Menschen aus;
aber durch nichts mehr als durch
Ehrgeiz. Willst du also deine Rei-
ter besser machen, so mußt du sie
loben und ehren, wenn sie etwas
gut ausgeführt haben. — εὐφω-
νίᾳ] durch eine schöne Stimme
beim Gesange. — φιλοτιμίᾳ] s.
III 5, 3.

§ 14. τούτῳ διενέγκοιεν]
scil. οἱ Ἀθηναῖοι, — τούτῳ weist
auf das folgende hin.

Viertes Kapitel.

Inhalt.

Dem Nikomachides, einem des Kriegswesens kundigen Manne, der
sich beklagte, dafs die Athener ihn nicht zum Feldherrn gewählt hätten,
sondern den Antisthenes, der von der Kriegskunst nichts verstehe, sucht
Sokrates zu zeigen, wer, wie Antisthenes, sein Hauswesen gut zu ver-
walten verstehe und Ehrliebe besitze und sich in der Ausrüstung eines
Chores tüchtig bewährt habe, der werde auch das Amt eines Feldherrn
gut versehen; denn ein Chorag und ein Haushalter hätten vieles mit
einander gemein.

Ἰδὼν δέ ποτε Νικομαχίδην ἐξ ἀρχαιρεσιῶν ἀπιόντα ἤρετο· 1
Τίνες, ὦ Νικομαχίδη, στρατηγοὶ ᾕρηνται; Καὶ ὅς· Οὐ γάρ,
ἔφη, ὦ Σώκρατες, τοιοῦτοί εἰσιν Ἀθηναῖοι, ὥστε ἐμὲ μὲν οὐχ
εἵλοντο, ὃς ἐκ καταλόγου στρατευόμενος κατατέτριμμαι καὶ λοχα-
γῶν καὶ ταξιαρχῶν καὶ τραύματα ὑπὸ τῶν πολεμίων τοσαῦτα
ἔχων; — ἅμα δὲ τὰς οὐλὰς τῶν τραυμάτων ἀπογυμνούμενος ἐπ-
εδείκνυεν· — Ἀντισθένην δέ, ἔφη, εἵλοντο τὸν οὔτε ὁπλίτην πώ-
ποτε στρατευσάμενον ἔν τε τοῖς ἱππεῦσιν οὐδὲν περίβλεπτον
ποιήσαντα ἐπιστάμενόν τε ἄλλο οὐδὲν ἢ χρήματα συλλέγειν;
Οὐκοῦν, ἔφη ὁ Σωκράτης, τοῦτο μὲν ἀγαθόν, εἴγε τοῖς στρα- 2
τιώταις ἱκανὸς ἔσται τὰ ἐπιτήδεια πορίζειν; Καὶ γὰρ οἱ ἔμ-
ποροι, ἔφη ὁ Νικομαχίδης, χρήματα συλλέγειν ἱκανοί εἰσιν·
ἀλλ᾽ οὐχ ἕνεκα τούτου καὶ στρατηγεῖν δύναιντ᾽ ἄν. Καὶ ὁ 3
Σωκράτης ἔφη· Ἀλλὰ καὶ φιλόνεικος Ἀντισθένης ἐστίν, ὃ
στρατηγῷ προσεῖναι ἐπιτήδειόν ἐστιν· οὐχ ὁρᾷς, ὅτι καί, ὁσάκις
κεχορήγηκε, πᾶσι τοῖς χοροῖς νενίκηκε. Μὰ Δί᾽, ἔφη ὁ Νικομαχί-

§ 1. Νικομαχίδην] sonst un-
bekannt, wie auch der nachher er-
wähnte Antisthenes. — Οὐ γάρ —
τοιοῦτοι εἰσιν] zeigen sich nun
nicht hierin die Athener ganz in
ihrem Wesen? Wegen οὐ γάρ s.
zu I 3, 10. — ἐκ καταλόγου
στρατευόμενοις] d. i. von der
Zeit an, wo mein Name in die Liste
der kriegspflichtigen Bürger auf-
genommen ist, als Krieger dienend.
— κατατέτριμμαι .. τοσαῦτα
ἔχων] der ich es mir, so lange ich
als Krieger diene, habe sauer wer-
den lassen, indem ich sowohl das

Amt eines Lochagen als das eines
Taxiarchen verwaltet und so viele
Wunden von den Feinden erhalten
habe. Vgl. IV 6, 5 τὰς αἰτίας αὐ-
τῶν ζητοῦντας κατατρίβεσθαι, sich
abquälen. Oec. 15, 10 ὥσπερ γε
τὰς ἄλλας τέχνας κατατριβῆναι δεῖ
μανθάνοντας. — τραύματα ὑπὸ
τῶν πολεμίων ἔχων] = τραυ-
ματισθεὶς ὑπὸ τ. π. Vgl. IV 8, 10.
— οὔτε — τέ] s. zu I 2, 47.

§ 2. εἴ γε] si quidem. — Καὶ
γάρ] ja auch. S. zu II 6, 7.

§ 3. φιλόνεικος] s. zu II 3, 17.

δης, ἀλλ' οὐδὲν ὅμοιόν ἐστι χοροῦ τε καὶ στρατεύματος προ-
4 εστάναι. Καὶ μήν, ἔφη ὁ Σωκράτης, οὐδὲ ᾠδῆς γε ὁ Ἀντι-
σθένης οὐδὲ χορῶν διδασκαλίας ἔμπειρος ὢν ὅμως ἐγένετο
ἱκανὸς εὑρεῖν τοὺς κρατίστους ταῦτα. Καὶ ἐν τῇ στρατιᾷ
οὖν, ἔφη ὁ Νικομαχίδης, ἄλλους μὲν εὑρήσει τοὺς τάξοντας
5 ἀνθ' ἑαυτοῦ, ἄλλους δὲ τοὺς μαχουμένους. Οὐκοῦν, ἔφη ὁ
Σωκράτης, ἐάν γε καὶ ἐν τοῖς πολεμικοῖς τοὺς κρατίστους,
ὥσπερ ἐν τοῖς χορικοῖς, ἐξευρίσκῃ τε καὶ προαιρῆται, εἰκότως
ἂν καὶ τούτου νικηφόρος εἴη· καὶ δαπανᾶν δ' αὐτὸν εἰκὸς
μᾶλλον ἂν ἐθέλειν εἰς τὴν ξὺν ὅλῃ τῇ πόλει τῶν πολεμικῶν
6 νίκην ἢ εἰς τὴν ξὺν τῇ φυλῇ τῶν χορικῶν. Λέγεις σύ, ἔφη,
ὦ Σώκρατες, ὡς τοῦ αὐτοῦ ἀνδρός ἐστι χορηγεῖν τε καλῶς καὶ
στρατηγεῖν; — Λέγω ἔγωγ', ἔφη, ὡς ὅτου ἄν τις προστατεύῃ,
ἐὰν γιγνώσκῃ τε ὧν δεῖ καὶ ταῦτα πορίζεσθαι δύνηται, ἀγαθὸς
ἂν εἴη προστάτης, εἴτε χοροῦ εἴτε οἴκου εἴτε πόλεως εἴτε στρα-
7 τεύματος προστατεύοι. — Καὶ ὁ Νικομαχίδης· Μὰ Δί', ἔφη,
ὦ Σώκρατες, οὐκ ἄν ποτε ᾤμην ἐγὼ σοῦ ἀκοῦσαι, ὡς
ἀγαθοὶ οἰκονόμοι ἀγαθοὶ στρατηγοὶ ἂν εἶεν. — Ἴθι δή, ἔφη,
ἐξετάσωμεν τὰ ἔργα ἑκατέρου αὐτῶν, ἵνα εἰδῶμεν, πό-
τερον τὰ αὐτά ἐστιν ἢ διαφέρει τι. — Πάνυ γε, ἔφη. —
8 Οὐκοῦν, ἔφη, τὸ μὲν τοὺς ἀρχομένους κατηκόους τε καὶ εὐπει-
θεῖς ἑαυτοῖς παρασκευάζειν ἀμφοτέρων ἐστὶν ἔργον; — Καὶ
μάλα, ἔφη. — Τί δέ; τὸ προστάττειν ἕκαστα τοῖς ἐπιτηδείοις
πράττειν; — Καὶ τοῦτ', ἔφη. — Καὶ μὴν καὶ τὸ τοὺς κακοὺς
κολάζειν καὶ τοὺς ἀγαθοὺς τιμᾶν ἀμφοτέροις οἶμαι προσήκειν.
9 — Πάνυ μὲν οὖν, ἔφη. — Τὸ δὲ τοὺς ὑπηκόους εὐμενεῖς

— κεχόρηκε] der Chorag (χορη-
γός] war verpflichtet nicht allein
die Kosten zur Ausrüstung und
Aufführung eines Chores bei den
Festspielen · herzugeben, sondern
auch dafür Sorge zu tragen, daſs
der Chor von Musikkünstlern (χο-
ροδιδασκάλοις) unterrichtet und ein-
geübt wurde. — Μὰ Δί', ἔφη —,
ἀλλ' οὐδέν] allerdings, je-
doch ist es nicht einerlei. S. zu
I 4, 9. Vgl. § 7. — ὅμοιον — τὲ
καί] ebenso IV 8, 10; ταυτόν —
τὲ καί III 7, 4. IV 4, 12.
§ 4. Καὶ μήν — γέ] s. zu I 4, 12.
— Καὶ ἐν τῇ στρατιᾷ οὖν κτλ.]

ironisch. — τοὺς τάξοντας —
τοὺς μαχουμένους] vgl. III 8, 2.
IV 5, 3. K. § 244, 5.
§ 5. τούτου νικηφόρος] scil.
τῶν πολεμικῶν. — ξὺν τῇ φυλῇ]
mit seiner Phyle. Der Sieg, den
der Chorag mit seinem Chore da-
vontrug, wurde zugleich der Phyle,
der der Chorag angehörte, zuge-
schrieben.
§ 6. ἐὰν γιγνώσκῃ —, ἀγαθὸς
ἂν εἴη] Ko. § 114, 2 a Absatz 2.
K. § 325 A. Vgl. III 6, 18.
§ 8. προστάττειν ἕκαστα τοῖς
ἐπιτηδείοις πράττειν] πράττειν·
gehört sowohl zu προστάττειν als

ποιεῖσθαι πῶς οὐ καλὸν ἀμφοτέροις; — Καὶ τοῦτ', ἔφη. —
Συμμάχους δὲ καὶ βοηθοὺς προσάγεσθαι δοκεῖ σοι συμφέρειν
ἀμφοτέροις ἢ οὔ; — Πάνυ μὲν οὖν, ἔφη. — Ἀλλὰ φυλακτικοὺς
τῶν ὄντων οὐκ ἀμφοτέρους εἶναι προσήκει; — Σφόδρα γ',
ἔφη. — Οὐκοῦν καὶ ἐπιμελεῖς καὶ φιλοπόνους ἀμφοτέρους
εἶναι προσήκει περὶ τὰ αὐτῶν ἔργα; — Ταῦτα μέν, ἔφη, 10
πάντα ὁμοίως ἀμφοτέρων ἐστίν· ἀλλὰ τὸ μάχεσθαι οὐκέτι
ἀμφοτέρων. — Ἀλλ' ἐχθροί γέ τοι ἀμφοτέροις γίγνονται; —
Καὶ μάλα, ἔφη, τοῦτό γε. — Οὐκοῦν τὸ περιγενέσθαι τούτων
ἀμφοτέροις συμφέρει; — Πάνυ γε, ἔφη· ἀλλ' ἐκεῖνο παριείς, 11
ἂν δέῃ μάχεσθαι, τί ὠφελήσει ἡ οἰκονομική; — Ἐνταῦθα δή-
που καὶ πλεῖστον, ἔφη· ὁ γὰρ ἀγαθὸς οἰκονόμος εἰδώς, ὅτι
οὐδὲν οὕτω λυσιτελές τε καὶ κερδαλέον ἐστίν, ὡς τὸ μαχό-
μενον τοὺς πολεμίους νικᾶν, οὐδὲ οὕτως ἀλυσιτελές τε καὶ
ζημιῶδες, ὡς τὸ ἡττᾶσθαι, προθύμως μὲν τὰ πρὸς τὸ νικᾶν
συμφέροντα ζητήσει καὶ παρασκευάσεται, ἐπιμελῶς δὲ τὰ πρὸς
τὸ ἡττᾶσθαι φέροντα σκέψεται καὶ φυλάξεται, ἐνεργῶς δ', ἂν
τὴν παρασκευὴν ὁρᾷ νικητικὴν οὖσαν, μαχεῖται, οὐχ ἥκιστα δὲ
τούτων, ἐὰν ἀπαράσκευος ᾖ, φυλάξεται συνάπτειν μάχην.
Μὴ καταφρόνει, ἔφη, ὦ Νικομαχίδη, τῶν οἰκονομικῶν ἀν- 12
δρῶν· ἡ γὰρ τῶν ἰδίων ἐπιμέλεια πλήθει μόνον διαφέρει τῆς
τῶν κοινῶν, τὰ δὲ ἄλλα παραπλήσια ἔχει, τὸ δὲ μέγιστον, ὅτι
οὔτε ἄνευ ἀνθρώπων οὐδετέρα γίγνεται, οὔτε δι' ἄλλων μὲν
ἀνθρώπων τὰ ἴδια πράττεται, δι' ἄλλων δὲ τὰ κοινά· οὐ γὰρ
ἄλλοις τισὶν ἀνθρώποις οἱ τῶν κοινῶν ἐπιμελόμενοι χρῶνται ἢ
οἷσπερ οἱ τὰ ἴδια οἰκονομοῦντες· οἷς οἱ ἐπιστάμενοι χρῆσθαι
καὶ τὰ ἴδια καὶ τὰ κοινὰ καλῶς πράττουσιν, οἱ δὲ μὴ ἐπιστά-
μενοι ἀμφοτέρωθι πλημμελοῦσιν.

---

auch zu ἐπιτηδείοις, — ἐπιτήδειος
πράττειν heißt der, der sich auf
etwas versteht.

§ 10. οὐκέτι] non item, vgl. IV
4, 20, eigentlich: nicht mehr auf
gleiche Weise, wie das eben Er-
wähnte. — ἐχθροί γέ τοι] inimici
certe quidem (wenigstens doch).
Vgl. III 6, 13. IV 2, 18. 33.

§ 11. παριείς] scil. λέξον. —
οὐδὲ οὕτως ἀλυσιτελές] das

vorhergehende οὐδέν muß wieder-
holt werden. — οὐχ ἥκιστα δὲ
τούτων] unter allen Dingen aber,
die ich erwähnt habe, wird er sich
am meisten hüten, daß. Vgl. I 2, 23.

§ 12. ἔφη] s. zu I 4, 17. Nach
μὴ καταφρόνει ist οὖν weggelassen,
wie oft, wenn eine ganze Unter-
suchung zum Abschlusse kommt;
vgl. zu IV 2, 39 u. 8, 7. — τὸ δὲ
μέγιστον] scil. ἐστίν.

Fünftes Kapitel.

Inhalt.

Unterredung des Sokrates mit dem jüngeren Perikles, in der jener zeigt, wie die Athener zu der früheren Tapferkeit, zu dem früheren Ruhme und Glücke zurückgeführt werden können. Zuerst muſs man ihnen die Tugenden und Groſsthaten ihrer Vorfahren ins Gedächtnis zurückrufen (§ 1—12); dann zeigen, wie sie durch Trägheit und Feigheit von der Höhe des Ruhmes herabgesunken und schlechter geworden seien (§ 13). Die Sitten und Einrichtungen der Vorfahren müssen daher wieder hergestellt, oder wenigstens die der Lakedämonier nachgeahmt werden (§ 14). Dann muſs man eine vorzügliche Sorge auf das Kriegswesen wenden und tüchtige Feldherren wählen (§ 15—25). Zuletzt zeigt er, wie am besten die Grenzen Attikas vor den Einfällen der Feinde sichergestellt werden könnten (§ 26—28).

1   Περικλεῖ δέ ποτε, τῷ τοῦ πάνυ Περικλέους υἱῷ, διαλεγόμενος· Ἐγώ τοι, ἔφη, ὦ Περίκλεις, ἐλπίδα ἔχω σοῦ στρατηγήσαντος ἀμείνω τε καὶ ἐνδοξοτέραν τὴν πόλιν εἰς τὰ πολεμικὰ ἔσεσθαι καὶ τῶν πολεμίων κρατήσειν. Καὶ ὁ Περικλῆς· Βουλοίμην ἄν, ἔφη, ὦ Σώκρατες, ἃ λέγεις· ὅπως δὲ ταῦτα γένοιτ᾽ ἄν, οὐ δύναμαι γνῶναι. Βούλει οὖν, ἔφη ὁ Σωκράτης, διαλογιζόμενοι περὶ αὐτῶν ἐπισκοπῶμεν, ὅπου ἤδη τὸ δυνατόν
2   ἐστιν; — Βούλομαι, ἔφη. — Οὐκοῦν οἶσθα, ἔφη, ὅτι πλήθει μὲν οὐδὲν μείους εἰσὶν Ἀθηναῖοι Βοιωτῶν; — Οἶδα γάρ, ἔφη. — Σώματα δὲ ἀγαθὰ καὶ καλὰ πότερον ἐκ Βοιωτῶν οἴει πλείω ἂν ἐκλεχθῆναι ἢ ἐξ Ἀθηνῶν; — Οὐδὲ ταύτῃ μοι δοκοῦσι λείπεσθαι. — Εὐμενεστέρους δὲ ποτέρους ἑαυτοῖς εἶναι νομίζεις; — Ἀθηναίους ἔγωγε· Βοιωτῶν μὲν γὰρ πολλοὶ

---

§ 1. Περικλεῖ] der berühmte Perikles (ὁ πάνυ Π.) hatte 3 Söhne, 2 aus gesetzmäſsiger Ehe, Xanthippus und Paralus, und einen dritten jüngeren unehelichen, den ihm Aspasia geboren hatte. Dieser letztere ist hier gemeint. Als er die beiden älteren Söhne durch die Pest verloren hatte, erteilte das Volk aus Mitleid dem jüngsten das Bürgerrecht und den Namen seines Vaters. Er war einer der neun Feldherren, die bei den Arginusen gesiegt hatten (406 v. Chr.). Nach seiner Rückkehr nach Athen wurde er mit seinen Amtsgenossen hinge-richtet. S. zu I 1, 18. — Ἐγώ τοι] s. zu I 6, 11. — σοῦ στρατηγήσαντος] te duce facto, s. zu I 1, 18. — Βούλει ἐπισκοπῶμεν] s. zu II 1, 1. — ὅπου ἤδη τὸ δυνατόν ἐστιν] worin denn nun die Möglichkeit liegt; ἤδη, schon, in Beziehung auf die vorhergehenden Worte des Perikles: ὅπως δὲ ταῦτα γένοιτ᾽ ἄν, οὐ δύναμαι γνῶναι, also schon; indem es Perikles vorher noch nicht erkannt hat.

§ 2. Οἶδα γάρ] s. zu I 4, 9. — πότερον] wegen der Stellung s. zu II 7, 8. — ταύτῃ] s. zu I 7, 3.

πλεονεκτούμενοι ὑπὸ Θηβαίων δυσμενῶς αὐτοῖς ἔχουσιν· Ἀθή
νησι δὲ οὐδὲν ὁρῶ τοιοῦτον. — Ἀλλὰ μὴν φιλοτιμότατοί γε 3
καὶ φιλοφρονέστατοι πάντων εἰσίν, ἅπερ οὐχ ἥκιστα παροξύνει
κινδυνεύειν ὑπὲρ εὐδοξίας τε καὶ πατρίδος. — Οὐδὲ ἐν τού
τοις Ἀθηναῖοι μεμπτοί. — Καὶ μὴν προγόνων γε καλὰ ἔργα
οὐκ ἔστιν οἷς μείζω καὶ πλείω ὑπάρχει ἢ Ἀθηναίοις· ᾧ πολ
λοὶ ἐπαιρόμενοι προτρέπονταί τε ἀρετῆς ἐπιμελεῖσθαι καὶ ἄλκι
μοι γίγνεσθαι. — Ταῦτα μὲν ἀληθῆ λέγεις πάντα, ὦ Σώκρα- 4
τες· ἀλλ᾽ ὁρᾷς, ὅτι, ἀφ᾽ οὗ ἥ τε σὺν Τολμίδῃ τῶν χιλίων ἐν
Λεβαδείᾳ συμφορὰ ἐγένετο καὶ ἡ μεθ᾽ Ἱπποκράτους ἐπὶ Δηλίῳ,
ἐκ τούτων τεταπείνωται μὲν ἡ τῶν Ἀθηναίων δόξα πρὸς τοὺς
Βοιωτούς, ἐπῆρται δὲ τὸ τῶν Θηβαίων φρόνημα πρὸς τοὺς
Ἀθηναίους, ὥστε Βοιωτοὶ μὲν οἱ πρόσθεν οὐδ᾽ ἐν τῇ ἑαυτῶν
τολμῶντες Ἀθηναίοις ἄνευ Λακεδαιμονίων τε καὶ τῶν ἄλλων
Πελοποννησίων ἀντιτάττεσθαι νῦν ἀπειλοῦσιν αὐτοὶ καθ᾽ ἑαυ
τοὺς ἐμβαλεῖν εἰς τὴν Ἀττικήν, Ἀθηναῖοι δὲ οἱ πρότερον,
ὅτε Βοιωτοὶ *οὐ* μόνοι ἐγένοντο, πορθοῦντες τὴν Βοιωτίαν

§ 3. Ἀλλὰ μὴν — γέ] s. zu I 1, 6,
sobald darauf καὶ μὴν — γέ, s. zu
I 4, 12. — εἰσίν] scil. Ἀθηναῖοι;
φιλοφρονέστατοι bezieht sich auf
die freundliche und einträchtige
Gesinnung der Athener unter einander, vgl. § 2 εὐμενεστέρους κτλ.
— οὐκ ἔστιν, οἷς] nach einem
Gräcismus st. οὐκ εἰσίν, οἷς. S. zu
I 4, 2. — ᾧ] τῷ προγόνων καλὰ
ἔργα εἶναι. — προτρέπονταί τε]
τέ steht nach προτρ., weil nach
dem folgenden καὶ das Verb προ
τρέπονται noch einmal zu denken
ist. Vgl. IV 2, 40.

§ 4. ἐν Λεβαδείᾳ] ad Lebadeam, eigentlich in agro Lebadeae.
K. § 290. Lebadea lag in Böotien
zwischen Haliartus und Chäronea;
jetzt umfaßt der Name Livadien
die ganze Provinz. Auch wird diese
Schlacht die Schlacht bei Chäronea
oder Koronea genannt, da beide
Orte in der Nähe lagen. Sie wurde
im J. 447 v. Chr. geliefert; der Anführer der Athener war Tolmidas,
der in dieser Schlacht sein Leben
verlor. — συμφορά] ist die Nie

derlage, welche die Athener von
den Böotiern erlitten. — Ἱππο
κράτους] er war der Anführer
der Athener und wurde bei Delium
von den Böotiern geschlagen (424
v. Chr.); auch Sokrates soll an
dieser Schlacht teilgenommen haben: Delium war ein Tempel des
Apollon in Böotien; daher steht
ἐπὶ Δηλίῳ und nicht ἐν Δ., weil
dieser Tempel zwar ein τέμενος
hatte, aber nicht einen größeren
Bezirk, auf dem die Schlacht hätte
geliefert werden können. — πρὸς
τοὺς Ἀθηναίους] s. zu I 2, 52.
Man erwartet eigentlich: πρὸς τὴν
τῶν Ἀθηναίων δόξαν. Es ist eine
sogen. Comparatio compendiaria.
Vgl. III 6, 8. 11, 5. IV 6, 14. K.
§ 329 A. 2. — οἱ — τολμῶντες]
s. zu II 7, 13. — ὅτε Βοιωτοὶ
οὐ μόνοι ἐγένοντο] die Negation οὐ habe ich hinzugefügt, da
der Gegensatz dieselbe notwendig
verlangt; οὐ konnte leicht zwischen
Βοιωτοὶ μόνοι (= ἔρημοι) ausfallen.
Alsdann ist es nicht nötig mit Cobet nov. lectt. p. 659 die Worte
ὅτε Β. μόνοι ἐγένοντο zu tilgen.

5 φοβοῦνται, μὴ Βοιωτοὶ δηώσωσι τὴν Ἀττικήν. Καὶ ὁ Σωκρά-
της· Ἀλλ᾽ αἰσθάνομαι μέν, ἔφη, ταῦτα οὕτως ἔχοντα· δοκεῖ
δέ μοι ἀνδρὶ ἀγαθῷ ἄρχοντι νῦν εὐαρεστοτέρως διακεῖσθαι ἡ
πόλις· τὸ μὲν γὰρ θάρσος ἀμέλειάν τε καὶ ῥᾳθυμίαν καὶ ἀπεί-
θειαν ἐμβάλλει, ὁ δὲ φόβος προσεκτικωτέρους τε καὶ εὐπειθε-
6 στέρους καὶ εὐτακτοτέρους ποιεῖ. Τεκμήραιο δ᾽ ἂν τοῦτο καὶ
ἀπὸ τῶν ἐν ταῖς ναυσίν· ὅταν μὲν γὰρ δήπου μηδὲν φοβῶν-
ται, μεστοί εἰσιν ἀταξίας, ἔστ᾽ ἂν δὲ ἢ χειμῶνα ἢ πολεμίους
δείσωσιν, οὐ μόνον τὰ κελευόμενα πάντα ποιοῦσιν, ἀλλὰ καὶ
σιγῶσι παραδοκοῦντες τὰ προσταχθησόμενα, ὥσπερ χορευταί.
7 — Ἀλλὰ μήν, ἔφη ὁ Περικλῆς, εἴγε νῦν μάλιστα πείθοιντο,
ὥρα ἂν εἴη λέγειν, πῶς ἂν αὐτοὺς προτρεψαίμεθα πάλιν ἀνερε-
θισθῆναι τῆς ἀρχαίας ἀρετῆς τε καὶ εὐκλείας καὶ εὐδαιμονίας.
8 — Οὐκοῦν, ἔφη ὁ Σωκράτης, εἰ μὲν ἐβουλόμεθα χρημάτων
αὐτοὺς ὧν οἱ ἄλλοι εἶχον ἀντιποιεῖσθαι, ἀποδεικνύντες αὐτοῖς
ταῦτα πατρῷά τε ὄντα καὶ προσήκοντα, μάλιστ᾽ ἂν οὕτως αὐ-
τοὺς ἐξορμῷμεν ἀντέχεσθαι τούτων· ἐπεὶ δὲ τοῦ μετ᾽ ἀρετῆς
πρωτεύειν αὐτοὺς ἐπιμελεῖσθαι βουλόμεθα, τοῦτ᾽ αὖ δεικτέον
ἐκ παλαιοῦ μάλιστα προσῆκον αὐτοῖς, καὶ ὡς τούτου ἐπι-
9 μελούμενοι πάντων ἂν εἶεν κράτιστοι. — Πῶς οὖν ἂν τοῦτο
διδάσκοιμεν; — Οἶμαι μέν, εἰ τούς γε παλαιοτάτους ὧν ἀκούο-
μεν προγόνους αὐτῶν ἀναμιμνήσκοιμεν αὐτοὺς ἀκηκοότας ἀρί-

§.5. ἀνδρὶ..διακεῖσθαι] erga
ducem bonum benigniore, magis ob-
sequioso animo affecta esse. Cyrop.
7, 5, 45 ἐγὼ γὰρ ὑμῖν, ὥσπερ εἰκός,
διάκειμαι.
§ 6. ἔστ᾽ ἄν] quamdiu, so auch
ἔστε c. indic. I 2, 18. III 1, 19. —
ὥσπερ χορευταί] die den Chor-
führer während des Tanzes immer
ins Auge fassen.
§ 7. ἀνερεθισθῆναι] wieder
nach der alten Tüchtigkeit streben.
Der Genetiv steht dabei wie bei
ὀρέγεσθαι u. dgl. Andere lesen
nach Mutmaßung ἀνερασθῆναι.
§ 8. οἱ ἄλλοι] der Artikel ist
wegen des Gegensatzes zu αὐτούς
hinzugefügt. — εἶχον] s. zu I 4,
14. — οὕτως] oft nach einem Par-
ticipe, um die Folge schärfer zu
bezeichnen. Vgl. III 10, 2. IV 8, 11.
C. § 587, 4. Ko. § 124, 3 Abs. 2. K.

§ 312 A. 2. — εἰ μὲν ἐβουλό-
μεθα —, μάλιστ᾽ ἂν — ἐξορμῷ-
μεν] si vellemus —, incitemus. —
τοῦτ᾽ αὖ] scil. τὸ μετ᾽ ἀρετῆς
πρωτεύειν. — δεικτέον — προσ-
ῆκον —, καὶ ὡς — ἂν εἶεν κρά-
τιστοι] der Wechsel der Konstruk-
tion nach δεικτέον ist zu beachten.
§ 9. Οἶμαι μέν] s. zu II 6, 5. —
εἰ τούς γε — γεγονέναι] kon-
struiere: εἰ ἀναμιμνήσκοιμεν αὐτοὺς
ἀκηκοότας τούς γε — προγόνους
ἀρίστους γεγονέναι, ·wenn wir den
Athenern ins Gedächtnis zurück-
riefen, daß ihre ältesten Vorfah-
ren, von denen wir gehört haben,
höchst vortrefflich gewesen seien,
da sie selbst (die Athener) dieses
schon gehört haben (nämlich, daß
ihre Vorfahren höchst vortrefflich
gewesen sind). — τούς γε παλαι-
οτάτους ὧν ἀκούομεν προ-

στους γεγονέναι. — Ἄρα λέγεις τὴν τῶν θεῶν κρίσιν, ἣν οἱ 10
περὶ Κέκροπα δι᾽ ἀρετὴν ἔκριναν; — Λέγω γὰρ καὶ τὴν Ἐρε-
χθέως γε τροφὴν καὶ γένεσιν καὶ τὸν πόλεμον τὸν ἐπ᾽ ἐκείνου
γενόμενον πρὸς τοὺς ἐκ τῆς ἐχομένης ἠπείρου πάσης καὶ τὸν
ἐφ᾽ Ἡρακλειδῶν πρὸς τοὺς ἐν Πελοποννήσῳ καὶ πάντας τοὺς
ἐπὶ Θησέως πολεμηθέντας, ἐν οἷς πᾶσιν ἐκεῖνοι δῆλοι γεγόνασι
τῶν καθ᾽ ἑαυτοὺς ἀνθρώπων ἀριστεύσαντες. Εἰ δὲ βούλει, ἃ 11
ὕστερον οἱ ἐκείνων μὲν ἀπόγονοι, οὐ πολὺ δὲ πρὸ ἡμῶν γεγο-
νότες ἔπραξαν, τὰ μὲν αὐτοὶ καθ᾽ ἑαυτοὺς ἀγωνιζόμενοι πρὸς
τοὺς κυριεύοντας τῆς τε Ἀσίας πάσης καὶ τῆς Εὐρώπης μέχρι
Μακεδονίας καὶ πλείστην τῶν προγεγονότων δύναμιν καὶ
ἀφορμὴν κεκτημένους καὶ μέγιστα ἔργα κατειργασμένους, τὰ
δὲ καὶ μετὰ Πελοποννησίων ἀριστεύοντες καὶ κατὰ γῆν καὶ
κατὰ θάλατταν· οἳ δὴ καὶ λέγονται πολὺ διενεγκεῖν τῶν καθ᾽
ἑαυτοὺς ἀνθρώπων. — Λέγονται γάρ, ἔφη. — Τοιγαροῦν 12
πολλῶν μὲν μεταναστάσεων ἐν τῇ Ἑλλάδι γεγονυιῶν διέμειναν

γόνους] mittels der Attraktion
statt τοὺς γε παλαιοτάτους τού-
των, οὓς ἀκούομεν, προγό-
νους.

§ 10. οἱ περὶ Κέκροπα] d. i.
Kekrops und die Mitrichter. S. I
1, 18: τοὺς ἀμφὶ Θράσυλλον. Ke-
krops soll in dem Streite zwischen
Poseidon und Athene über den Be-
sitz Attikas zu Gericht gesessen
haben. — δι᾽ ἀρετήν] διὰ τὸ μετ᾽
ἀρετῆς πρωτεύειν, wie § 8. — Λέ-
γω γάρ] s. zu I 4, 9. Wegen καὶ
— γέ s. zu I 2, 53. — τὴν Ἐρε-
χθέως γε τροφὴν καὶ γένεσιν]
Il. II 547: Ἐρεχθῆος μεγαλήτορος,
ὅν ποτ᾽ Ἀθήνη θρέψε, Διὸς θυ-
γάτηρ, τέκε δὲ ζείδωρος Ἄρουρα.
Erechtheus war der vierte be-
rühmte König von Attika. Das
Hysteron-Proteron ist nach dem
Homer; doch auch sonst wird es
von Prosaisten gebraucht, wo der
Nachdruck auf dem Begriffe der
Erziehung liegt. — ἐπ᾽ ἐκείνου]
illius aetate, unter jenem, unter
seiner Regierung. K. § 301a. — ἐκ
τῆς ἐχομένης ἠπείρου] von dem
angrenzenden (ἐχομένης) Festlande.
Thracien reichte in den ältesten
Zeiten bis zu den Grenzen Attikas.

Vgl. Isocr. Paneg. c. 19 am Ende.
Es ist hier der Krieg gemeint, den
die Athener mit den Thraciern und
Eleusiniern führten. — ἐφ᾽ Ἡρα-
κλειδῶν πρὸς τοὺς ἐν Πελο-
ποννήσῳ] der Krieg, den die
Söhne des Herakles gegen Eury-
stheus und die Peloponnesier führ-
ten. — ἐπὶ Θησέως] gegen die
Amazonen und Thracier. — δῆλοι
γεγόνασι — ἀριστεύσαντες] s.
zu II 6, 7.

§ 11. Εἰ δὲ βούλει] höfliche
Übergangsformel für ferner: si
tibi placet, adde etiam hoc. — οἱ
— ἀπόγονοι] die Athener, die zur
Zeit des Miltiades, Themistokles,
Aristides gegen die Perser Krieg
führten. — αὐτοὶ καθ᾽ ἑαυτούς]
soli per se. — ἀφορμήν] Mittel,
wie II 7, 11. — οἳ δὴ καὶ λέγον-
ται] von denen man bekannt-
lich- (δή, s. zu II 2, 3) rühmt,
daſs; οἵ bezieht sich bloſs auf die
Athener, von denen gerade hier
gehandelt wird; die Peloponnesier
werden nur beiläufig erwähnt. —
Λέγονται γάρ] s. zu I 4, 9.

§ 12. διέμειναν] daher nannten
sich die Athener αὐτόχθονες und
γηγενεῖς. Vgl. Isocr. Paneg. c. 4. —

ἐν τῇ ἑαυτῶν, πολλοὶ δὲ ὑπὲρ δικαίων ἀντιλέγοντες ἐπέτρεπον
ἐκείνοις, πολλοὶ δὲ ὑπὸ κρειττόνων ὑβριζόμενοι κατέφευγον
13 πρὸς ἐκείνους. — Καὶ ὁ Περικλῆς· Καὶ θαυμάζω γε, ἔφη, ὦ
Σώκρατες, ἡ πόλις ὅπως ποτ᾽ ἐπὶ τὸ χεῖρον ἔκλινεν. — Ἐγὼ
μέν, ἔφη, οἶμαι, ὁ Σωκράτης, ὥσπερ καὶ ἀθληταί τινες διὰ τὸ
πολὺ ὑπερενεγκεῖν καὶ κρατιστεῦσαι καταρρᾳθυμήσαντες ὑστε-
ρίζουσι τῶν ἀντιπάλων, οὕτω καὶ Ἀθηναίους πολὺ διενεγκόν-
14 τας ἀμελῆσαι ἑαυτῶν καὶ διὰ τοῦτο χείρους γεγονέναι. — Νῦν
οὖν, ἔφη, τί ἂν ποιοῦντες ἀναλάβοιεν τὴν ἀρχαίαν ἀρετήν;
— Καὶ ὁ Σωκράτης· Οὐδὲν ἀπόκρυφον δοκεῖ μοι εἶναι, ἀλλ᾽
εἰ μὲν ἐξευρόντες τὰ τῶν προγόνων ἐπιτηδεύματα μηδὲν χεῖρον
ἐκείνων ἐπιτηδεύοιεν, οὐδὲν ἂν χείρους ἐκείνων γενέσθαι· εἰ
δὲ μή, τούς γε νῦν πρωτεύοντας μιμούμενοι καὶ τούτοις τὰ
αὐτὰ ἐπιτηδεύοντες, ὁμοίως μὲν τοῖς αὐτοῖς χρώμενοι οὐδὲν
ἂν χείρους ἐκείνων εἶεν· εἰ δ᾽ ἐπιμελέστερον, καὶ βελτίους. —
15 Λέγεις, ἔφη, πόρρω που εἶναι τῇ πόλει τὴν καλοκἀγαθίαν·
πότε γὰρ οὕτως Ἀθηναῖοι, ὥσπερ Λακεδαιμόνιοι, ἢ πρεσβυτέ-

ἐπέτρεπον] se permittebant, wie
III 11, 5: τῇ τύχῃ ἐπιτρέπεις. K.
§ 249, 1, oder man könnte auch
aus den vorhergehenden Worten
ὑπὲρ δικαίων den Accusativ τὰ δί-
καια, die Entscheidung des Rech-
tes, ergänzen.
§. 13. Καὶ θαυμάζω γε] ac mi-
ror quidem. Was du gesagt hast,
ist richtig, und darum wundre ich
mich gerade, wie u. s. w., vgl. § 10.
— ἡ πόλις ὅπως] wegen der Stel-
lung s. zu II 7, 8. — ἔφη, οἶμαι,
ὁ Σ.] dieselbe Wortstellung Cyrop.
V 2, 29: Εὖ μὲν οὖν, ἔφη, οἶδα, ὁ
Γωβρύας. Cic. Brut. 23, 91: quid
igitur, inquit, est causae, Brutus. —
ὥσπερ καὶ —, οὕτω καί] s. zu
I 1, 6. — Weiske verm. ἀθληταί
τινες st. ἄλλοι τινὲς, vgl. d. An-
hang.
§ 14. γενέσθαι] nach δοκεῖ μοι
= νομίζω folgt zuweilen der Acc.
c. Inf., vgl. IV 3, 10. Ebenso wird
auch zuweilen im Lat. videtur mihi
mit dem Acc. c. Inf. verbunden. —
πρωτεύοντας] die Lakedämonier,
s. § 15. Xenophon war ein großer
Verehrer und Bewunderer der spar-

tanischen Staatsverfassung. — τού-
τοις τὰ αὐτά] s. zu II 1, 5. —
μιμούμενοι — εἶεν] die oblique
Rede ist in die direkte übergegan-
gen. S. zu I 4, 15. — εἰ δ᾽ ἐπι-
μελέστερον] scil. χρῶντο, das
aus χρώμενοι zu entnehmen ist. Zu
bemerken ist der Wechsel der Kon-
struktion, erst steht das Particip,
dann folgt ein Bedingungssatz.
§ 15. πόρρω που] longe, credo,
opinor, ni fallor; hier mit Ironie
für longissime. Vgl. III 3, 2. IV 2,
31. Der Zusammenhang ist folgen-
der: Wenn du meinst, daß die
Athener durch die Nachahmung der
spartanischen Zucht und Staatsver-
waltung zu der früheren Tüchtig-
keit und zu dem früheren Ruhme
zurückgeführt werden können; so
scheinst du mir zugleich zu be-
haupten, daß die Athener noch
weit von der Tugend und der
καλοκἀγαθία entfernt sind. —
πρεσβυτέρους αἰδέσονται] Cic.
Cat. M. 18, 63: Lysandrum Lace-
daemonium dicere aiunt solitum La-
cedaemone esse honestissimum
domicilium senectutis. —

ϱους αἰδέσονται; οἳ ἀπὸ τῶν πατέρων ἄρχονται καταφρονεῖν
τῶν γεραιτέρων· ἢ σωμασκήσουσιν οὕτως; οἳ οὐ μόνον αὐτοὶ
εὐεξίας ἀμελοῦσιν, ἀλλὰ καὶ τῶν ἐπιμελουμένων καταγελῶσι.
Πότε δὲ οὕτω πείσονται τοῖς ἄρχουσιν; οἳ καὶ ἀγάλλονται ἐπὶ 16
τῷ καταφρονεῖν τῶν ἀρχόντων· ἢ πότε οὕτως ὁμονοήσουσιν;
οἵ γε ἀντὶ μὲν τοῦ συνεργεῖν ἑαυτοῖς τὰ συμφέροντα ἐπηρεά-
ζουσιν ἀλλήλοις καὶ φθονοῦσιν ἑαυτοῖς μᾶλλον ἢ τοῖς ἄλλοις
ἀνθρώποις· μάλιστα δὲ πάντων ἔν τε ταῖς ἰδίαις συνόδοις καὶ
ταῖς κοιναῖς διαφέρονται καὶ πλείστας δίκας ἀλλήλοις δικάζον-
ται καὶ προαιροῦνται μᾶλλον οὕτω κερδαίνειν ἀπ᾽ ἀλλήλων ἢ
συνωφελοῦντες αὑτούς· τοῖς δὲ κοινοῖς ὥσπερ ἀλλοτρίοις χρώ-
μενοι περὶ τούτων αὖ μάχονται καὶ ταῖς εἰς τὰ τοιαῦτα δυνά-
μεσι μάλιστα χαίρουσιν. Ἐξ ὧν πολλὴ μὲν ἀπειρία καὶ κακία 17
τῇ πόλει ἐμφύεται, πολλὴ δὲ ἔχθρα καὶ μῖσος ἀλλήλων τοῖς
πολίταις ἐγγίγνεται, δι᾽ ἃ ἔγωγε μάλα φοβοῦμαι ἀεί, μή τι
μεῖζον ἢ ὥστε φέρειν δύνασθαι κακὸν τῇ πόλει συμβῇ. — Μη- 18
δαμῶς, ἔφη ὁ Σωκράτης, ὦ Περίκλεις, οὕτως ἡγοῦ ἀνηκέστῳ
πονηρίᾳ νοσεῖν Ἀθηναίους· οὐχ ὁρᾷς, ὡς εὔτακτοι μέν εἰσιν
ἐν τοῖς ναυτικοῖς, εὐτάκτως δ᾽ ἐν τοῖς γυμνικοῖς ἀγῶσι πεί-
θονται τοῖς ἐπιστάταις, οὐδένων δὲ καταδεέστερον ἐν τοῖς
χοροῖς ὑπηρετοῦσι τοῖς διδασκάλοις; — Τοῦτο γάρ τοι, ἔφη, 19
καὶ θαυμαστόν ἐστι, τὸ τοὺς μὲν τοιούτους πειθαρχεῖν τοῖς

οἵ] ii, qui, eos dico, qui, und nach-
drücklicher § 16 οἵ γε. S. zu I 2,
64. — ἄρχονται καταφρονεῖν]
K. § 311, 16.

§ 16. συνεργεῖν ἑαυτοῖς τὰ
συμφέροντα] s. zu II 6, 25; das
Gegenteil ἐπηρεάζειν ἀλλήλοις, ein-
ander Unbilden zufügen; we-
gen ἑαυτοῖς und ἀλλήλοις s. zu II
6, 20. — ἀλλήλοις δικάζονται]
C. § 436a. Ko. § 85, 2a. K. § 282, 1.
— προαιροῦνται μᾶλλον] s. zu
II 1, 2. — περὶ τούτων αὖ μά-
χονται] de eis item oder rursus,
ebenso wie sie πλείστας δίκας ἀλ-
λήλοις δικάζονται. — εἰς τὰ τοι-
αῦτα] bezieht sich nicht auf τὰ
κοινά, sondern auf den ganzen
vorhergehenden Satz: sie freuen
sich sehr, wenn sie die Mittel be-
sitzen, durch die sie sich in den
mit ihren Mitbürgern angestellten
Kämpfen über Staatsangelegen-

heiten Geltung verschaffen kön-
nen.

§ 17. ἀπειρία καὶ κακία] die
aus der Vernachlässigung der Lei-
besübungen und der Befehle der
Heerführer hervorgehen, dagegen
ἔχθρα καὶ μῖσος aus der Gering-
achtung der Obrigkeit und aus
Streitigkeiten im Staate.

§ 18. πονηρίᾳ νοσεῖν] Anab.
VII 2, 32: τὰ Ὀδρυσῶν πράγματα
ἐνόσησεν. So im Lat.: aegrota res
publica, morbus civitatis u. dgl. —
τοῖς ἐπιστάταις] Turnlehrern,
τοῖς παιδοτρίβαις. — οὐδένων δὲ
καταδεέστερον .. ὑπηρετοῦσι]
d. i. sie leisten, keinem anderen
nachstehend, Dienste. S. zu I 5, 6.

§ 19. τοῦτο γάρ τοι .. καὶ θαυ-
μαστόν ἐστι] s. zu II 3, 6. Ja
(γάρ) das ist eben (τοι) besonders
(καί, s. I 3, 1 καὶ ὠφελεῖν) wun-
derbar. — τοιούτους] solche Men-

ἐφεστῶσι, τοὺς δὲ ὁπλίτας καὶ τοὺς ἱππεῖς, οἳ δοκοῦσι καλο-
κἀγαθίᾳ προκεκρίσθαι τῶν πολιτῶν, ἀπειθεστάτους εἶναι πάν-
20 των. — Καὶ ὁ Σωκράτης ἔφη· Ἡ δὲ ἐν Ἀρείῳ πάγῳ βουλή,
ὦ Περίκλεις, οὐκ ἐκ τῶν δεδοκιμασμένων καθίσταται; — Καὶ
μάλα, ἔφη. — Οἶσθα οὖν τινας, ἔφη, κάλλιον ἢ νομιμώτερον
ἢ σεμνότερον ἢ δικαιότερον τάς τε δίκας δικάζοντας καὶ τἆλλα
πάντα πράττοντας; — Οὐ μέμφομαι, ἔφη, τούτοις. — Οὐ
τοίνυν, ἔφη, δεῖ ἀθυμεῖν, ὡς οὐκ εὐτάκτως ὄντων Ἀθηναίων.
21 — Καὶ μὴν ἔν γε τοῖς στρατιωτικοῖς, ἔφη, ἔνθα μάλιστα δεῖ
σωφρονεῖν τε καὶ εὐτακτεῖν καὶ πειθαρχεῖν, οὐδενὶ τούτων
προσέχουσιν. — Ἴσως γάρ, ἔφη ὁ Σωκράτης, ἐν τούτοις οἱ
ἥκιστα ἐπιστάμενοι ἄρχουσιν αὐτῶν· οὐχ ὁρᾷς, ὅτι κιθαριστῶν
μὲν καὶ χορευτῶν καὶ ὀρχηστῶν οὐδὲ εἷς ἐπιχειρεῖ ἄρχειν μὴ
ἐπιστάμενος, οὐδὲ παλαιστῶν οὐδὲ παγκρατιαστῶν; ἀλλὰ πάν-
τες, ὅσοι τούτων ἄρχουσιν, ἔχουσι δεῖξαι, ὁπόθεν ἔμαθον
ταῦτα, ἐφ᾽ οἷς ἐφεστᾶσι, τῶν δὲ στρατηγῶν οἱ πλεῖστοι αὐτο-
22 σχεδιάζουσιν. Οὐ μέντοι σέ γε τοιοῦτον ἐγὼ νομίζω εἶναι, ἀλλ᾽
οἶμαί σε οὐδὲν ἧττον ἔχειν εἰπεῖν, ὁπότε στρατηγεῖν ἢ ὁπότε
παλαίειν ἤρξω μανθάνειν· καὶ πολλὰ μὲν οἶμαί σε τῶν πα-
τρῴων στρατηγημάτων παρειληφότα διασώζειν, πολλὰ δὲ παν-
ταχόθεν συνηχέναι, ὁπόθεν οἷόν τε ἦν μαθεῖν τι ὠφέλιμον εἰς
23 στρατηγίαν. Οἶμαι δέ σε πολλὰ μεριμνᾶν, ὅπως μὴ λάθῃς
σεαυτὸν ἀγνοῶν τι τῶν εἰς στρατηγίαν ὠφελίμων, καὶ ἐάν τι
τοιοῦτον αἴσθῃ σεαυτὸν μὴ εἰδότα, ζητεῖν τοὺς ἐπισταμένους

schen, wie Schiffer, Ruderknechte,
Schauspieler, Bürger der niedrigen
Klassen oder Sklaven, und Knaben
oder Jünglinge; die ὁπλῖται und
ἱππεῖς hingegen, vornehmere und
reichere Bürger.
§ 20. Ἡ δὲ — βουλή] wegen δέ
s. zu I 3, 13. — ἐν Ἀρείῳ πάγῳ]
der Areopag war der älteste Ge-
richtshof der Athener; seinen Na-
men hat er von einem dem Ares
geweihten Hügel, wo die Areopa-
giten sich versammelten. Sie safsen
in peinlichen Fällen zu Gerichte. —
ἐκ τῶν δεδοκιμασμένων] von
den obrigkeitlichen Personen, die
ihr Amt gewissenhaft und lobens-
wert geführt und davon öffentlich
Rechenschaft abgelegt hatten. Vgl.

zu II 2, 13. — τούτοις] κατὰ σύν-
εσιν. S. zu II 1, 31. — ὡς οὐκ
εὐτάκτων ὄντων Ἀθηναίων]
wegen ὡς vor den Genetivis abso-
lutis s. zu I 1, 4.
§ 21. Καὶ μὴν — γε] s. zu I 4,
12. — Ἴσως γάρ] ja (du hast
recht; denn) vielleicht. S. zu I 4, 9.
— οὐδὲ εἷς] s. zu I 6, 2. — ἐφ᾽
οἷς ἐφεστᾶσι] s. zu II 9, 2. —
αὐτοσχεδιάζουσιν] sie über-
nehmen aufs Geratewohl das Amt.
§ 22. συνηχέναι] vgl. IV 2, 8
πολλὰ γράμματα συνῆχας. Andere
codd. συνενηνοχέναι.
§ 23. πολλὰ μεριμνᾶν] multa
pervestigare. Vgl. I 1, 14. — μὴ
εἰδότα] nicht οὐκ, weil ἐάν vor-
hergeht; in ἐὰν αἴσθῃ σεαυτὸν

ταῦτα, οὔτε δώρων οὔτε χαρίτων φειδόμενον, ὅπως μάθῃς
παρ᾽ αὐτῶν ἃ μὴ ἐπίστασαι καὶ συνεργοὺς ἀγαθοὺς ἔχῃς. Καὶ 24
ὁ Περικλῆς· Οὐ λανθάνεις με, ὦ Σώκρατες, ἔφη, ὅτι οὐδ᾽
οἰόμενός με τούτων ἐπιμελεῖσθαι ταῦτα λέγεις, ἀλλ᾽ ἐγχειρῶν
με διδάσκειν, ὅτι τὸν μέλλοντα στρατηγεῖν τούτων ἁπάντων
ἐπιμελεῖσθαι δεῖ· ὁμολογῶ μέντοι κἀγώ σοι ταῦτα. — Τοῦτο 25
δ᾽, ἔφη, ὦ Περίκλεις, κατανενόηκας, ὅτι πρόκειται τῆς χώρας
ἡμῶν ὄρη μεγάλα καθήκοντα ἐπὶ τὴν Βοιωτίαν, δι᾽ ὧν εἰς τὴν
χώραν εἴσοδοι στεναί τε καὶ προσάντεις εἰσί, καὶ ὅτι μέση
διέζωσται ὄρεσιν ἐρυμνοῖς; — Καὶ μάλα, ἔφη. — Τί δέ; σὺ 26
ἐκεῖνο ἀκήκοας, ὅτι Μυσοὶ καὶ Πισίδαι ἐν τῇ βασιλέως χώρᾳ
κατέχοντες ἐρυμνὰ πάνυ χωρία καὶ κούφως ὡπλισμένοι δύναν-
ται πολλὰ μὲν τὴν βασιλέως χώραν καταθέοντες κακοποιεῖν,
αὐτοὶ δὲ ζῆν ἐλεύθεροι; — Καὶ τοῦτό γ᾽, ἔφη, ἀκούω. —
Ἀθηναίους δ᾽ οὐκ ἂν οἴει, ἔφη, μέχρι τῆς ἐλαφρᾶς ἡλικίας 27
ὡπλισμένους κουφοτέροις ὅπλοις καὶ τὰ προκείμενα τῆς χώρας
ὄρη κατέχοντας βλαβεροὺς μὲν τοῖς πολεμίοις εἶναι, μεγάλην
δὲ προβολὴν τοῖς πολίταις τῆς χώρας κατεσκευάσθαι; Καὶ ὁ
Περικλῆς· Πάντ᾽ οἶμαι, ἔφη, ὦ Σώκρατες, καὶ ταῦτα χρή-
σιμα εἶναι. Εἰ τοίνυν, ἔφη ὁ Σωκράτης, ἀρέσκει σοι ταῦτα, 28

μὴ εἰδότα ist die Attraktion (ἐὰν
αἴσθῃ μὴ εἰδώς) nicht angewandt,
weil σεαυτόν einen Gegensatz zu
dem folg. τοὺς ἐπισταμένους bildet.
K. § 311 A. 1.

§ 24. λανθάνεις με — ὅτι —
λέγεις] persönliche Konstruktion
st. der unpers. K. § 317 A. 3. —
οὐδ᾽ οἰόμενος] nicht einmal glau-
bend, geschweige denn es wissend.
Sokrates hatte vorher (§ 22 u. 23)
das Wort οἶμαι gebraucht. Perikles
hatte die Ironie durchschaut, mit
der Sokrates die Menschen wegen
einer guten Eigenschaft, die sie gar
nicht besaßen, zu loben pflegte,
um auf diese Weise ihnen die gute
Eigenschaft zu empfehlen. — ὁμο-
λογῶ μέντοι] concedo tamen.
§ 25. ὄρη] z. B. der Kithäron,
die Kerata u. a. — διέζωσται
ὄρεσιν] z. B. vom Parnes, Bri-
lessus (Pentelikon), Hymettus, Ly-
kabettus.
§ 26. σὺ ἐκεῖνο ἀκήκοας] das

hast du gehört = das weißt du;
nachher: καὶ τοῦτό γε ἀκούω, ja
das höre ich, es ist eine bekannte
Sache. S. K. § 255 A. 1. — Μυσοὶ
καὶ Πισίδαι] vgl. Anab. III 2, 23.
Die Mysier bewohnten Mysien,
eine Landschaft in Kleinasien am
Hellesponte und ägäischen Meere;
die Pisidier Pisidien, eine Land-
schaft zwischen Pamphylien, Ka-
rien, Phrygien, Lykaonien. — βα-
σιλέως] vorzugsweise vom Könige
der Perser, daher, wie ein Eigen-
name, ohne Artikel.
§ 27. μέχρι τῆς ἐλαφρᾶς ἡλι-
κίας] so lange das Alter rüstig ist.
S. I 2, 35. Er meint die sogen.
περίπολοι, d. i. junge Athener in
dem Alter vom achtzehnten bis
zum einundzwanzigsten Jahre, de-
nen die Bewachung der Grenzen
Attikas anvertraut war. — ὡπλι-
σμένους .. καὶ .. κατέχοντας]
d. i. εἰ ὡπλισμένοι εἶεν καὶ κατ-
έχοιεν.

ἐπιχείρει αὐτοῖς, ὦ ἄριστε· ὅ τι μὲν γὰρ ἂν τούτων κατα-
πράξῃς, καὶ σοὶ καλὸν ἔσται καὶ τῇ πόλει ἀγαθόν, ἐὰν δέ τι
ἀδυνατῇς, οὔτε τὴν πόλιν βλάψεις οὔτε σεαυτὸν καταισχυνεῖς.

Sechstes Kapitel.

Inhalt.

Unterredung des Sokrates mit Glaukon, einem Jünglinge, der, ob-
wohl er aller Staatskenntnisse entbehrt, doch sehr eifrig an der Verwal-
tung des Staates teilzunehmen wünscht. Sokrates sucht ihn zuerst von
seinem Mangel an aller Einsicht in das Staatswesen zu überzeugen;
dann zeigt er, dafs nur der die Wohlfahrt und das Glück des Staates
fördern und sich selbst Ruhm erwerben könne, welcher sich die gründ-
lichsten Kenntnisse vom Staate angeeignet habe.

1   Γλαύκωνα δέ, τὸν Ἀρίστωνος, ὅτ' ἐπεχείρει δημηγορεῖν
ἐπιθυμῶν προστατεύειν τῆς πόλεως, οὐδέπω εἴκοσιν ἔτη γεγο-
νώς, ὄντων ἄλλων οἰκείων τε καὶ φίλων οὐδεὶς ἐδύνατο παῦ-
σαι ἑλκόμενόν τε ἀπὸ τοῦ βήματος καὶ καταγέλαστον ὄντα,
Σωκράτης δὲ εὔνους ὢν αὐτῷ διά τε Χαρμίδην, τὸν Γλαύκω-
2 νος, καὶ διὰ Πλάτωνα μόνος ἔπαυσεν. Ἐντυχὼν γὰρ αὐτῷ
πρῶτον μὲν εἰς τὸ ἐθελῆσαι ἀκούειν τοιάδε λέξας κατέσχεν·
Ὦ Γλαύκων, ἔφη, προστατεύειν ἡμῖν διανενόησαι τῆς πόλεως;
— Ἔγωγ', ἔφη, ὦ Σώκρατες. — Νὴ Δί', ἔφη, καλὸν γάρ,
εἴπερ τι καὶ ἄλλο τῶν ἐν ἀνθρώποις· δῆλον γάρ, ὅτι, ἐὰν
τοῦτο διαπράξῃ, δυνατὸς μὲν ἔσῃ αὐτὸς τυγχάνειν ὅτου ἂν
ἐπιθυμῇς, ἱκανὸς δὲ τοὺς φίλους ὠφελεῖν, ἐπαρεῖς δὲ τὸν
πατρῷον οἶκον, αὐξήσεις δὲ τὴν πατρίδα, ὀνομαστὸς δ' ἔσῃ

---

§ 1. Γλαύκωνα] Bruder des Pla-
ton; wegen des anderen (älteren)
Glaukon s. zu III 7, 1. — οὐδέπω
εἴκοσιν ἔτη γεγονώς] vom acht-
zehnten Jahre an war es jedoch
den Athenern erlaubt die bürger-
lichen Rechte zu üben und sich
dem Staatsdienste zu widmen. —
παῦσαι ἑλκόμενόν τε — ὄντα]
C. § 592 A. 2. Ko. § 125, 2 A. 3.
K. § 311, 1 e. Schlechte Redner
wurden bisweilen durch öffentliche
Diener, die τοξόται hiefsen, von
der Rednerbühne entfernt und ab-

geführt. Plat. Protag. p. 319 C. —
Χαρμίδην] s. zu III 7, 1.
§ 2. πρῶτον μὲν] dem ent-
spricht § 3 μετὰ δὲ ταῦτα. — εἰς
τὸ ἐθελῆσαι ἀκούειν] um den
Glaukon zu bewegen seinen Worten
ein williges Ohr zu leihen. — κατ-
έσχεν] sc. αὐτόν. — ἡμῖν] ethi-
scher ativ. — καλὸν γάρ] s. zu
I 4, 9D — εἴπερ τι καὶ ἄλλο
τῶν ἐν ἀνθρώποις] scil. καλόν
ἐστι, si quid aliud in rebus hu-
manis (in der Welt). Vgl. II 3,
14. Wegen des in dieser Redensart

πρῶτον μὲν ἐν τῇ πόλει, ἔπειτα ἐν τῇ Ἑλλάδι, ἴσως δὲ ὥσπερ
Θεμιστοκλῆς καὶ ἐν τοῖς βαρβάροις, ὅπου δ᾽ ἂν ᾖς, πανταχοῦ
περίβλεπτος ἔσῃ. Ταῦτ᾽ οὖν ἀκούων ὁ Γλαύκων ἐμεγαλύνετο
καὶ ἡδέως παρέμενε. Μετὰ δὲ ταῦτα ὁ Σωκράτης· Οὐκοῦν, 3
ἔφη, τοῦτο μέν, ὦ Γλαύκων, δῆλον, ὅτι, εἴπερ τιμᾶσθαι βούλει,
ὠφελητέα σοι ἡ πόλις ἐστίν; — Πάνυ μὲν οὖν, ἔφη. — Πρὸς
θεῶν, ἔφη, μὴ τοίνυν ἀποκρύψῃ, ἀλλ᾽ εἶπον ἡμῖν, ἐκ τίνος
ἄρξῃ τὴν πόλιν εὐεργετεῖν· Ἐπεὶ δὲ ὁ Γλαύκων διεσιώπησεν,
ὡς ἂν τότε σκοπῶν, ὁπόθεν ἄρχοιτο· Ἄρ᾽, ἔφη ὁ Σωκράτης, 4
ὥσπερ, φίλου οἶκον εἰ αὐξῆσαι βούλοιο, πλουσιώτερον αὐτὸν
ἐπιχειροίης ἂν ποιεῖν, οὕτω καὶ τὴν πόλιν πειράσῃ πλουσιω-
τέραν ποιῆσαι; — Πάνυ μὲν οὖν, ἔφη. — Οὐκοῦν πλουσιω-
τέρα γ᾽ ἂν εἴη προσόδων αὐτῇ πλειόνων γενομένων; — Εἰκὸς 5
γοῦν, ἔφη. — Λέξον δή, ἔφη, ἐκ τίνων νῦν αἱ πρόσοδοι τῇ
πόλει καὶ πόσαι τινές εἰσι; δῆλον γάρ, ὅτι ἔσκεψαι, ἵνα, εἰ
μέν τινες αὐτῶν ἐνδεῶς ἔχουσιν, ἐκπληρώσῃς, εἰ δὲ παρα-
λείπονται, προσπορίσῃς. — Ἀλλὰ μὰ Δί᾽, ἔφη ὁ Γλαύκων, ταῦτά
γε οὐκ ἐπέσκεμμαι. — Ἀλλ᾽, εἰ τοῦτο, ἔφη, παρέλιπες, τάς 6
γε δαπάνας τῆς πόλεως ἡμῖν εἰπέ· δῆλον γάρ, ὅτι καὶ τούτων
τὰς περιττὰς ἀφαιρεῖν διανοῇ. — Ἀλλὰ μὰ τὸν Δί᾽, ἔφη, οὐδὲ
πρὸς ταῦτά πω ἐσχόλασα. — Οὐκοῦν, ἔφη, τὸ μὲν πλουσιω-
τέραν τὴν πόλιν ποιεῖν ἀναβαλούμεθα· πῶς γὰρ οἷόν τε μὴ
εἰδότα γε τὰ ἀναλώματα καὶ τὰς προσόδους ἐπιμεληθῆναι τού-
των; — Ἀλλ᾽, ὦ Σώκρατες, ἔφη ὁ Γλαύκων, δυνατόν ἐστι 7
καὶ ἀπὸ πολεμίων τὴν πόλιν πλουτίζειν. — Νὴ Δία, σφόδρα
γ᾽, ἔφη ὁ Σωκράτης, ἐάν τις αὐτῶν κρείττων ᾖ· ἥττων δὲ ὢν
καὶ τὰ ὄντα προσαποβάλοι ἄν. — Ἀληθῆ λέγεις, ἔφη. —

gewöhnlich hinzugefügten καί vgl.
IV 3, 14. Cyrop. III 3, 42. Vgl. zu
I 1, 6.

§ 3. εἶπον] diese Form des Im-
per. st. εἰπέ nur hier bei Xeno-
phon. — ὡς ἂν τότε σκοπῶν] als
ob er damals erst nachdächte. El-
liptisch für: διεσιώπησεν, ὡς ἂν
διασιωπήσειεν, εἰ τότε σκοποίη. S.
zu II 6, 38.

§ 5. Εἰκὸς γοῦν] s. zu I 4, 8.
— πόσαι τινές] quot fere. S. zu
I 1, 1. — εἰ μέν τινες αὐτῶν]
αὐτῶν von τινές abhängig. — ἐν-

δεῶς ἔχουσιν] zu gering
sind.

§ 6. οὐδὲ πρὸς ταῦτά πω
ἐσχόλασα] auch hierauf richtete
ich mein Augenmerk nicht eigent-
lich; auch dafür hatte ich keine
Muße, wie das latein. vacare rei.
Ταῦτα bezieht sich auf τούτων τὰς
περιττὰς ἀφαιρεῖν. Vgl. bald dar-
auf ἐπιμεληθῆναι τούτων. — τὸ —
ποιεῖν ἀναβαλούμεθα] nach-
drücklicher als ohne τό. — εἰδότα]
s. zu I 3, 8.

§ 7. καὶ τὰ ὄντα] s. zu I 3, 1
καὶ ἀφελεῖν.

8 Οὐκοῦν, ἔφη, τόν γε βουλευσόμενον, πρὸς οὕστινας δεῖ πολε-
μεῖν, τήν τε τῆς πόλεως δύναμιν καὶ τὴν τῶν ἐναντίων εἰδέναι
δεῖ, ἵνα, ἐὰν μὲν ἡ τῆς πόλεως κρείττων ᾖ, συμβουλεύῃ ἐπι-
χειρεῖν τῷ πολέμῳ, ἐὰν δὲ ἥττων τῶν ἐναντίων, εὐλαβεῖσθαι
9 πείθῃ. — Ὀρθῶς λέγεις, ἔφη. — Πρῶτον μὲν τοίνυν, ἔφη,
λέξον ἡμῖν τῆς πόλεως τήν τε πεζικὴν καὶ τὴν ναυτικὴν δύνα-
μιν, εἶτα τὴν τῶν ἐναντίων. — Ἀλλὰ μὰ τὸν Δί', ἔφη, οὐκ
ἂν ἔχοιμί σοι οὕτως γε ἀπὸ στόματος εἰπεῖν. — Ἀλλ' εἰ γέ-
γραπταί σοι, ἔνεγκε, ἔφη· πάνυ γὰρ ἡδέως ἂν τοῦτο ἀκού-
σαιμι. — Ἀλλὰ μὰ τὸν Δί', ἔφη, οὐδὲ γέγραπταί μοί πω. —
10 Οὐκοῦν, ἔφη, καὶ περὶ πολέμου συμβουλεύειν τήν γε πρώτην
ἐπισχήσομεν· ἴσως γὰρ καὶ διὰ τὸ μέγεθος αὐτῶν ἄρτι ἀρχό-
μενος τῆς προστατείας οὔπω ἐξήτακας. Ἀλλά τοι περί γε
φυλακῆς τῆς χώρας οἶδ' ὅτι σοι μεμέληκε, καὶ οἶσθα, ὁπόσαι τε
φυλακαὶ ἐπίκαιροί εἰσι καὶ ὁπόσαι μή, καὶ ὁπόσοι τε φρουροὶ
ἱκανοί εἰσι, καὶ ὁπόσοι μή εἰσι, καὶ τὰς μὲν ἐπικαίρους φυλα-
κὰς συμβουλεύσεις μείζονας ποιεῖν, τὰς δὲ περιττὰς ἀφαιρεῖν.
11 — Νὴ Δί', ἔφη ὁ Γλαύκων, ἁπάσας μὲν οὖν ἔγωγε, ἕνεκά
γε τοῦ οὕτως αὐτὰς φυλάττεσθαι, ὥστε κλέπτεσθαι τὰ ἐκ τῆς
χώρας. — Ἐὰν δέ τις ἀφέλῃ γ', ἔφη, τὰς φυλακάς, οὐκ οἴει
καὶ ἁρπάζειν ἐξουσίαν ἔσεσθαι τῷ βουλομένῳ; ἀτάρ, ἔφη,
πότερον ἐλθὼν αὐτὸς ἐξήτακας τοῦτο ἢ πῶς οἶσθα, ὅτι κακῶς

---

§ 8. τῶν ἐναντίων] statt τῆς
τῶν ἐναντίων. S. zu III 5, 4. Co-
bet verm.: ἢ τῶν ἐναντίων.

§ 9. οὕτως γε ἀπὸ στόματος]
so (d. i. sofort) aus dem Kopfe.
Wegen οὕτως γε vgl. III 11, 7 und
οὕτως vor einem Konsonanten s. zu
I 3, 1: οὕτως καί.

§ 10. τήν γε πρώτην] sc. ὁδόν,
fürs erste. — διὰ τὸ μέγεθος
αὐτῶν] der Plural αὐτῶν, weil
unter dem vorhergehenden πολέμου
alles, was zur Kriegführung gehört,
verstanden wird. — Ἀλλά τοι] at
certe. S. zu I 2, 36. — φυλακαί,
Besatzungen, φρουροί, Besatzungs-
soldaten. [Bei der Lesart der Hss.
συμβουλεύσειν müßte ein Über-
gang der Konstruktion von der
Konjunktion ὅτι cum verbo finito
zu dem Infinitive angenommen
und zu συμβουλεύσειν aus dem vor-

hergehenden σοὶ μεμέληκε der Acc.
σέ ergänzt werden, was zu künst-
lich erscheint.]

§ 11. ἔγωγε] scil. συμβουλεύσω
ἀφαιρεῖν. — οὕτως] so nachläs-
sig, wie bald darauf: ὅτι κακῶς
φυλάττονται. — αὐτὰς φυλάτ-
τεσθαι] αὐτάς sc. φυλακάς; φυ-
λακαὶ φυλάττονται, excubiae agun-
tur. — κλέπτεσθαι τὰ ἐκ τῆς
χώρας] κλέπτειν, heimlich rau-
ben; ἁρπάζειν bald darauf öffent-
lich rauben; τὰ ἐκ τῆς χώρας,
prägnante Konstruktion für τὰ ἐν
τῇ χώρᾳ (ὄντα) ἐξ αὐτῆς (τῆς χώ-
ρας) κλέπτεσθαι, wie οἱ ἐκ τῆς
ἀγορᾶς ἄνθρωποι ἀπέφυγον. Vgl.
III 10, 2. 11, 13. Ko. § 86, 8 (Pro-
lepsis). K. § 304 A. 2. — καὶ ἁρ-
πάζειν] οὐ μόνον κλέπτειν, ἀλλὰ
καὶ ἁρπάζειν. S. zu I 3, 1. — ὁ
βουλόμενος] quivis. — ἀτάρ,

φυλάττονται; — Εἰκάζω, ἔφη. — Οὐκοῦν, ἔφη, καὶ περὶ
τούτων, ὅταν μηκέτι εἰκάζωμεν, ἀλλ᾽ ἤδη εἰδῶμεν, τότε συμ-
βουλεύσομεν; — Ἴσως, ἔφη ὁ Γλαύκων, βέλτιον. — Εἷς γὲ 12
μήν, ἔφη, τἀργύρια οἶδ᾽ ὅτι οὐκ ἀφῖξαι, ὥστ᾽ ἔχειν εἰπεῖν,
διότι νῦν ἐλάττω ἢ πρόσθεν προσέρχεται αὐτόθεν. — Οὐ γὰρ
οὖν ἐλήλυθα, ἔφη. Καὶ γὰρ νὴ Δί᾽, ἔφη ὁ Σωκράτης, λέγε-
ται βαρὺ τὸ χωρίον εἶναι, ὥστε, ὅταν περὶ τούτου δέῃ συμ-
βουλεύειν, αὕτη σοι ἡ πρόφασις ἀρκέσει. Σκώπτομαι, ἔφη ὁ
Γλαύκων. — Ἀλλ᾽ ἐκείνου γέ τοι, ἔφη, οἶδ᾽ ὅτι οὐκ ἠμέληκας, 13
ἀλλ᾽ ἔσκεψαι, [καὶ] πόσον χρόνον ἱκανός ἐστιν ὁ ἐκ τῆς χώρας
γιγνόμενος σῖτος διατρέφειν τὴν πόλιν, καὶ πόσου εἰς τὸν
ἐνιαυτὸν προσδέεται, ἵνα μὴ τοῦτό γε λάθῃ σέ ποτε ἡ πόλις
ἐνδεὴς γενομένη, ἀλλ᾽ εἰδὼς ἔχῃς ὑπὲρ τῶν ἀναγκαίων συμ-
βουλεύων τῇ πόλει βοηθεῖν τε καὶ σώζειν αὐτήν. Λέγεις, ἔφη
ὁ Γλαύκων, παμμέγεθες πρᾶγμα, εἴγε καὶ τῶν τοιούτων
ἐπιμελεῖσθαι δεήσει. Ἀλλὰ μέντοι, ἔφη ὁ Σωκράτης, οὐδ᾽ ἂν 14
τὸν ἑαυτοῦ ποτε οἶκον καλῶς τις οἰκήσειεν, εἰ μὴ πάντα μὲν
εἴσεται, ὧν προσδέεται, πάντων δὲ ἐπιμελόμενος ἐκπληρώσει·
ἀλλ᾽ ἐπεὶ ἡ μὲν πόλις ἐκ πλειόνων ἢ μυρίων οἰκιῶν συνέστηκε,
χαλεπὸν δέ ἐστιν ἅμα τοσούτων οἴκων ἐπιμελεῖσθαι, πῶς οὐχ
ἕνα, τὸν τοῦ θείου, πρῶτον ἐπειράθης αὐξῆσαι; δέεται δέ·
κἂν μὲν τοῦτον δύνῃ, καὶ πλείοσιν ἐπιχειρήσεις· ἕνα δὲ μὴ
δυνάμενος ὠφελῆσαι, πῶς ἂν πολλούς γε δυνηθείης; ὥσπερ εἴ
τις ἓν τάλαντον μὴ δύναιτο φέρειν, πῶς οὐ φανερόν, ὅτι
πλείω γε φέρειν οὐδ᾽ ἐπιχειρητέον αὐτῷ; Ἀλλ᾽ ἔγωγ᾽, ἔφη 15

ἔφη] wegen des wiederholten ἔφη
s. zu II 4, 1. — εἰκάζωμεν — εἰ-
δῶμεν]ironisch für εἰκάζῃς—εἰδῇς.
§ 12. γὲ μήν] s. zu I 4, 5. —
Οὐ γὰρ οὖν ἐλήλυθα] wegen
γὰρ in der Antwort s. zu I 4, 9;
γὰρ οὖν = ja sicherlich. Vgl.
III 14, 2. — βαρύ] = δυσάερον καὶ
νοσῶδες. Vgl. das lat. gravis.
§ 13. γέ τοι] s. zu III 4, 10. —
προσδέεται] scil. ἡ πόλις. Oft
wird im Griechischen das Objekt
des vorhergehenden Satzes das Sub-
jekt des folgenden, ohne daſs es
durch ein Pronomen angezeigt wird.
Wegen der Form s. zu I 6, 10. —
τοῦτό γε — ἐνδεὴς γενομένη]
Cyrop. II 2, 1: ἐνδεέστεροί τι ἡμῶν

— φαίνονται εἶναι οἱ ἑταῖροι. K.
§ 278 A. 2. — εἴγε — δεήσει] s.
zu II 1, 17.
§ 14. Ἀλλὰ μέντοι] at profecto.
— οὐδ᾽ ἂν — οἰκήσειεν, εἰ —
εἴσεται] s. zu I 2, 28. — ἐκπλη-
ρώσει] scil. πάντα, das aus dem
vorhergehenden πάντων zu entneh-
men ist. — μυρίων οἰκιῶν] nach
Boeckh, Staatsh. d. Ath. I p. 43,
hatte die Stadt Athen mit dem Ha-
fen Piräus damals, Bürger, Frauen,
Kinder und Sklaven zusammenge-
rechnet, 180 000 Einwohner. — οἰ-
κίαι Häuser, οἶκοι Familien.
— τοῦ θείου] Charmides. S. zu
III 7, 1. — δέεται] scil. τούτου,
τοῦ αὐξηθῆναι.

ὁ Γλαύκων, ὠφελοίην ἂν τὸ τοῦ θείου οἶκον, εἴ μοι ἐθέλοι
πείθεσθαι. Εἶτα, ἔφη ὁ Σωκράτης, τὸν θεῖον οὐ δυνάμενος
πείθειν, Ἀθηναίους πάντας μετὰ τοῦ θείου νομίζεις δυνήσε-
16 σθαι ποιῆσαι πείθεσθαί σοι; Φυλάττου, ἔφη, ὦ Γλαύκων,
ὅπως μὴ τοῦ εὐδοξεῖν ἐπιθυμῶν εἰς τοὐναντίον ἔλθῃς· ἢ οὐχ
ὁρᾷς, ὡς σφαλερόν ἐστι τὸ ἃ μὴ οἶδέ τις, ταῦτα λέγειν ἢ
πράττειν; ἐνθυμοῦ δὲ τῶν ἄλλων ὅσους οἶσθα τοιούτους, οἷοι
φαίνονται καὶ λέγοντες ἃ μὴ ἴσασι καὶ πράττοντες, πότερά σοι
δοκοῦσιν ἐπὶ τοῖς τοιούτοις ἐπαίνου μᾶλλον ἢ ψόγου τυγχάνειν
17 καὶ πότερον θαυμάζεσθαι μᾶλλον ἢ καταφρονεῖσθαι; Ἐνθυμοῦ
δὲ καὶ τῶν εἰδότων ὅ τί τε λέγουσι καὶ ὅ τι ποιοῦσι, καί, ὡς
ἐγὼ νομίζω, εὑρήσεις ἐν πᾶσιν ἔργοις τοὺς μὲν εὐδοκιμοῦντάς
τε καὶ θαυμαζομένους ἐκ τῶν μάλιστα ἐπισταμένων ὄντας,
τοὺς δὲ κακοδοξοῦντάς τε καὶ καταφρονουμένους ἐκ τῶν ἀμα-
18 θεστάτων. Εἰ οὖν ἐπιθυμεῖς εὐδοκιμεῖν τε καὶ θαυμάζεσθαι
ἐν τῇ πόλει, πειρῶ κατεργάσασθαι ὡς μάλιστα τὸ εἰδέναι ἃ
βούλει πράττειν· ἐὰν γὰρ τούτῳ διενέγκας τῶν ἄλλων ἐπι-
χειρῇς τὰ τῆς πόλεως πράττειν, οὐκ ἂν θαυμάσαιμι, εἰ πάνυ
ῥᾳδίως τύχοις ὧν ἐπιθυμεῖς.

§ 15. Εἶτα] s. zu I 2, 26.

§ 16. Ἐνθυμοῦ δὲ τῶν ἄλλων
— πότερά σοι δοκοῦσιν] s. zu
I 1, 12. — ἐπὶ τοῖς τοιούτοις]
s. zu I 2, 61.

§ 17. Ἐνθυμοῦ δὲ καὶ τῶν
εἰδότων] οἱ εἰδότες ὅ τί τε λέ-
γουσι καὶ ὅ τι ποιοῦσι werden dem
im vorhergehenden Paragraphen er-
wähnten: τοιοῦτοι, οἷοι φαίνονται
καὶ λέγοντες ἃ μὴ ἴσασι καὶ πράτ-
τοντες entgegengesetzt. Das säch-
liche Objekt zu ἐνθυμοῦ τῶν εἰδό-
των liegt in den folgenden Worten
εὑρήσεις — ἀμαθεστάτων, also = ἐν-
θυμοῦ καὶ τῶν εἰδότων —, ὅτι ἐν
πᾶσιν ἔργοις οἱ μὲν εὐδοκιμοῦντες
— ἐκ τῶν μάλιστα ἐπισταμένων εἰσί
κτλ. — εἶναι ἐκ τῶν wie esse ex
(st. in) numero.

§ 18. ἐὰν — ἐπιχειρῇς —,
οὐκ ἂν θαυμάσαιμι] s. zu III
4, 6.

Siebentes Kapitel.

Inhalt.

Unterredung des Sokrates mit Charmides, der mit der gründlichsten Kenntnis des Staatswesens ausgerüstet, doch zu schüchtern ist als Staatsmann öffentlich aufzutreten. Wer eine Kunst oder Wissenschaft, durch die er sich selbst Lob erwerben und das Gedeihen des Vaterlandes fördern kann, gründlich versteht, darf sich dem Dienste des Vaterlandes nicht entziehen, und wer, wie Charmides, imstande ist vor staatsklugen Männern seine Ansichten auszusprechen, der kann auch als Redner in einer Volksversammlung auftreten.

Χαρμίδην δέ, τὸν Γλαύκωνος, ὁρῶν ἀξιόλογον μὲν ἄνδρα 1 ὄντα καὶ πολλῷ δυνατώτερον τῶν τὰ πολιτικὰ τότε πραττόντων, ὀκνοῦντα δὲ προσιέναι τῷ δήμῳ καὶ τῶν τῆς πόλεως πραγμάτων ἐπιμελεῖσθαι· Εἰπέ μοι, ἔφη, ὦ Χαρμίδη, εἴ τις ἱκανὸς ὢν τοὺς στεφανίτας ἀγῶνας νικᾶν καὶ διὰ τοῦτο αὐτός τε τιμᾶσθαι καὶ τὴν πατρίδα ἐν τῇ Ἑλλάδι εὐδοκιμωτέραν ποιεῖν μὴ θέλοι ἀγωνίζεσθαι, ποῖόν τινα τοῦτον νομίζοις ἂν τὸν ἄνδρα εἶναι; — Δῆλον ὅτι, ἔφη, μαλακόν τε καὶ δειλόν. — Εἰ δέ τις, ἔφη, δυνατὸς ὢν τῶν τῆς πόλεως πραγμάτων 2 ἐπιμελόμενος τήν τε πόλιν αὔξειν καὶ αὐτὸς διὰ τοῦτο τιμᾶσθαι ὀκνοίη δὴ τοῦτο πράττειν, οὐκ ἂν εἰκότως δειλὸς νομίζοιτο; — Ἴσως, ἔφη· ἀτὰρ πρὸς τί με ταῦτ' ἐρωτᾷς; — Ὅτι, ἔφη, οἶμαί σε δυνατὸν ὄντα ὀκνεῖν ἐπιμελεῖσθαι, καὶ ταῦτα ὧν ἀνάγκη σοι μετέχειν πολίτῃ γε ὄντι. — Τὴν δὲ ἐμὴν δύνα- 3 μιν, ἔφη ὁ Χαρμίδης, ἐν ποίῳ ἔργῳ καταμαθὼν ταῦτά μου καταγιγνώσκεις; — Ἐν ταῖς συνουσίαις, ἔφη, αἷς σύνει τοῖς τὰ τῆς πόλεως πράττουσι· καὶ γάρ, ὅταν τι ἀνακοινῶνταί

§ 1. Χαρμίδην] er war der Sohn des älteren Glaukon, ein Verwandter des Platon und Kritias, besaſs einen ausgezeichneten Geist, ein edles Äuſsere und groſsen Reichtum. Später verlor er seinen Reichtum. In der Schlacht im Piräus (403 v. Chr.) gegen die Verbannten fällt er mit Kritias. S. Hellen. II 4, 19. — δυνατώτερον] scil. τὰ πολιτικὰ πράττειν, was aus dem Folgenden zu entnehmen ist. — προσιέναι τῷ δήμῳ] in der Volksversammlung als Redner auftreten. — στεφανίτας ἀγῶνας νικᾶν] s. zu

II 6, 26. — Δῆλον ὅτι, ἔφη] für: δῆλον, ἔφη, ὅτι. Δῆλον ὅτι ist gewissermaſsen zu einem Worte verschmolzen. Vgl. IV 2, 14. 4, 23. Aus dem Vorhergehenden muſs man εἶναι νομίζω ergänzen.
§ 2. ὀκνοίη δή] δή dient zur Hervorhebung des Verbs. — καὶ ταῦτα] und zwar, idque, nämlich ἐπιμελεῖσθαι τούτων.
§ 3. Τὴν δὲ ἐμὴν δ.] s. zu I 3, 15. Vgl. § 5. — ταῦτά μου καταγιγνώσκεις] s. zu I 3, 10. — ἐν ταῖς συνουσίαις, αἷς] s. zu II 1, 32. — ὅταν τι ἀνακοινῶν-

σοι, ὁρῶ σε καλῶς συμβουλεύοντα καί, ὅταν τι ἁμαρτάνωσιν,
4 ὀρθῶς ἐπιτιμῶντα. — Οὐ ταὐτόν ἐστιν, ἔφη, ὦ Σώκρατες, ἰδίᾳ
τε διαλέγεσθαι καὶ ἐν τῷ πλήθει ἀγωνίζεσθαι. — Καὶ μήν,
ἔφη, ὅ᾽γε ἀριθμεῖν δυνάμενος οὐδὲν ἧττον ἐν τῷ πλήθει ἢ
μόνος ἀριθμεῖ καὶ οἱ κατὰ μόνας ἄριστα κιθαρίζοντες, οὗτοι
5 καὶ ἐν τῷ πλήθει κρατιστεύουσιν. — Αἰδῶ δὲ καὶ φόβον, ἔφη,
οὐχ ὁρᾷς ἔμφυτά τε ἀνθρώποις ὄντα καὶ πολλῷ μᾶλλον ἐν
τοῖς ὄχλοις ἢ ἐν ταῖς ἰδίαις ὁμιλίαις παριστάμενα; — Καὶ σέ
γε διδάξων, ἔφη, ὥρμημαι, ὅτι οὔτε τοὺς φρονιμωτάτους
αἰδούμενος οὔτε τοὺς ἰσχυροτάτους φοβούμενος ἐν τοῖς ἀφρο-
6 νεστάτοις τε καὶ ἀσθενεστάτοις αἰσχύνῃ λέγειν. Πότερον γὰρ
τοὺς γναφεῖς αὐτῶν ἢ τοὺς σκυτεῖς ἢ τοὺς τέκτονας ἢ τοὺς
χαλκεῖς ἢ τοὺς γεωργοὺς ἢ τοὺς ἐμπόρους ἢ τοὺς ἐν τῇ ἀγορᾷ
μεταβαλλομένους καὶ φροντίζοντας, ὅ τι ἐλάττονος πριάμενοι
πλείονος ἀποδῶνται, αἰσχύνῃ; ἐκ γὰρ τούτων ἁπάντων ἡ
7 ἐκκλησία συνίσταται· Τί δὲ οἴει διαφέρειν ὃ σὺ ποιεῖς ἢ τῶν
ἀσκητῶν ὄντα κρείττω τοὺς ἰδιώτας φοβεῖσθαι; οὐ γὰρ τοῖς
πρωτεύουσιν ἐν τῇ πόλει, ὧν ἔνιοι καταφρονοῦσί σου, ῥᾳδίως

ται σοι] wenn sie etwas mit dir
besprechen, überlegen.
§ 4. καὶ μὴν — γέ] s. zu I 4,
12. — κατὰ μόνας] scil. δυνά-
μεις, für sich, privatim, seorsum.
— οἱ κιθαρίζοντες, οὗτοι] s.
zu II 1, 19.
§ 5. Αἰδῶ δὲ καὶ φόβον —
ἔμφυτα — ὄντα] über das Neu-
trum s. zu III 1, 7. — ἐν τοῖς
ὄχλοις] in den Volksversamm-
lungen. Plat. Gorg. p. 454 E: ἐν
δικαστηρίοις τε καὶ τοῖς ἄλλοις
ὄχλοις. — παριστάμενα] animum
nostrum occupantia. — Καὶ σέ γε
διδάξων — ὥρμημαι] d. i. und
ich habe die Absicht (ὥρμημαι) dir
zu zeigen, daſs, wenn du der groſsen
Menge einen so groſsen Einfluſs zu-
schreibst, du eine unrichtige Vor-
stellung von derselben hast und sie
nicht zu fürchten brauchst; denn
es ist verkehrt, daſs du dich scheust
vor den thörichtsten und schwäch-
sten Menschen, aus denen eine
Volksversammlung zusammenge-
setzt ist, als Redner aufzutreten,
da du dich doch nicht scheust vor

den klügsten und mächtigsten Män-
nern zu reden; in καί liegt ein
gewisser Gegensatz, es ist etwa s.
v. a. καὶ μήν, καί τοι, wie zuweilen
in dem lat. atque. Wegen des Ge-
dankens vgl. Cic. Tusc. V 36, 104:
An quicquam stultius, quam, quos
singulos sicut operarios barbarosque
contemnas, eos aliquid putare esse
universos?
§ 6. ἐμπόρους] Groſshändler,
Gegensatz οἱ κάπηλοι, Krämer,
οἱ ἐν τῇ ἀγορᾷ μεταβαλλόμενοι scil.
τὰ ὤνια. — ἀποδῶνται] s. zu
I 2, 15.
§ 7. διαφέρειν — ἤ] in δια-
φέρειν liegt ein komparativer Sinn
(praestabilius esse), daher ἤ, quam.
Vgl. III 8, 5. 11, 14. — οἱ ἀσκη-
ταί vorzugsweise die Athleten: οἱ
ἰδιῶται, die der Kunst Unkun-
digen. — ἢ τῶν ἀσκητῶν ὄντα
κρείττω .. φοβεῖσθαι] als wenn
einer, der geübten Kämpfern über-
legen ist, die Laien fürchtet. Das
Subjekt liegt in dem Participe
ὄντα. S. zu I 3, 8. — οὐ γάρ] nonne
igitur —? S. zu I 3, 10. [Schnei-

διαλεγόμενος καὶ τῶν ἐπιμελομένων τοῦ τῇ πόλει διαλέγεσθαι
πολὺ περιὼν ἐν τοῖς μηδὲ πώποτε φροντίσασι τῶν πολιτικῶν
μηδὲ σοῦ καταπεφρονηκόσιν ὀκνεῖς λέγειν δεδιώς, μὴ κατα-
γελασθῇς; — Τί δ'; ἔφη, οὐ δοκοῦσί σοι πολλάκις οἱ ἐν τῇ 8
ἐκκλησίᾳ τῶν ὀρθῶς λεγόντων καταγελᾶν; — Καὶ γὰρ οἱ ἕτεροι,
ἔφη· διὸ καὶ θαυμάζω σου, εἰ ἐκείνους, ὅταν τοῦτο ποιῶσι,
ῥᾳδίως χειρούμενος, τούτοις [δὲ] μηδένα τρόπον οἴει δυνή-
σεσθαι προσενεχθῆναι. Ὠγαθέ, μὴ ἀγνόει σεαυτὸν μηδὲ ἁμάρ- 9
τανε ἃ οἱ πλεῖστοι ἁμαρτάνουσιν· οἱ γὰρ πολλοὶ ὡρμηκότες
ἐπὶ τὸ σκοπεῖν τὰ τῶν ἄλλων πράγματα οὐ τρέπονται ἐπὶ τὸ
ἑαυτοὺς ἐξετάζειν· μὴ οὖν ἀπορρᾳθύμει τούτου, ἀλλὰ διατεί-
νου μᾶλλον πρὸς τὸ σεαυτῷ προσέχειν· καὶ μὴ ἀμέλει τῶν
τῆς πόλεως, εἴ τι δυνατόν ἐστι διὰ σὲ βέλτιον ἔχειν· τούτων
γὰρ καλῶς ἐχόντων, οὐ μόνον οἱ ἄλλοι πολῖται, ἀλλὰ καὶ οἱ
σοὶ φίλοι καὶ αὐτὸς σὺ οὐκ ἐλάχιστα ὠφελήσῃ.

Achtes Kapitel.

Inhalt.

Erörterungen über den Begriff von Schön und Gut. Nichts ist an
und für sich schön oder gut, sondern nur in Hinsicht auf den Zweck.

Ἀριστίππου δ' ἐπιχειροῦντος ἐλέγχειν τὸν Σωκράτην, 1
ὥσπερ αὐτὸς ὑπ' ἐκείνου τὸ πρότερον ἠλέγχετο, βουλόμενος

der verm. σὺ γάρ.] — τῇ πόλει]
d. i. τοῖς πολίταις. — περιών]
superans. — μηδὲ πώποτε —
μηδέ] das erstere μηδέ = ne —
quidem, das letztere nec. — φρον-
τίσασι eis, qui curarunt, κατα-
πεφρονηκόσιν, eis, qui te con-
tempserunt et adhuc contemptum
habent. S. zu III 1, 4.
  § 8. Καὶ γάρ] s. zu I 4, 9: Οὐδὲ
γάρ, καὶ ist mit οἱ ἕτεροι zu ver-
binden, s. zu II 1, 3. Der Satz ist
so zu ergänzen: Οὐ μόνον οἱ ἐν
τῇ ἐκκλησίᾳ, ἀλλὰ καὶ οὗτοι, οἷς
ἰδίᾳ σύνει ἐν ταῖς συνουσίαις (§ 3),
οἱ ἐν τῇ πόλει πρωτεύοντες (§ 7)
τῶν ὀρθῶς λεγόντων καταγελῶσιν.
— θαυμάζω σου εἰ] s. C. § 417 A
u. 550. Ko. § 84, 7 A. 7. K. § 270

A. 2. — [τούτοις δέ] δέ nach einem
Participe oder Vordersatze dient
zur Hervorhebung des Gegensatzes.]
— προσενεχθῆναι] προσφέρε-
σθαί τινι, sich gegen einen beneh-
men. Vgl. III 11, 11. IV 2, 1.
  § 9. Ὠγαθέ] s. zu I 4, 17. —
μὴ — ἀπορρᾳθύμει τούτου]
enthalte dich nicht aus Trägheit
dieser Sache. So ἀποδειλιᾶν τοῦ
διαπονεῖσθαι de Rep. Laced. X
7 (4).
  § 1. Ἀριστίππου] s. zu I 2, 60.
— Ἀριστίππου δ' ἐπιχειροῦν-
τος — ἀπεκρίνατο] für Ἀρι-
στίππῳ ἐπιχειροῦντι. Durch die
Anwendung der genetivi absoluti
tritt der Gegensatz nachdrücklicher
hervor. — τὸ πρότερον] s. II 1.

τοὺς συνόντας ὠφελεῖν ὁ Σωκράτης ἀπεκρίνατο, οὐχ ὥσπερ οἱ
φυλαττόμενοι, μή πῃ ὁ λόγος ἐπαλλαχθῇ, ἀλλ᾽ ὡς ἂν πεπει-
2 σμένοι μάλιστα πράττειν τὰ δέοντα. Ὁ μὲν γὰρ αὐτὸν ἤρετο,
εἴ τι εἰδείη ἀγαθόν, ἵνα, εἴ τι εἴποι τῶν τοιούτων, οἷον ἢ σιτίον
ἢ ποτὸν ἢ χρήματα ἢ ὑγίειαν ἢ ῥώμην ἢ τόλμαν, δεικνύοι δὴ
τοῦτο κακὸν ἐνίοτε ὄν· ὁ δὲ εἰδώς, ὅτι, ἐάν τι ἐνοχλῇ ἡμᾶς,
δεόμεθα τοῦ παύσοντος, ἀπεκρίνατο, ἧπερ καὶ ποιεῖν κράτι-
3 στον· Ἆρά γε, ἔφη, ἐρωτᾷς με, εἴ τι οἶδα πυρετοῦ ἀγαθόν;
— Οὐκ ἔγωγ᾽, ἔφη. — Ἀλλ᾽ ὀφθαλμίας; — Οὐδὲ τοῦτο. —
Ἀλλὰ λιμοῦ; — Οὐδὲ λιμοῦ. — Ἀλλὰ μήν, ἔφη, εἴγ᾽ ἐρωτᾷς
με, εἴ τι ἀγαθὸν οἶδα, ὃ μηδενὸς ἀγαθόν ἐστιν, οὔτ᾽ οἶδα,
ἔφη, οὔτε δέομαι.

4   Πάλιν δὲ τοῦ Ἀριστίππου ἐρωτῶντος αὐτόν, εἴ τι εἰδείη
καλόν; — Καὶ πολλά, ἔφη. — Ἆρ᾽ οὖν, ἔφη, πάντα ὅμοια
ἀλλήλοις; — Ὡς οἷόν τε μὲν οὖν, ἔφη, ἀνομοιότατα ἔνια. —
Πῶς οὖν, ἔφη, τὸ τῷ καλῷ ἀνόμοιον καλὸν ἂν εἴη; — Ὅτι, νὴ

— ὁ λόγος ἐπαλλαχθῇ] ihr
Wort möchte verdreht werden. —
ὡς ἄν] d. i. ὡς ἄν τινες ἀποκρί-
ναιντο, εἰ πεπεισμένοι εἴησαν. S.
zu II 6, 38. — πεπεισμένοι μά-
λιστα πράττειν τὰ δέοντα]
welche die Überzeugung haben,
man müsse vor allem das thun, was
zu thun die Pflicht und die Wahr-
heit gebietet. III 9, 4: ἐπισταμέ-
νους ἃ δεῖ πράττειν u. 11: ὅ τι
χρὴ ποιεῖν. Plat. Charmid. 164 B:
ὁ τὰ δέοντα πράττων οὐ σω-
φρονεῖ; Des Sokrates Lehrmethode,
die sich nur mit der Erforschung
der Wahrheit beschäftigte, wird
der Weise der Sophisten entgegen-
gestellt, denen es nicht um die
Wahrheit zu thun war, sondern nur
darum, durch trügerische Schlüsse
den Sieg davonzutragen.
    § 2. εἴ τι εἴποι τῶν τοιού-
των, οἷον — τόλμαν] d. i. εἴ τι
τῶν τοιούτων εἴποι, οἷον — τόλμα
ἐστίν. Vgl. zu II 9, 3. — δεικνύοι
δή] s. zu III 7, 2. — ἐάν τι
ἐνοχλῇ ἡμᾶς] wenn uns etwas
lästig ist, so suchen wir eine Ab-
hülfe dagegen. Hierdurch wird der
Sokratische Begriff des ἀγαθόν an-
gedeutet, wie wir aus dem Folgen-

den sehen. Das Verb ἐνοχλεῖν wird
häufiger mit dem Dative verbun-
den. K. § 282, 3. — τοῦ παύ-
σοντος] s. zu III 4, 4. — ἀπ-
εκρίνατο, ἧπερ καὶ ποιεῖν]
κράτιστον] Sokrates antwortete
dem A. so, wie es am besten und
klügsten zu thun (d. i. zu antwor-
ten) war, nämlich so, dass er den
Begriff des Guten nicht als einen
absoluten aufstellte, sondern auf
einzelne Dinge bezog und andeu-
tete, das sei gut, was uns in den
einzelnen Dingen, die uns lästig
fielen, eine Abhülfe gegen das
Lästige verschaffe.
    § 3. Ἆρά γε] s. zu III 2, 1. —
πυρετοῦ ἀγαθόν] gut gegen das
F., wie § 7. — Ἀλλὰ μήν] atqui.
S. III 1, 6. — ὃ μηδενὸς ἀγα-
θόν ἐστιν] was zu nichts gut, d. i.
nützlich ist. Nach der Lehre des
Sokrates ist nichts absolut gut, son-
dern nur in Beziehung auf die ein-
zelnen Dinge. S. d. Einleitung. —
οὔτε δέομαι] scil. εἰδέναι, aus
οἶδα zu entnehmen. Wegen des
wiederholten ἔφη s. zu II 4, 1.
    § 4. μὲν οὖν] immo. S. zu II 7,
5. — ὡς οἷόν τε ἀνομοιότατα]
quam fieri potest dissimillima,

Δί, ἔφη, ἔστι μὲν τῷ καλῷ πρὸς δρόμον ἀνθρώπῳ ἄλλος
ἀνόμοιος καλὸς πρὸς πάλην, ἔστι δὲ ἀσπὶς καλὴ πρὸς τὸ προ-
βαλέσθαι ὡς ἔνι ἀνομοιοτάτη τῷ ἀκοντίῳ καλῷ πρὸς τὸ σφόδρα
τε καὶ ταχὺ φέρεσθαι. — Οὐδὲν διαφερόντως, ἔφη, ἀποκρίνῃ 5
μοι, ἢ ὅτε σε ἠρώτησα, εἴ τι ἀγαθὸν εἰδείης. — Σὺ δ' οἴει,
ἔφη, ἄλλο μὲν ἀγαθόν, ἄλλο δὲ καλὸν εἶναι; οὐκ οἶσθ', ὅτι
πρὸς ταὐτὰ πάντα καλά τε κἀγαθά ἐστιν; Πρῶτον μὲν γὰρ
ἡ ἀρετὴ οὐ πρὸς ἄλλα μὲν ἀγαθόν, πρὸς ἄλλα δὲ καλόν ἐστιν,
ἔπειτα οἱ ἄνθρωποι τὸ αὐτό τε καὶ πρὸς τὰ αὐτὰ καλοί τε
κἀγαθοὶ λέγονται, πρὸς τὰ αὐτὰ δὲ καὶ τὰ σώματα τῶν ἀν-
θρώπων καλά τε κἀγαθὰ φαίνεται, πρὸς ταὐτὰ δὲ καὶ τἆλλα
πάντα, οἷς ἄνθρωποι χρῶνται, καλά τε κἀγαθὰ νομίζεται, πρὸς
ἅπερ ἂν εὔχρηστα ᾖ. — Ἆρ' οὖν, ἔφη, καὶ κόφινος κοπροφό- 6
ρος καλόν ἐστιν; — Νὴ Δί', ἔφη, καὶ χρυσῆ γε ἀσπὶς αἰσχρόν,
ἐὰν πρὸς τὰ ἑαυτῶν ἔργα ὁ μὲν καλῶς πεποιημένος ᾖ, ἡ δὲ
κακῶς. — Λέγεις σύ, ἔφη, καλά τε καὶ αἰσχρὰ τὰ αὐτὰ εἶναι; 7
— Καὶ νὴ Δί' ἔγωγ', ἔφη, ἀγαθά τε καὶ κακά· πολλάκις γὰρ
τό τε λιμοῦ ἀγαθὸν πυρετοῦ κακόν ἐστι, καὶ τὸ πυρετοῦ
ἀγαθὸν λιμοῦ κακόν ἐστι, πολλάκις δὲ τὸ μὲν πρὸς δρόμον
καλὸν πρὸς πάλην αἰσχρόν, τὸ δὲ πρὸς πάλην καλὸν πρὸς
δρόμον αἰσχρόν· πάντα γὰρ ἀγαθὰ μὲν καὶ καλά ἐστι, πρὸς
ἃ ἂν εὖ ἔχῃ, κακὰ δὲ καὶ αἰσχρά, πρὸς ἃ ἂν κακῶς.

Καὶ οἰκίας δὲ λέγων τὰς αὐτὰς καλάς τε εἶναι καὶ χρησί- 8
μους παιδεύειν ἔμοιγ' ἐδόκει, οἵας χρὴ οἰκοδομεῖσθαι. Ἐπ-
εσκόπει δὲ ὧδε· Ἆρά γε τὸν μέλλοντα οἰκίαν οἵαν χρὴ ἔχειν
τοῦτο δεῖ μηχανᾶσθαι, ὅπως ἡδίστη τε ἐνδιαιτᾶσθαι καὶ χρη-
σιμωτάτη ἔσται; Τούτου δὲ ὁμολογουμένου· Οὐκοῦν ἡδὺ 9
μὲν θέρους ψυχεινὴν ἔχειν, ἡδὺ δὲ χειμῶνος ἀλεεινήν; —
Ἐπειδὴ δὲ καὶ τοῦτο συμφαῖεν· Οὐκοῦν ἐν ταῖς πρὸς μεσημ-
βρίαν βλεπούσαις οἰκίαις τοῦ μὲν χειμῶνος ὁ ἥλιος εἰς τὰς

wie bald darauf ὡς ἔνι (d. i. ἔνεστι)
ἀνομοιοτάτη. Vgl. IV 5, 3. 9. Wegen
des Gedankens vgl. IV 6, 9 u. 10.
§ 5. Οὐδὲν διαφερόντως —
ἢ] s. zu III 7, 7. — Σὺ δ' οἴει —;]
s. zu I 3, 13. — ἡ ἀρετὴ — ἀγα-
θόν] s. zu II 3, 1. Vgl. § 6. —
ἔπειτα] s. zu I 2' 1. — τὸ αὐτό]
eadem ratione.
§ 6. καὶ — γε] s. zu I 2, 53.

§ 7. τὸ — λιμοῦ ἀγαθὸν]
nämlich die Speise, wie τὸ πυρετοῦ
ἀγαθόν das Hungern. Vgl. § 3.
§ 8. Καὶ — δέ] s. zu I 1, 3. —
παιδεύειν] = διδάσκειν.
§ 9. Τούτου δὲ ὁμολογου-
μένου] wenn dies von denen, mit
denen er sich unterhielt, zugestan-
den war. — ἐπειδὴ — συμφαῖεν]
wegen des Optativs von einer unbe-

παστάδας ὑπολάμπει, τοῦ δὲ θέρους ὑπὲρ ἡμῶν αὐτῶν καὶ
τῶν στεγῶν πορευόμενος σκιὰν παρέχει; Οὐκοῦν εἴ γε καλῶς
ἔχει ταῦτα οὕτω γίγνεσθαι, οἰκοδομεῖν δεῖ ὑψηλότερα μὲν τὰ
πρὸς μεσημβρίαν, ἵνα ὁ χειμερινὸς ἥλιος μὴ ἀποκλείηται, χθα-
μαλώτερα δὲ τὰ πρὸς ἄρκτον, ἵνα οἱ ψυχροὶ μὴ ἐμπίπτωσιν
10 ἄνεμοι; Ὡς δὲ συνελόντι εἰπεῖν, ὅποι πάσας ὥρας αὐτός τε
ἂν ἥδιστα καταφεύγοι καὶ τὰ ὄντα ἀσφαλέστατα τιθοῖτο, αὕτη
ἂν εἰκότως ἡδίστη τε καὶ καλλίστη οἴκησις εἴη· γραφαὶ δὲ
καὶ ποικιλίαι πλείονας εὐφροσύνας ἀποστεροῦσιν ἢ παρέχουσι.
Ναοῖς γε μὴν καὶ βωμοῖς χώραν ἔφη εἶναι πρεπωδεστάτην,
ἥτις ἐμφανεστάτη οὖσα ἀστιβεστάτη εἴη· ἡδὺ μὲν γὰρ ἰδόν-
τας προσεύξασθαι, ἡδὺ δὲ ἁγνῶς ἔχοντας προσιέναι.

stimmten Frequenz s. zu I 2, 57. —
ὁ χειμερινὸς ἥλιος] da die
Sonne im Winter niedriger steht,
so werden höhere Häuser, die nach
Süden liegen, durch ihre Strahlen
leichter erwärmt als niedrige Häu-
ser; die niedrigeren Häuser, die
nach Norden liegen, sind den Win-
den weniger ausgesetzt als die
höheren.

§ 10. Ὡς δὲ συνελόντι εἰ-
πεῖν] ut rem paucis complectar,
eigentlich: um es zu sagen für
einen, der alles zusammenfaßt
(wenn man alles zusammenfaßt).
— αὐτός] der Herr, im Ggs. zu
οἶκος. — γραφαί, Wandmale-
reien, ποικιλίαι Stuccatur-
arbeit. Damit diese nicht durch
die Sonnenstrahlen litten, baute
man die Teile des Hauses, in denen
sie sich befanden, so, daß sie von
der Sonne abgewandt waren; wo-
durch die Menschen im Winter der
Sonnenwärme beraubt und den

kalten Nordwinden ausgesetzt wur-
den. Über den Plur. εὐφροσύνας
s. zu I 1, 11; ἀποστερεῖν mit
dem bloßen Acc. der Sache ist eine
seltenere Konstruktion. — γὲ μὴν]
s. zu I 4, 5. Die Tempel pflegten
von einer Mauer (περιβόλῳ) und
einem dichten Haine umgeben zu
sein. Sokrates will aber, daß der
Platz ganz offen (ἐμφανεστάτη)
liege. — ἀστιβεστάτη] damit die-
jenigen, welche die Götter verehren
wollen, sich reinen Sinnes (ἁγνῶς
ἔχοντες) den Tempeln nähern kön-
nen und nicht durch das Geräusch
der den Weg anfüllenden Menschen
gestört werden. — ἰδόντας προσ-
εύξασθαι] denen, welche den
Tempel besuchen wollen, um ihre
Gebete zu verrichten, muß es an-
genehm sein, wenn sie schon unter-
wegs aus der Ferne den Tempel
und die Altäre, die weder durch
Mauern noch durch etwas anderes
verdeckt sind, erblickend ihre
Gebete verrichten können.

Neuntes Kapitel.

Inhalt.

Erklärungen der Tapferkeit, Weisheit, Besonnenheit, Gerechtigkeit, des Wahnsinnes, Neides, der Muſse, Herrschaft, des Glücks.

Πάλιν δὲ ἐρωτώμενος, ἡ ἀνδρία πότερον εἴη διδακτὸν ἢ 1 φυσικόν; Οἶμαι μέν, ἔφη, ὥσπερ σῶμα σώματος ἰσχυρότερον πρὸς τοὺς πόνους φύεται, οὕτω καὶ ψυχὴν ψυχῆς ἐρρωμενεστέραν πρὸς τὰ δεινὰ φύσει γίγνεσθαι· ὁρῶ γὰρ ἐν τοῖς αὐτοῖς νόμοις τε καὶ ἔθεσι τρεφομένους πολὺ διαφέροντας ἀλλήλων τόλμῃ. Νομίζω μέντοι πᾶσαν φύσιν μαθήσει καὶ μελέτῃ πρὸς 2 ἀνδρίαν αὔξεσθαι· δῆλον μὲν γάρ, ὅτι Σκύθαι καὶ Θρᾷκες οὐκ ἂν τολμήσειαν ἀσπίδας καὶ δόρατα λαβόντες Λακεδαιμονίοις διαμάχεσθαι, φανερὸν δέ, ὅτι καὶ Λακεδαιμόνιοι οὔτ᾽ ἂν Θρᾳξὶν ἐν πέλταις καὶ ἀκοντίοις, οὔτε Σκύθαις ἐν τόξοις ἐθέλοιεν ἂν διαγωνίζεσθαι. Ὁρῶ δ᾽ ἔγωγε καὶ ἐπὶ τῶν ἄλ- 3 λων πάντων ὁμοίως καὶ φύσει διαφέροντας ἀλλήλων τοὺς ἀνθρώπους καὶ ἐπιμελείᾳ πολὺ ἐπιδιδόντας· ἐκ δὲ τούτων δῆλόν ἐστιν, ὅτι πάντας χρὴ καὶ τοὺς εὐφυεστέρους καὶ τοὺς ἀμβλυτέρους τὴν φύσιν, ἐν οἷς ἂν ἀξιόλογοι βούλωνται γενέσθαι, ταῦτα καὶ μανθάνειν καὶ μελετᾶν.

Σοφίαν δὲ καὶ σωφροσύνην οὐ διώριξεν, ἀλλὰ τὸν τὰ μὲν 4 καλά τε καὶ ἀγαθὰ γιγνώσκοντα χρῆσθαι αὐτοῖς καὶ τὸν τὰ

---

§ 1. ἡ ἀνδρία — διδακτὸν ἢ φυσικόν] s. zu II 8, 1. Statt ἀνδρία haben einige geringere Hdschr. ἀνδρεία; beide Wörter unterscheiden sich bei Xenophon auf folgende Weise: ἀνδρία, abgeleitet von ἀνήρ, ist im philosophischen Sinne eine der sog. Kardinaltugenden = fortitudo, scientia rerum perferendarum vel affectio animi in patiendo ac perferendo summae legi parens sine timore (s. Cicer. Tusc. IV 24, 53); ἀνδρεία, abgeleitet von ἀνδρεῖος, virilis, ist fortitudo, qualis in agendo conspicitur, Platon und andere Schriftsteller bedienen sich beider Wörter ohne Unterschied der Bedeutung. — Wegen der Stellung von πότερον s. zu II 7, 8.

§ 2. πᾶσαν φύσιν μαθήσει — αὔξεσθαι] s. zu II 6, 39. — ἐν πέλταις u. s. w.] vgl. III 11, 4. K. § 290, 1.

§ 3. Ὁρῶ — ἐπὶ τῶν ἄλλων πάντων] bei allen anderen Dingen, s. zu II 3, 2.

§ 4. Σοφίαν] die hier erwähnte σοφία ist die Wissenschaft der Dinge, aus denen die Tugend hervorgeht, verschieden von der IV 6, 7 erwähnten σοφία. S. die Einleitung. — ἀλλὰ τὸν τὰ μὲν καλά — ἔκρινεν] die Weisheit und die Besonnenheit (σωφροσύνην) unterschied S. nicht, sondern urteilte, daſs der, welcher das Schöne und Gute kenne und zugleich auch dasselbe anzuwenden verstehe, und der, welcher das Schimpfliche kenne

9*

αἰσχρὰ εἰδότα εὐλαβεῖσθαι σοφόν τε καὶ σώφρονα ἔκρινεν.
Προσερωτώμενος δέ, εἰ τοὺς ἐπισταμένους μὲν ἃ δεῖ πράττειν,
ποιοῦντας δὲ τἀναντία σοφούς τε καὶ ἐγκρατεῖς εἶναι νομίζοι·
Οὐδέν γε μᾶλλον, ἔφη, ἢ ἀσόφους τε καὶ ἀκρατεῖς· πάντας
γὰρ οἶμαι προαιρουμένους ἐκ τῶν ἐνδεχομένων ἃ οἴονται συμ-
φορώτατα αὑτοῖς εἶναι, ταῦτα πράττειν.   Νομίζω οὖν τοὺς μὴ
5 ὀρθῶς πράττοντας οὔτε σοφοὺς οὔτε σώφρονας εἶναι. Ἔφη δὲ
καὶ τὴν δικαιοσύνην καὶ τὴν ἄλλην πᾶσαν ἀρετὴν σοφίαν εἶναι·
τά τε γὰρ δίκαια καὶ πάντα, ὅσα ἀρετῇ πράττεται, καλά τε
καὶ ἀγαθὰ εἶναι· καὶ οὔτ᾽ ἂν τοὺς ταῦτα εἰδότας ἄλλο ἀντὶ
τούτων οὐδὲν προελέσθαι, οὔτε τοὺς μὴ ἐπισταμένους δύνα-
σθαι πράττειν, ἀλλὰ καὶ ἐὰν ἐγχειρῶσιν, ἁμαρτάνειν· οὕτω
καὶ τὰ καλά τε καὶ ἀγαθὰ τοὺς μὲν σοφοὺς πράττειν, τοὺς
δὲ μὴ σοφοὺς οὐ δύνασθαι, ἀλλὰ καὶ ἐὰν ἐγχειρῶσιν, ἁμαρ-
τάνειν· ἐπεὶ οὖν τά τε δίκαια καὶ τὰ ἄλλα καλά τε καὶ ἀγαθὰ
πάντα ἀρετῇ πράττεται, δῆλον εἶναι, ὅτι καὶ δικαιοσύνη καὶ
6 ἡ ἄλλη πᾶσα ἀρετὴ σοφία ἐστί.   Μανίαν γε μὴν ἐναντίον

und zugleich auch sich desselben
zu enthalten verstehe, weise und
besonnen sei. Denn der, welcher
des Guten und Rechten kundig ist,
muſs es auch notwendig ausführen,
da ja jeder das thut, was er für
gut hält. S. die Einleitung. Die
Participien γιγνώσκοντα u. εἰδότα
muſs man sich zweimal gesetzt
denken, so daſs τὰ καλά τε καὶ
ἀγαθά u. χρῆσθαι von γιγνώσκοντα,
sowie auch τὰ αἰσχρά u. εὐλαβεῖ-
σθαι von εἰδότα abhängt. Vgl. zu
II 3, 14. Für τὸν τὰ μὲν καλά —
καὶ τὸν τὰ αἰσχρά hätte X. genauer
schreiben müssen: τὸν τὰ μὲν καλὰ
— τὰ δὲ αἰσχρά κτλ. Statt τὸν —
τὸν verm. Heindorf τῷ — τῷ =
quatenus quis cognovisset et uteretur.
— Οὐδέν γε μᾶλλον] d. i. τοὺς
ἐπισταμένους μὲν ἃ δεῖ πράττειν,
ποιοῦντας δὲ τἀναντία οὐδὲν μᾶλ-
λον (nihilo magis) σοφούς τε καὶ
ἐγκρατεῖς (aut σώφρονας) εἶναι νο-
μίζω, ἢ ἀσόφους τε καὶ ἀκρατεῖς
νομίζω εἶναι σοφούς τε καὶ ἐγκρα-
τεῖς (aut σώφρονας). — ἐνδεχο-
μένων] s. zu I 2, 23.
§ 5. τὴν δικαιοσύνην — εἶ-
ναι] der Zusammenhang ist der:

Die Gerechtigkeit und jede andere
Tugend ist Weisheit; denn das Ge-
rechte und alles Tugendhafte ist
schön und gut: wer aber das Schöne
und Gute kennt (σοφός), wird die-
sem nichts anderes vorziehen; also
wird der Weise das Schöne und
Gute auch (καί) thun. Das Ge-
rechte aber und alles Tugendhafte
ist schön und gut; also ist auch
sowohl die Gerechtigkeit als auch
jede andere Tugend Weisheit. —
ἐπεὶ οὖν τά τε δίκαια — πράτ-
τεται] man erwartet hier: ἐπεὶ
οὖν τά τε δίκαια καὶ τὰ ἄλλα
πάντα, ἃ ἀρετῇ πράττεται, καλά
τε καὶ ἀγαθά ἐστιν. Offenbar hat
sich Xen. hier nicht deutlich aus-
gedrückt.
§§ 6 u. 7. Μανίαν] der Sinn ist
folgender: Wahnsinn (μανία) ist
der Weisheit (σοφία) entgegen-
gesetzt. Der Wahnsinn ist nun die
Unkenntnis der Tugenden; denn die
Weisheit besteht in der Kenntnis
der Tugenden. Die Quelle und
Grundlage der Weisheit aber ist
die Selbsterkenntnis. Wer diese
nicht hat, nähert sich sehr dem
Wahnsinne. Die groſse Menge er-

μὲν ἔφη εἶναι σοφίᾳ, οὐ μέντοι γε τὴν ἀνεπιστημοσύνην μα-
νίαν ἐνόμιζε, τὸ δὲ ἀγνοεῖν ἑαυτὸν καὶ μὴ ἃ οἶδε δοξάζειν
τε καὶ οἴεσθαι γιγνώσκειν ἐγγυτάτω μανίας ἐλογίζετο εἶναι·
τοὺς μέντοι πολλοὺς ἔφη, ἃ μὲν οἱ πλεῖστοι ἀγνοοῦσι, τοὺς
διημαρτηκότας τούτων οὐ φάσκειν μαίνεσθαι, τοὺς δὲ διημαρ-
τηκότας, ὧν οἱ πολλοὶ γιγνώσκουσι, μαινομένους καλεῖν· ἐάν 7
τε γάρ τις μέγας οὕτως οἴηται εἶναι, ὥστε κύπτειν τὰς πύλας
τοῦ τείχους διεξιών, ἐάν τε οὕτως ἰσχυρός, ὥστ' ἐπιχειρεῖν
οἰκίας αἴρεσθαι ἢ ἄλλῳ τῳ ἐπιτίθεσθαι τῶν πᾶσι δήλων ὅτι
ἀδύνατά ἐστι, τοῦτον μαίνεσθαι φάσκειν, τοὺς δὲ μικρὸν δι-
αμαρτάνοντας οὐ δοκεῖν τοῖς πολλοῖς μαίνεσθαι, ἀλλ', ὥσπερ
τὴν ἰσχυρὰν ἐπιθυμίαν ἔρωτα καλοῦσιν, οὕτω καὶ τὴν μεγά-
λην παράνοιαν μανίαν αὐτοὺς καλεῖν.

Φθόνον δὲ σκοπῶν, ὅ τι εἴη, λύπην μέν τινα ἐξεύρισκεν 8
αὐτὸν ὄντα, οὔτε μέντοι τὴν ἐπὶ φίλων ἀτυχίαις οὔτε τὴν
ἐπὶ ἐχθρῶν εὐτυχίαις γιγνομένην, ἀλλὰ μόνους ἔφη φθονεῖν
τοὺς ἐπὶ ταῖς τῶν φίλων εὐπραξίαις ἀνιωμένους. Θαυμαζόν-
των δέ τινων, εἴ τις φιλῶν τινα ἐπὶ τῇ εὐπραξίᾳ αὐτοῦ λυ-
ποῖτο, ὑπεμίμνησκεν, ὅτι πολλοὶ οὕτως πρός τινας ἔχουσιν,
ὥστε κακῶς μὲν πράττοντας μὴ δύνασθαι περιορᾶν, ἀλλὰ
βοηθεῖν ἀτυχοῦσιν, εὐτυχούντων δὲ λυπεῖσθαι· τοῦτο δὲ φρο-

teilt nicht, wie Sokr., der Unkennt-
nis der Tugenden, sondern jeder
anderen grofsen Unkenntnis ande-
rer Dinge (μεγάλη παρανοίᾳ) den
Namen Wahnsinn. Unter dieser
grofsen Unkenntnis aber mufs man
nicht eine Verirrung von den Din-
gen verstehen, welche die meisten
Menschen nicht kennen (ἃ οἱ πολ-
λοὶ ἀγνοοῦσι), sondern eine Ver-
irrung von den Dingen, welche die
grofse Menge beurteilen kann (ἃ
οἱ πολλοὶ γιγνώσκουσι), oder eine
Unkenntnis der Dinge, die dem
gewöhnlichen Urteile der Menschen
widerstreben. Wenn aber jemand
in den Dingen fehlt, welche die
meisten (οἱ πλεῖστοι) nicht kennen
und daher auch nicht beurteilen
können, d. h. wenn jemand einen
unbedeutenden Fehler begeht (ὁ μι-
κρὸν διαμαρτάνων), so scheint er
der Menge nicht wahnsinnig zu

sein. — γὲ μήν] s. zu I 4, 5. —
καὶ μὴ ἃ οἶδε] μή ist dem Re-
lative vorausgeschickt, weil dem
Schriftsteller der Gegensatz: μὴ ἃ
οἶδεν, ἀλλ' ἃ μὴ οἶδεν vorschwebte.
Wegen des zu οἶδε weggelassenen
Subjektes (τὶς) vgl. Plat. Apol. p.
29 B: ἡ τοῦ οἴεσθαι εἰδέναι (ἀμα-
θία) ἃ οὐκ οἶδεν (sc. τὶς). — ἃ
μὲν — τούτων] d. i. τοὺς διη-
μαρτηκότας τούτων, ἃ κτλ.

§ 8. ἀτυχίαις — εὐτυχίαις
— εὐπραξίαις] über den Plur. s.
zu I 1, 11. Die Wörter εὐτυχίαι u.
εὐπραξίαι sind hier als gleichbe-
deutend anzusehen, wie εὐτυχοῦν-
τες und εὖ πράττοντες. Anders § 14.
— Θαυμαζόντων —, εἴ] s. zu
I 1, 12. — πράττοντας — περι-
ορᾶν] s. zu II 7, 2. Wegen μέν
— δέ s. zu I 6, 5. — εὐτυχούν-
των sc. αὐτῶν.

νίμῳ μὲν ἀνδρὶ οὐκ ἂν συμβῆναι, τοὺς ἠλιϑίους δὲ ἀεὶ πά-
σχειν αὐτό.

9   Σχολὴν δὲ σκοπῶν, τί εἴη, ποιοῦντας μέν τι [ὅλως ἅπαν-
τας, σχολάζοντας μέντοι] τοὺς_πλείστους ἔφη εὑρίσκειν· καὶ
γὰρ τοὺς πεττεύοντας καὶ τοὺς γελωτοποιοῦντας ποιεῖν τι·
πάντας δὲ τούτους ἔφη σχολάζειν· ἐξεῖναι γὰρ αὐτοῖς ἰέναι
πράξοντας τὰ βελτίω τούτων· ἀπὸ μέντοι τῶν βελτιόνων ἐπὶ
τὰ χείρω ἰέναι οὐδένα σχολάζειν, εἰ δέ τις ἴοι, τοῦτον ἀσχο-
λίας αὐτῷ οὔσης κακῶς ἔφη τοῦτο πράττειν.

10   Βασιλεῖς δὲ καὶ ἄρχοντας οὐ τοὺς τὰ σκῆπτρα ἔχοντας ἔφη
εἶναι, οὐδὲ τοὺς ὑπὸ τῶν τυχόντων αἱρεϑέντας, οὐδὲ τοὺς
κλήρῳ λαχόντας, οὐδὲ τοὺς βιασαμένους, οὐδὲ τοὺς ἐξαπατή-
11 σαντας, ἀλλὰ τοὺς ἐπισταμένους ἄρχειν. Ὁπότε γάρ τις ὁμο-
λογήσειε τοῦ μὲν ἄρχοντος εἶναι τὸ προστάττειν ὅ τι χρὴ ποιεῖν,
τοῦ δὲ ἀρχομένου τὸ πείϑεσϑαι, ἐπεδείκνυεν ἔν τε νηῒ τὸν μὲν
ἐπιστάμενον ἄρχοντα, τὸν δὲ ναύκληρον καὶ τοὺς ἄλλους τοὺς
ἐν τῇ νηῒ πάντας πειϑομένους τῷ ἐπισταμένῳ, καὶ ἐν γεωργίᾳ
τοὺς κεκτημένους ἀγρούς, καὶ ἐν νόσῳ τοὺς νοσοῦντας, καὶ
ἐν σωμασκίᾳ τοὺς σωμασκοῦντας, καὶ τοὺς ἄλλους πάντας,
οἷς ὑπάρχει τι ἐπιμελείας δεόμενον, ἂν μὲν αὐτοὶ ἡγῶνται ἐπί-
στασϑαι ἐπιμελεῖσϑαι, — εἰ δὲ μή, τοῖς ἐπισταμένοις οὐ μόνον
παροῦσι πειϑομένους, ἀλλὰ καὶ ἀπόντας μεταπεμπομένους,
ὅπως ἐκείνοις πειϑόμενοι τὰ δέοντα πράττωσιν· ἐν δὲ ταλασίᾳ

---

§ 9. σκοπῶν, τί εἴη] st. ὅ τι.
S. zu I 1, 1. — Die in Klammern
eingeschlossene Worte stehen nur
in einer Hs. (Voss. I) von geringem
Werte und sind offenbar unecht. —
ἐξεῖναι — αὐτοῖς — πράξον-
τας] s. zu I 1, 9. — ἀπὸ μέντοι
τῶν βελτιόνων ἐπὶ τὰ χείρω
ἰέναι οὐδένα σχολάζειν] um
jedoch von edleren Beschäftigungen
zu schlechteren überzugehen, da-
zu habe niemand Muße. — ἀσχολίας
αὐτῷ οὔσης] d. i. wenn jemand
aber von edleren Beschäftigungen zu
schlechteren übergehe, von dem
sagte er, er handle schlecht, weil
er gerade wegen dieser edleren Be-
schäftigungen, die er eben treibe,
keine Muße habe, um zu schlech-
teren überzugehen. Der Mensch
soll nie müßig sein, sondern auch

seine Erholung in nützlicher Be-
schäftigung suchen. Nur von den
Menschen kann man sagen, daß
sie etwas thun, wenn sie etwas
Gutes thun. Thun sie aber etwas
Unnützes, so sind sie müßig (σχο-
λάζοντες, ἀργοί) zu nennen. Die
Weisen müssen also immer mit et-
was Nützlichem beschäftigt sein.
    § 10. ὑπὸ τῶν τυχόντων] von
der großen Menge. S. zu I 1, 14.
    § 11. Ὁπότε — ὁμολογήσειε]
s. zu I 2, 57. Vgl. § 12. — καὶ ἐν
γεωργίᾳ .. σωμασκοῦντας] scil.
πειϑομένους τῷ ἐπισταμένῳ. — ἂν
μὲν — ἐπίστασϑαι ἐπιμελεῖ-
σϑαι] scil. αὐτοὺς ἐπιμελομένους,
welche Worte von ἐπεδείκνυεν ab-
hängen. Vgl. zu III 1, 9. — εἰ δὲ
μή] scil. αὐτοὶ ἡγοῦνται ἐπίστα-
σϑαι ἐπιμελεῖσϑαι.

καὶ τὰς γυναῖκας ἐπεδείκνυεν ἄρχουσας τῶν ἀνδρῶν διὰ τὸ
τὰς μὲν εἰδέναι, ὅπως χρὴ ταλασιουργεῖν, τοὺς δὲ μὴ εἰδέναι.
Εἰ δέ τις πρὸς ταῦτα λέγοι, ὅτι τῷ τυράννῳ ἔξεστι μὴ πείθε- 12
σθαι τοῖς ὀρθῶς λέγουσι· Καὶ πῶς ἄν, ἔφη, ἐξείη μὴ πείθε-
σθαι ἐπικειμένης γε ζημίας, ἐάν τις τῷ λέγοντι μὴ πείθηται;
ἐν ᾧ γὰρ ἄν τις πράγματι μὴ πείθηται τῷ εὖ λέγοντι, ἁμαρτή-
σεται δήπου, ἁμαρτάνων δὲ ζημιωθήσεται. Εἰ δὲ φαίη τις τῷ 13
τυράννῳ ἐξεῖναι καὶ ἀποκτεῖναι τὸν εὖ φρονοῦντα· Τὸν δὲ
ἀποκτείνοντα, ἔφη, τοὺς κρατίστους τῶν συμμάχων οἴει ἀζήμιον
γίγνεσθαι ἢ ὡς ἔτυχε ζημιοῦσθαι; πότερον γὰρ ἂν μᾶλλον οἴει
σώζεσθαι τὸν ταῦτα ποιοῦντα ἢ οὕτω καὶ τάχιστ᾽ ἂν ἀπολέσθαι;
Ἐρομένου δέ τινος αὐτόν, τί δοκοίη αὐτῷ κράτιστον ἀνδρὶ 14
ἐπιτήδευμα εἶναι, ἀπεκρίνατο· Εὐπραξίαν. Ἐρομένου δὲ πά-
λιν, εἰ καὶ τὴν εὐτυχίαν ἐπιτήδευμα νομίζοι εἶναι· Πᾶν μὲν
οὖν τοὐναντίον ἔγωγ᾽, ἔφη, τύχην καὶ πρᾶξιν ἡγοῦμαι· τὸ
μὲν γὰρ μὴ ζητοῦντα ἐπιτυχεῖν τινι τῶν δεόντων εὐτυχίαν
οἶμαι εἶναι, τὸ δὲ μαθόντα τε καὶ μελετήσαντά τι εὖ ποιεῖν
εὐπραξίαν νομίζω, καὶ οἱ τοῦτο ἐπιτηδεύοντες δοκοῦσί μοι εὖ
πράττειν. Καὶ ἀρίστους δὲ καὶ θεοφιλεστάτους ἔφη εἶναι ἐν 15
μὲν γεωργίᾳ τοὺς τὰ γεωργικὰ εὖ πράττοντας, ἐν δ᾽ ἰατρείᾳ
τοὺς τὰ ἰατρικά, ἐν δὲ πολιτείᾳ τοὺς τὰ πολιτικά, τὸν δὲ
μηδὲν εὖ πράττοντα οὔτε χρήσιμον οὐδὲν ἔφη εἶναι οὔτε
θεοφελῆ.

---

§ 13. ὡς ἔτυχε] leviter, medio-
criter. Vgl. zu § 10. — οὕτω] ent-
spricht dem vorhergehenden ταῦτα
ποιοῦντα.
§ 14. Εὐπραξίαν] sc. ἑαυτῷ
κράτιστον .. εἶναι δοκεῖν. Wohl-
leben, d. h. das Streben tugend-
haft zu leben, wie darauf: τὸ μα-
θόντα τε καὶ μελετήσαντά τι εὖ
ποιεῖν εὐπραξίαν νομίζω. Sokra-
tes nahm das Wort εὐπραξία nicht
in dem gewöhnlichen Sinne, in dem
es mit εὐτυχία, rebus secundis,
gleichbedeutend ist (vgl. εὖ πράτ-
τειν, glücklich sein), sondern legte
ihm eine andere Bedeutung bei.
Da der andere dies nicht einsah,
sondern meinte, Sokr. nehme das
Wort in dem gewöhnlichen Sinne,
so fragt er ihn, ob er auch die

εὐτυχίαν (res secundas, das Wohl-
ergehen) für eine Einrichtung des
Lebens halte. Ein ähnliches Wort-
spiel I 6, 6. — Πᾶν μὲν οὖν
τοὐναντίον] nein gerade für Ge-
gensätze halte ich die τύχην, εὐ-
τυχίαν und die πρᾶξιν, εὐπραξίαν.
Wegen μὲν οὖν s. zu II 7, 5. —
ζητοῦντα — μαθόντα] s. zu I
3, 8. — εὖ πράττειν] wohl leben.
§ 15. Καὶ — δέ] s. zu I 1, 3. —
τοὺς — εὖ πράττοντας] da wir
εὐπραξίαν Wohlleben übersetzt
haben, so müssen wir diese Worte
übersetzen: Diejenigen, welche in
der Landwirtschaft wohl le-
ben, d. h. welche die L. genau
kennen und richtig ausüben. —
χρήσιμον οὐδέν] zu nichts nütz-
lich. Vgl. II 7, 7.

Zehntes Kapitel.

Inhalt.

Auch Künstlern suchte Sokrates durch seine Untersuchungen zu nützen. Der Maler soll sich durch Auswahl des Schönsten bei einzelnen Menschen ein Ideal des menschlichen Körpers zusammensetzen und zugleich auch die mannigfaltigen Seelenstimmungen darzustellen suchen (§ 3—5). Dasselbe gilt auch von der Bildhauerkunst (§ 6—8). Zugleich spricht er über die zweckmäſsige Einrichtung des Panzers (§ 9—15).

1   Ἀλλὰ μὴν καὶ εἴ ποτε τῶν τὰς τέχνας ἐχόντων καὶ ἐργασίας ἕνεκα χρωμένων αὐταῖς διαλέγοιτό τινι, καὶ τούτοις ὠφέλιμος ἦν· εἰσελθὼν μὲν γάρ ποτε πρὸς Παρράσιον τὸν ζωγράφον καὶ διαλεγόμενος αὐτῷ· Ἄρα, ἔφη, ὦ Παρράσιε, ἡ γραφική ἐστιν εἰκασία τῶν ὁρωμένων; τὰ γοῦν κοῖλα καὶ τὰ ὑψηλά, καὶ τὰ σκοτεινὰ καὶ τὰ φωτεινά, καὶ τὰ σκληρὰ καὶ τὰ μαλακά, καὶ τὰ τραχέα καὶ τὰ λεῖα, καὶ τὰ νέα καὶ τὰ παλαιὰ σώματα διὰ τῶν χρωμάτων ἀπεικάζοντες ἐκμιμεῖσθε.

2   — Ἀληθῆ λέγεις, ἔφη. — Καὶ μὴν τά γε καλὰ εἴδη ἀφομοιοῦντες, ἐπειδὴ οὐ ῥᾴδιον ἑνὶ ἀνθρώπῳ περιτυχεῖν ἄμεμπτα πάντα ἔχοντι, ἐκ πολλῶν συνάγοντες τὰ ἐξ ἑκάστου κάλλιστα, οὕτως ὅλα τὰ σώματα καλὰ ποιεῖτε φαίνεσθαι; — Ποιοῦμεν

3   γάρ, ἔφη, οὕτως. — Τί γάρ; ἔφη, τὸ πιθανώτατόν τε καὶ ἥδιστον καὶ φιλικώτατον καὶ ποθεινότατον καὶ ἐρασμιώτατον ἀπομιμεῖσθε τῆς ψυχῆς ἦθος; ἢ οὐδὲ μιμητόν ἐστι τοῦτο; — Πῶς γὰρ ἄν, ἔφη, μιμητὸν εἴη, ὦ Σώκρατες, ὃ μήτε συμμετρίαν μήτε χρῶμα μήτε ὧν σὺ εἶπας ἄρτι μηδὲν ἔχει μηδὲ

§ 1. ἐχόντων] ἔχειν, wie tenere, wissen, kennen, vgl. I 6, 13. III 10, 13; wegen des Opt. διαλέγοιτο zu I 2, 57; wegen des Sing. τινί in Beziehung auf τούτοις zu I 2, 62. — ἀλλὰ μὴν καὶ — καὶ τούτοις ὠφ. ἦν, zu vergleichen mit ὥσπερ καὶ — οὕτω καὶ, s. zu I 1, 6. Vgl. III 12, 6: ἐπεὶ καὶ —, ὅτι καί. — εἰσελθὼν μέν] μέν entspricht dem δέ in § 6. — Παρράσιον] aus Ephesus, ein berühmter Maler, war zur Zeit des Gespräches noch ein Jüngling und erlangte erst nach des Sokrates Tode den Namen eines groſsen Künstlers.

§ 2. οὕτως] wegen οὕτως nach einem Participe s. zu III 5, 8. — συνάγοντες τὰ ἐξ ἑκάστου κάλλιστα] s. zu III 6, 11. — Ποιοῦμεν γάρ] über γάρ in der Antwort s. zu I 4, 9. — ὅλα τὰ σώματα] die Körper in allen ihren Teilen.

§ 3. Τί γάρ;] s. zu II 6, 2. — τὸ πιθανώτατον κτλ.] „das Ideal des einnehmenden, anmutsvollen, Liebe erregenden, Sehnsucht erweckenden, liebreizenden Charakters der Seele". Weiske. — συμμετρίαν] Plin. 35, 10: (Parrhasius) symmetriam picturae dedit, primus argutias vultus, elegantiam

ὅλως ὁρατόν ἐστιν; — Ἆρ᾽ οὖν, ἔφη, γίγνεται ἐν ἀνθρώπῳ 4
τό τε φιλοφρόνως καὶ τὸ ἐχθρῶς βλέπειν πρός τινας; —
Ἔμοιγε δοκεῖ, ἔφη. — Οὐκοῦν· τοῦτό γε μιμητὸν ἐν τοῖς ὄμ-
μασιν; — Καὶ μάλα, ἔφη. — Ἐπὶ δὲ τοῖς τῶν φίλων ἀγαθοῖς
καὶ τοῖς κακοῖς ὁμοίως σοι δοκοῦσιν ἔχειν τὰ πρόσωπα οἵ τε
φροντίζοντες καὶ οἱ μή; Μὰ Δί᾽ οὐ δῆτα, ἔφη· ἐπὶ μὲν γὰρ
τοῖς ἀγαθοῖς φαιδροί, ἐπὶ δὲ τοῖς κακοῖς σκυθρωποὶ γίγνον-
ται. — Οὐκοῦν, ἔφη, καὶ ταῦτα δυνατὸν ἀπεικάζειν; — Καὶ 5
μάλα, ἔφη. — Ἀλλὰ μὴν καὶ τὸ μεγαλοπρεπές τε καὶ ἐλευ-
θέριον καὶ τὸ ταπεινόν τε καὶ ἀνελεύθερον καὶ τὸ σωφρω-
ν[ητ]ικόν τε καὶ φρόνιμον καὶ τὸ ὑβριστικόν τε καὶ ἀπειρό-
καλον καὶ διὰ τοῦ προσώπου καὶ διὰ τῶν σχημάτων καὶ
ἑστώτων καὶ κινουμένων διαφαίνει. — Ἀληθῆ λέγεις, ἔφη. —
Οὐκοῦν καὶ ταῦτα μιμητά; — Καὶ μάλα, ἔφη. — Πότερον
οὖν, ἔφη, νομίζεις ἥδιον ὁρᾶν τοὺς ἀνθρώπους, δι᾽ ὧν τὰ
καλά τε· κἀγαθὰ καὶ ἀγαπητὰ ἤδη φαίνεται, ἢ δι᾽ ὧν τὰ
αἰσχρά τε καὶ πονηρὰ καὶ μισητά; — Πολὺ νὴ Δί᾽, ἔφη, δια-
φέρει, ὦ Σώκρατες.

Πρὸς δὲ Κλείτωνα, τὸν ἀνδριαντοποιόν, εἰσελθών ποτε 6
καὶ διαλεγόμενος αὐτῷ· Ὅτι μέν, ἔφη, ὦ Κλείτων, ἀλλοίους
ποιεῖς δρομεῖς τε καὶ παλαιστὰς καὶ πύκτας καὶ παγκρατια-
στάς, ὁρῶ τε καὶ οἶδα· ὃ δὲ μάλιστα ψυχαγωγεῖ διὰ τῆς ὄψεως
τοὺς ἀνθρώπους, τὸ ζωτικὸν φαίνεσθαι, πῶς τοῦτο ἐνεργάζῃ
τοῖς ἀνδριᾶσιν; Ἐπεὶ δὲ ἀπορῶν ὁ Κλείτων οὐ ταχὺ ἀπεκρί- 7
νατο· Ἆρ᾽, ἔφη, τοῖς τῶν ζώντων εἴδεσιν ἀπεικάζων τὸ ἔργον
ζωτικωτέρους ποιεῖς φαίνεσθαι τοὺς ἀνδριάντας; — Καὶ μάλα,
ἔφη. — Οὐκοῦν τά τε ὑπὸ τῶν σχημάτων κατασπώμενα καὶ

capilli, venustatem oris, confessione
artificum in lineis extremis palmam
adeptus etc. — ὧν σὺ εἶπας] scil.
τῶν κοίλων κτλ. § 1.

§ 4. Ἆρ᾽ οὖν] s. zu II 6, 1. —
γίγνεται ἐν ἀνθρώπῳ] findet
sich, findet statt in, bei einem Men-
schen. — ὁμοίως] verbinde mit
ἔχειν, pariter habere. — οἵ τε
φροντίζοντες] scil. τῶν φίλων,
quibus amici curae sunt: Vgl. III
11, 10 u. 12 u. III 11, 10 τὸν μὲν
ἐπιμελόμενον, sc. σοῦ.

§ 5. διαφαίνει] intrans. blickt
durch, wie bald darauf φαίνεται.

— ἥδιον ὁρᾶν τοὺς ἀνθρώ-
πους] τοὺς ἀνθρώπους ist Objekt
von ὁρᾶν, und zu ὁρᾶν ist τινά zu
ergänzen: glaubst du, daſs man
lieber sehe solche Menschen, durch
welche . . . hindurchblickt.

§ 6. Κλείτωνα] sonst unbekannt.

§ 7. ἔργον] das zu bildende Kunst-
werk. — σχήματα] Stellungen, Be-
wegungen, die verschiedene Haltung
der Läufer u. s. w., also τὰ ὑπὸ τ.
σχ. κατασπώμενα, was durch die
Stellungen u. s. w. an den einzelnen
Teilen des Körpers hinab- und

τὰ ἀνασπώμενα ἐν τοῖς σώμασι καὶ τὰ συμπιεζόμενα καὶ τὰ
διελκόμενα, καὶ τὰ ἐντεινόμενα καὶ τὰ ἀνιέμενα ἀπεικάζων
ὁμοιότερά τε τοῖς ἀληθινοῖς καὶ πιθανώτερα ποιεῖς φαί-
8 νεσθαι; — Πάνυ μὲν οὖν, ἔφη. — Τὸ δὲ καὶ τὰ πάθη τῶν
ποιούντων τι σωμάτων ἀπομιμεῖσθαι οὐ ποιεῖ τινα τέρψιν τοῖς
θεωμένοις; — Εἰκὸς γοῦν, ἔφη. — Οὐκοῦν καὶ τῶν μὲν μα-
χομένων ἀπειλητικὰ τὰ ὄμματα ἀπεικαστέον, τῶν δὲ νενικη-
κότων εὐφραινομένων ἡ ὄψις μιμητέα; — Σφόδρα γ', ἔφη. —
Δεῖ ἄρα, ἔφη, τὸν ἀνδριαντοποιὸν τὰ τῆς ψυχῆς ἔργα τῷ εἴδει
προσεικάζειν.

9   Πρὸς δὲ Πιστίαν, τὸν θωρακοποιόν, εἰσελθὼν ἐπιδείξαν-
τος αὐτοῦ τῷ Σωκράτει θώρακας εὖ εἰργασμένους· Νὴ τὴν
Ἥραν, ἔφη, καλόν γε, ὦ Πιστία, τὸ εὕρημα τῷ τὰ μὲν δεό-
μενα σκέπης τοῦ ἀνθρώπου σκεπάζειν τὸν θώρακα, ταῖς δὲ
10 χερσὶ μὴ κωλύειν χρῆσθαι. Ἀτάρ, ἔφη, λέξον μοι, ὦ Πιστία,
διὰ τί οὔτε ἰσχυροτέρους οὔτε πολυτελεστέρους τῶν ἄλλων
ποιῶν τοὺς θώρακας πλείονος πωλεῖς; — Ὅτι, ἔφη, ὦ Σώ-
κρατες, εὐρυθμοτέρους ποιῶ. — Τὸν δὲ ῥυθμόν, ἔφη, πότερα
μέτρῳ ἢ σταθμῷ ἐπιδεικνύων πλείονος τιμᾷ; οὐ γὰρ δὴ ἴσους
γε πάντας οὐδὲ ὁμοίους οἶμαί σε ποιεῖν, εἴγε ἁρμόττοντας
ποιεῖς. — Ἀλλὰ νὴ Δί', ἔφη, ποιῶ· οὐδὲν γὰρ ὄφελός ἐστι
11 θώρακος ἄνευ τούτου. — Οὐκοῦν, ἔφη; σώματά γε ἀνθρώ-
πων τὰ μὲν εὔρυθμά ἐστι, τὰ δὲ ἄρρυθμα; — Πάνυ μὲν οὖν,
ἔφη. — Πῶς οὖν, ἔφη, τῷ ἀρρύθμῳ σώματι ἁρμόττοντα τὸν
θώρακα εὔρυθμον ποιεῖς; — Ὥσπερ καὶ ἁρμόττοντα, ἔφη·

hinaufgezogen wird. — πιθανώ-
τερα] täuschender.
§ 9. Πιστίαν] sonst unbekannt.
— εἰργασμένους] passivisch. S.
zu I 2, 10. — Νὴ τὴν Ἥραν] s.
zu I 5, 5. — τῷ — σκεπάζειν
τὸν θώρακα] dadurch, daſs der
Panzer deckt.
§ 10. Ἀτάρ, ἔφη] wegen des
wiederholten ἔφη s. zu II 4, 1. —
τῶν ἄλλων] als die anderen (Pan-
zer), d. i. als die von anderen Künst-
lern angefertigten. — Τὸν δέ] s.
zu I 3, 13. — Ῥυθμὸς τοῦ θώ-
ρακος, das richtige Verhältnis aller
Teile unter einander (die Pro-
portion). — μέτρῳ ἢ σταθμῷ
ἐπιδεικνύων] der Sinn der Stelle

ist: Du verkaufst, wie du sagst,
deine Panzer teuerer, weil sie pro-
portionierter sind. Wie aber zeigst
du den Käufern die Proportion,
wegen welcher du deinen Panzern
einen höheren Wert beilegst als
anderen? Etwa dadurch, daſs du
ihnen zeigst, daſs dieselbe in einem
richtigeren Verhältnisse des Maſses
oder des Gewichtes bestehe? —
ἴσους — ὁμοίους] gleiche —
ähnliche. — ποιῶ] scil. ἁρμότ-
τοντας.
§ 11. σώματα — τὰ μὲν — τὰ
δέ] s. zu III 1, 4. — Ὥσπερ καὶ
ἁρμόττοντα] d. i. ὥσπερ καὶ ἁρ-
μόττοντα ποιῶ τὸν θώρακα, οὕτω
καὶ εὔρυθμον ποιῶ αὐτόν. — ἁρμό-

ὁ ἁρμόττων γάρ ἐστιν εὔρυθμος. — Δοκεῖς μοι, ἔφη ὁ Σω- 12
κράτης, τὸ εὔρυθμον οὐ καθ᾽ ἑαυτὸ λέγειν, ἀλλὰ πρὸς τὸν
χρώμενον, ὥσπερ ἂν εἰ φαίης ἀσπίδα, ᾧ ἂν ἁρμόττῃ, τούτῳ
εὔρυθμον εἶναι, καὶ χλαμύδα καὶ τἆλλα ὡσαύτως ἔοικεν ἔχειν
τῷ σῷ λόγῳ. Ἴσως δὲ καὶ ἄλλο τι οὐ μικρὸν ἀγαθὸν τῷ 13
ἁρμόττειν πρόσεστι. — Δίδαξον, ἔφη, ὦ Σώκρατες, εἴ τι ἔχεις.
— Ἧττον, ἔφη, τῷ βάρει πιέζουσιν οἱ ἁρμόττοντες τῶν ἀν-
αρμόστων τὸν αὐτὸν σταθμὸν ἔχοντες· οἱ μὲν γὰρ ἀνάρμοστοι,
ἢ ὅλοι ἐκ τῶν ὤμων κρεμάμενοι ἢ καὶ ἄλλο τι τοῦ σώματος
σφόδρα πιέζοντες, δύσφοροι καὶ χαλεποὶ γίγνονται, οἱ δὲ ἁρ-
μόττοντες, διειλημμένοι τὸ βάρος τὸ μὲν ὑπὸ τῶν κλειδῶν
καὶ ἐπωμίδων, τὸ δὲ ὑπὸ τῶν ὤμων, τὸ δὲ ὑπὸ τοῦ στήθους,
τὸ δὲ ὑπὸ τοῦ νώτου, τὸ δὲ ὑπὸ τῆς γαστρός, ὀλίγου δεῖν
οὐ φορήματι, ἀλλὰ προσθήματι ἐοίκασιν. — Εἴρηκας, ἔφη, 14
αὐτό, δι᾽ ὅπερ ἔγωγε τὰ ἐμὰ ἔργα πλείστου ἄξια νομίζω εἶναι·
ἔνιοι μέντοι τοὺς ποικίλους καὶ τοὺς ἐπιχρύσους θώρακας
μᾶλλον ὠνοῦνται. — Ἀλλὰ μήν, ἔφη, εἴγε διὰ ταῦτα μὴ ἁρ-
μόττοντας ὠνοῦνται, κακὸν ἔμοιγε δοκοῦσι ποικίλον τε καὶ
ἐπίχρυσον ὠνεῖσθαι. Ἀτάρ, ἔφη, τοῦ σώματος μὴ μένοντος, 15
ἀλλὰ τοτὲ μὲν κυρτουμένου, τοτὲ δὲ ὀρθουμένου, πῶς ἂν
ἀκριβεῖς θώρακες ἁρμόττοιεν; — Οὐδαμῶς, ἔφη. — Λέγεις,
ἔφη, ἁρμόττειν οὐ τοὺς ἀκριβεῖς, ἀλλὰ τοὺς μὴ λυποῦντας ἐν
τῇ χρείᾳ. — Αὐτός, ἔφη, τοῦτο λέγεις, ὦ Σώκρατες, καὶ πάνυ
ὀρθῶς ἀποδέχῃ.

των = εὔρυθμος. Wegen καὶ s. zu
I 1, 6.
§ 12. ὥσπερ ἂν εἰ φαίης] d. i.
ὥσπερ ἂν φαίης, εἰ φαίης. — τῷ
σῷ λόγῳ] nach deinen Worten.
§ 13. εἴ τι ἔχεις] s. zu § 1. —
τὸν αὐτὸν σταθμὸν ἔχοντες]
obgleich sie dasselbe Gewicht haben.
— διειλημμένοι τὸ βάρος] die
Last nach mehreren Seiten ver-
teilend. Ein guter (ἁρμόττων) Panzer
hat das Gewicht über die einzelnen
Teile des Körpers, die er bedeckt,
verteilt. — ὑπὸ τῶν κλ., gleich-

sam φερόμενον, vgl. zu II 1, 34. —
προσθήματι] so daſs sie nicht
einer den Körper drückenden Last
gleichen, sondern, wie ein Zusatz
(πρόσθημα) des Körpers, mit
diesem eng verbunden sind.
§ 14. διὰ ταῦτα] διὰ τὸ ποι-
κίλους καὶ ἐπιχρύσους εἶναι.
§ 15. μὴ μένοντος] in dersel-
ben Lage. — ἀκριβεῖς] dem Kör-
per genau angepaſst. — Αὐτὸς ..
τοῦτο λέγεις] Ipse dicis hoc,
quod volo. — ἀποδέχῃ] accipis,
intellegis.

Elftes Kapitel.

Inhalt.

Gespräch des Sokrates mit der Theodota über den Wert der Freunde und über die Weise, wie man Freunde gewinnen und erhalten könne. Die wahre und feste Freundschaft wird nicht allein durch körperliche Schönheit und durch Liebeskünste bewirkt, sondern es mufs auch eine wohlwollende Gesinnung hinzukommen, und in den Gunstbezeigungen mufs man ein Mafs anwenden.

1 Γυναικὸς δέ ποτε οὔσης ἐν τῇ πόλει καλῆς, ᾗ ὄνομα ἦν Θεοδότη, καὶ οἵας συνεῖναι τῷ πείθοντι, μνησθέντος αὐτῆς τῶν παρόντων τινὸς καὶ εἰπόντος, ὅτι κρεῖττον εἴη λόγου τὸ κάλλος τῆς γυναικός, καὶ ζωγράφους φήσαντος εἰσιέναι πρὸς αὐτὴν ἀπεικασομένους, οἷς ἐκείνην ἐπιδεικνύειν ἑαυτῆς ὅσα καλῶς ἔχοι· Ἰτέον ἂν εἴη θεασομένους, ἔφη ὁ Σωκράτης· οὐ γὰρ δὴ ἀκούσασί γε τὸ λόγου κρεῖττον ἔστι καταμαθεῖν. Καὶ ὁ διηγησάμενος· Οὐκ ἂν φθάνοιτ', ἔφη, ἀκολουθοῦντες.

2 Οὕτω μὲν δὴ πορευθέντες πρὸς τὴν Θεοδότην καὶ καταλαβόντες ζωγράφῳ τινὶ παρεστηκυῖαν ἐθεάσαντο· παυσαμένου δὲ τοῦ ζωγράφου· Ὦ ἄνδρες, ἔφη ὁ Σωκράτης, πότερον ἡμᾶς δεῖ μᾶλλον Θεοδότῃ χάριν ἔχειν, ὅτι ἡμῖν τὸ κάλλος ἑαυτῆς ἐπέδειξεν, ἢ ταύτην ἡμῖν, ὅτι ἐθεασάμεθα; ἆρ᾽ εἰ μὲν ταύτῃ ὠφελιμωτέρα ἐστὶν ἡ ἐπίδειξις, ταύτην ἡμῖν χάριν ἐκτέον, εἰ δὲ ἡμῖν ἡ θέα, ἡμᾶς ταύτῃ; Εἰπόντος δέ τινος, ὅτι δίκαια

§ 1. Θεοδότη] war die Geliebte des Alkibiades, die ihn auf seinen Feldzügen begleitete und ihn in Phrygien, als er daselbst getötet worden war, begrub, wie Athenaeus XIII p. 574 F erzählt. Alcib. c. 39, der dies von der Timandra erwähnt. — καὶ οἵας συνεῖναι τῷ πείθοντι] und die mit dem Umgang zu haben geneigt war, der sie (durch Geschenke oder Worte) zu gewinnen wufste. S. zu I 4, 6. — κρεῖττον λόγου] 'über alle Beschreibung gehe', s. zu I 6, 11. — οἷς ἐκείνην ἐπιδεικνύειν ἑαυτῆς ὅσα καλῶς ἔχοι] wegen des acc. c. inf. s. zu I 1, 8; ἑαυτῆς ist von ὅσα abhängig, s. zu I 2, 64; zu καλῶς ἔχοι (anständig

wäre) ist aus dem Vorhergehenden ἐπιδεικνύειν zu ergänzen, s. zu II 1, 32. — Ἰτέον ἂν εἴη θεασομένους] wegen des Asyndeton s. zu II 3, 19; wegen des accus. bei dem Verbaladj. s. C. § 596. K. § 284 A. Vgl. § 2: ταύτην ἡμῖν χάριν ἐκτέον .., ἡμᾶς ταύτῃ. — οὐ γὰρ δή] s. zu II 4, 1. Konstruiere οὐ γὰρ δὴ ἔστι (licet) ἀκούσασί γε (wenn man blofs davon hört) καταμαθεῖν τὸ λόγου κρεῖττον. — Οὐκ ἂν φθάνοιτ' — ἀκολουθοῦντες] s. zu II 3, 11.

§ 2. παρεστηκυῖαν] als Modell. — παυσαμένου δὲ τοῦ ζωγράφου] scil. γράψαντος, das aus ζωγράφου zu entnehmen ist. — ἆρ'] s. zu II 6, 1.

λέγοι· Οὐκοῦν, ἔφη, αὕτη μὲν ἤδη τε τὸν παρ᾽ ἡμῶν ἔπαινον 3
κερδαίνει καί, ἐπειδὰν εἰς πλείους διαγγείλωμεν, πλείω ὠφε-
λήσεται, ἡμεῖς δὲ ἤδη τε ὧν· ἐθεασάμεθα ἐπιθυμοῦμεν ἅψα-
σθαι καὶ ἄπιμεν ὑποκνιζόμενοι καὶ ἀπελθόντες ποθήσομεν·
ἐκ δὲ τούτων εἰκὸς ἡμᾶς μὲν θεραπεύειν, ταύτην δὲ θερα-
πεύεσθαι. Καὶ ἡ Θεοδότη· Νὴ Δί᾽, ἔφη, εἰ τοίνυν ταῦθ᾽
οὕτως ἔχει, ἐμὲ ἂν δέοι ὑμῖν τῆς θέας χάριν ἔχειν. Ἐκ δὲ 4
τούτου ὁ Σωκράτης ὁρῶν αὐτήν τε πολυτελῶς κεκοσμημένην
καὶ μητέρα παροῦσαν αὐτῇ ἐν ἐσθῆτι καὶ θεραπείᾳ οὐ τῇ
τυχούσῃ καὶ θεραπαίνας πολλὰς καὶ εὐειδεῖς καὶ οὐδὲ ταύτας
ἠμελημένως ἐχούσας καὶ τοῖς ἄλλοις τὴν οἰκίαν ἀφθόνως
κατεσκευασμένην· Εἰπέ μοι, ἔφη, ὦ Θεοδότη, ἔστι σοι ἀγρός;
— Οὐκ ἔμοιγ᾽, ἔφη. — Ἀλλ᾽ ἄρα οἰκία προσόδους ἔχουσα; —
Οὐδὲ οἰκία, ἔφη. — Ἀλλὰ μὴ χειροτέχναι τινές; — Οὐδὲ
χειροτέχναι, ἔφη. — Πόθεν οὖν, ἔφη, τἀπιτήδεια ἔχεις; —
Ἐάν τις, ἔφη, φίλος μοι γενόμενος εὖ ποιεῖν ἐθέλῃ, οὗτός μοι
βίος ἐστί. — Νὴ τὴν Ἥραν, ἔφη, ὦ Θεοδότη, καλόν γε τὸ 5
κτῆμα· καὶ πολλῷ κρεῖττον ὄϊων τε καὶ βοῶν καὶ αἰγῶν φί-
λων ἀγέλην κεκτῆσθαι. Ἀτάρ, ἔφη, πότερον τῇ τύχῃ ἐπιτρέ-
πεις, ἐάν τίς σοι φίλος, ὥσπερ μυῖα, πρόσπτηται, ἢ καὶ αὐτή
τι μηχανᾷ; — Πῶς δ᾽ ἄν, ἔφη, ἐγὼ τούτου μηχανὴν εὕροιμι; 6
— Πολὺ νὴ Δί᾽, ἔφη, προσηκόντως μᾶλλον ἢ αἱ φάλαγγες·
οἶσθα γάρ, ὡς ἐκεῖναι θηρῶσι τὰ πρὸς τὸν βίον· ἀράχνια
γὰρ δήπου λεπτὰ ὑφηνάμεναι, ὅ τι ἂν ἐνταῦθα ἐμπέσῃ, τούτῳ

---

§ 3. ἐκ δὲ τούτων — θερα-
πεύεσθαι] „die natürliche Folge
ist, wir werden ihre Verehrer, und
sie unsere Gebieterin". — εἰ —
ἔχει, ἂν δέοι] s. zu II 2, 3.

§ 4. παροῦσαν αὐτῇ] bei ihr
stehend. — θεραπείᾳ] Putz,
cultu. — οὐ τῇ τυχούσῃ] non
vulgari, s. zu I 1, 14. — Ἀλλ᾽ ἄρα]
at certe, mit einer gewissen Ver-
wunderung; wenn du keinen Acker
besitzest, so hast du doch (ἀλλά)
gewiſs ein Haus? — Ἀλλὰ μὴ
χειροτέχναι τινές;] aber doch
nicht etwa einige Handwerker?
Vgl. IV 2, 10. S. zu I 3, 11. Die
χειροτέχναι waren Sklaven. — οὗ-
τός μοι βίος ἐστί] wegen der At-
traktion s. zu I 2, 42.

§ 5. Νὴ τὴν Ἥραν] s. zu I 5, 5.
— κρεῖττον ὄϊων — φίλων
ἀγέλην κεκτῆσθαι] wörtlich:
vorzüglicher als Schafe, Kühe und
Ziegen ist eine Schar von Freun-
den zu besitzen, kurz für: κρεῖτ-
τόν ἐστι φίλων ἀγέλην κεκτῆσθαι
ἢ ὄϊων ἀγέλην. S. zu III 5, 4.
Wegen der Form ὄϊων s. zu II 7,
13. — Ἀτάρ, ἔφη] wegen des ἔφη
s. zu II 4, 1. — ἐπιτρέπεις] s. zu
III 5, 12.

§ 6. ἐνταῦθα ἐμπέσῃ] die
Adverbien ἐνταῦθα, ἔνθα, ἐνθάδε
können mit Verben der Ruhe so-
wohl als der Bewegung verbunden
werden. — τούτῳ τροφῇ χρῶν-
ται] ohne Attraktion für ταύτῃ
τροφῇ χ. Vgl. zu I 2, 42.

7 τροφῇ χρῶνται. — Καὶ ἐμοὶ οὖν, ἔφη, συμβουλεύεις ὑφήνα-
σθαί τι θήρατρον; — Οὐ γὰρ δὴ οὕτως γε ἀτεχνῶς οἴεσθαι
χρὴ τὸ πλείστου ἄξιον ἄγρευμα, φίλους, θηράσειν· οὐχ ὁρᾷς,
ὅτι καὶ τὸ μικροῦ ἄξιον, τοὺς λαγώς, θηρῶντες πολλὰ τεχνά-
8 ζουσιν; Ὅτι μὲν γὰρ τῆς νυκτὸς νέμονται, κύνας νυκτερευ-
τικὰς πορισάμενοι ταύταις αὐτοὺς θηρῶσιν, ὅτι δὲ μεθ' ἡμέ-
ραν ἀποδιδράσκουσιν, ἄλλας κτῶνται κύνας, αἵτινες, ᾗ ἂν ἐκ
τῆς νομῆς εἰς τὴν εὐνὴν ἀπέλθωσι, τῇ ὀσμῇ αἰσθανόμεναι
εὑρίσκουσιν αὐτούς, ὅτι δὲ ποδώκεις εἰσίν, ὥστε καὶ ἐκ τοῦ
φανεροῦ τρέχοντες ἀποφεύγειν, ἄλλας αὖ κύνας ταχείας παρα-
σκευάζονται, ἵνα κατὰ πόδας ἁλίσκωνται, ὅτι δὲ καὶ ταύτας
αὐτῶν τινες ἀποφεύγουσι, δίκτυα ἱστᾶσιν εἰς τὰς ἀτραπούς,
ᾗ φεύγουσιν, ἵν' εἰς ταῦτα ἐμπίπτοντες συμποδίζωνται. —
9 Τίνι οὖν, ἔφη, τοιούτῳ φίλους ἂν ἐγὼ θηρῴην; — Ἐὰν νὴ
Δί', ἔφη, ἀντὶ κυνὸς κτήσῃ, ὅστις σοι ἰχνεύων μὲν τοὺς φι-
λοκάλους καὶ πλουσίους εὑρήσει, εὑρὼν δὲ μηχανήσεται, ὅπως
ἐμβάλῃ αὐτοὺς εἰς τὰ σὰ δίκτυα. — Καὶ ποῖα, ἔφη, ἐγὼ
10 δίκτυα ἔχω; — Ἓν μὲν δήπου, ἔφη, καὶ μάλα εὖ περιπλεκό-
μενον τὸ σῶμα, ἐν δὲ τούτῳ ψυχήν, ᾗ καταμανθάνεις, καὶ
ὡς ἂν ἐμβλέπουσα χαρίζοιο καὶ ὅ τι ἂν λέγουσα εὐφραίνοις,
καὶ ὅτι δεῖ τὸν μὲν ἐπιμελόμενον ἀσμένως ὑποδέχεσθαι, τὸν
δὲ τρυφῶντα ἀποκλείειν καὶ ἀρρωστήσαντός γε φίλου φρον-
τιστικῶς ἐπισκέψασθαι καὶ καλόν τι πράξαντος σφόδρα συν-
ησθῆναι καὶ τῷ σφόδρα σοῦ φροντίζοντι ὅλῃ τῇ ψυχῇ κεχα-
ρίσθαι· φιλεῖν γε μὴν εὖ οἶδ' ὅτι ἐπίστασαι οὐ μόνον μαλακῶς,

---

§ 7. *Οὐ γὰρ δή*] s. zu I 4, 9
u. II 4, 1. — *οὕτως γε ἀτεχνῶς
. . θηράσειν*] du werdest so
ohne weiteres, schlechtweg ..
erjagen; wegen *οὕτως γε* s. zu
II 6, 9. — *θηράσειν*] so Anab.
IV 5, 24. Cyr. I 4, 16; häufiger ist
θηράσομαι.
§ 8. *μεθ' ἡμέραν*] nach Tages-
anbruch. — *ἐκ τοῦ φανεροῦ
τρέχοντες ἀποφεύγειν*] e con-
spectu currendo aufugere; wegen
ὥστε und des Nom. *τρέχοντες* s. zu
I 2, 1. — *κατὰ πόδας*] s. zu II 6, 9.
§ 10. *ὡς ἂν ἐμβλέπουσα χα-
ρίζοιο καὶ ὅ τι ἂν λέγουσα εὐ-
φραίνοις*] in den Participien *ἐμ-*

βλέπουσα u. *λέγουσα* liegt die Be-
dingung, auf die sich *ἂν* bezieht.
S. zu II 6, 29. — *τὸν μὲν ἐπιμε-
λόμενον*] sc. *σοῦ*, wie gleich dar-
auf *τῷ σφόδρα σοῦ φροντίζοντι*
nach § 12. S. zu III 10, 4. — *τὸν
δὲ τρυφῶντα*] ὁ τρυφῶν hier von
einem dünkelhaften, aufgeblasenen
und dummen und dadurch anderen
lästigen Liebhaber. — *καὶ — γέ*]
s. zu I 2, 53. — *ἐπισκέψασθαι*]
besuchen, *invisere*. Wie ist der
Wechsel der Tempora in den Infini-
tiven und Participien zu erklären?
— *κεχαρίσθαι ὅλῃ τῇ ψυχῇ*,
mit ganzer Seele zugethan sein. —
γὲ μήν] s. zu I 4, 5. — *μαλακῶς*]

ἀλλὰ καὶ εὐνοϊκῶς· καὶ ὅτι ἀρεστοί σοί εἰσιν οἱ φίλοι, οἶδ᾽,
ὅτι οὐ λόγῳ, ἀλλ᾽ ἔργῳ ἀναπείθεις. — Μὰ τὸν Δί᾽, ἔφη
ἡ Θεοδότη, ἐγὼ τούτων οὐδὲν μηχανῶμαι. — Καὶ μήν, 11
ἔφη, πολὺ διαφέρει ·τὸ κατὰ φύσιν τε καὶ ὀρθῶς ἀνθρώπῳ
προσφέρεσθαι· καὶ γὰρ δὴ βίᾳ μὲν οὔτ᾽ ἂν ἕλοις οὔτε κατά-
σχοις φίλον, εὐεργεσίᾳ δὲ καὶ ἡδονῇ τὸ θηρίον τοῦτο ἁλώσι-
μόν τε καὶ παραμόνιμόν ἐστιν. — Ἀληθῆ λέγεις, ἔφη. — Δεῖ 12
τοίνυν, ἔφη, πρῶτον μὲν τοὺς φροντίζοντάς σου τοιαῦτα
ἀξιοῦν, οἷα ποιοῦσιν αὐτοῖς σμικρότατα μελήσει, ἔπειτα δὲ
αὐτὴν ἀμείβεσθαι χαριζομένην τὸν αὐτὸν τρόπον· οὕτω γὰρ
ἂν μάλιστα φίλοι γίγνοιντο καὶ πλεῖστον χρόνον φιλοῖεν καὶ
μέγιστα εὐεργετοῖεν. Χαρίζοιο δ᾽ ἂν μάλιστα, εἰ δεομένοις 13
δωροῖο τὰ παρὰ σεαυτῆς· ὁρᾷς γάρ, ὅτι καὶ τῶν βρωμάτων
τὰ ἥδιστα, ἐὰν μέν τις προσφέρῃ, πρὶν ἐπιθυμεῖν, ἀηδῆ φαί-
νεται, κεκορεσμένοις δὲ καὶ βδελυγμίαν παρέχει, ἐὰν δέ τις
προσφέρῃ λιμὸν ἐμποιήσας, κἂν φαυλότερα ᾖ, πάνυ ἡδέα
φαίνεται. — Πῶς οὖν ἄν, ἔφη, ἐγὼ λιμὸν ἐμποιεῖν τῳ τῶν 14
παρ᾽ ἐμοὶ δυναίμην; — Εἰ νὴ Δί᾽, ἔφη, πρῶτον μὲν τοῖς
κεκορεσμένοις μήτε προσφέροις μήτε ὑπομιμνήσκοις, ἕως ἂν
τῆς πλησμονῆς παυσάμενοι πάλιν δέωνται, ἔπειτα τοὺς δεο-
μένους ὑπομιμνήσκοις ὡς κοσμιωτάτη τε ὁμιλίᾳ καὶ τῷ φαί-

amatorie „buhlerisch“. — ὅτι
ἀρεστοί σοί εἰσιν οἱ φίλοι,
οἶδ᾽, ὅτι κτλ.] daſs dir deine
Freunde angenehm sind, davon,
weiſs ich, überzeugst du sie u. s. w.
— οὐ λόγῳ, ἀλλ᾽ ἔργῳ] οὐ μόνον
μαλακῶς, ἀλλὰ καὶ εὐνοϊκῶς φι-
λοῦσα.
§ 11. πολὺ διαφέρει — προσ-
φέρεσθαι] es kommt viel darauf
an, daſs wir uns gegen einen Men-
schen benehmen, wie es seine Natur
verlangt und wie es recht, billig ist.
— θηρίον] vom Menschen, wie I
3, 13. — Warum geht die Rede vom
Opt. ἕλοις ἄν zum Indikat. ἐστίν
über?
§ 12. τοὺς φροντίζοντάς σου
τοιαῦτα ἀξιοῦν] scil. ποιεῖν,
das aus dem folgenden ποιοῦσι zu
entnehmen ist; über ἀξιοῦν (postu-
lare) mit accus. c. inf. vgl. Anab.
I 1, 8. Hell. V 3, 10 u. sonst oft.—
οἷα ποιοῦσιν αὐτοῖς σμικρό-

τατα μελήσει] was zu thun ihnen
durchaus nicht schwer fallen wird;
μέλει mit dem Partic. nach Ana-
logie der verba affectuum, wie ἀγα-
νακτεῖν, ἄχθεσθαι, χαλεπῶς φέ-
ρειν, μεταμέλει. — ἔπειτα δὲ αὐ-
τήν] als ob vorhergegangen wäre:
δεῖ σε.
§ 13. δεομένοις] erst wenn sie
danach verlangen.
§ 14. τῶν παρ᾽ ἐμοί] § 13: δω-
ροῖο τὰ παρὰ σεαυτῆς in prägnan-
ter Konstruktion; δωροῦμαι τὰ παρ᾽
ἐμαυτοῦ ist δ. παρ᾽ ἐμαυτοῦ τὰ παρ᾽
ἐμαυτῷ. S. zu III 6, 11; der Genet.
τῶν ist von λιμόν abhängig. — προσ-
φέροις] τὰ παρὰ σεαυτῇ. — μήτε
ὑπομιμνήσκοις] τῶν παρὰ σε-
αυτῇ. — ὡς κοσμιωτάτη — δεη-
θῶσι] durch ein möglichst züch-
tiges Benehmen und dadurch, daſs
du dich bald geneigt zeigst ihnen
zu willfahren, bald wieder spröde,
bis ihr Verlangen nach dir auf das

νεσθαι βουλομένη χαρίζεσθαι καὶ διαφεύγουσα, ἕως ἂν ὡς
μάλιστα δεηθῶσι· τηνικαῦτα γὰρ πολὺ διαφέρει τὰ αὐτὰ
15 δῶρα, ἢ πρὶν ἐπιθυμῆσαι διδόναι. — Καὶ ἡ Θεοδότη· Τί οὖν
οὐ σύ μοι, ἔφη, ὦ Σώκρατες, ἐγένου συνθηρατὴς τῶν φίλων;
— Ἐάν γε νὴ Δί᾽, ἔφη, πείθῃς με σύ. — Πῶς οὖν ἄν, ἔφη,
πείσαιμί σε; — Ζητήσεις, ἔφη, τοῦτο αὐτὴ καὶ μηχανήσῃ, ἐάν
16 τί μου δέῃ. — Εἴσιθι τοίνυν, ἔφη, θαμινά. — Καὶ ὁ Σω-
κράτης ἐπισκώπτων τὴν αὑτοῦ ἀπραγμοσύνην· Ἀλλ᾽, ὦ Θεο-
δότη, ἔφη, οὐ πάνυ μοι ῥάδιόν ἐστι σχολάσαι· καὶ γὰρ ἴδια
πράγματα πολλὰ καὶ δημόσια παρέχει μοι ἀσχολίαν, εἰσὶ δὲ
καὶ φίλαι μοι, αἳ οὔτε ἡμέρας οὔτε νυκτὸς ἀφ᾽ αὑτῶν ἐάσουσί
με ἀπιέναι φίλτρα τε μανθάνουσαι παρ᾽ ἐμοῦ καὶ ἐπῳδάς. —
17 Ἐπίστασαι γάρ, ἔφη, καὶ ταῦτα, ὦ Σώκρατες; — Ἀλλὰ διὰ
τί οἴει, ἔφη, Ἀπολλόδωρόν τε τόνδε καὶ Ἀντισθένην οὐδέποτέ
μου ἀπολείπεσθαι; διὰ τί δὲ καὶ Κέβητα καὶ Σιμμίαν Θήβη-
θεν παραγίγνεσθαι; Εὖ ἴσθι, ὅτι ταῦτα οὐκ ἄνευ πολλῶν
18 φίλτρων τε καὶ ἐπῳδῶν καὶ ἰύγγων ἐστί. — Χρῆσον τοίνυν
μοι, ἔφη, τὴν ἴυγγα, ἵνα ἐπὶ σοὶ πρῶτον ἕλκω αὐτήν. —
Ἀλλὰ μὰ Δί᾽, ἔφη, οὐκ αὐτὸς ἕλκεσθαι πρὸς σὲ βούλομαι,

höchste gestiegen ist. — τ η ν ι -
κ α ῦ τ α γ ὰ ρ κτλ.] denn dieselben
Geschenke dann erst geben, wenn
sie begehrt werden (ἐὰν ὡς μ. δεη-
θῶσι), ist ungleich besser, als sie
zu geben, bevor sie begehrt werden;
τηνικαῦτα gehört zu διδόναι. Über
διαφέρειν ἤ s. zu III 7, 7.

§ 15. Τί οὖν οὐ — ἐγένου —;]
s. zu III 1, 10. — Εἴσιθι] besuche
mich.

§ 16. ἴδια π ρ ά γ μ α τ α] das
sind die Unterredungen des So-
krates mit seinen Freunden, τὰ δη-
μόσια ironisch aufzufassen; denn
Sokrates τὰ πολιτικὰ οὐκ ἔπραττε,
sondern ἄλλους πολιτικοὺς ἐποίει.
Vgl. I 6, 15. Wegen καὶ γὰρ — καὶ
s. zu II 1, 3. — φίλαι] werden
von Sokr. ironisch die Freunde ge-
nannt, die φίλτρα τε καὶ ἐπῳδάς von
ihm lernten, wie wir II 6, 10 ff.
sahen.

§ 17. Ἐπίστασαι γ ά ρ —;] s.
zu I 3, 10. — Ἀπολλόδωρον]

Apol. § 28: Ἀπολλόδωρος ἐπιθυ-
μητὴς μὲν ἰσχυρῶς αὐτοῦ (Σωκρά-
τους), ἄλλως δ᾽ εὐήθης. — Ἀντι-
σθένην] s. zu II 5, 1. — Κέβητα
καὶ Σιμμίαν] s. zu I 2, 48. —
ἰ ύ γ γ ω ν] ἴυγξ, eigentlich ein
Vogel, W e n d e h a l s (torquilla),
so ·genannt wegen der schnellen
Bewegungen, die er mit dem Halse
macht. Daher glaubte man im
Altertume, er besitze Zauberkräfte,
und wandte ihn an, um einem
Menschen Liebe einzuflößen, in-
dem man ihn auf ein Rad oder
Kreisel band und diese unter Zauber-
formeln umdrehte (also Lockvogel).
So wurde auch das Zauberrad selbst
ἴυγξ genannt. Ein solches Zauber-
rad erbittet sich § 18 Theodota
von Sokrates.

§ 18. χ ρ ῆ σ ο ν] hier = leihe.
— ἵ ν α ἐ π ὶ σ ο ί — ἕ λ κ ω α ὐ τ ή ν]
damit ich es (das Zauberrad) um-
drehe, um dich anzulocken, zu
fangen, herbeizuzaubern. Wegen

ἀλλὰ σὲ πρὸς ἐμὲ πορεύεσθαι. — Ἀλλὰ πορεύσομαι, ἔφη·
μόνον ὑποδέχου. — Ἀλλ᾽ ὑποδέξομαί σε, ἔφη, ἐὰν μή τις
φιλωτέρα σου ἔνδον ᾖ.

Zwölftes Kapitel.

Inhalt.

Wichtigkeit der körperlichen Übungen sowohl in Beziehung auf
den Körper als auf die Seele.

Ἐπιγένην δὲ τῶν ξυνόντων τινά, νέον τε ὄντα καὶ τὸ 1
σῶμα κακῶς ἔχοντα, ἰδών· Ὡς ἰδιωτικῶς, ἔφη, τὸ σῶμα ἔχεις,
ὦ Ἐπίγενες. Καὶ ὅς· Ἰδιώτης μέν, ἔφη, εἰμί, ὦ Σώκρατες.
— Οὐδέν γε μᾶλλον, ἔφη, τῶν ἐν Ὀλυμπίᾳ μελλόντων ἀγω-
νίζεσθαι· ἢ δοκεῖ σοι μικρὸς εἶναι ὁ περὶ τῆς ψυχῆς πρὸς
τοὺς πολεμίους ἀγών, ὃν Ἀθηναῖοι θήσουσιν, ὅταν τύχωσιν;
Καὶ μὴν οὐκ ὀλίγοι μὲν διὰ τὴν τῶν σωμάτων καχεξίαν 2
ἀποθνήσουσί τε ἐν τοῖς πολεμικοῖς κινδύνοις καὶ αἰσχρῶς
σώζονται, πολλοὶ δὲ δι᾽ αὐτὸ τοῦτο ζῶντες ἁλίσκονται καὶ
ἁλόντες ἤτοι δουλεύουσι τὸν λοιπὸν βίον, ἐὰν οὕτω τύχωσι,
τὴν χαλεπωτάτην δουλείαν, ἢ εἰς τὰς ἀνάγκας τὰς ἀλγεινο-

ἐπί s. zu I 3, 11. — ἐὰν μή τις
φιλωτέρα σου ἔνδον ᾖ] scherz-
haft wendet Sokr. eine Redensart
an, deren sich die Buhlerinnen zu
bedienen pflegten, wenn sie einen
Liebhaber ausschliefsen wollten,
indem sie sagten: ἔνδον ἕτερος.
Lucian. Dial. meretr. 12 p. 310:
ἀπέκλεισα ἐλθόντα· Ἔνδον ἕτε-
ρος, εἰποῦσα. — φιλωτέρα] wie
§ 16 φίλαι, von einem Freunde zu
verstehen
§ 1. Ἐπιγένην] Sohn des An-
tiphon. — ἰδιωτικῶς κτλ.] nicht
nach Athleten (Kämpfer) Art bist du
körperlich beschaffen, d. h. du hast
einen schwachen Körper wegen Ver-
nachlässigung körperlicher Übun-
gen; οἱ ἰδιῶται werden III 7, 7
den ἀσκηταῖς, d. i. ἀθληταῖς, ent-
gegengesetzt, also Menschen, die die
körperlichen Übungen vernachläs-
sigen. — Καὶ ὅς] s. zu I 4, 2. —
Ἰδιώτης μέν] mit den körper-

lichen Übungen habe ich mich
allerdings (μέν) nicht befafst;
in Gedanken liegt der Gegensatz:
dagegen verwende ich um so mehr
Sorgfalt auf die Ausbildung des
Geistes. S. zu I 1, 1: ἡ μὲν γραφή.
— Οὐδέν γε μᾶλλον] scil. ἰδιώ-
της εἶ, d. h. ebensowenig darfst du
die körperlichen Übungen vernach-
lässigen, als diejenigen, die zu
Olympia als Kämpfer auftreten
wollen. — θήσουσιν] ἀγῶνα τι-
θέναι bedeutet einen Kampf veran-
stalten, certamen proponere. — ὅταν
τύχωσιν] scil. ἀγῶνα θέντες,
man kann es übersetzen: wenn der
Fall eintreten sollte, vgl. § 2: ἐὰν
οὕτω τύχωσι, scil. δουλεύοντες τὸν
λοιπὸν βίον, si res ita ferat, wenn
es die Umstände so mitbringen
§ 2. ἀποθνήσκουσί τε .. καὶ
σώζονται] richtiger würde gesagt
sein: ἢ ἀπ.... ἢ.. σώζονται. — δι᾽
αὐτὸ τοῦτο] propter hoc ipsum,

τάτας ἐμπεσόντες καὶ ἐκτίσαντες ἐνίοτε πλείω τῶν ὑπαρ-
χόντων αὐτοῖς τὸν λοιπὸν βίον ἐνδεεῖς τῶν ἀναγκαίων ὄντες
καὶ κακοπαθοῦντες διαζῶσι, πολλοὶ δὲ δόξαν αἰσχρὰν κτῶν-
ται διὰ τὴν τοῦ σώματος ἀδυναμίαν δοκοῦντες ἀποδειλιᾶν·
3 ἢ καταφρονεῖς τῶν ἐπιτιμίων τῆς καχεξίας τούτων καὶ ῥᾳ-
δίως ἂν οἴει φέρειν τὰ τοιαῦτα; καὶ μὴν οἶμαί γε πολλῷ ῥᾴω
καὶ ἡδίω τούτων εἶναι ἃ δεῖ ὑπομένειν τὸν ἐπιμελόμενον τῆς
τοῦ σώματος εὐεξίας· ἢ ὑγιεινότερόν τε καὶ εἰς τἄλλα χρη-
σιμώτερον νομίζεις εἶναι τὴν καχεξίαν τῆς εὐεξίας; ἢ τῶν διὰ
4 τὴν εὐεξίαν γιγνομένων καταφρονεῖς; Καὶ μὴν πάντα γε τἀ-
ναντία συμβαίνει τοῖς εὖ τὰ σώματα ἔχουσιν ἢ τοῖς κακῶς·
καὶ γὰρ ὑγιαίνουσιν οἱ τὰ σώματα εὖ ἔχοντες καὶ ἰσχύουσι,
καὶ πολλοὶ μὲν διὰ τοῦτο ἐκ τῶν πολεμικῶν ἀγώνων σώ-
ζονταί τε εὐσχημόνως καὶ τὰ δεινὰ πάντα διαφεύγουσι, πολ-
λοὶ δὲ φίλοις τε βοηθοῦσι καὶ τὴν πατρίδα εὐεργετοῦσι καὶ
διὰ ταῦτα χάριτός τε ἀξιοῦνται καὶ δόξαν μεγάλην κτῶνται
καὶ τιμῶν καλλίστων τυγχάνουσι καὶ διὰ ταῦτα τόν τε λοι-
πὸν βίον ἥδιον καὶ κάλλιον διαζῶσι καὶ τοῖς ἑαυτῶν παισὶ
5 καλλίους ἀφορμὰς εἰς τὸν βίον καταλείπουσιν. Οὔτοι χρή,
ὅτι ἡ πόλις οὐκ ἀσκεῖ δημοσίᾳ τὰ πρὸς τὸν πόλεμον, διὰ
τοῦτο καὶ ἰδίᾳ ἀμελεῖν, ἀλλὰ μηδὲν ἧττον ἐπιμελεῖσθαι· εὖ
γὰρ ἴσθι, ὅτι οὐδὲ ἐν ἄλλῳ οὐδενὶ ἀγῶνι οὐδὲ ἐν πράξει
οὐδεμιᾷ μεῖον ἕξεις διὰ τὸ βέλτιον τὸ σῶμα παρεσκευάσθαι·
πρὸς πάντα γάρ, ὅσα πράττουσιν ἄνθρωποι, χρήσιμον τὸ
σῶμά ἐστιν· ἐν πάσαις δὲ ταῖς τοῦ σώματος χρείαις πολὺ
6 διαφέρει ὡς βέλτιστα τὸ σῶμα ἔχειν· ἐπεὶ καὶ ἐν ᾧ δοκεῖς

διὰ τὴν τῶν σωμάτων καχεξίαν. —
ἐκτίσαντες—πλείω τῶν ὑπαρ-
χόντων αὐτοῖς] zahlend (sc. um
sich loszukaufen) mehr als ihnen zu
Gebote steht.

§ 3. τὰ ἐπιτίμια τῆς καχ-
εξίας] Strafen, Nachteile der kör-
perlichen Vernachlässigung, wie
Tod, Schande, Knechtschaft, Armut
u. s. w. — καὶ μὴν οἶμαί γε]
atqui certe credo, vgl. § 4. S. zu
I 4, 12. Konstruiere: καὶ μὴν οἶ-
μαί γε ἃ δεῖ ὑπομένειν τὸν ἐπιμε-
λόμενον τῆς τοῦ σώματος εὐεξίας
πολλῷ ῥᾴω καὶ ἡδίω τούτων
(scil. τῶν ἐπιτιμίων τούτων) εἶναι.

— ὑγιεινότερον] s. zu II
3, 1.

§ 4. τἀναντία — ἤ] vgl. IV
5, 8. — καὶ γὰρ ὑγιαίνουσιν —
καὶ ἰσχύουσι] nam et valent et
robusti sunt. S. zu II 1, 3. —
ἀφορμὰς εἰς τὸν βίον] Mittel
zum Leben. S. zu II 7, 11.

§ 5. τὰ πρὸς τὸν πόλεμον]
die Künste und Arbeiten, welche
für den Kriegsdienst vorbereiten.
Vgl. III 5, 15. — οὐδὲ — οὐδέ]
ne — quidem, neque. K. § 315,
A. 3. — πολὺ διαφέρει] s. zu
III 11, 11.

§ 6. ἐπεὶ — τίς οὐκ οἶδεν —;]

ἐλαχίστην σώματος χρείαν εἶναι, ἐν τῷ διανοεῖσθαι, τίς οὐκ
οἶδεν, ὅτι καὶ ἐν τούτῳ πολλοὶ μεγάλα σφάλλονται διὰ τὸ μὴ
ὑγιαίνειν τὸ σῶμα; καὶ λήθη δὲ καὶ ἀθυμία καὶ δυσκολία
καὶ μανία πολλάκις πολλοῖς διὰ τὴν τοῦ σώματος καχεξίαν
εἰς τὴν διάνοιαν ἐμπίπτουσιν οὕτως, ὥστε καὶ τὰς ἐπιστήμας
ἐκβάλλειν. Τοῖς δὲ τὰ σώματα εὖ ἔχουσι πολλὴ ἀσφάλεια 7
καὶ οὐδεὶς κίνδυνος διά γε τὴν τοῦ σώματος καχεξίαν τοιοῦ-
τόν τι παθεῖν, εἰκὸς δὲ μᾶλλον πρὸς τὰ ἐναντία τῶν διὰ
τὴν καχεξίαν γιγνομένων τὴν εὐεξίαν χρήσιμον εἶναι· καίτοι
τῶν γε τοῖς εἰρημένοις ἐναντίων ἕνεκα τί οὐκ ἄν τις νοῦν
ἔχων ὑπομείνειεν; Αἰσχρὸν δὲ καὶ τὸ διὰ τὴν ἀμέλειαν γηρᾶ- 8
σαι, πρὶν ἰδεῖν ἑαυτόν, ποῖος ἂν κάλλιστος καὶ κράτιστος τῷ
σώματι γένοιτο· ταῦτα δὲ οὐκ ἔστιν ἰδεῖν ἀμελοῦντα· οὐ γὰρ
ἐθέλει αὐτόματα γίγνεσθαι.

Dreizehntes Kapitel.

Inhalt.

Verschiedene nützliche Erinnerungen des Sokrates.

Ὀργιζομένου δέ ποτέ τινος, ὅτι προσειπών τινα χαίρειν 1
οὐκ ἀντιπροσερρήθη· Γελοῖον, ἔφη, τό, εἰ μὲν τὸ σῶμα κάκιον
ἔχοντι ἀπήντησάς τῳ, μὴ ἂν ὀργίζεσθαι, ὅτι δὲ τὴν ψυχὴν
ἀγροικοτέρως διακειμένῳ περιέτυχες, τοῦτό σε λυπεῖ.

Ἄλλου δὲ λέγοντος, ὅτι ἀηδῶς ἐσθίοι· Ἀκουμενός, ἔφη, 2
τούτου φάρμακον ἀγαθὸν διδάσκει. Ἐρομένου δέ· Ποῖον;

---

der Satz beginnt mit ἐπεί, weil,
als ob πάντες ἴσασιν folgen würde;
er schlägt aber plötzlich in eine
Frage um. Dies findet oft bei ἐπεί
und bei ὥστε, so dafs, statt. —
καὶ ἐν τούτῳ] wegen καὶ s. zu
III 10, 1.

§ 7. διά γε τὴν τοῦ σώματος
καχεξίαν] wenigstens wegen
Schwächlichkeit des Körpers, da ja
auch aus anderen Gründen τοιοῦ-
τόν τι παθεῖν möglich ist. — καί-
τοι] und wahrlich. — τῶν —

ἕνεκα] für das Gegenteil der er-
wähnten Übel.

§ 8. τὸ γηρᾶσαι] scil. τινά. —
οὐ γὰρ ἐθέλει κτλ.] denn nicht
pflegt dies von freien Stücken zu
geschehen; ἐθέλειν von Sachen
gleichsam wie von Personen.

§ 1. λυπεῖ] man erwartet λυ-
πεῖν; Xen. hat ὅτι δὲ — λυπεῖ ge-
setzt, als ob ὅτι μὲν mit dem Ver-
bum finit. vorangegangen wäre.

§ 2. Ἀκουμενός] ein damaliger
Arzt und ein Freund des Sokrates.

Παύσασϑαι ἐσϑίοντα, ἔφη· καὶ ἥδιόν τε καὶ εὐτελέστερον καὶ
ὑγιεινότερον [φησὶ] διάξειν παυσάμενον.

3   Ἄλλου δ᾽ αὖ λέγοντος, ὅτι ϑερμὸν εἴη παρ᾽ ἑαυτῷ τὸ
ὕδωρ, ὃ πίνοι. Ὅταν ἄρ᾽, ἔφη, βούλῃ ϑερμῷ λούσασϑαι, ἕτοι-
μον ἔσται σοι. — Ἀλλὰ ψυχρόν, ἔφη, ὥστε λούσασϑαι, ἐστίν.
— Ἆρ᾽ οὖν, ἔφη, καὶ οἱ οἰκέται σου ἄχϑονται πίνοντές τε
αὐτὸ καὶ λουόμενοι αὐτῷ; — Μὰ τὸν Δί᾽, ἔφη· ἀλλὰ καὶ
πολλάκις τεϑαύμακα, ὡς ἡδέως αὐτῷ πρὸς ἀμφότερα ταῦτα
χρῶνται. — Πότερον δέ, ἔφη, τὸ παρὰ σοὶ ὕδωρ ϑερμότερον
πιεῖν ἐστιν ἢ τὸ ἐν Ἀσκληπιοῦ; — Τὸ ἐν Ἀσκληπιοῦ, ἔφη.
— Πότερον δὲ λούσασϑαι ψυχρότερον, τὸ παρὰ σοὶ ἢ τὸ ἐν
Ἀμφιαράου; — Τὸ ἐν Ἀμφιαράου, ἔφη. — Ἐνϑυμοῦ οὖν,
ἔφη, ὅτι κινδυνεύεις δυσαρεστότερος εἶναι τῶν τε οἰκετῶν καὶ
τῶν ἀρρωστούντων.

4   Κολάσαντος δέ τινος ἰσχυρῶς ἀκόλουϑον ἤρετο, τί χαλε-
παίνοι τῷ ϑεράποντι. — Ὅτι, ἔφη, ὀψοφαγίστατός τε ὢν βλα-
κώτατός ἐστι καὶ φιλαργυρώτατος ὢν ἀργότατος. — Ἤδη ποτὲ
οὖν ἐπεσκέψω, πότερος πλειόνων πληγῶν δεῖται, σὺ ἢ ὁ ϑε-
ράπων;

5   Φοβουμένου δέ τινος τὴν εἰς Ὀλυμπίαν ὁδόν· Τί, ἔφη,
φοβῇ [σὺ] τὴν πορείαν; οὐ· καὶ οἴκοι σχεδὸν ὅλην τὴν ἡμέραν
περιπατεῖς; καὶ ἐκεῖσε πορευόμενος, περιπατήσας ἀριστήσεις,

— Παύσασϑαι ἐσϑίοντα] „an-
tequam cibi satietas edentem ca-
piat". Schneid. Das unbestimmte
Subjekt liegt im Partizip. S. zu I
3, 8. Das in Klammern eingeschlos-
sene φησί (sc. Ἀκουμενός) fehlt in
vielen Hdschr. und ist wahrschein-
lich unecht.

§ 3. παρ᾽ ἑαυτῷ] in seinem
Brunnen. — ψυχρόν —, ὥστε
λούσασϑαι, ἐστίν] man erwartet
den Komparativ mit ἢ ὥστε c. inf.:
frigidior est aqua, quam ut ea
quis lavetur. Der Positiv ist alsdann
in der Aussprache nachdrücklich
hervorzuheben. Jedoch lassen nur
solche Adjektive diesen Gebrauch
zu, welche einen bezüglichen
(relativen) Begriff ausdrücken; so
ist z. B. dasselbe Wasser zum Trin-
ken warm, zum Baden kalt. —
ἄχϑονται πίνοντες] s. zu I 2, 47.

— Μὰ τὸν Δί᾽] d. i. μὰ τὸν Δία
οὐκ ἄχϑονται. Die Negation liegt
in der Frage, auf die man eine
verneinende Antwort erwartet. S.
zu I 4, 9. — ἐν Ἀσκληπιοῦ] scil.
νεῴ. — ἐν Ἀμφιαράου] ein Tem-
pel des Amphiaraus mit einer Heil-
quelle lag bei Oropus in Böotien.

§ 4. ἀκόλουϑον] pedisequum,
ein bestimmter Sklave, der dem
Herrn folgte, daher ohne Artikel,
wie bei einem Eigennamen. —
βλακώτατος] auffallend ist das
ω, da das α in βλάξ lang ist (s.
Aristoph. Av. 1323), ebenso IV 2, 40
βλακωτέρους. (Andere lesen βλα-
κότατος oder βλακίστατος.)

§ 5. περιπατήσας — περι-
πατήσας] in der gewöhnlichen
Anaphora wird μέν .. δέ hinzuge-
fügt, s. zu II 1, 32, in der rhetori-
schen aber weggelassen. Anab. III

περιπατήσας δειπνήσεις καὶ ἀναπαύσῃ· οὐκ οἶσθα, ὅτι, εἰ
ἐκτείναις τοὺς περιπάτους, οὓς ἐν πέντε ἢ ἓξ ἡμέραις περι-
πατεῖς, ῥᾳδίως ἂν Ἀθήνηθεν εἰς Ὀλυμπίαν ἀφίκοιο; Χαρι-
έστερον δὲ καὶ προεξορμᾶν ἡμέρᾳ μιᾷ μᾶλλον ἢ ὑστερίζειν·
τὸ μὲν γὰρ ἀναγκάζεσθαι περαιτέρω τοῦ μετρίου μηκύνειν
τὰς ὁδοὺς χαλεπόν, τὸ δὲ μιᾷ ἡμέρᾳ πλείονας πορευθῆναι πολ-
λὴν ῥᾳστώνην παρέχει· κρεῖττον οὖν ἐν τῇ ὁρμῇ σπεύδειν ἢ
ἐν τῇ ὁδῷ.

Ἄλλου δὲ λέγοντος, ὡς παρετάθη μακρὰν ὁδὸν πορευθείς, 6
ἤρετο αὐτόν, εἰ καὶ φορτίον ἔφερε. — Μὰ Δί᾽ οὐκ ἔγωγ᾽,
ἔφη, ἀλλὰ τὸ ἱμάτιον. — Μόνος δ᾽ ἐπορεύου, ἔφη, ἢ καὶ
ἀκόλουθός σοι ἠκολούθει; — Ἠκολούθει, ἔφη. — Πότερον
κενός, ἔφη, ἢ φέρων τι; — Φέρων νὴ Δί᾽, ἔφη, τά τε στρώ-
ματα καὶ τἆλλα σκεύη. — Καὶ πῶς δή, ἔφη, ἀπήλλαχεν ἐκ
τῆς ὁδοῦ; — Ἐμοὶ μὲν δοκεῖ, ἔφη, βέλτιον ἐμοῦ. — Τί οὖν;
ἔφη, εἰ τὸ ἐκείνου φορτίον ἔδει σε φέρειν, πῶς ἂν οἴει διατε-
θῆναι; — Κακῶς νὴ Δί᾽, ἔφη· μᾶλλον δὲ οὐδ᾽ ἂν ἠδυνήθην
κομίσαι. — Τὸ οὖν τοσούτῳ ἧττον τοῦ παιδὸς δύνασθαι πονεῖν
πῶς ἠσκημένου δοκεῖ σοι ἀνδρὸς εἶναι;

Vierzehntes Kapitel.

Inhalt.

Sokrates empfiehlt die Mäfsigkeit und Einfachheit beim Essen.

Ὁπότε δὲ τῶν ξυνιόντων ἐπὶ τὸ δεῖπνον οἱ μὲν μικρὸν 1
ὄψον, οἱ δὲ πολὺ φέροιεν, ἐκέλευεν ὁ Σωκράτης τὸν παῖδα τὸ

1, 37 ὑμεῖς γάρ ἐστε στρατηγοί,
ὑμεῖς ταξίαρχοι. — εἰ ἐκτεί-
ναις] wenn du die Spaziergänge,
die du zu Hause (in oder bei der
Stadt) in fünf oder sechs Tagen
machst, mit einander verbändest
und zu einem zusammenhängenden
Gange ausdehntest. — μᾶλλον]
verbinde mit προεξορμᾶν: lieber
um einen Tag früher abzureisen
als sich zu verspäten. — περαι-
τέρω τοῦ μετρίου] s. zu I 6, 11.
§ 6. παρετάθη] vgl. unser ab-
gespannt werden. — ἀλλὰ τὸ

ἱμάτιον] = ἀλλὰ μόνον τὸ ἱμ.
So wird öfters nach einer Negation
das Wort μόνος weggelassen. Vgl.
Anab. I 4, 18. III 2, 13. — ἀπήλ-
λαχεν] s. zu I 7, 3. — μᾶλλον
δέ] vel potius, immo vero. — ἠσ-
κημένος ἀνήρ] ein in der Gym-
nastik geübter Mann, überhaupt
ein freier Mann, der eine edle Er-
ziehung genossen hat, im Gegen-
satz zu τοῦ παιδός, pueri, Skla-
ven (wie c. 14, 1).
§ 1. Ὁπότε — φέροιεν] s. zu
I 2, 57. Für φέρειν gebraucht X.

μικρὸν ἢ εἰς τὸ κοινὸν τιθέναι ἢ διανέμειν ἑκάστῳ τὸ μέρος.
Οἱ οὖν τὸ πολὺ φέροντες ἠσχύνοντο τό τε μὴ κοινωνεῖν τοῦ
εἰς τὸ κοινὸν τιθεμένου καὶ τὸ μὴ ἀντιτιθέναι τὸ ἑαυτῶν,
ἐτίθεσαν οὖν καὶ τὸ ἑαυτῶν εἰς τὸ κοινόν· καὶ ἐπεὶ οὐδὲν
πλέον εἶχον τῶν μικρὸν φερομένων, ἐπαύοντο πολλοῦ ὀψω-
νοῦντες.

2　　Καταμαθὼν δέ τινα τῶν ξυνδειπνούντων τοῦ μὲν σίτου
πεπαυμένον, τὸ δὲ ὄψον αὐτὸ καθ᾽ αὑτὸ ἐσθίοντα, λόγου
ὄντος περὶ ὀνομάτων, ἐφ᾽ οἵῳ ἔργῳ ἕκαστον εἴη· Ἔχοιμεν ἄν,
ἔφη, ὦ ἄνδρες, εἰπεῖν, ἐπὶ ποίῳ ποτὲ ἔργῳ ἄνθρωπος ὀψο-
φάγος καλεῖται; ἐσθίουσι μὲν γὰρ δὴ πάντες ἐπὶ τῷ σίτῳ
ὄψον, ὅταν παρῇ· ἀλλ᾽ οὐκ οἶμαί πω ἐπί γε τούτῳ ὀψοφάγοι
3 καλοῦνται. — Οὐ γὰρ οὖν, ἔφη τις τῶν παρόντων. — Τί
γάρ; ἔφη, ἐάν τις ἄνευ τοῦ σίτου τὸ ὄψον αὐτὸ ἐσθίῃ μὴ
ἀσκήσεως, ἀλλ᾽ ἡδονῆς ἕνεκα, πότερον ὀψοφάγος εἶναι δοκεῖ
ἢ οὔ; — Σχολῇ γ᾽ ἄν, ἔφη, ἄλλος τις ὀψοφάγος εἴη. —
Καί τις ἄλλος τῶν παρόντων· Ὁ δὲ μικρῷ σίτῳ, ἔφη, πολὺ
ὄψον ἐπεσθίων; — Ἐμοὶ μέν, ἔφη ὁ Σωκράτης, καὶ οὗτος
δοκεῖ δικαίως ἂν ὀψοφάγος καλεῖσθαι· καὶ ὅταν γε οἱ ἄλλοι
ἄνθρωποι τοῖς θεοῖς εὔχωνται πολυκαρπίαν, εἰκότως ἂν οὗτος
4 πολυοψίαν εὔχοιτο. — Ταῦτα δὲ τοῦ Σωκράτους εἰπόντος
νομίσας ὁ νεανίσκος εἰς αὑτὸν εἰρῆσθαι τὰ λεχθέντα τὸ μὲν
ὄψον οὐκ ἐπαύσατο ἐσθίων, ἄρτον δὲ προσέλαβεν. Καὶ ὁ
Σωκράτης καταμαθών· Παρατηρεῖτ᾽, ἔφη, τοῦτον οἱ πλησίον,
ὁπότερα τῷ σίτῳ ὄψῳ ἢ τῷ ὄψῳ σίτῳ χρήσεται.

nachher das Med. (φερομένων);
ebenso μισθὸν φέρειν und φέρε-
σθαι u. ähnliche Redensarten. We-
gen ὄψον s. zu I 3, 5. — ἠσχύνοντο
τό] τό fehlt in den Hdschr.; wegen
der vorangehenden Silbe konnte es
leicht übersehen werden.
　§ 2. λόγου ὄντος περὶ ὀνο-
μάτων, ἐφ᾽ οἵῳ ἔργῳ ἕκαστον
εἴη] d. i. λόγου ὄντος, ἐφ᾽ οἵῳ
ἔργῳ ἕκαστον ὄνομα εἴη, s. zu I 2,
13; ἐπὶ c. dat., wie man sagt ὀνο-
μάζειν, καλεῖν τι ἐπί τινι. — ἐπὶ
ποίῳ ποτέ] s. zu I 1, 1. — γὰρ
δή] s. zu II 4, 1. — Οὐ γὰρ οὖν]
s. zu III 6, 12.
　§ 3. τὸ ὄψον αὐτό] obsonium
ipsum (non addito pane), i. e. ob-

sonium solum. — ἀσκήσεως] wie
die Athleten, die zur Stärkung des
Körpers viel Fleisch essen mußten.
S. zu I 2, 4 u. III 7, 7. — Σχολῇ]
vix, vgl. IV 2, 24. 4, 25. — καὶ
ὅταν γε] s. zu I 2, 53. — τοῖς
θεοῖς εὔχονται πολυκαρπίαν]
s. zu II 2, 10.
　§ 4. Παρατηρεῖτ᾽, ἔφη, τοῦ-
τον οἱ πλησίον, ὁπότερα κτλ.]
wegen der Attraktion s. zu I 2, 13;
οἱ πλησίον ist Apposition zu
dem in παρατηρεῖτε liegenden
ὑμεῖς. Cyrop. VI 2, 41: ὑμεῖς δὲ
οἱ ἡγεμόνες πρὸς ἐμὲ πάντες
συμβάλλετε. K. § 268, 2 b. — ὁπό-
τερα] statt πότερα (πότερον). —
τῷ σίτῳ — χρήσεται] ob er das

Ἄλλον δέ ποτε τῶν συνδείπνων ἰδὼν ἐπὶ τῷ ἑνὶ ψωμῷ 5
πλειόνων ὄψων γευόμενον· Ἆρα γένοιτ' ἄν, ἔφη, πολυτελε-
στέρα ὀψοποιΐα ἢ μᾶλλον τὰ ὄψα λυμαινομένη, ἢ ἣν ὀψο-
ποιεῖται ὁ ἅμα πολλὰ ἐσθίων καὶ ἅμα παντοδαπὰ ἡδύσματα
εἰς τὸ στόμα λαμβάνων; Πλείω μέν γε τῶν ὀψοποιῶν συμ-
μιγνύων πολυτελέστερα ποιεῖ, ἃ δὲ ἐκεῖνοι μὴ συμμιγνύου-
σιν, ὡς οὐχ ἁρμόττοντα, ὁ σιμμιγνύων, εἴπερ ἐκεῖνοι ὀρθῶς
ποιοῦσιν, ἁμαρτάνει τε καὶ καταλύει τὴν τέχνην αὐτῶν. Καίτοι 6
πῶς οὐ γελοῖόν ἐστι παρασκευάζεσθαι μὲν ὀψοποιοὺς τοὺς
ἄριστα ἐπισταμένους, αὐτὸν δὲ μηδ' ἀντιποιούμενον τῆς τέχνης
ταύτης τὰ ὑπ' ἐκείνων ποιούμενα μετατιθέναι; καὶ ἄλλο δέ τι
προσγίγνεται τῷ ἅμα πολλὰ ἐσθίειν ἐθισθέντι· μὴ παρόντων
γὰρ πολλῶν μειονεκτεῖν ἄν τι δοκοίη ποθῶν τὸ σύνηθες· ὁ
δὲ συνεθισθεὶς τὸ ἕνα ψωμὸν ἑνὶ ὄψῳ προπέμπειν, ὅτε μὴ
παρείη πολλά, δύναιτ' ἂν ἀλύπως τῷ ἑνὶ χρῆσθαι.

Ἔλεγε δὲ καί, ὡς τὸ εὐωχεῖσθαι ἐν τῇ Ἀθηναίων γλώττῃ 7
ἐσθίειν καλοῖτο· τὸ δὲ εὖ προσκεῖσθαι ἔφη ἐπὶ τῷ ταῦτα
ἐσθίειν, ἅτινα μήτε τὴν ψυχὴν μήτε τὸ σῶμα λυποίη μήτε
δυσεύρετα εἴη· ὥστε καὶ τὸ εὐωχεῖσθαι τοῖς κοσμίως διαιτω-
μένοις ἀνετίθει.

Brot als Fleisch, oder das Fleisch
als Brot gebrauchen wird.

§ 5. ἐπὶ τῷ ἑνὶ ψωμῷ] scil.
σίτου, ἄρτου. — ἢ ἣν ὀψοποιεῖ-
ται ὁ ἅμα πολλὰ ἐσθίων κτλ.]
als die Zubereitung der Zukost,
deren sich der bedient, welcher so-
wohl viele Zukost (πολλά sc. ὄψα)
ifst, als auch u. s. w. — πλείω ..
τῶν ὀψοποιῶν συμμιγνύων]
kurz st. πλείω συμμιγνύων ἢ ταῦτα,
ἃ οἱ ὀψοποιοὶ συμμιγνύουσι. S. zu
I 1, 3. — ἃ δὲ ἐκεῖνοι μὴ συμ-
μιγνύουσιν) d. i. was aber von der
Art ist, dafs es jene (οἱ ὀψοποιοὶ)
nicht zusammenmischen, daher μή,
während οὐ einen konkreten Fall
bezeichnen würde.

§ 6. ὀψοποιούς] Prädikat. —
τὸν ἕνα—προπέμπειν] zu jedem
einzelnen Bissen Brot auch nur eine
einzige Zukost nehmen; προπέμ-
πειν eigentlich das Geleite ge-
ben. — ὅτε μὴ π. παρείη] statt
ὅταν μὴ παρῇ πολλά, s. zu II
1, 18.

§ 7. τὸ εὐωχεῖσθαι — ἐσθί-
ειν καλοῖτο] was in der attischen
Sprache εὐωχεῖσθαι ist, hat die
Bedeutung von ἐσθίειν, also: τὸ
εὐωχεῖσθαι (wohl leben, von εὖ
ἔχειν) ἐσθίειν ἐστίν. — προσκεῖ-
σθαι] als Perf. Pass. zu προστί-
θημι, das εὖ sei hinzugefügt. —
ἐπὶ τῷ ταῦτα ἐσθίειν] auf dafs
man das esse, was u. s. w.

Viertes Buch.

Erstes Kapitel.

Inhalt.

Sokrates suchte den Menschen, mit denen er umging, auf jede Weise nützlich zu werden. Wenn er viel mit Jünglingen verkehrte und sie liebte, so war es nicht körperliche Schönheit, die ihn anzog, sondern die geistigen Anlagen. Damit aber gut begabte Jünglinge sowohl selbst glücklich als auch anderen nützlich würden, hielt er einen gründlichen Unterricht für notwendig, und zwar um so mehr, je ausgezeichnetere Anlagen einer besitze. Denjenigen aber, welche wegen ihres Reichtums den Unterricht nicht nötig zu haben meinten, zeigte er, daß der Reichtum ohne Bildung nichts wert sei.

1 Οὕτω δὲ ὁ Σωκράτης ἦν ἐν παντὶ πράγματι καὶ πάντα τρόπον ὠφέλιμος, ὥστε τῷ σκοπουμένῳ τοῦτο, καὶ [εἰ] μετρίως αἰσθανομένῳ, φανερὸν εἶναι, ὅτι οὐδὲν ὠφελιμώτερον ἦν τοῦ Σωκράτει συνεῖναι καὶ μετ᾽ ἐκείνου διατρίβειν ὁπουοῦν καὶ ἐν ὁτῳοῦν πράγματι· ἐπεὶ καὶ τὸ ἐκείνου μεμνῆσθαι μὴ παρόντος οὐ μικρὰ ὠφέλει τοὺς εἰωθότας τε αὐτῷ συνεῖναι καὶ ἀποδεχομένους ἐκεῖνον· καὶ γὰρ παίζων οὐδὲν ἧττον ἢ σπου-
2 δάζων ἐλυσιτέλει τοῖς συνδιατρίβουσι. Πολλάκις γὰρ ἔφη μὲν ἄν τινος ἐρᾶν, φανερὸς δ᾽ ἦν οὐ τῶν τὰ σώματα πρὸς ὥραν, ἀλλὰ τῶν τὰς ψυχὰς πρὸς ἀρετὴν εὖ πεφυκότων ἐφιέμενος· ἐτεκμαίρετο δὲ τὰς ἀγαθὰς φύσεις ἐκ τοῦ ταχύ τε μανθάνειν οἷς προσέχοιεν καὶ μνημονεύειν ἃ ἂν μάθοιεν καὶ ἐπιθυμεῖν

§ 1. καὶ εἰ μετρίως αἰσθανομένῳ] καὶ εἰ wäre hier auf ungewöhnliche Weise in der Bedeutung von καίπερ (etsi) gebraucht; μετρίως αἰσθανόμενος, mediocriter intellegens. — οὐ μικρὰ ὠφέλει τοὺς εἰωθότας] s. zu I 2, 61. — ἀποδεχομένους ἐκεῖνον] die ihn (seine Lehren) billigten. Vgl. I 2, 8.

§ 2. ἔφη — ἄν] s. zu I 1, 16. — φανερὸς δ᾽ ἦν — ἐφιέμενος] s. zu II 6, 7. — ὥραν] s. zu II 1, 22. — ἃ ἂν μάθοιεν] in der obliquen Rede können nach einem Präteritum alle mit ἄν verbundenen oder zusammengesetzten Konjunktionen und Relative mit dem Optative verbunden werden, wenn in der direkten Rede dieselben mit

τῶν μαθημάτων πάντων, δι᾽ ὧν ἔστιν οἰκίαν τε καλῶς οἰκεῖν
καὶ πόλιν καὶ τὸ ὅλον ἀνθρώποις τε καὶ ἀνθρωπίνοις πράγμα-
σιν εὖ χρῆσθαι· τοὺς γὰρ τοιούτους ἡγεῖτο παιδευθέντας οὐκ
ἂν μόνον αὐτούς τε εὐδαίμονας εἶναι καὶ τοὺς ἑαυτῶν οἴκους
καλῶς οἰκεῖν, ἀλλὰ καὶ ἄλλους ἀνθρώπους καὶ πόλεις δύνα-
σθαι εὐδαίμονας ποιεῖν. Οὐ τὸν αὐτὸν δὲ τρόπον ἐπὶ πάντας 3
ᾔει, ἀλλὰ τοὺς μὲν οἰομένους φύσει ἀγαθοὺς εἶναι, μαθήσεως
δὲ καταφρονοῦντας ἐδίδασκεν, ὅτι αἱ ἄρισται δοκοῦσαι εἶναι
φύσεις μάλιστα παιδείας δέονται, ἐπιδεικνύων τῶν τε ἵππων
τοὺς εὐφυεστάτους, θυμοειδεῖς τε καὶ σφοδροὺς ὄντας, εἰ μὲν
ἐκ νέων δαμασθεῖεν, εὐχρηστοτάτους καὶ ἀρίστους γιγνομέ-
νους, εἰ δὲ ἀδάμαστοι γένοιντο, δυσκαθεκτοτάτους καὶ φαυλο-
τάτους· καὶ τῶν κυνῶν τῶν εὐφυεστάτων, φιλοπόνων τε
οὐσῶν καὶ ἐπιθετικῶν τοῖς θηρίοις, τὰς μὲν καλῶς ἀχθείσας
ἀρίστας γίγνεσθαι πρὸς τὰς θήρας καὶ χρησιμωτάτας, ἀναγώ-
γους δὲ γιγνομένας ματαίους τε καὶ μανιώδεις καὶ δυσπειθε-
στάτας. Ὁμοίως δὲ καὶ τῶν ἀνθρώπων τοὺς εὐφυεστάτους, 4
ἐρρωμενεστάτους τε ταῖς ψυχαῖς ὄντας καὶ ἐξεργαστικωτάτους
ὧν ἂν ἐγχειρῶσι, παιδευθέντας μὲν καὶ μαθόντας ἃ δεῖ πράτ-
τειν ἀρίστους τε καὶ ὠφελιμωτάτους γίγνεσθαι· πλεῖστα γὰρ
καὶ μέγιστα ἀγαθὰ ἐργάζεσθαι· ἀπαιδεύτους δὲ καὶ ἀμαθεῖς
γενομένους κακίστους τε καὶ βλαβερωτάτους γίγνεσθαι· κρί-
νειν γὰρ οὐκ ἐπισταμένους ἃ δεῖ πράττειν πολλάκις πονηροῖς
ἐπιχειρεῖν πράγμασι, μεγαλείους δὲ καὶ σφοδροὺς ὄντας δυσ-
καθέκτους τε καὶ δυσαποτρέπτους εἶναι· διὸ πλεῖστα καὶ μέ-

dem Konjunktive stehen müßten,
wie hier: αἱ ἀγαθαὶ φύσεις μνημο-
νεύουσιν ἃ ἂν μάθωσιν, quaecun-
que didicerint. S. K. § 331 A. 3.
Dagegen steht vorher οἷς προσ-
έχοιεν, weil die direkte Rede lau-
ten würde: αἱ ἀγαθαὶ φύσεις ταχὺ
μανθάνουσιν οἷς προσέχουσι, ad
quae attendunt. — οἰκίαν — οἰ-
κεῖν] s. zu I 1, 7. — τοὺς γὰρ
τοιούτους — παιδευθέντας]
denn die, welche zu solchen er-
zogen seien.
§ 3. ἐπὶ πάντας ᾔει] er suchte
allen beizukommen. — Dem τοὺς
μὲν entspricht § 5 Τοὺς δ᾽. — τῶν
τε ἵππων] diesen Worten entspre-
chen im folgenden καὶ τῶν κυνῶν. —

ἀχθείσας] abgerichtet, dres-
siert. — ἀρίστας γίγνεσθαι]
die Rede geht vom Participe zu
dem Infinitive über, was hier um
so leichter geschehen konnte, da
ἐπιδεικνύειν in der Bedeutung leh-
ren mit dem Infinitive verbunden
wird. S. zu II 3, 17. Das folgende
Particip γιγνομένας aber hängt
nicht von ἐπιδεικνύων ab, sondern
ist mit ἀναγώγους zu verbinden.
Wegen τὰς μὲν müßte es eigent-
lich heißen τὰς δὲ ἀναγώγους.
§ 4. ἐξεργαστικωτάτους ὧν]
s. zu III 1, 6; aus dem Adjektive
muß man ἐξεργάζεσθαι zu ὧν ἂν
ἐγχειρῶσι entnehmen. — διὸ ...
ἐργάζονται] s. zu I 4, 15, vgl. d. Anh.

5 γιστα κακὰ ἐργάζονται. Τοὺς δ' ἐπὶ πλούτῳ μέγα φρονοῦν-
τας καὶ νομίζοντας οὐδὲν προσδεῖσθαι παιδείας, ἐξαρκέσειν
δέ σφισιν οἰομένους τὸν πλοῦτον πρὸς τὸ διαπράττεσθαί τε
ὅ τι ἂν βούλωνται καὶ τιμᾶσθαι ὑπὸ τῶν ἀνθρώπων ἐφρένου
λέγων, ὅτι μῶρος μὲν εἴη, εἴ τις οἴεται μὴ μαθὼν τά τε ὠφέ-
λιμα καὶ τὰ βλαβερὰ τῶν πραγμάτων διαγνώσεσθαι, μῶρος
δ', εἴ τις μὴ διαγιγνώσκων μὲν ταῦτα, διὰ δὲ τὸν πλοῦτον ὅ
τι ἂν βούληται ποριζόμενος οἴεται δυνήσεσθαι καὶ τὰ συμφέ-
ροντα πράττειν, ἠλίθιος δ', εἴ τις μὴ δυνάμενος τὰ συμφέροντα
πράττειν εὖ τε πράττειν οἴεται καὶ τὰ πρὸς τὸν βίον αὑτῷ
ἢ καλῶς ἢ ἱκανῶς παρεσκευάσθαι, ἠλίθιος δὲ καί, εἴ τις οἴ-
εται διὰ τὸν πλοῦτον, μηδὲν ἐπιστάμενος, δόξειν τι ἀγαθὸς
εἶναι ἤ, μηδὲν ἀγαθὸς εἶναι δοκῶν, εὐδοκιμήσειν.

Zweites Kapitel.

Inhalt.

An dem Beispiele des Euthydemus, eines jungen Mannes, der sich
auf seine Weisheit etwas einbildete und ohne die Hülfe eines Lehrers die
Staatskunst zu wissen sich rühmte, zeigt Sokrates, daſs es viele gebe,
die alles zu wissen meinten, aber nichts wüſsten, und daſs sie keines-
wegs des Unterrichtes, durch den eine gründliche Sachkenntnis gewon-
nen werde, entbehren könnten. Je schwieriger die Staatskunst ist, mit
um so gröſserem Eifer muſs sie erlernt werden. Der Hauptgedanke
dieses Gespräches ist: jede Kenntnis muſs auf Selbsterkenntnis
beruhen (Erkenne dich selbst, γνῶθι σαυτόν).

1   Τοῖς δὲ νομίζουσι παιδείας τε τῆς ἀρίστης τετυχηκέναι καὶ
μέγα φρονοῦσιν ἐπὶ σοφίᾳ ὡς προσεφέρετο, νῦν διηγήσομαι.
Καταμαθὼν γὰρ Εὐθύδημον, τὸν καλόν, γράμματα πολλὰ συν-
ειλεγμένον ποιητῶν τε καὶ σοφιστῶν τῶν εὐδοκιμωτάτων καὶ
ἐκ τούτων ἤδη τε νομίζοντα διαφέρειν τῶν ἡλικιωτῶν ἐπὶ σοφίᾳ

§ 5. εἴ τις οἴεται] wegen des
Indikat. s. zu I 1, 13. — καὶ τὰ
συμφέροντα πρ.] wegen καί s.
zu I 3, 1. Einige Hss. lassen καὶ
fort. — πράττειν — εὖ πράτ-
τειν] vgl. I 6, 8. — μηδὲν ἐγ.
— δοκῶν] ohne in etwas für tüch-
tig zu gelten.
§ 1. Εὐθύδημον] s. zu I 2, 29.

— τὸν καλόν] dieser Beisatz wird
auch bei Platon öfter Personen ge-
geben; es war eine attische Höf-
lichkeitsformel: der Edle, der
Wackere. — γράμματα] Bü-
cher. — διαφέρειν τῶν ἡλι-
κιωτῶν ἐπὶ σοφίᾳ] wie man z. B.
sagt: μέγα φρονεῖν ἐπί τινι; ge-
wöhnlich διαφ. τινός τινι ohne ἐπί.

καὶ μεγάλας ἐλπίδας ἔχοντα πάντων διοίσειν τῷ δύνασθαι
λέγειν τε καὶ πράττειν, πρῶτον μὲν αἰσθανόμενος αὐτὸν διὰ
νεότητα οὔπω εἰς τὴν ἀγορὰν εἰσιόντα, εἰ δέ τι βούλοιτο δια-
πράξασθαι, καθίζοντα εἰς ἡνιοποιεῖόν *τι τῶν ἐγγὺς τῆς ἀγο-
ρᾶς, εἰς τοῦτο καὶ αὐτὸς ᾔει τῶν μεθ᾽ ἑαυτοῦ τινας ἔχων.
Καὶ πρῶτον μὲν πυνθανομένου τινός, πότερον Θεμιστοκλῆς 2
διὰ συνουσίαν τινὸς τῶν σοφῶν ἢ φύσει τοσοῦτον διήνεγκε
τῶν πολιτῶν, ὥστε πρὸς ἐκεῖνον ἀποβλέπειν τὴν πόλιν, ὁπότε
σπουδαίου ἀνδρὸς δεηθείη, ὁ Σωκράτης βουλόμενος κινεῖν
τὸν Εὐθύδημον εὔηθες ἔφη εἶναι τὸ οἴεσθαι τὰς μὲν ὀλίγου
ἀξίας τέχνας μὴ γίγνεσθαι σπουδαίους ἄνευ διδασκάλων ἱκα-
νῶν, τὸ δὲ προεστάναι πόλεως, πάντων ἔργων μέγιστον ὄν,
ἀπὸ ταὐτομάτου παραγίγνεσθαι τοῖς ἀνθρώποις. Πάλιν δέ 3
ποτε παρόντος τοῦ Εὐθυδήμου, ὁρῶν αὐτὸν ἀποχωροῦντα τῆς
συνεδρίας καὶ φυλαττόμενον, μὴ δόξῃ τὸν Σωκράτην θαυμά-
ζειν ἐπὶ σοφίᾳ· Ὅτι μέν, ἔφη, ὦ ἄνδρες, Εὐθύδημος οὑτοσὶ
ἐν ἡλικίᾳ γενόμενος, τῆς πόλεως λόγον περί τινος προτιθείσης,
οὐκ ἀφέξεται τοῦ συμβουλεύειν, εὔδηλόν ἐστιν ἐξ ὧν ἐπιτη-
δεύει· δοκεῖ δέ μοι καλὸν προοίμιον τῶν δημηγοριῶν παρα-
σκευάσασθαι φυλαττόμενος, μὴ δόξῃ μανθάνειν τι παρά του·
δῆλον γάρ, ὅτι λέγειν ἀρχόμενος ὧδε προοιμιάσεται· „Παρ᾽ 4
„οὐδενὸς μὲν πώποτε, ὦ ἄνδρες Ἀθηναῖοι, οὐδὲν ἔμαθον
„οὐδ᾽ ἀκούων τινὰς εἶναι λέγειν τε καὶ πράττειν ἱκανοὺς ἐξή-
„τησα τούτοις ἐντυχεῖν οὐδ᾽ ἐπεμελήθην τοῦ διδάσκαλόν μοί

— πρῶτον μέν] diesem entspricht
§ 6 ἐπεὶ δέ. — διὰ νεότητα οὔπω
εἰς τὴν ἀγορὰν εἰσιόντα] s. zu
III 6, 1.

§ 2. Καὶ πρῶτον μέν] dem
entspricht § 3 πάλιν δέ. — ἀπο-
βλέπειν πρός od. εἴς τινα, sein
Auge auf jemanden richten, von
dem, der von einem anderen Hülfe
erwartet. Vgl. § 30. — κινεῖν] wie
das latein. lacessere, herausfor-
dern, zum Sprechen bringen.
— σπουδαῖός τι (τὰς .. τέχ-
νας) = δεινός τι, tüchtig in et-
was. — γίγνεσθαι] sc. τινάς. —
ἀπὸ ταὐτομάτου] ist ziemlich
gleichbedeutend mit dem vorher-
gehenden φύσει, also ohne Unter-
richt, vgl. § 4 u. 6.

§ 3. μὴ δόξῃ] wegen des Kon-
junkt. s. zu I 2, 2. — Εὐθύδη-
μος οὑτοσί] warum fehlt bei οὑ-
τοσί der Artikel? S. zu III 11, 17.
— ἐν ἡλικίᾳ γενόμενος] wenn
er das männliche Alter erreicht
haben wird; ἡλικίᾳ vorzugsweise
vom männlichen Alter (vom 18. bis
zum 50. Jahre). — τῆς πόλεως
λόγον περί τινος προτιθεί-
σης] προτιθένα λόγον wird von
den Vorsitzern in den Versamm-
lungen gebraucht, wenn sie durch
einen Herold die Erlaubnis über
einen vorgelegten Gegenstand zu
reden erteilen. — λέγειν ἀρχό-
μενος] s. III 5, 15.

§ 4. ἀκούων — εἶναι] s. zu
III 1, 1. — εὐτυχεῖν] s.zu III 6,2.

„τινα γενέσθαι τῶν ἐπισταμένων, ἀλλὰ καὶ τἀναντία· δια-
„τετέλεκα γὰρ φεύγων οὐ μόνον τὸ μανθάνειν τι παρά τινος,
„ἀλλὰ καὶ τὸ δόξαι· ὅμως δέ, ὅ τι ἂν ἀπὸ ταὐτομάτου ἐπίῃ
5 „μοι, συμβουλεύσω ὑμῖν." Ἁρμόσειε δ' ἂν οὕτω προοιμιάζε-
σθαι καὶ τοῖς βουλομένοις παρὰ τῆς πόλεως ἰατρικὸν ἔργον
λαβεῖν· ἐπιτήδειόν γ' ἂν αὐτοῖς εἴη τοῦ λόγου ἄρχεσθαι ἐν-
τεῦθεν· „Παρ' οὐδενὸς μὲν πώποτε, ὦ ἄνδρες Ἀθηναῖοι,
„τὴν ἰατρικὴν τέχνην ἔμαθον οὐδ' ἐζήτησα διδάσκαλον ἐμαυ-
„τῷ γενέσθαι τῶν ἰατρῶν οὐδένα· διατετέλεκα γὰρ φυλαττό-
„μενος οὐ μόνον τὸ μαθεῖν τι παρὰ τῶν ἰατρῶν, ἀλλὰ καὶ τὸ
„δόξαι μεμαθηκέναι τὴν τέχνην ταύτην· ὅμως δέ μοι τὸ ἰατρι-
„κὸν ἔργον δότε· πειράσομαι γὰρ ἐν ὑμῖν ἀποκινδυνεύων
„μανθάνειν." Πάντες οὖν οἱ παρόντες ἐγέλασαν· ἐπὶ τῷ προ-
6 οιμίῳ. Ἐπεὶ δὲ φανερὸς ἦν ὁ Εὐθύδημος ἤδη μὲν οἷς ὁ Σω-
κράτης λέγοι προσέχων, ἔτι δὲ φυλαττόμενος αὐτός τι φθέγ-
γεσθαι καὶ νομίζων τῇ σιωπῇ σωφροσύνης δόξαν περιβάλλε-
σθαι, τότε ὁ Σωκράτης βουλόμενος αὐτὸν παῦσαι τούτου·
Θαυμαστὸν γάρ, ἔφη, τί ποτε οἱ βουλόμενοι κιθαρίζειν ἢ
αὐλεῖν ἢ ἱππεύειν ἢ ἄλλο τι τῶν τοιούτων ἱκανοὶ γενέσθαι
πειρῶνται ὡς συνεχέστατα ποιεῖν ὅ τι ἂν βούλωνται δυνατοὶ
γενέσθαι καὶ οὐ καθ' ἑαυτούς, ἀλλὰ παρὰ τοῖς ἀρίστοις δο-
κοῦσιν εἶναι, πάντα ποιοῦντες καὶ ὑπομένοντες ἕνεκα τοῦ
μηδὲν ἄνευ τῆς ἐκείνων γνώμης ποιεῖν, ὡς οὐκ ἂν ἄλλως
ἀξιόλογοι γενόμενοι· τῶν δὲ βουλομένων δυνατῶν γενέσθαι

— τἀναντία] aus dem Vorher-
gehenden ist das allgemeine Verb
ἐποίησα zu entnehmen. — τὸ δό-
ξαι] scil. μεμαθηκέναι τι παρά
τινος, vgl. § 5. — ἐπίῃ] in mentem
venerit. Vgl. IV 3, 3: ἤδη ποτέ σοι
ἐπῆλθεν ἐνθυμηθῆναι;

§ 5. Ἁρμόσειε] = πρέποι. —
ἰατρικὸν ἔργον] das Amt eines
öffentlichen Arztes. — ἐπιτήδειόν
γ'] nützlich; wegen des erklären-
den γέ s. zu I 2, 54. — μαθεῖν
— μεμαθηκέναι] didicisse — di-
scendo tenere. S. zu III 1, 4.

§ 6. Ἐπεὶ δέ] das jetzt folgende
Gespräch mit E. stellte Sokrates
zu einer anderen Zeit an; denn § 3
wird erzählt, E. sei weggegangen.

— Θαυμαστὸν γάρ] nun das ist
ja wunderbar; γάρ hat hier fol-
gernde Bedeutung. Sokr. macht
aus dem, was E. gethan hatte, einen
Schluß. — τί ποτε οἱ βουλόμε-
νοι — πειρῶνται —· τῶν δὲ
βουλομένων —] d. i. τί ποτε τῶν
βουλομένων — πειρωμένων —, τῶν
δὲ β. κτλ. Gewöhnlich wird in
diesem Falle in dem ersteren Satz-
gliede μέν hinzugefügt: οἱ μὲν βου-
λόμενοι. S. zu I 6, 5. — παρὰ
τοῖς ἀρίστοις δοκοῦσιν εἶναι]
wegen der Attraktion s. zu § 8. —
πάντα ποιοῦντες] s. zu II 2, 6.
— ὡς οὐκ ἂν — γενόμενοι] d. i.
νομίζοντες, ὅτι οὐκ ἂν — γένοιντο
oder οὐκ ἂν — γενέσθαι. S. zu
II 2, 13.

λέγειν τε καὶ πράττειν τὰ πολιτικὰ νομίζουσί τινες ἄνευ παρα-
σκευῆς καὶ ἐπιμελείας αὐτόματοι ἐξαίφνης δυνατοὶ ταῦτα
ποιεῖν ἔσεσθαι. Καίτοι γε τοσούτῳ ταῦτα ἐκείνων δυσκατ- 7
εργαστότερα φαίνεται, ὅσῳ περ πλειόνων περὶ ταῦτα πραγμα-
τευομένων, ἐλάττους οἱ κατεργαζόμενοι γίγνονται· δῆλον οὖν,
ὅτι καὶ ἐπιμελείας δέονται πλείονος καὶ ἰσχυροτέρας οἱ τού-
των ἐφιέμενοι ἢ οἱ ἐκείνων. Κατ᾽ ἀρχὰς μὲν οὖν, ἀκούοντος 8
Εὐθυδήμου, τοιούτους λόγους ἔλεγε Σωκράτης· ὡς δ᾽ ᾔσθετο
αὐτὸν ἑτοιμότερον ὑπομένοντα, ὅτε διαλέγοιτο, καὶ προθυμό-
τερον ἀκούοντα, μόνος ἦλθεν εἰς τὸ ἡνιοποιεῖον· παρακαθ-
εξομένου δ᾽ αὐτῷ τοῦ Εὐθυδήμου· Εἰπέ μοι, ἔφη, ὦ Εὐθύ-
δημε, τῷ ὄντι, ὥσπερ ἐγὼ ἀκούω, πολλὰ γράμματα συνῆχας
τῶν λεγομένων σοφῶν ἀνδρῶν γεγονέναι; Νὴ τὸν Δί᾽, ἔφη,
ὦ Σώκρατες· καὶ ἔτι γε συνάγω, ἕως ἂν κτήσωμαι ὡς ἂν
δύνωμαι πλεῖστα. Νὴ τὴν Ἥραν, ἔφη ὁ Σωκράτης, ἄγαμαί 9
γέ σου, διότι οὐκ ἀργυρίου καὶ χρυσίου προείλου θησαυροὺς
κεκτῆσθαι μᾶλλον ἢ σοφίας· δῆλον γάρ, ὅτι νομίζεις ἀργύριον
καὶ χρυσίον οὐδὲν βελτίους ποιεῖν τοὺς ἀνθρώπους, τὰς δὲ
τῶν σοφῶν ἀνδρῶν γνώμας ἀρετῇ πλουτίζειν τοὺς κεκτημέ-
νους. Καὶ ὁ Εὐθύδημος ἔχαιρεν ἀκούων ταῦτα, νομίζων
δοκεῖν τῷ Σωκράτει ὀρθῶς μετιέναι τὴν σοφίαν. Ὁ δὲ κατα- 10
μαθὼν αὐτὸν ἡσθέντα τῷ ἐπαίνῳ τούτῳ· Τί δὲ δὴ βουλόμε-
νος ἀγαθὸς γενέσθαι, ἔφη, ὦ Εὐθύδημε, συλλέγεις τὰ γράμ-
ματα; Ἐπεὶ δὲ διεσιώπησεν ὁ Εὐθύδημος σκοπῶν, ὅ τι ἀπο-
κρίναιτο, πάλιν ὁ Σωκράτης· Ἆρα μὴ ἰατρός; ἔφη· πολλὰ
γὰρ καὶ ἰατρῶν ἐστι συγγράμματα. Καὶ ὁ Εὐθύδημος· Μὰ
Δί᾽, ἔφη, οὐκ ἔγωγε. — Ἀλλὰ μὴ ἀρχιτέκτων βούλει γενέ-

---

§ 7. Καίτοι γε] s. zu I 2, 3. —
ὅσωπερ πλειόνων — γίγνον-
ται] der Sinn ist: Die Kunst der
Staatsverwaltung (ταῦτα) ist weit
schwieriger als andere Künste (ἐκεί-
νων). Denn obwohl die Zahl derer,
die sich mit der Staatsverwaltung
beschäftigen, weit größer ist als
die derer, die andere Künste trei-
ben; so ist doch die Zahl der der
Staatskunst Kundigen weit kleiner
als die der in anderen Künsten Aus-
gezeichneten. — οἱ κατεργαζό-
μενοι] qui id, quod petunt, conse-
quuntur.

§ 8. ἀκούοντος Εὐθυδήμου]
καὶ οὐκέτι ἀποχωροῦντος, ἀλλ᾽ ἤδη
οἷς ὁ Σωκράτης λέγοι προσέχοντος,
vgl. §§ 3 u. 6. — ὅτε διαλέγοιτο]
wegen des Optativs s. zu I 2, 57.
— τῶν λεγομένων σοφῶν —
γεγονέναι] C. § 572. K. § 303, 3.
§ 9. Νὴ τὴν Ἥραν] s. zu I 5, 5.
— ἄγαμαί γέ σου, διότι] C.
§ 417 A. u. 550. Ko. § 84, 7 A. 7.
K. § 270 A. 2. — προείλου —
μᾶλλον] s. zu II 1, 2.
§ 10. Τί δὲ —;] s. zu I 3, 13. —
Ἆρα μή] scil. γενησόμενος, über
ἆρα μή s. zu I 3, 11. — Ἀλλὰ μή]

σθαι; γνωμονικοῦ γὰρ ἀνδρὸς καὶ τοῦτο δεῖ. — Οὔκουν ἔγωγ᾽,
ἔφη. — Ἀλλὰ μὴ γεωμέτρης ἐπιθυμεῖς, ἔφη, γενέσθαι ἀγα-
θός, ὥσπερ ὁ Θεόδωρος; — Οὐδὲ γεωμέτρης, ἔφη. — Ἀλλὰ
μὴ ἀστρολόγος, ἔφη, βούλει γενέσθαι; Ὡς δὲ καὶ τοῦτο ἠρ-
νεῖτο· Ἀλλὰ μὴ ῥαψῳδός; ἔφη· καὶ γὰρ τὰ Ὁμήρου σέ φα-
σιν ἔπη πάντα κεκτῆσθαι. — Μὰ Δί᾽ οὐκ ἔγωγ᾽, ἔφη· τοὺς
γάρ τοι ῥαψῳδοὺς οἶδα τὰ μὲν ἔπη ἀκριβοῦντας, αὐτοὺς δὲ
11 πάνυ ἠλιθίους ὄντας. Καὶ ὁ Σωκράτης ἔφη· Οὐ δήπου, ὦ
Εὐθύδημε, ταύτης τῆς ἀρετῆς ἐφίεσαι, δι᾽ ἣν ἄνθρωποι πολι-
τικοὶ γίγνονται καὶ οἰκονομικοὶ καὶ ἄρχειν ἱκανοὶ καὶ ὠφέλι-
μοι τοῖς τε ἄλλοις ἀνθρώποις καὶ ἑαυτοῖς; Καὶ ὁ Εὐθύδημος·
Σφόδρα γ᾽, ἔφη, ὦ Σώκρατες, ταύτης τῆς ἀρετῆς δέομαι. Νὴ
Δί᾽, ἔφη ὁ Σωκράτης, τῆς καλλίστης ἀρετῆς καὶ μεγίστης
ἐφίεσαι τέχνης· ἔστι γὰρ τῶν βασιλέων αὕτη καὶ καλεῖται
βασιλική· ἀτάρ, ἔφη, κατανενόηκας, εἰ οἷόν τ᾽ ἐστὶ μὴ ὄντα
δίκαιον ἀγαθὸν ταῦτα γενέσθαι; — Καὶ μάλα, ἔφη, καὶ οὐχ
οἷόν τέ γε ἄνευ δικαιοσύνης ἀγαθὸν πολίτην γενέσθαι. —
12 Τί οὖν; ἔφη, σὺ δὴ τοῦτο κατείργασαι; — Οἶμαί γε, ἔφη, ὦ
Σώκρατες, οὐδενὸς ἂν ἧττον φανῆναι δίκαιος. — Ἆρ᾽ οὖν
[ἔφη,] τῶν δικαίων ἐστὶν ἔργα, ὥσπερ τῶν τεκτόνων; — Ἔστι
μέντοι, ἔφη. — Ἆρ᾽ οὖν, ἔφη, ὥσπερ οἱ τέκτονες ἔχουσι τὰ
ἑαυτῶν ἔργα ἐπιδεῖξαι, οὕτως οἱ δίκαιοι τὰ ἑαυτῶν ἔχοιεν
ἂν διεξηγήσασθαι; Μὴ οὖν, ἔφη ὁ Εὐθύδημος, οὐ δύναμαι
ἐγὼ τὰ τῆς δικαιοσύνης ἔργα ἐξηγήσασθαι; καὶ νὴ Δί᾽ ἔγωγε
τὰ τῆς ἀδικίας· ἐπεὶ οὐκ ὀλίγα ἐστὶ καθ᾽ ἑκάστην ἡμέραν

s. zu III 11, 4. — τοῦτο δεῖ] τοῦτο
dazu. — Οὔκουν] keineswegs.
Wohl zu unterscheiden von οὐκοῦν.
K. § 315 A. 5. — Θεόδωρος] aus
Kyrene, Lehrer des Sokrates. —
ἀστρολόγος] Astronom, wie ἀστρο-
λογία Astronomie, vgl. IV 7, 4; doch
auch ἀστρονομία IV 7; 5. So auch
bei den lat. Klassikern astrologus,
astrologia, nicht astronomus, astro-
nomia. — ῥαψῳδούς] das hier
über die Rhapsoden gefällte Urteil
bezieht sich auf die Zeit des Sokra-
tes, nicht auf die frühere Zeit, in
der sie in grofsen Ehren standen.
§ 11. Οὐ δήπου —;] s. zu II
3, 1. — Καὶ μάλα] scil. κατανε-
νόηκα. — καὶ οὐχ οἷόν τέ γε

κτλ.] ac fieri quidem non po-
test, ut.
§ 12. τοῦτο κατείργασαι]
τοῦτο, scil. δίκαιος εἶναι. — οὐδ-
ενὸς — ἧττον] s. zu I 5, 6. —
φανῆναι δίκαιος] s. zu I 7, 4.
— Das eingeklammerte ἔφη, das in
mehreren Handschriften fehlt, ist
wahrscheinlich unecht. — Ἆρ᾽ οὖν]
s. zu II 6, 1. — Ἔστι μέντοι] s.
zu II 6, 2. — Μὴ — οὐ δύναμαι]
numne — non possum. Die Les-
art: μὴ .. οὐ δύνωμαι; ist falsch,
da μὴ οὐ in Verbindung mit dem
Konjunktive in der Frage nicht vor-
kommt. Wegen μὴ οὐ in der Frage
K. § 330, 5a. — καὶ .. τὰ τῆς
ἀδικίας] οὐ μόνον τὰ τῆς δικαιο-

τοιαῦτα ὁρᾶν τε καὶ ἀκούειν. Βούλει οὖν, ἔφη ὁ Σωκράτης, 13
γράψωμεν ἐνταυθοῖ μὲν δέλτα, ἐνταυθοῖ δὲ ἄλφα; εἶτα ὅ τι
μὲν ἂν δοκῇ ἡμῖν τῆς δικαιοσύνης ἔργον εἶναι, πρὸς τὸ δέλτα
τιθῶμεν, ὅ τι δ᾽ ἂν τῆς ἀδικίας, πρὸς τὸ ἄλφα; — Εἴ τί σοι
δοκεῖ, ἔφη, προσδεῖν τούτων, ποίει ταῦτα. Καὶ ὁ Σωκράτης 14
γράψας, ὥσπερ εἶπεν· Οὐκοῦν, ἔφη, ἔστιν ἐν ἀνθρώποις
τὸ ψεύδεσθαι; — Ἔστι μέντοι, ἔφη. — Ποτέρωσε οὖν, ἔφη,
θῶμεν τοῦτο; — Δῆλον, ἔφη, ὅτι πρὸς τὴν ἀδικίαν. — Οὐκ-
οῦν, ἔφη, καὶ τὸ ἐξαπατᾶν ἐστι; — Καὶ μάλα, ἔφη. —
Τοῦτο οὖν ποτέρωσε θῶμεν; — Καὶ τοῦτο δῆλον ὅτι, ἔφη,
πρὸς τὴν ἀδικίαν. — Τί δέ; τὸ κακουργεῖν; — Καὶ τοῦτο,
ἔφη. — Τὸ δὲ ἀνδραποδίζεσθαι; — Καὶ τοῦτο. — Πρὸς δὲ
τῇ δικαιοσύνῃ οὐδὲν ἡμῖν τούτων κείσεται, ὦ Εὐθύδημε; —
Δεινὸν γὰρ ἂν εἴη, ἔφη. — Τί δ᾽; ἐάν τις στρατηγὸς αἱρε- 15
θεὶς ἄδικόν. τε καὶ ἐχθρὰν πόλιν ἐξανδραποδίσηται, φήσομεν
τοῦτον ἀδικεῖν; — Οὐ δῆτα, ἔφη. — Δίκαια δὲ ποιεῖν οὐ
φήσομεν; — Καὶ μάλα. — Τί δ᾽; ἐὰν ἐξαπατᾷ πολεμῶν αὐ-
τοῖς; — Δίκαιον, ἔφη, καὶ τοῦτο. — Ἐὰν δὲ κλέπτῃ τε καὶ
ἁρπάζῃ τὰ τούτων, οὐ δίκαια ποιήσει; — Καὶ μάλα, ἔφη·
ἀλλ᾽ ἐγώ σε τὸ πρῶτον ὑπελάμβανον πρὸς τοὺς φίλους μόνον
ταῦτα ἐρωτᾶν. — Οὐκοῦν, ἔφη, ὅσα πρὸς τῇ ἀδικίᾳ ἐθήκα-
μεν, πάντα καὶ πρὸς τῇ δικαιοσύνῃ θετέον ἂν εἴη; — Ἔοικεν,
ἔφη. — Βούλει οὖν, ἔφη, ταῦτα οὕτω θέντες διορισώμεθα 16
πάλιν, πρὸς μὲν τοὺς πολεμίους δίκαιον εἶναι τὰ τοιαῦτα ποιεῖν,
πρὸς δὲ τοὺς φίλους ἄδικον, ἀλλὰ δεῖν πρός γε τούτους ὡς
ἁπλούστατον εἶναι; Πάνυ μὲν οὖν, ἔφη ὁ Εὐθύδημος. Τί 17
οὖν; ἔφη ὁ Σωκράτης, ἐάν τις στρατηγὸς ὁρῶν ἀθύμως ἔχον
τὸ στράτευμα ψευσάμενος φήσῃ συμμάχους προσιέναι καὶ τῷ
ψεύδει τούτῳ παύσῃ τὰς ἀθυμίας τοῦ στρατεύματος, ποτέρωθι
τὴν ἀπάτην ταύτην θήσομεν; — Δοκεῖ μοι, ἔφη, πρὸς τὴν

σύνης ἔργα δύναμαι ἐξηγήσασθαι,
ἀλλὰ καὶ τὰ τῆς ἀδικίας.

§ 13. Βούλει — γράψωμεν] s.
zu II 1, 1.

§ 14. τὸ ψεύδεσθαι] τὸ fehlt
in den Hdschr. — δῆλον ὅτι, ἔφη]
s. zu III 7, 1. — ἡμῖν] eigentlich
nobis, für uns, d. h. nach unserem
Urteile, vgl. IV 6, 4.

§ 15. πολεμῶν αὐτοῖς] αὐ-

τοῖς κατὰ σύνεσιν in Beziehung auf
πόλιν, s. zu II 1, 31: οἵ. — πρὸς
τοὺς φίλους] in Beziehung auf
die Freunde. — πρὸς τῇ ἀδικίᾳ
ἐθήκαμεν] prägnant = πρὸς τὴν
ἀδικίαν ἐθήκαμεν, ὥστε κεῖσθαι
πρὸς αὐτῇ. S. K. § 304 A. 1.

§ 16. ἁπλούστατον εἶναι] als
Subjekt ist τινά (man) zu er-
gänzen.

δικαιοσύνην. — Ἐὰν δέ τις υἱὸν ἑαυτοῦ δεόμενον φαρμακείας
καὶ 'μὴ προσιέμενον φάρμακον ἐξαπατήσας ὡς σιτίον τὸ φάρ-
μακον δῷ καὶ τῷ ψεύδει χρησάμενος οὕτως ὑγιᾶ ποιήσῃ, ταύ-
την αὖ τὴν ἀπάτην ποῖ θετέον; — Δοκεῖ μοι, ἔφη, καὶ ταύ-
την εἰς τὸ αὐτό. — Τί δ'; ἐάν τις ἐν ἀθυμίᾳ ὄντος φίλου δείσας,
μὴ διαχρήσηται ἑαυτόν, κλέψῃ ἢ ἁρπάσῃ ἢ ξίφος ἢ ἄλλο τι
τοιοῦτον, τοῦτο αὖ ποτέρωσε θετέον; — Καὶ τοῦτο νὴ Δί',
18 ἔφη, πρὸς τὴν δικαιοσύνην. — Λέγεις, ἔφη, σὺ οὐδὲ πρὸς
τοὺς φίλους ἅπαντα δεῖν ἀπλοΐζεσθαι; — Μὰ Δί' οὐ δῆτα,
ἔφη· ἀλλὰ μετατίθεμαι τὰ εἰρημένα, εἴπερ ἔξεστι. — Δεῖ γέ
τοι, ἔφη ὁ Σωκράτης, ἐξεῖναι πολὺ μᾶλλον ἢ μὴ. ὀρθῶς τι-
19 θέναι. Τῶν δὲ δὴ τοὺς φίλους ἐξαπατώντων ἐπὶ βλάβῃ, ἵνα
<u>μηδὲ τοῦτο παραλίπωμεν ἄσκεπτον, πότερος ἀδικώτερός ἐστιν,</u>
<u>ὁ ἑκὼν ἢ ὁ ἄκων;</u> — Ἀλλ', ὦ Σώκρατες, οὐκέτι μὲν ἔγωγε
πιστεύω οἷς ἀποκρίνομαι· καὶ γὰρ τὰ πρόσθεν πάντα νῦν ἄλ-
λως ἔχειν δοκεῖ μοι, ἢ ὡς ἐγὼ τότε ᾠόμην· ὅμως δὲ εἰρήσθω
μοι ἀδικώτερον εἶναι τὸν ἑκόντα ψευδόμενον τοῦ ἄκοντος. —
20 Δοκεῖ δέ σοι μάθησις καὶ ἐπιστήμη τοῦ δικαίου εἶναι, ὥσπερ
τῶν γραμμάτων; — Ἔμοιγε. — Πότερον δὲ γραμματικώτερον
κρίνεις, ὃς ἂν ἑκὼν μὴ ὀρθῶς γράφῃ καὶ ἀναγιγνώσκῃ ἢ ὃς
ἂν ἄκων; — Ὃς ἂν ἑκών, ἔγωγε· δύναιτο γὰρ ἄν, ὁπότε βού-
λοιτο, καὶ ὀρθῶς αὐτὰ ποιεῖν. — Οὐκοῦν ὁ μὲν ἑκὼν μὴ ὀρ-
θῶς γράφων γραμματικὸς ἂν εἴη, ὁ δὲ ἄκων ἀγράμματος; —
Πῶς γὰρ οὔ; — Τὰ δίκαια δὲ πότερον ὁ ἑκὼν ψευδόμενος
καὶ ἐξαπατῶν οἶδεν ἢ ὁ ἄκων; — Δῆλον, ὅτι ὁ ἑκών. — Οὐκ-
οῦν γραμματικώτερον μὲν τὸν ἐπιστάμενον γράμματα τοῦ μὴ
ἐπισταμένου φῂς εἶναι; — Ναί. — Δικαιότερον δὲ τὸν ἐπι-
στάμενον τὰ δίκαια τοῦ μὴ ἐπισταμένου; — Φαίνομαι· δοκῶ
21 δέ μοι καὶ ταῦτα, οὐκ οἶδ' ὅπως, λέγειν. — Τί δὲ δή, ὃς ἂν

§ 17. διαχρήσηται ἑαυτόν]
διαχρῆσθαι u. καταχρῆσθαι c. acc.
töten.

§ 18. μετατίθεμαι] s. zu I 2,
44: ἀνατίθεμαι. — γέ τοι] s. zu
III 4, 10.

§ 19. In diesem und dem folg.
Paragraphen spricht S. nicht seine
eigene und wahre Ansicht aus, son-
dern spricht wie ein Sophist, um
den jungen Mann um so mehr sei-
ner Eitelkeit zu überführen.

§ 20. τῶν γραμμάτων] hier,
wie aus dem Folgenden erhellt, von
dem richtigen Lesen und Schreiben.
— ὁπότε βούλοιτο] s. zu II 1,
18. — αὐτά] γράφειν καὶ ἀναγι-
γνώσκειν. — Τὰ δίκαια δὲ πότε-
ρον] wegen der Stellung s. zu II
7, 8. — Φαίνομαι] τοῦτο λέγων,
Ggs. δοκῶ λέγειν. S. zu I 4, 6.

βουλόμενος τἀληθῆ λέγειν μηδέποτε τὰ αὐτὰ περὶ τῶν αὐτῶν
λέγῃ, ἀλλ' ὁδόν τε φράζων τὴν αὐτὴν τοτὲ μὲν πρὸς ἕω, τοτὲ
δὲ πρὸς ἑσπέραν φράζῃ καὶ λογισμὸν ἀποφαινόμενος τὸν αὐ-
τὸν τοτὲ μὲν πλείω, τοτὲ δ' ἐλάττω ἀποφαίνηται, τί σοι δοκεῖ
ὁ τοιοῦτος; — Δῆλος νὴ Δι' εἶναι, ὅτι ἃ ᾤετο εἰδέναι οὐκ
οἶδεν. — Οἶσθα δέ τινας ἀνδραποδώδεις καλουμένους; — 22
Ἔγωγε. — Πότερον διὰ σοφίαν ἢ δι' ἀμαθίαν; —῾ Δῆλον, ὅτι
δι' ἀμαθίαν. — Ἆρ' οὖν διὰ τὴν τοῦ χαλκεύειν ἀμαθίαν τοῦ
ὀνόματος τούτου τυγχάνουσιν; — Οὐ δῆτα. — Ἀλλ' ἄρα διὰ
τὴν τοῦ τεκταίνεσθαι; — Οὐδὲ διὰ ταύτην. — Ἀλλὰ διὰ τὴν
τοῦ σκυτεύειν; — Οὐδὲ δι' ἓν τούτων, ἔφη, ἀλλὰ καὶ τοὐναν-
τίον· οἱ γὰρ πλεῖστοι τῶν γε τὰ τοιαῦτα ἐπισταμένων ἀν-
δραποδώδεις εἰσίν. — Ἆρ' οὖν τῶν τὰ καλὰ καὶ ἀγαθὰ καὶ
δίκαια μὴ εἰδότων τὸ ὄνομα τοῦτ' ἐστίν; — Ἔμοιγε δοκεῖ, 23
ἔφη. — Οὐκοῦν δεῖ παντὶ τρόπῳ διατειναμένους φεύγειν,
ὅπως μὴ ἀνδράποδα ὦμεν. — Ἀλλά, νὴ τοὺς θεούς, ἔφη, ὦ
Σώκρατες, πάνυ ᾤμην φιλοσοφεῖν φιλοσοφίαν, δι' ἧς ἂν μά-
λιστα ἐνόμιζον παιδευθῆναι τὰ προσήκοντα ἀνδρὶ καλοκἀγα-
θίας ὀρεγομένῳ· νῦν δὲ πῶς οἴει με ἀθύμως ἔχειν ὁρῶντα
ἐμαυτὸν διὰ μὲν τὰ προπεπονημένα οὐδὲ τὸ ἐρωτώμενον ἀπο-
κρίνεσθαι δυνάμενον ὑπὲρ ὧν μάλιστα χρὴ εἰδέναι, ἄλλην δὲ
ὁδὸν οὐδεμίαν ἔχοντα, ἣν ἂν πορευόμενος βελτίων γενοίμην;
— Καὶ ὁ Σωκράτης· Εἰπέ μοι, ἔφη, ὦ Εὐθύδημε, εἰς Δελ- 24
φοὺς δὲ ἤδη πώποτε ἀφίκου; — Καὶ δίς γε νὴ ῾Δία, ἔφη. —
Κατέμαθες οὖν πρὸς τῷ ναῷ που γεγραμμένον τὸ Γνῶθι σαυ-
τόν; — Ἔγωγε. — Πότερον οὖν οὐδέν σοι τοῦ γράμματος

---

§ 21. λογισμὸν ἀποφαινό-
μενος] rationem reddens. — Δῆ-
λος — ὅτι — οὐκ οἶδεν] s. zu
III 5, 24.

§ 22. Ἆρ' οὖν] s. zu II 6, 1. —
Ἀλλ' ἄρα] s. zu III 11, 4. — ἀλλὰ
καὶ τοὐναντίον] scil. διὰ τὴν
τῶν τοιούτων σοφίαν τοῦ ὀνόματος
τούτου τυγχάνουσιν. Wegen des ad-
verbialen τοὐναντίον s. zu II 6, 4.

§ 23. φιλοσοφεῖν φιλοσο-
φίαν] ein vernunftmäfsiges (metho-
disches) Verfahren zu haben. —
παιδευθῆναι τὰ προσήκοντα]
C. § 402 u. A. 1. Ko. § 83, 6. K.
§ 280 A. 5. — οὐδὲ τὸ ἐρωτώ-

μενον ἀποκρίνεσθαι] die Worte
οὐδὲ τὸ ἐρ. sind zu verbinden mit
ὑπὲρ ὧν (= τούτων ἃ) μάλιστα χρὴ
εἰδέναι: „dafs ich nicht einmal die
Fragen beantworten kann, die an
mich in betreff dessen, was zu wis-
sen durchaus nötig ist, gestellt wer-
den", so dafs darin der Gegensatz
verborgen liegt: noch weit weniger
werde ich die Fragen beantworten
können, die an mich über Dinge,
die der menschlichen Kenntnis fer-
ner liegen, gestellt werden.

§ 24. εἰς Δελφοὺς δὲ ἤδη
πώποτε ἀφίκου;] nach Delphi
kamst du doch einmal? in Beziehung

ἐμέλησεν, ἢ προσέσχες τε καὶ ἐπεχείρησας σαυτὸν ἐπισκοπεῖν,
ὅστις εἴης; — Μὰ Δί᾽ οὐ δῆτα, ἔφη· καὶ γὰρ δὴ πάνυ τοῦτό
γε ᾤμην εἰδέναι· σχολῇ γὰρ ἂν ἄλλο τι ᾔδειν, εἴγε μηδ᾽
25 ἐμαυτὸν ἐγίγνωσκον. — Πότερα δέ σοι δοκεῖ γιγνώσκειν ἑαυ-
τόν, ὅστις τοὔνομα τὸ ἑαυτοῦ μόνον οἶδεν, ἢ ὅστις, ὥσπερ οἱ
τοὺς ἵππους ὠνούμενοι οὐ πρότερον οἴονται γιγνώσκειν, ὃν
ἂν βούλωνται γνῶναι, πρὶν ἂν ἐπισκέψωνται, πότερον εὐπει-
θής ἐστιν ἢ δυσπειθής, καὶ πότερον ἰσχυρός ἐστιν ἢ ἀσθενής,
καὶ πότερον ταχὺς ἢ βραδύς, καὶ τἆλλα τὰ πρὸς τὴν τοῦ
ἵππου χρείαν ἐπιτήδειά τε καὶ ἀνεπιτήδεια ὅπως ἔχει, οὕτως
ὁ ἑαυτὸν ἐπισκεψάμενος, ὁποῖός ἐστι πρὸς τὴν ἀνθρωπίνην
χρείαν, ἔγνωκε τὴν αὑτοῦ δύναμιν; — Οὕτως ἔμοιγε δοκεῖ,
ἔφη, ὁ μὴ εἰδὼς τὴν ἑαυτοῦ δύναμιν ἀγνοεῖν ἑαυτόν. —
26 Ἐκεῖνο δὲ οὐ φανερόν, ἔφη, ὅτι διὰ μὲν τὸ εἰδέναι ἑαυτοὺς
πλεῖστα ἀγαθὰ πάσχουσιν οἱ ἄνθρωποι, διὰ δὲ τὸ ἐψεῦσθαι
ἑαυτῶν πλεῖστα κακά; οἱ μὲν γὰρ εἰδότες ἑαυτοὺς τά τε ἐπι-
τήδεια ἑαυτοῖς ἴσασι καὶ διαγιγνώσκουσιν ἅ τε δύνανται καὶ
ἃ μή· καὶ ἃ μὲν ἐπίστανται πράττοντες πορίζονταί τε ὧν
δέονται καὶ εὖ πράττουσιν, ὧν δὲ μὴ ἐπίστανται ἀπεχόμενοι.
ἀναμάρτητοι γίγνονται καὶ διαφεύγουσι τὸ κακῶς πράττειν·
διὰ τοῦτο δὲ καὶ τοὺς ἄλλους ἀνθρώπους δυνάμενοι δοκιμά-
ζειν καὶ διὰ τῆς τῶν ἄλλων χρείας τά τε ἀγαθὰ πορίζονται
27 καὶ τὰ κακὰ φυλάττονται. Οἱ δὲ μὴ εἰδότες, ἀλλὰ διεψευσμέ-
νοι τῆς ἑαυτῶν δυνάμεως πρός τε τοὺς ἄλλους ἀνθρώπους
καὶ τἆλλα ἀνθρώπινα πράγματα ὁμοίως διάκεινται· καὶ οὔτε
ὧν δέονται ἴσασιν οὔτε ὅ τι πράττουσιν οὔτε οἷς χρῶνται,

auf die vorhergehenden Worte:
wenn du auch sagst, du wüßtest
keinen Weg, den du einschlagen
könntest, um besser zu werden.
S. zu I 3, 13. — σαυτὸν ἐπισκο-
πεῖν, ὅστις] wegen der Attrak-
tion s. zu I 2, 13. Vgl. § 25. —
γὰρ δή] s. zu II 4, 1. — σχολῇ]
s. zu III 14, 3.
§ 25. ὅστις — ὁ ἑαυτὸν ἐπι-
σκεψάμενος] st. ἑαυτὸν ἐπισκε-
ψάμενος, s. zu I 2, 24: οὕτω κἀ-
κεῖνος.
§ 26. ἐψεῦσθαι ἑαυτῶν] = μὴ
εἰδέναι ἑαυτούς. Vgl. § 27: διε-
ψευσμένοι. C. § 419 b. Ko. § 84, 7 c.

K. § 275, 1. — καὶ τοὺς ἄλλους
— δυνάμενοι δοκιμάζειν καὶ
διὰ τῆς τῶν ἄλλων χρείας κτλ.]
καί — καί wie in ὥσπερ καί —
οὕτω καί. S. zu I 1, 6. Wegen der
Verbindung des Participes mit dem
Verbum fin. vgl. Anab. I 9, 31:
(Ἀριαῖος) ἔφυγεν ἔχων καὶ τὸ στρά-
τευμα, d. i. nicht allein selbst, son-
dern auch mit seinem Heere.
§ 27. Οἱ δὲ μὴ εἰδότες] scil.
ἑαυτούς oder τὴν ἑαυτῶν δύνα-
μιν. — πρός τε τοὺς ἄλλους —
ὁμοίως διάκεινται] sowie sie
sich selbst, so kennen sie auch an-
dere Menschen nicht.

ἀλλὰ πάντων τούτων διαμαρτάνοντες τῶν τε ἀγαθῶν ἀπο-
τυγχάνουσι καὶ τοῖς κακοῖς περιπίπτουσι. Καὶ οἱ μὲν εἰδότες, 28
ὅ τι ποιοῦσιν, ἐπιτυγχάνοντες ὧν πράττουσιν εὔδοξοί τε καὶ
τίμιοι γίγνονται· καὶ οἵ τε ὅμοιοι τούτοις ἡδέως χρῶνται, οἵ
τε ἀποτυγχάνοντες τῶν πραγμάτων ἐπιθυμοῦσι τούτους ὑπὲρ
αὐτῶν βουλεύεσθαι καὶ προΐστασθαί τε ἑαυτῶν τούτους καὶ
τὰς ἐλπίδας τῶν ἀγαθῶν ἐν τούτοις ἔχουσι καὶ διὰ πάντα
ταῦτα πάντων μάλιστα τούτους ἀγαπῶσιν. Οἱ δὲ μὴ εἰδότες, 29
ὅ τι ποιοῦσι, κακῶς δὲ αἱρούμενοι καὶ οἷς ἂν ἐπιχειρήσωσιν
ἀποτυγχάνοντες οὐ μόνον ἐν αὐτοῖς τούτοις ζημιοῦνταί τε καὶ
κολάζονται, ἀλλὰ καὶ ἀδοξοῦσι διὰ ταῦτα καὶ καταγέλαστοι
γίγνονται καὶ καταφρονούμενοι καὶ ἀτιμαζόμενοι ζῶσιν· ὁρᾷς
δὲ καὶ τῶν πόλεων ὅτι ὅσαι ἂν ἀγνοήσασαι τὴν ἑαυτῶν δύνα-
μιν κρείττοσι πολεμήσωσιν, αἱ μὲν ἀνάστατοι γίγνονται, αἱ δ'
ἐξ ἐλευθέρων δοῦλαι. Καὶ ὁ Εὐθύδημος· Ὡς πάνυ μοι δο- 30
κοῦν, ἔφη, ὦ Σώκρατες, περὶ πολλοῦ ποιητέον εἶναι τὸ ἑαυ-
τὸν γιγνώσκειν, οὕτως ἴσθι· ὁπόθεν δὲ χρὴ ἄρξασθαι ἐπισκο-
πεῖν ἑαυτόν, τοῦτο πρὸς σὲ ἀποβλέπω εἴ μοι ἐθελήσαις ἂν
ἐξηγήσασθαι. Οὐκοῦν, ἔφη ὁ Σωκράτης, τὰ μὲν ἀγαθὰ καὶ 31
τὰ κακὰ ὁποῖά ἐστι, πάντως που γιγνώσκεις; — Νὴ Δί',
ἔφη· εἰ γὰρ μηδὲ ταῦτα οἶδα, καὶ τῶν ἀνδραπόδων φαυλό-
τερος ἂν εἴην. — Ἴθι δή, ἔφη, καὶ ἐμοὶ ἐξήγησαι αὐτά. —
Ἀλλ' οὐ χαλεπόν, ἔφη· πρῶτον μὲν γὰρ αὐτὸ τὸ ὑγιαίνειν
ἀγαθὸν εἶναι νομίζω, τὸ δὲ νοσεῖν κακόν, ἔπειτα τὰ αἴτια
ἑκατέρου αὐτῶν, καὶ ποτὰ καὶ βρωτὰ καὶ ἐπιτηδεύματα, τὰ

§ 28. οἵ τε ὅμοιοι] die eine
gleiche Klugheit wie diese be-
sitzen. — καὶ προΐστασθαί τε]
Anakoluth für: καὶ προΐστασθαί τε
ἐπιθυμοῦσιν ἑαυτῶν τούτους καὶ
τὰς ἐλπίδας .. ἔχουσι, wenn nicht
etwa mit Stephanus καὶ προΐ-
στασθαί γε (sogar) zu schreiben ist.
§ 29. κακῶς — αἱρούμενοι]
eine schlechte Wahl treffend zwi-
schen mehreren vorliegenden Din-
gen, die entweder auszuführen oder
zu vermeiden sind, weil sie sich
selbst nicht kennen. — ἐν αὐτοῖς
τούτοις] sc. οἷς ἂν ἐπιχ. ἀποτυγ-
χάνοντες. — ζημιοῦνταί τε καὶ
κολάζονται] das erstere besonders
von Geldstrafen, das letztere von

Strafen mit Worten, Schlägen u.s.w.
zur Besserung. — τῶν πόλεων
ὅτι] τῶν πόλεων wegen des Gegen-
satzes der Konjunktion vorgesetzt.
S. zu II 7, 8.
§ 30. Ὡς πάνυ μοι δοκοῦν]
ist das Objekt von οὕτως ἴσθι.
Häufiger sind in dieser Verbindung
die genetivi absoluti. — πρὸς σὲ
ἀποβλέπω] s. zu § 2; τοῦτο hängt
von ἐξηγήσασθαι ab. — εἰ — ἐθε-
λήσαις ἄν] εἰ = ob, s. zu I 3, 5.
§ 31. πάντως που] s. zu III 5,
15. — εἰ — οἶδα, — ἂν εἴην]
s. zu I 2, 28. — πρῶτον μὲν —
ἔπειτα] s. zu I 2, 1. — τὰ αἴτια
— τὰ μὲν — τὰ δὲ] s. zu
II 1, 4.

μὲν πρὸς τὸ ὑγιαίνειν φέροντα ἀγαθά, τὰ δὲ πρὸς τὸ νοσεῖν
32 κακά. — Οὐκοῦν, ἔφη, καὶ τὸ ὑγιαίνειν καὶ τὸ νοσεῖν, ὅταν
μὲν ἀγαθοῦ τινος αἴτια γίγνηται, ἀγαθὰ ἂν εἴη, ὅταν δὲ κα-
κοῦ, κακά; — Πότε δ' ἄν, ἔφη, τὸ μὲν ὑγιαίνειν κακοῦ αἴτιον
γένοιτο, τὸ δὲ νοσεῖν ἀγαθοῦ; — Ὅταν νὴ Δί', ἔφη, στρα-
τείας τε αἰσχρᾶς καὶ ναυτιλίας βλαβερᾶς καὶ ἄλλων πολλῶν
τοιούτων οἱ μὲν διὰ ῥώμην μετασχόντες ἀπόλωνται, οἱ δὲ δι'
ἀσθένειαν ἀπολειφθέντες σωθῶσιν. — Ἀληθῆ λέγεις· ἀλλ'
ὁρᾷς, ἔφη, ὅτι καὶ τῶν ὠφελίμων οἱ μὲν διὰ ῥώμην μετέχου-
σιν, οἱ δὲ δι' ἀσθένειαν ἀπολείπονται. — Ταῦτα οὖν, ἔφη,
ποτὲ μὲν ὠφελοῦντα, ποτὲ δὲ βλάπτοντα μᾶλλον ἀγαθὰ ἢ
κακά ἐστιν; — Οὐδὲν μὰ Δία φαίνεται κατά γε τοῦτον τὸν
33 λόγον. Ἀλλ' ἤ γέ τοι σοφία, ὦ Σώκρατες, ἀναμφισβητήτως
ἀγαθόν ἐστιν· ποῖον γὰρ ἄν τις πρᾶγμα οὐ βέλτιον πράττοι
σοφὸς ὢν ἢ ἀμαθής; — Τί δαί; τὸν Δαίδαλον, ἔφη, οὐκ
ἀκήκοας, ὅτι ληφθεὶς ὑπὸ Μίνω διὰ τὴν σοφίαν ἠναγκάζετο
ἐκείνῳ δουλεύειν καὶ τῆς τε πατρίδος ἅμα καὶ τῆς ἐλευθερίας
ἐστερήθη καὶ ἐπιχειρῶν ἀποδιδράσκειν μετὰ τοῦ υἱοῦ τόν τε
παῖδα ἀπώλεσε καὶ αὐτὸς οὐκ ἠδυνήθη σωθῆναι, ἀλλ' ἀπ-
ενεχθεὶς εἰς τοὺς βαρβάρους πάλιν ἐκεῖ ἐδούλευεν; — Λέγε-
ται νὴ Δί', ἔφη, ταῦτα. — Τὰ δὲ Παλαμήδους οὐκ ἀκήκοας
πάθη; τοῦτον γὰρ δὴ πάντες ὑμνοῦσιν, ὡς διὰ σοφίαν φθο-
νηθεὶς ὑπὸ τοῦ Ὀδυσσέως ἀπόλλυται. — Λέγεται καὶ ταῦτα,
ἔφη. — Ἄλλους δὲ πόσους οἴει διὰ σοφίαν ἀναρπάστους πρὸς
34 βασιλέα γεγονέναι καὶ ἐκεῖ δουλεύειν; — Κινδυνεύει, ἔφη, ὦ
Σώκρατες, ἀναμφιλογώτατον ἀγαθὸν εἶναι τὸ εὐδαιμονεῖν. —

---

§ 32. Οὐδὲν μὰ Δία φαίνε-
ται] scil. μᾶλλον ἀγαθὰ ἢ κακὰ
εἶναι.
§ 33. Ἀλλ' ἤ γέ τοι σοφία]
at sapientia certe quidem. S. zu
III 4, 10. Das Folgende ist aus der
Ironie des Sokrates zu erklären;
denn IV 5, 6 nennt er σοφίαν das
höchste Gut, vgl. III 9, 5. — ἀγα-
θόν] wegen des Neutrums s. zu II
3, 1. — Τί δαί;] wirklich? ain
tu? mit Verwunderung. — τὸν
Δαίδαλον — οὐκ ἀκήκοας,
ὅτι] wegen der Attrakt. s. zu I 2,
13. Vgl. § 36. Über Dädalus vgl.
Ovid. Met. 8, 159 ff. — ἐκείνῳ]

s. zu I 2, 3. — Παλαμήδους] P.,
Sohn des Nauplios von Euboea,
entdeckte die List des Odysseus,
der sich wahnsinnig stellte, um
nicht mit nach Troja zu ziehen;
daher haßte ihn Odysseus und be-
wirkte, daß er als Verräter vom
Heere gesteinigt wurde. — Wegen
γὰρ δὴ s. zu I 2, 14. — πρὸς βα-
σιλέα] s. zu III 5, 26. — Statt
ἀναρπάστους in einer Hs.: ἀνα-
σπάστους.
§ 34. Κινδυνεύει] man erwar-
tet κ. οὖν, s. jedoch zu III 4, 12.
Der Schluß ist: weil du das, was
ich als Güter gesetzt habe, in Zwei-

Εἴγε μή τις αὐτό, ἔφη, ὦ Εὐθύδημε, ἐξ ἀμφιλόγων ἀγαθῶν
συντιθείη. — Τί δ᾽ ἄν, ἔφη, τῶν εὐδαιμονικῶν ἀμφίλογον
εἴη; — Οὐδέν, ἔφη, εἴγε μὴ προσθήσομεν αὐτῷ κάλλος ἢ
ἰσχὺν ἢ πλοῦτον ἢ δόξαν ἢ καί τι ἄλλο τῶν τοιούτων. —
Ἀλλὰ νὴ Δία προσθήσομεν, ἔφη· πῶς γὰρ ἄν τις ἄνευ τού-
των εὐδαιμονοίη; — Νὴ Δί᾽, ἔφη, προσθήσομεν ἄρα ἐξ ὧν 35.
πολλὰ καὶ χαλεπὰ συμβαίνει τοῖς ἀνθρώποις· πολλοὶ μὲν γὰρ
διὰ τὸ κάλλος ὑπὸ τῶν ἐπὶ τοῖς ὡραίοις παρακεκινηκότων
διαφθείρονται, πολλοὶ δὲ διὰ τὴν ἰσχὺν μείζοσιν ἔργοις ἐπι-
χειροῦντες οὐ μικροῖς κακοῖς περιπίπτουσι, πολλοὶ δὲ διὰ τὸν
πλοῦτον διαθρυπτόμενοί τε καὶ ἐπιβουλευόμενοι ἀπόλλυνται,
πολλοὶ δὲ διὰ δόξαν καὶ πολιτικὴν δύναμιν μεγάλα κακὰ πε-
πόνθασιν. — Ἀλλὰ μήν, ἔφη, εἴγε μηδὲ τὸ εὐδαιμονεῖν ἐπαι- 36
νῶν ὀρθῶς λέγω, ὁμολογῶ μηδὲ ὅ τι πρὸς τοὺς θεοὺς εὔχε-
σθαι χρὴ εἰδέναι. Ἀλλὰ ταῦτα μέν, ἔφη ὁ Σωκράτης, ἴσως
διὰ τὸ σφόδρα πιστεύειν εἰδέναι οὐδ᾽ ἔσκεψαι· ἐπεὶ δὲ πό-
λεως δημοκρατουμένης παρασκευάζῃ προεστάναι, δῆλον, ὅτι
δημοκρατίαν γε οἶσθα, τί ἐστι. — Πάντως δήπου, ἔφη. —
Δοκεῖ οὖν σοι δυνατὸν εἶναι δημοκρατίαν εἰδέναι μὴ εἰδότα 37
δῆμον; — Μὰ Δί᾽ οὐκ ἔμοιγε. — [Καὶ δῆμον ἄρ᾽ οἶσθα τί
ἐστιν; — Οἶμαι ἔγωγε. —] Καὶ τί νομίζεις δῆμον εἶναι; —
Τοὺς πένητας τῶν πολιτῶν ἔγωγε. — Καὶ τοὺς πένητας ἄρα
οἶσθα; — Πῶς γὰρ οὔ; — Ἆρ᾽ οὖν καὶ τοὺς πλουσίους
οἶσθα; — Οὐδέν γε ἧττον ἢ καὶ τοὺς πένητας. — Ποίους δὲ
πένητας καὶ ποίους πλουσίους καλεῖς; — Τοὺς μέν, οἶμαι, μὴ
ἱκανὰ ἔχοντας εἰς ἃ δεῖ τελεῖν πένητας, τοὺς δὲ πλείω τῶν
ἱκανῶν πλουσίους. — Καταμεμάθηκας οὖν, ὅτι ἐνίοις μὲν 38
πάνυ ὀλίγα ἔχουσιν οὐ μόνον ἀρκεῖ ταῦτα, ἀλλὰ καὶ περιποι-
οῦνται ἀπ᾽ αὐτῶν, ἐνίοις δὲ πάνυ πολλὰ οὐχ ἱκανά ἐστι;
Καὶ νὴ Δί᾽, ἔφη ὁ Εὐθύδημος· ὀρθῶς γάρ με ἀναμιμνήσκεις·

---

fel gezogen hast; so scheint noch
übrig zu bleiben, daſs wir das
Glück selbst als das am wenigsten
zweifelhafte Gut ansehen.

§ 35. ὑπὸ τῶν ἐπὶ τοῖς ὡραί-
οις παρακεκινηκότων] die aus
Liebe zu schönen Menschen auſser
sich sind; παρακινεῖν intransit.,
mente excuti, insanire.

§ 37. μὴ εἰδότα] s. zu I 3, 8.

— Die eingeklammerten Worte fin-
den sich nur in einer Hs. B¹(Paris.
1740). — εἰς ἃ δεῖ] zu den Be-
dürfnissen des Lebens. Vollständig
müſste es heiſsen: μὴ ἱκανὰ ἔχοντας
τελεῖν εἰς ταῦτα, εἰς ἃ δεῖ τελεῖν.

§ 38. ὀρθῶς γάρ με ἀναμι-
μνήσκεις] diese Worte sind pa-
renthetisch dazwischengesetzt; das
andere γάρ (οἶδα γάρ) erklärt die

οἶδα γὰρ καὶ τυράννους τινάς, οἳ δι᾽ ἔνδειαν, ὥσπερ οἱ ἀπο-
39 ρώτατοι, ἀναγκάζονται ἀδικεῖν. Οὐκοῦν, ἔφη ὁ Σωκράτης,
εἴγε ταῦτα οὕτως ἔχει, τοὺς μὲν τυράννους εἰς τὸν δῆμον
θήσομεν, τοὺς δὲ ὀλίγα κεκτημένους, ἐὰν οἰκονομικοὶ ὦσιν,
εἰς τοὺς πλουσίους; Καὶ ὁ Εὐθύδημος ἔφη· ᾽Αναγκάζει με
καὶ ταῦτα ὁμολογεῖν δῆλον ὅτι ἡ ἐμὴ φαυλότης· καὶ φρον-
τίζω, μὴ κράτιστον ᾖ μοι σιγᾶν· κινδυνεύω γὰρ ἁπλῶς οὐδὲν
εἰδέναι. — Καὶ πάνυ ἀθύμως ἔχων ἀπῆλθε καὶ καταφρονήσας
ἑαυτοῦ καὶ νομίσας τῷ ὄντι ἀνδράποδον εἶναι.

40   Πολλοὶ μὲν οὖν τῶν οὕτω διατεθέντων ὑπὸ Σωκράτους
οὐκέτι αὐτῷ προσῇεσαν, οὓς καὶ βλακωτέρους ἐνόμιζεν, ὁ δὲ
Εὐθύδημος ὑπέλαβεν οὐκ ἂν ἄλλως ἀνὴρ ἀξιόλογος γενέσθαι,
εἰ μὴ ὅτι μάλιστα Σωκράτει συνείη· καὶ οὐκ ἀπελείπετο ἔτι
αὐτοῦ, εἰ μή τι ἀναγκαῖον εἴη· ἔνια δὲ καὶ ἐμιμεῖτο ὧν ἐκεῖ-
νος ἐπετήδευεν· ὁ δὲ ὡς ἔγνω αὐτὸν οὕτως ἔχοντα, ἥκιστα
μὲν διετάραττεν, ἁπλούστατα δὲ καὶ σαφέστατα ἐξηγεῖτο ἅ τε
ἐνόμιζεν εἰδέναι δεῖν καὶ ἐπιτηδεύειν κράτιστα εἶναι.

Parenthese. Es müfste eigentlich
heifsen: Νὴ Δί᾽, ἔφη ὁ Εὐθ., οἶδα
(ὀρθῶς γὰρ με ἀναμιμνήσκεις) καὶ
τυράννους κτλ.
§ 39. τοὺς μὲν τυράννους]
der Artikel weist auf die vorher-
gehenden Worte: τυράννους τινάς
hin: die von dir erwähnten Tyran-

nen. — δῆλον ὅτι] vgl. III 7, 1.
— ἁπλῶς] omnino.
§ 40. διατεθέντων] s. zu I 6,
3. — βλακωτέρους] statt βλακω-
τέρους s. zu III 13, 4. — ἅ τε ἐνό-
μιζεν] statt: ἃ ἐνόμιζεν εἰδ. τε
δεῖν καὶ ἐπιτ. κ. εἶναι, s. zu III
5, 3.

Drittes Kapitel.

Inhalt.

Gespräch des Sokrates mit dem Euthydemus, in dem er zeigt, dafs
in allen Handlungen die Besonnenheit (σωφροσύνη) oder vernünf-
tige Denkungsart die Grundlage bilden müsse. Vor allem aber,
lehrte er, müsse man in betreff der Gottheit eine vernünftige Ansicht
haben. Dafs die Götter für die Menschen sorgen, sieht man daraus, dafs
sie ihnen, was sie bedürfen, gegeben haben. Auch alle anderen Ge-
schöpfe werden für die Menschen von den Göttern geschaffen und er-
halten. Aufser den mit den Tieren gemeinsamen Sinnen haben sie uns
die Vernunft und die Sprache geschenkt. Endlich belehren sie uns auch
über den Erfolg dunkler Dinge. Wenn wir die Götter auch nicht mit
den Augen sehen können, so müssen wir doch von ihrem Dasein durch
ihre Werke überzeugt sein und sie deshalb verehren.

Τὸ μὲν οὖν λεκτικοὺς καὶ πρακτικοὺς καὶ μηχανικοὺς γί- 1
γνεσθαι τοὺς συνόντας οὐκ ἔσπευδεν, ἀλλὰ πρότερον τούτων
ᾤετο χρῆναι σωφροσύνην αὐτοῖς ἐγγενέσθαι· τοὺς γὰρ ἄνευ
τοῦ σωφρονεῖν ταῦτα δυναμένους ἀδικωτέρους τε καὶ δυνατω-
τέρους κακουργεῖν ἐνόμιζεν εἶναι. Πρῶτον μὲν δὴ περὶ θεοὺς 2
ἐπειρᾶτο σώφρονας ποιεῖν τοὺς συνόντας. Ἄλλοι μὲν οὖν
αὐτῷ πρὸς ἄλλους οὕτως ὁμιλοῦντι παραγενόμενοι διηγοῦντο,
ἐγὼ δέ, ὅτε πρὸς Εὐθύδημον τοιάδε διελέγετο, παρεγενόμην·
Εἰπέ μοι, ἔφη, ὦ Εὐθύδημε, ἤδη ποτέ σοι ἐπῆλθεν ἐνθυμη- 3
θῆναι, ὡς ἐπιμελῶς οἱ θεοὶ ὧν οἱ ἄνθρωποι δέονται κατ-
εσκευάκασι; Καὶ ὅς· Μὰ τὸν Δί', ἔφη, οὐκ ἔμοιγε. — Ἀλλ'
οἶσθά γ', ἔφη, ὅτι πρῶτον μὲν φωτὸς δεόμεθα, ὃ ἡμῖν οἱ θεοὶ
παρέχουσιν; — Νὴ Δί', ἔφη, ὅ γ' εἰ μὴ εἴχομεν, ὅμοιοι τοῖς
τυφλοῖς ἂν ἦμεν ἕνεκά γε τῶν ἡμετέρων ὀφθαλμῶν. — Ἀλλὰ
μὴν καὶ ἀναπαύσεώς γε δεομένοις ἡμῖν νύκτα παρέχουσι κάλ-
λιστον ἀναπαυτήριον. — Πάνυ γ', ἔφη, καὶ τοῦτο χάριτος
ἄξιον. — Οὐκοῦν καί, ἐπειδὴ ὁ μὲν ἥλιος φωτεινὸς ὢν τάς τε 4
ὥρας τῆς ἡμέρας ἡμῖν καὶ τἆλλα πάντα σαφηνίζει, ἡ δὲ νὺξ
διὰ τὸ σκοτεινὴ εἶναι ἀσαφεστέρα ἐστίν, ἄστρα ἐν τῇ νυκτὶ
ἀνέφηναν, ἃ ἡμῖν τὰς ὥρας τῆς νυκτὸς ἐμφανίζει, καὶ διὰ
τοῦτο πολλὰ ὧν δεόμεθα πράττομεν; — Ἔστι ταῦτα, ἔφη. —
Ἀλλὰ μὴν ἥ γε σελήνη οὐ μόνον τῆς νυκτός, ἀλλὰ καὶ τοῦ
μηνὸς τὰ μέρη φανερὰ ἡμῖν ποιεῖ. — Πάνυ μὲν οὖν, ἔφη. —
Τὸ δ', ἐπεὶ τροφῆς δεόμεθα, ταύτην ἡμῖν ἐκ τῆς γῆς ἀνα- 5
διδόναι καὶ ὥρας ἁρμοττούσας πρὸς τοῦτο παρέχειν, αἳ ἡμῖν

§ 1. Τὸ — γίγνεσθαι] der Inf.
mit τό zu Anfang des Satzes hat
etwa die Bedeutung von was das
anlangt, dafs. Vgl. IV 7, 5. —
μηχανικούς] s. zu III 1, 6. —
ταῦτα δυναμένους] scil. λέγειν
καὶ πράττειν καὶ μηχανᾶσθαί τι.
§ 2. περὶ θεούς] in Beziehung
auf die Götter. S. zu I 1, 20.
§ 3. ἐπῆλθεν] s. zu IV 2, 4. —
Καὶ ὅς] s. zu I 4, 2. — Ἀλλ' —
γέ] s. zu I 2, 12. — ὅ γ' εἰ μή]
s. zu I 2, 64. — ἕνεκά γε τῶν —
ὀφθαλμῶν] in Ansehung unserer
Augen wenigstens = trotz unserer
Augen. — Ἀλλὰ μὴν — γέ] s. zu I 1, 6.
§ 4. Οὐκοῦν καί, ἐπειδή κτλ.]
die Periode ist nicht regelrecht ge-
bildet. Man erwartet: οὐκοῦν καί
(sc. τοῦτο) χάριτος ἄξιον, ὅτι, ἐπει-
δὴ (quoniam) ὁ ἥλιος .. πάντα σα-
φηνίζει, ἡ νύξ, διὰ τὸ σκοτεινὴ
εἶναι ἀσαφεστέρα οὖσα, δι' ἄστρων
λαμπρὰ γίγνεται, ἃ .. ἐμφανίζει,
καὶ διὰ τοῦτο .. πράττομεν; oder:
οὐκοῦν καί, ὅτι ὁ μὲν ἥλιος .. σα-
φηνίζει, ἡ δὲ νύξ κτλ.; — ὥρας]
d. i. ὄρθρον, μεσημβρίαν, δείλην,
ἑσπέραν; die Nacht wird in drei
φυλακάς geteilt. — διὰ τὸ σκο-
τεινὴ εἶναι] s. zu I 2, 3. — τοῦ
μηνὸς τὰ μέρη] scil. ἱσταμένου,
μεσοῦντος, φθίνοντος.
§ 5. Τὸ — ἀναδιδόναι —;]
scil. τοὺς θεούς. S. zu I 4, 12. —
ὥρας] Jahreszeiten.

οὐ μόνον ὧν δεόμεθα πολλὰ καὶ παντοῖα παρασκευάζουσιν,
ἀλλὰ καὶ οἷς εὐφραινόμεθα; — Πάνυ, ἔφη, καὶ ταῦτα φιλάν-
6 θρωπα. — Τὸ δὲ καὶ ὕδωρ ἡμῖν παρέχειν οὕτω πολλοῦ
ἄξιον; ὥστε καὶ φυτεύειν τε καὶ συναύξειν τῇ γῇ καὶ ταῖς
ὥραις πάντα τὰ χρήσιμα ἡμῖν, συντρέφειν δὲ καὶ αὐτοὺς
ἡμᾶς, καὶ μιγνύμενον πᾶσι τοῖς τρέφουσιν ἡμᾶς εὐκατεργα-
στότερά τε καὶ ὠφελιμώτερα καὶ ἡδίω ποιεῖν αὐτὰ καί,
ἐπειδὴ πλείστου δεόμεθα τούτου, ἀφθονέστατον αὐτὸ παρ-
7 έχειν ἡμῖν; — Καὶ τοῦτο, ἔφη, προνοητικόν. — Τὸ δὲ καὶ
τὸ πῦρ πορίσαι ἡμῖν, ἐπίκουρον μὲν ψύχους, ἐπίκουρον
δὲ σκότους, συνεργὸν δὲ πρὸς πᾶσαν τέχνην καὶ πάντα, ὅσα
ὠφελείας ἕνεκα ἄνθρωποι κατασκευάζονται; ὡς γὰρ συν-
ελόντι εἰπεῖν, οὐδὲν ἀξιόλογον ἄνευ πυρὸς ἄνθρωποι τῶν
πρὸς τὸν βίον χρησίμων κατασκευάζονται. — Ὑπερβάλλει,
8 ἔφη, καὶ τοῦτο φιλανθρωπίᾳ. — [Τὸ δὲ καὶ ἀέρα ἡμῖν
ἀφθόνως οὕτω πανταχοῦ διαχῦσαι, οὐ μόνον πρόμαχον καὶ
σύντροφον ζωῆς, ἀλλὰ καὶ πελάγη περᾶν δι᾽ αὐτοῦ καὶ τὰ
ἐπιτήδεια ἄλλους ἀλλαχόθι καὶ ἐν ἀλλοδαπῇ στελλομένους
πορίζεσθαι, πῶς οὐχ ὑπὲρ λόγον; — Ἀνέκφραστον. —] Τὸ
δὲ τὸν ἥλιον, ἐπειδὰν ἐν χειμῶνι τράπηται, προσιέναι τὰ μὲν
ἁδρύνοντα, τὰ δὲ ξηραίνοντα, ὧν καιρὸς διελήλυθεν, καὶ
ταῦτα διαπραξάμενον μηκέτι ἐγγυτέρω προσιέναι, ἀλλ᾽ ἀπο-
τρέπεσθαι φυλαττόμενον, μή τι ἡμᾶς μᾶλλον τοῦ δέοντος
θερμαίνων βλάψῃ, καὶ ὅταν αὖ πάλιν ἀπιὼν γένηται, ἔνθα
καὶ ἡμῖν δῆλόν ἐστιν, ὅτι, εἰ προσωτέρω ἄπεισιν, ἀποπαγησό-
μεθα ὑπὸ τοῦ ψύχους, πάλιν αὖ τρέπεσθαι καὶ προσχωρεῖν
καὶ ἐνταῦθα τοῦ οὐρανοῦ ἀναστρέφεσθαι, ἔνθα ἂν μάλιστ᾽

---

§ 6. Τὸ δὲ καὶ ὕδωρ] Objekt;
Subjekt τοὺς θεούς. — καὶ φυ-
τεύειν] dieses καί entspricht dem
καί vor μιγνύμενον. — Statt φυ-
τεύειν liest Stob.: συμφύειν. — εὐ-
κατεργαστότερα] verdaulicher.
§ 7. ὡς γὰρ συνελόντι εἰ-
πεῖν] s. zu III 8, 10. — Ὑπερβάλ-
λει] intrans. zeichnet sich aus.
§ 8. [Τὸ δὲ καὶ ἀέρα — Ἀν-
έκφραστον] diese ganze Stelle
ist offenbar unecht. S. d. gröfsere
Ausgabe. — ὧν καιρὸς διελή-
λυθεν] quorum opportunum tem-
pus praeteriit (exactum est), näm-

lich nachdem es seine Reife erlangt
hat, wie z. B. das Getreide. Hell.
3, 4, 20 ὁ ἐνιαυτὸς ἤδη . . διεληλύ-
θει. Da aber die besseren Hss.
διελήλυθεν weglassen, so ist wahr-
scheinlich zu lesen: ὧν καιρός sc.
ἐστί. — μᾶλλον τοῦ δέοντος] s.
zu I 6, 11. — γένηται ἔνθα] scil.
ἐνταῦθα, dahin gekommen ist, wo
u. s. w. — ἔνθα ἂν μάλιστ᾽ ἂν ἠ.
ὠφελοίη] lesen wir mit Victorius
statt der Lesart der Hss., die ἔνθα
ἂν μάλιστα ἡμᾶς ὠφελοίη (ohne ἂν)
bieten. Doch ist an unserer Stelle
die Partikel ἂν nicht zu entbehren;

ἂν ἡμᾶς ὠφελοίη; — Νὴ τὸν Δί᾽, ἔφη, καὶ ταῦτα παντά-
παδιν ἔοικεν ἀνθρώπων ἕνεκα γιγνόμενα. — Τὸ δ᾽ αὖ, 9
ἐπειδὴ καὶ τοῦτο φανερόν, ὅτι οὐκ ἂν ὑπενέγκαιμεν οὔτε τὸ
καῦμα οὔτε τὸ ψῦχος, εἰ ἐξαπίνης γίγνοιτο, οὕτω μὲν κατὰ
μικρὸν προσιέναι τὸν ἥλιον, οὕτω δὲ κατὰ μικρὸν ἀπιέναι,
ὥστε λανθάνειν ἡμᾶς εἰς ἑκάτερα τὰ ἰσχυρότατα καθισταμέ-
νους; Ἐγὼ μέν, ἔφη ὁ Εὐθύδημος, ἤδη τοῦτο σκοπῶ, εἰ ἄρα
τί ἐστι τοῖς θεοῖς ἔργον ἢ ἀνθρώπους θεραπεύειν, ἐκεῖνο δὲ
μόνον ἐμποδίζει με, ὅτι καὶ τἆλλα ζῷα τούτων μετέχει. Οὐ 10
γὰρ καὶ τοῦτ᾽, ἔφη ὁ Σωκράτης, φανερόν, ὅτι καὶ ταῦτα ἀν-
θρώπων ἕνεκα γίγνεταί τε καὶ ἀνατρέφεται; τί γὰρ ἄλλο ζῷον
αἰγῶν τε καὶ οἰῶν καὶ ἵππων καὶ βοῶν καὶ ὄνων καὶ τῶν
ἄλλων ζῴων τοσαῦτα ἀγαθὰ ἀπολαύει, ὅσα ἄνθρωποι; ἐμοὶ
μὲν γὰρ δοκεῖ πλείω τῶν φυτῶν· τρέφονται γοῦν καὶ χρη-
ματίζονται οὐδὲν ἧττον ἀπὸ τούτων ἢ ἀπ᾽ ἐκείνων· πολὺ δὲ
γένος ἀνθρώπων τοῖς μὲν ἐκ τῆς γῆς φυομένοις εἰς τροφὴν
οὐ χρῶνται, ἀπὸ δὲ βοσκημάτων γάλακτι καὶ τυρῷ καὶ κρέασι
τρεφόμενοι ζῶσι· πάντες δὲ τιθασεύοντες καὶ δαμάζοντες τὰ
χρήσιμα τῶν ζῴων εἴς τε πόλεμον καὶ εἰς ἄλλα πολλὰ συν-
εργοῖς χρῶνται. — Ὁμογνωμονῶ σοι καὶ τοῦτ᾽, ἔφη· ὁρῶ γὰρ
αὐτῶν καὶ τὰ πολὺ ἰσχυρότερα ἡμῶν οὕτως ὑποχείρια γιγνό-
μενα τοῖς ἀνθρώποις, ὥστε χρῆσθαι αὐτοῖς ὅ τι ἂν βούλων-
ται. — Τὸ δ᾽, ἐπειδὴ πολλὰ μὲν καλὰ καὶ ὠφέλιμα, διαφέ- 11
ροντα δὲ ἀλλήλων ἐστί, προσθεῖναι τοῖς ἀνθρώποις αἰσθήσεις
ἁρμοττούσας πρὸς ἕκαστα, δι᾽ ὧν ἀπολαύομεν πάντων τῶν
ἀγαθῶν· τὸ δὲ καὶ λογισμὸν ἡμῖν ἐμφῦσαι, ᾧ περὶ ὧν αἰσθα-
νόμεθα λογιζόμενοί τε καὶ μνημονεύοντες καταμανθάνομεν,

vgl. I 2, 34 (ἀφεκτέον *ἂν* εἴη).
— ἔοικεν .. γιγνόμενα] = φαί-
νεται γ. S. K. § 311, 2, 9.
§ 9. οὕτω μὲν .. οὕτω δέ] über
die Anaphora mit μέν und δέ s. zu
II 1, 32. — σκοπῶ, εἰ ἄρα τί
ἐστι τοῖς θεοῖς ἔργον ἢ ἀν-
θρώπους θεραπεύειν] delibero,
num quicquam negotii sit deis, nisi
ut hominum commodis prospiciant.
So steht öfters ἤ nach den Inter-
rogativen τίς, τί ohne ἄλλος, ἄλλο.
— εἰ ἄρα, ob wirklich. — τού-
των] der vorher erwähnten Güter.
§ 10. Οὐ γὰρ —;] s. zu I 3, 10.

— ἐμοὶ μὲν δοκεῖ] scil. τοὺς ἀν-
θρώπους .. ἀπολαύειν. — ἐμοὶ δοκεῖ
= ἐγὼ νομίζω. — πλείω τῶν φυ-
τῶν] der Mensch scheint mir mehr
Nutzen aus den Tieren zu ziehen als
aus den Pflanzen (für ἢ τῶν φυτῶν).
S. K. § 329, 2. — γοῦν] s. zu I 6, 2.
— ἀπὸ τούτων] von den Tieren;
ἀπ᾽ ἐκείνων von den Pflanzen. S. zu
I 3, 13. — γένος ἀνθρώπων
χρῶνται — ζῶσι] s. zu II 1, 31: οἱ.
Doch haben einige Hss. χρῆται —
ζῶσι. — ὅ τι ἂν βούλωνται] sc.
χρῆσθαι, ὅ τι = wozu, s. zu
I 4, 6.

ὅπη ἕκαστα συμφέρει, καὶ πολλὰ μηχανώμεθα, δι' ὧν τῶν τε
12 ἀγαθῶν ἀπολαύομεν καὶ τὰ κακὰ ἀλεξόμεθα· τὸ δὲ καὶ ἑρμη-
νείαν δοῦναι, δι' ἧς πάντων τῶν ἀγαθῶν μεταδίδομέν τε· ἀλ-
λήλοις διδάσκοντες καὶ κοινωνοῦμεν καὶ νόμους τιθέμεθα καὶ
πολιτευόμεθα; — Παντάπασιν ἐοίκασιν, ὦ Σώκρατες, οἱ θεοὶ
πολλὴν τῶν ἀνθρώπων ἐπιμέλειαν ποιεῖσθαι. — Τὸ δὲ καί,
εἰ ἀδυνατοῦμεν τὰ συμφέροντα προνοεῖσθαι ὑπὲρ τῶν μελ-
λόντων, ταύτῃ αὐτοὺς ἡμῖν συνεργεῖν, διὰ μαντικῆς τοῖς πυν-
θανομένοις φράζοντας τὰ ἀποβησόμενα καὶ διδάσκοντας, ᾗ ἂν
ἄριστα γίγνοιντο; — Σοὶ δ', ἔφη, ὦ Σώκρατες, ἐοίκασιν ἔτι
φιλικώτερον ἢ τοῖς ἄλλοις χρῆσθαι, εἴ γε μηδὲ ἐπερωτώμενοι
ὑπὸ σοῦ προσημαίνουσί σοι ἅ τε χρὴ ποεῖν καὶ ἃ μή. —
13 Ὅτι δέ γε ἀληθῆ λέγω, καὶ σὺ γνώσῃ, ἂν μὴ ἀναμένῃς, ἕως
ἂν · τὰς μορφὰς τῶν θεῶν ἴδῃς, ἀλλ' ἐξαρκῇ σοι τὰ ἔργα
αὐτῶν ὁρῶντι σέβεσθαι καὶ τιμᾶν τοὺς θεούς. Ἐννόει δέ, ὅτι

---

§ 12. ταύτῃ] s. zu I 7, 3. — ᾗ
ἂν ἄριστα γίγνοιντο] der Plur.
γίγνοιντο ist mit dem pluralischen
Neutrum τὰ ἀποβησόμενα verbun-
den, um den Begriff der wieder-
holten Handlung auszudrücken. K.
§ 240 A. 3. — εἴ γε .. προσημαί-
νουσί σοι κτλ.] mit Beziehung auf
das Dämonion des Sokrates gesagt,
s. § 13.
§ 13. Ὅτι δέ γε — ἀόρατος
ἡμῖν ἐστιν] nachdem Sokr. aus
den vielen von den Göttern dem
Menschengeschlechte gegebenen
Gütern gezeigt hat, daſs die Götter
für die Menschen sorgen; stellt er
als den letzten Beweis für die gött-
liche Fürsorge die uns von den
Göttern verliehene Sehergabe auf,
durch die das Zukünftige erkannt
werden kann. Hierauf erwidert E.:
'Gegen dich, o S., scheinen die
Götter noch gütiger zu sein als
gegen die übrigen Menschen, wenn
anders sie selbst unbefragt dir vor-
her anzeigen, was du thun sollst,
was nicht'. (Diese Worte beziehen
sich darauf, daſs Sokr. zu sagen
pflegte, das Dämonion zeige ihm
an, was er thun solle, was nicht,
s. I 1, 2 ff.) Sokrates greift nun
die Worte des E. auf und sucht zu
zeigen, jenes Dämonion sei nicht

ihm allein als eine besondere Wohl-
that von den Göttern erteilt, son-
dern es sei ihm mit allen Menschen
gemeinsam; die anderen Menschen
erkennen aber dieses Dämonion
nicht, weil sie sich nicht damit
begnügen wollen seine Macht mit
der Seele aufzufassen, sondern es
mit den Augen zu sehen wünschen.
Vgl. die letzten Worte des § 14.
Wenn du nun, sagt Sokr., dieses
Gutes teilhaftig werden willst, so
darfst du nicht warten, bis die
Gottheit, in einer Gestalt vor dir
erscheinend, dir das Zukünftige
vorhersagt, sondern wenn du dich
durch die Betrachtung der gött-
lichen Werke von der Fürsorge der
Götter für das Menschengeschlecht
fest überzeugt hast, so muſst du
sie mit frommem und reinem Ge-
müte verehren (vgl. § 17). Wer eine
solche Gesinnung hat, dem wird
jenes Dämonion in allen Dingen
anzeigen, was er thun soll, was
nicht, wenn er auch keine Gestalt
des Gottes mit Augen sieht. Denn
daſs man auch bei der Seherkunst
nicht nach der Gestalt der Gott-
heit fragen dürfe, deuten die Göt-
ter dadurch an, daſs sie sich ·auch
in ihren übrigen Werken nicht se-
hen lassen, obwohl man nicht zwei-

καὶ αὐτοὶ οἱ θεοὶ οὕτως ὑποδεικνύουσιν· οἵ τε γὰρ ἄλλοι
ἡμῖν τἀγαθὰ διδόντες οὐδὲν τούτων εἰς τοὐμφανὲς ἰόντες δι-
δόασι, καὶ ὁ τὸν ὅλον κόσμον συντάττων τε καὶ συνέχων, ἐν
ᾧ πάντα καλὰ καὶ ἀγαθά ἐστι, καὶ ἀεὶ μὲν χρωμένοις ἀτριβῆ
τε καὶ ὑγιᾶ καὶ ἀγήρατα παρέχων, θᾶττον δὲ νοήματος ἀνα-
μαρτήτως ὑπηρετοῦντα, οὗτος τὰ μέγιστα μὲν πράττων ὁρᾶ-
ται, τάδε δὲ οἰκονομῶν ἀόρατος ἡμῖν ἐστιν. Ἐννόει δ᾽, ὅτι 14
καὶ ὁ πᾶσι φανερὸς δοκῶν εἶναι ἥλιος οὐκ ἐπιτρέπει τοῖς ἀν-
θρώποις ἑαυτὸν ἀκριβῶς ὁρᾶν, ἀλλ᾽, ἐάν τις αὐτὸν ἀναιδῶς
ἐγχειρῇ θεᾶσθαι, τὴν ὄψιν ἀφαιρεῖται. Καὶ τοὺς ὑπηρέτας
δὲ τῶν θεῶν εὑρήσεις ἀφανεῖς ὄντας· κεραυνός τε γὰρ ὅτι
μὲν ἄνωθεν ἀφίεται, δῆλον, καὶ ὅτι οἷς ἂν ἐντύχῃ πάντων
κρατεῖ, ὁρᾶται δ᾽ οὔτ᾽ ἐπιὼν οὔτε κατασκήψας οὔτε ἀπιών·
καὶ ἄνεμοι αὐτοὶ μὲν οὐχ ὁρῶνται, ἃ δὲ ποιοῦσι φανερὰ ἡμῖν
ἐστι, καὶ προσιόντων αὐτῶν αἰσθανόμεθα. Ἀλλὰ μὴν καὶ
ἀνθρώπου γε ψυχή, ἥ, εἴπερ τι καὶ ἄλλο τῶν ἀνθρωπίνων,
τοῦ θείου μετέχει, ὅτι μὲν βασιλεύει ἐν ἡμῖν, φανερόν, ὁρᾶ-
ται δὲ οὐδ᾽ αὐτή. Ἃ χρὴ κατανοοῦντα μὴ καταφρονεῖν τῶν
ἀοράτων, ἀλλ᾽ ἐκ τῶν γιγνομένων τὴν δύναμιν αὐτῶν κατα-
μανθάνοντα τιμᾶν τὸ δαιμόνιον. Ἐγὼ μέν, ὦ Σώκρατες, ἔφη 15
ὁ Εὐθύδημος, ὅτι μὲν οὐδὲ μικρὸν ἀμελήσω τοῦ δαιμονίου,
σαφῶς οἶδα, ἐκεῖνο δὲ ἀθυμῶ, ὅτι μοι δοκεῖ τὰς τῶν θεῶν
εὐεργεσίας οὐδ᾽ ἂν εἷς ποτε ἀνθρώπων ἀξίαις χάρισιν ἀμεί-
βεσθαι. Ἀλλὰ μὴ τοῦτο ἀθύμει, ἔφη, ὦ Εὐθύδημε· ὁρᾷς 16

feln kann, dafs sie die Urheber
aller Dinge sind. — οὕτως ὑπο-
δεικνύουσιν] nämlich man dürfe
in der Seherkunst nicht nach der
Gestalt der Gottheit fragen. — οἵ
τε γὰρ ἄλλοι] scil. θεοί. Sokrates
sowie die folgenden Philosophen,
Plato, die Stoiker, Cicero, nehmen
aufser einem höchsten und obersten
Gotte auch noch andere unterge-
ordnete Götter an, deren sich der
höchste Gott als Diener bei der
Verwaltung der Welt bedient. —
ἀτριβῆ — ὑπηρετοῦντα παρ-
έχων] se. πάντα καλὰ καὶ ἀγαθά.
— τὰ μέγιστα μὲν πράττων
ὁρᾶται] dafs der oberste Gott der
Urheber der gröfsten und wichtig-
sten Dinge ist, leuchtet ein. —

τάδε] scil. τὰ μέγιστα. Vgl. zu
I 2, 3.

§ 14. Καὶ — δέ] s. zu I 1, 3. —
καὶ προσιόντων αὐτῶν αἰσθα-
νόμεθα] diese Worte enthalten
die Erklärung von ἃ δὲ ποιοῦσι
φανερὰ ἡμῖν ἐστι, die Wirkungen
der Winde sind uns offenbar, in-
dem wir ihr Herankommen empfin-
den. — καὶ ἀνθρώπου γε ψυ-
χή .. εἴπερ τι καί] wegen des
καί s. zu III 6, 2. — Ἃ χρὴ κτλ.]
wegen des weggelassenen οὖν s. zu
I 1, 9. — τὸ δαιμόνιον] hier so
v. a. τοὺς θεούς, die Gottheit,
vgl. § 15.

§ 15. ἐκεῖνο — ἀθυμῶ] vgl.
§ 16: μὴ τοῦτο ἀθύμει. K. § 278
A. 1. — οὐδ᾽ ἂν εἷς] s. zu I 6, 2.

γάρ, ὅτι ὁ ἐν Δελφοῖς θεός, ὅταν τις αὐτὸν ἐπερωτᾷ, πῶς ἂν
τοῖς θεοῖς χαρίζοιτο, ἀποκρίνεται· Νόμῳ πόλεως· νόμος δὲ
δήπου πανταχοῦ ἐστι κατὰ δύναμιν ἱεροῖς θεοὺς ἀρέσκεσθαι·
πῶς οὖν ἄν τις κάλλιον καὶ εὐσεβέστερον τιμῴη θεούς, ἢ ὡς
17 αὐτοὶ κελεύουσιν, οὕτω ποιῶν; Ἀλλὰ χρὴ τῆς μὲν δυνάμεως
μηδὲν ὑφίεσθαι· ὅταν γάρ τις τοῦτο ποιῇ, φανερὸς δήπου
ἐστὶ τότε οὐ τιμῶν θεούς· χρὴ οὖν μηδὲν ἐλλείποντα κατὰ
δύναμιν τιμᾶν τοὺς θεοὺς θαρρεῖν τε καὶ ἐλπίζειν τὰ μέγιστα
ἀγαθά· οὐ γὰρ παρ' ἄλλων γ' ἄν τις μείζω ἐλπίζων σωφρο-
νοίη ἢ παρὰ τῶν τὰ μέγιστα ὠφελεῖν δυναμένων, οὐδ' ἂν
ἄλλως μᾶλλον, ἢ εἰ τούτοις ἀρέσκοι, ἀρέσκοι δὲ πῶς ἂν μᾶλ-
18 λον, ἢ εἰ ὡς μάλιστα πείθοιτο αὐτοῖς; Τοιαῦτα μὲν δὴ λέ-
γων τε καὶ αὐτὸς ποιῶν εὐσεβεστέρους τε καὶ σωφρονεστέρους
τοὺς συνόντας παρεσκεύαζεν.

§ 16. Νόμῳ πόλεως] nach dem
G. s. zu I 3, 1. — κατὰ δύναμιν]
so wie es jedem seine Vermögens-
umstände erlauben. S. zu I 3, 3. —
θεοὺς ἀρέσκεσθαι] deos propitios
sibi reddere, eine homerische Kon-
struktion; sonst wird ἀρέσκεσθαι
mit dem Dat. verbunden, wie Oec.
5, 3: θεοῖς ἐξαρέσκεσθαι θύοντας.

§ 17. τῆς μὲν δυνάμεως] μέν
steht, als ob folgen würde: τιμῶν-
τα δὲ οὕτω τοὺς θεοὺς θαρρεῖν τε
καὶ ἐλπίζειν. — ἐλλείποντα] ver-
binde mit τιμᾶν; die gewöhnliche
Konstruktion von ἐλλείπειν mit dem
Participe ist hier aufgegeben, um
die aus dem Zusammentreffen der
Participien entstehende Dunkelheit
zu vermeiden. — οὐ γὰρ — σω-
φρονοίη] d. i. οὐ γὰρ ἄν τις σω-
φρονοίη, εἰ παρ' ἄλλων μείζω ἐλ-
πίζοι. — οὐδ' ἂν ἄλλως μᾶλλον]
sc. ἐλπίζων σωφρονοίη.

Viertes Kapitel.

Inhalt.

Es wird gezeigt, wie Sokrates durch seine Lehre, sein Beispiel und
sein Leben seinen Schülern eine vernünftige Denkungsart in be-
treff der Gerechtigkeit (σωφροσύνην περὶ τὴν δικαιοσύνην) einge-
flößt habe (§ 1—4). In der Unterredung mit dem Sophisten Hippias
sind die Hauptgedanken folgende: Besser ist es gerecht zu sein als über
Gerechtigkeit zu sprechen (§ 10—11). Gerecht ist das, was mit den
Gesetzen des Staates übereinstimmt, νόμιμον (§ 12—13). Das sind die
besten Staatslenker, die den Bürgern am meisten Gehorsam gegen die
Gesetze einflößen, und der Staat ist der beste, in dem die Bürger den
Gesetzen am meisten gehorchen (§ 15). Daraus geht Eintracht hervor,
die das größte Gut, der festeste Schutz und die sicherste Grundlage des
Glücks für den ganzen Staat sowohl als für alle einzelnen Bürger ist
(§ 16—18). Außer den geschriebenen Gesetzen giebt es aber auch un-
geschriebene göttliche Gesetze, deren Übertretung eine unvermeidliche
Strafe auf dem Fuße nachfolgt (§ 19 f.).

Ἀλλὰ μὴν καὶ περὶ τοῦ δικαίου γε οὐκ ἀπεκρύπτετο ἣν 1
εἶχε γνώμην, ἀλλὰ καὶ ἔργῳ ἀπεδείκνυτο, ἰδίᾳ τε πᾶσι νομί-
μως τε καὶ ὠφελίμως χρώμενος καὶ κοινῇ ἄρχουσί τε ἃ οἱ
νόμοι προστάττοιεν πειθόμενος καὶ κατὰ πόλιν καὶ ἐν ταῖς
στρατείαις οὕτως, ὥστε διάδηλος εἶναι παρὰ τοὺς ἄλλους
εὐτακτῶν, καὶ ὅτε ἐν ταῖς ἐκκλησίαις ἐπιστάτης γενόμενος 2
οὐκ ἐπέτρεψε τῷ δήμῳ παρὰ τοὺς νόμους ψηφίσασθαι, ἀλλὰ
σὺν τοῖς νόμοις ἠναντιώθη τοιαύτῃ ὁρμῇ τοῦ δήμου, ἣν οὐκ
ἂν οἶμαι ἄλλον οὐδένα ἄνθρωπον ὑπομεῖναι· καὶ ὅτε οἱ τριά- 3
κοντα προσέταττον αὐτῷ παρὰ τοὺς νόμους τι, οὐκ ἐπείθετο·
τοῖς τε γὰρ νέοις ἀπαγορευόντων αὐτῶν μὴ διαλέγεσθαι καὶ
προσταξάντων ἐκείνῳ τε καὶ ἄλλοις τισὶ τῶν πολιτῶν ἀγαγεῖν
τινα ἐπὶ θανάτῳ μόνος οὐκ ἐπείσθη διὰ τὸ παρὰ τοὺς νόμους
αὐτῷ προστάττεσθαι· καὶ ὅτε τὴν ὑπὸ Μελήτου γραφὴν 4
ἔφευγε, τῶν ἄλλων εἰωθότων ἐν τοῖς δικαστηρίοις πρὸς χάριν
τε τοῖς δικασταῖς διαλέγεσθαι καὶ κολακεύειν καὶ δεῖσθαι
παρὰ τοὺς νόμους, καὶ διὰ τὰ τοιαῦτα πολλῶν πολλάκις ὑπὸ
τῶν δικαστῶν ἀφιεμένων ἐκεῖνος οὐδὲν ἠθέλησε τῶν εἰωθό-
των ἐν τῷ δικαστηρίῳ παρὰ τοὺς νόμους ποιῆσαι, ἀλλὰ ῥᾳ-
δίως ἂν ἀφεθεὶς ὑπὸ τῶν δικαστῶν, εἰ καὶ μετρίως τι τούτων
ἐποίησε, προείλετο μᾶλλον τοῖς νόμοις ἐμμένων ἀποθανεῖν ἢ

---

§ 1. καὶ ἔργῳ] καί weist auf
die vorangehenden Worte: οὐκ ἀπ-
εκρύπτετο ἣν εἶχε γνώμην zurück.
— ἄρχουσί τε] dem τέ entspricht
καί § 2 in: καὶ ὅτε — ἐπέτρεψε. —
ἃ — προστάττοιεν] wegen des
Opt. s. zu III 1, 1. — παρὰ τοὺς
ἄλλους] s. zu I 4, 14.

§ 2. ὅτε .. οὐκ ἐπέτρεψε] die
Rede geht von den Participien mit
Nachdruck zum Verbum fin. über.
S. zu II 1, 19. — παρὰ τοὺς νό-
μους ψηφίσασθαι] s. I 1, 18.

§ 3. νέοις — μὴ διαλέγεσθαι]
s. I 2, 35; wegen μή nach ἀπαγο-
ρεύειν s. zu I 2, 33. — Warum
wechseln die Zeitformen in ἀπαγο-
ρευόντων und προσταξάντων? —
ἀγαγεῖν τινα ἐπὶ θανάτῳ] er
meint Leon aus Salamis, der ein
athenischer Bürger war und frei-
willig auf die Insel Samos in die
Verbannung gegangen war, um

nicht von den dreifsig Tyrannen,
die nach seinen Reichtümern streb-
ten, getötet zu werden; Sokrates
und vier andere Bürger hatten den
Befehl erhalten ihn nach Athen
zurückzurufen, was aber Sokrates
nicht that. S. Xen. Hell. II 3, 39.
Plat. Apol. p. 32 C. — Wegen ἐπὶ
θανάτῳ s. zu I 3, 11.

§ 4. τὴν — ἔφευγε] φεύγειν
γραφὴν oder δίκην ὑπό τινος = von
einem angeklagt werden; Gegens.
διώκειν, anklagen; Meletos, ein
schlechter Dichter, der Hauptan-
kläger des Sokr. — παρὰ τοὺς
νόμους] Quintil. VI 1, 7: Athenis
affectus movere etiam per praeconem
prohibebatur orator. — τῶν εἰω-
θότων] sc. ποιεῖσθαι. — ῥᾳδίως
ἂν ἀφεθείς] ὃς ῥ. ἂν ἀφείθη, εἰ
κτλ. S. zu II 2, 13. — προείλετο
μᾶλλον] s. zu II 1, 2. — ἀπο-
θανεῖν — ζῆν] Inf. Aor. u. Praes.
s. zu III 11, 10.

5 παρανομῶν ζῆν. Καὶ ἔλεγε δὲ οὕτως καὶ πρὸς ἄλλους μὲν
πολλάκις, οἶδα δέ ποτε αὐτὸν καὶ πρὸς Ἱππίαν τὸν Ἠλεῖον
περὶ τοῦ δικαίου τοιάδε διαλεχθέντα· διὰ χρόνου γὰρ ἀφικό-
μενος ὁ Ἱππίας Ἀθήναζε παρεγένετο τῷ Σωκράτει λέγοντι
πρός τινας, ὡς θαυμαστὸν εἴη τό, εἰ μέν τις βούλοιτο σκυτέα
διδάξασθαί τινα ἢ τέκτονα ἢ χαλκέα ἢ ἱππέα, μὴ ἀπορεῖν,
ὅποι ἂν πέμψας τούτου τύχοι· [φασὶ δέ τινες καὶ ἵππον καὶ
βοῦν τῷ βουλομένῳ δικαίους ποιήσασθαι πάντα μεστὰ εἶναι
τῶν διδαξόντων·] ἐὰν δέ τις βούληται ἢ αὐτὸς μαθεῖν τὸ δί-
καιον ἢ υἱὸν ἢ οἰκέτην διδάξασθαι, μὴ εἰδέναι, ὅποι ἂν ἐλ-
6 θὼν τύχοι τούτου. Καὶ ὁ μὲν Ἱππίας ἀκούσας ταῦτα, ὥσπερ
ἐπισκώπτων αὐτόν· Ἔτι γὰρ σύ, ἔφη, ὦ Σώκρατες, ἐκεῖνα τὰ
αὐτὰ λέγεις, ἃ ἐγὼ πάλαι ποτὲ σοῦ ἤκουσα; Καὶ ὁ Σωκρά-
της· Ὁ δέ γε τούτου δεινότερον, ἔφη, ὦ Ἱππία, οὐ μόνον ἀεὶ
τὰ αὐτὰ λέγω, ἀλλὰ καὶ περὶ τῶν αὐτῶν· σὺ δ' ἴσως διὰ τὸ
πολυμαθὴς εἶναι περὶ τῶν αὐτῶν οὐδέποτε τὰ αὐτὰ λέγεις. —
7 Ἀμέλει, ἔφη, πειρῶμαι καινόν τι λέγειν ἀεί. — Πότερον, ἔφη,
καὶ περὶ ὧν ἐπίστασαι, οἷον περὶ γραμμάτων, ἐάν τις ἔρηταί
σε, πόσα καὶ ποῖα Σωκράτους ἐστίν, ἄλλα μὲν πρότερον, ἄλλα
δὲ νῦν πειρᾷ λέγειν; ἢ περὶ ἀριθμῶν τοῖς ἐρωτῶσιν, εἰ τὰ
δὶς πέντε δέκα ἐστίν, οὐ τὰ αὐτὰ νῦν, ἃ καὶ πρότερον, ἀπο-
κρίνῃ; — Περὶ μὲν τούτων, ἔφη, ὦ Σώκρατες, ὥσπερ σύ,
καὶ ἐγὼ ἀεὶ τὰ αὐτὰ λέγω, περὶ μέντοι τοῦ δικαίου πάνυ
οἶμαι νῦν ἔχειν εἰπεῖν, πρὸς ἃ οὔτε σὺ οὔτ' ἂν ἄλλος οὐδεὶς

---

§ 5. *Καὶ πρὸς ἄλλους*] das
καί weist auf das folgende καὶ
πρὸς Ἱππίαν hin. — Ἱππίαν τὸν
Ἠλεῖον] H. war einer der be-
rühmtesten Sophisten damaliger
Zeit. — διὰ χρόνου] wie II 8, 1;
zum zweiten Male war er damals
nach Athen gekommen. — τοιάδε
γάρ] s. zu I 1, 6. — εἰ μέν τις
βούλοιτο] μέν entspricht dem δέ
in ἐὰν δέ τις βούληται. — διδάξα-
σθαι] unterrichten lassen. — [φασὶ
δέ τινες] die oblique Rede geht
in die direkte über, s. zu I 4, 15,
dann aber tritt wieder die oblique
Rede ein: μὴ εἰδέναι.] — δικαί-
ους] = *iustos, comme il faut;*
hier vortrefflich gebraucht, da von
der δικαιοσύνη die Rede ist. —

τῶν διδαξόντων] s. zu II
1, 5.

§ 6. Ἔτι γὰρ —;] s. zu I 3, 10.
— διὰ τὸ πολυμαθὴς εἶναι] s.
zu I 2, 3. — Ἀμέλει] s. zu I 4, 7.

§ 7. *Πότερον — λέγειν;*] die-
ser Frage steht die folgende ἢ περὶ
ἀριθμῶν — ἀποκρίνῃ nicht ent-
gegen, sondern wird nur der er-
steren angereiht, also nicht: *utrum
— an,* sondern *utrum — aut.* Πό-
τερον leitet bisweilen eine einfache
Frage so ein, daß man das andere
Glied der Frage ergänzen muß. —
πόσα καὶ ποῖα Σωκράτους
ἐστίν] wie viele und welche Buch-
staben sind in dem Worte Sokra-
tes? — ὥσπερ σύ, καὶ ἐγώ] s.
zu II 2, 2.

δύναιτ' ἀντειπεῖν. — Νὴ τὴν Ἥραν, ἔφη, μέγα λέγεις ἀγαθὸν 8
εὑρηκέναι, εἰ παύσονται μὲν οἱ δικασταὶ δίχα ψηφιζόμενοι,
παύσονται δὲ οἱ πολῖται περὶ τῶν δικαίων ἀντιλέγοντές τε
καὶ ἀντιδικοῦντες καὶ στασιάζοντες, παύσονται δὲ αἱ πόλεις
διαφερόμεναι περὶ τῶν δικαίων καὶ πολεμοῦσαι· καὶ ἐγὼ μὲν
οὐκ οἶδ', ὅπως ἂν ἀπολειφθείην σου πρὸ τοῦ ἀκοῦσαι τηλι-
κοῦτον ἀγαθὸν εὑρηκότος. — Ἀλλὰ μὰ Δί', ἔφη, οὐκ ἀκούσῃ, 9
πρίν γ' ἂν αὐτὸς ἀποφήνῃ, ὅ τι νομίζεις τὸ δίκαιον εἶναι·
ἀρκεῖ γάρ, ὅτι τῶν ἄλλων καταγελᾷς ἐρωτῶν μὲν καὶ ἐλέγχων
πάντας, αὐτὸς δ' οὐδενὶ θέλων ὑπέχειν λόγον οὐδὲ γνώμην
ἀποφαίνεσθαι περὶ οὐδενός. — Τί δέ; ὦ Ἱππία, ἔφη, οὐκ 10
ᾔσθησαι, ὅτι ἐγὼ ἃ δοκεῖ μοι δίκαια εἶναι οὐδὲν παύομαι
ἀποδεικνύμενος; — Καὶ ποῖος δή σοι, ἔφη, οὗτος ὁ λόγος
ἐστίν; — Εἰ δὲ μὴ λόγῳ, ἔφη, ἀλλ' ἔργῳ ἀποδείκνυμαι· ἢ
οὐ δοκεῖ σοι ἀξιοτεκμαρτότερον τοῦ λόγου τὸ ἔργον εἶναι; —
Πολύ γε νὴ Δί', ἔφη· δίκαια μὲν γὰρ λέγοντες πολλοὶ ἄδικα
ποιοῦσι, δίκαια δὲ πράττων οὐδ' ἂν εἷς ἄδικος εἴη. — Ἥσθη- 11
σαι οὖν πώποτέ μου ἢ ψευδομαρτυροῦντος ἢ συκοφαντοῦντος
ἢ φίλους ἢ πόλιν εἰς στάσιν ἐμβάλλοντος ἢ ἄλλο τι ἄδικον
πράττοντος; — Οὐκ ἔγωγε, ἔφη. — Τὸ δὲ τῶν ἀδίκων ἀπ-
έχεσθαι οὐ δίκαιον ἡγῇ; — Δῆλος εἶ, ἔφη, ὦ Σώκρατες, καὶ
νῦν διαφεύγειν ἐγχειρῶν τὸ ἀποδείκνυσθαι γνώμην, ὅ τι νο-
μίζεις τὸ δίκαιον· οὐ γὰρ ἃ πράττουσιν οἱ δίκαιοι, ἀλλ' ἃ μὴ
πράττουσι, ταῦτα λέγεις. — Ἀλλ' ᾤμην ἔγωγε, ἔφη ὁ Σωκρά- 12
της, τὸ μὴ θέλειν ἀδικεῖν ἱκανὸν δικαιοσύνης ἐπίδειγμα εἶναι·
εἰ δέ σοι μὴ δοκεῖ, σκέψαι, ἐὰν τόδε σοι μᾶλλον ἀρέσκῃ·
φημὶ γὰρ ἐγὼ τὸ νόμιμον δίκαιον εἶναι. — Ἆρα τὸ αὐτὸ λέ-
γεις, ὦ Σώκρατες, νόμιμόν τε καὶ δίκαιον εἶναι; — Ἔγωγε, 13
ἔφη. — Οὐ γὰρ αἰσθάνομαί σου, ὁποῖον νόμιμον ἢ ποῖον δί-

---

§ 8. Νὴ τὴν Ἥραν] s. zu I 5, 5.
— ὅπως ἂν ἀπολειφθείην σου]
wie ich mich von dir trennen könnte.

§ 9. τῶν ἄλλων καταγελᾷς]
der Gegensatz ist verschwiegen: es
genügt, dafs du andere verlachst,
mich hingegen sollst du nicht ver-
lachen; denn ich werde meine An-
sicht nicht eher aussprechen, als
du die deinige ausgesprochen hast.
— ὑπέχειν λόγον τινί] rationem
alicui reddere.

§ 10. Οὐδὲν παύομαι] οὐδέν
(nulla ratione), wie nihil, stärker
als οὔ, non. — οὐδ' ἂν εἷς] s. zu
I 6, 2.

§ 11. Konstruiere: δῆλος εἶ ἐγχει-
ρῶν καὶ νῦν διαφεύγειν τὸ ἀποδ.

§ 12. σκέψαι, ἐὰν — ἀρέσκῃ]
C. § 610. Ko. § 110, 3. K. § 330, 5 i.
— τόδε — γάρ] s. zu I 1, 6.

§ 13. Οὐ γὰρ αἰσθάνομαί σου]
s. zu I 4, 9 u. I 4, 13. — ὁποῖον
— ἢ ποῖον] s. zu I 1, 11. —

καιον λέγεις. — Νόμους δὲ πόλεως, ἔφη, γιγνώσκεις; — Ἔγωγε, ἔφη. — Καὶ τίνας τούτους νομίζεις; — Ἃ οἱ πολῖται, ἔφη, συνθέμενοι ἅ τε δεῖ ποιεῖν καὶ ὧν ἀπέχεσθαι ἐγράψαντο. — Οὐκοῦν, ἔφη, νόμιμος μὲν ἂν εἴη ὁ κατὰ ταῦτα πολιτευόμενος, ἄνομος δὲ ὁ ταῦτα παραβαίνων; — Πάνυ μὲν οὖν, ἔφη. — Οὐκοῦν καὶ δίκαια μὲν ἂν πράττοι ὁ τούτοις πειθόμενος, ἄδικα δ᾽ ὁ τούτοις ἀπειθῶν; — Πάνυ μὲν οὖν. — Οὐκοῦν ὁ μὲν τὰ δίκαια πράττων δίκαιος, ὁ δὲ τὰ ἄδικα ἄδικος; — Πῶς γὰρ οὔ; — Ὁ μὲν ἄρα νόμιμος δίκαιός ἐστιν,
14 ὁ δὲ ἄνομος ἄδικος. Καὶ ὁ Ἱππίας· Νόμους δ᾽, ἔφη, ὦ Σώκρατες, πῶς ἄν τις ἡγήσαιτο σπουδαῖον πρᾶγμα εἶναι ἢ τὸ πείθεσθαι αὐτοῖς, οὕς γε πολλάκις αὐτοὶ οἱ θέμενοι ἀποδοκιμάσαντες μετατίθενται; Καὶ γὰρ πόλεμον, ἔφη ὁ Σωκράτης, πολλάκις ἀράμεναι αἱ πόλεις πάλιν εἰρήνην ποιοῦνται. — Καὶ μάλα, ἔφη. — Διάφορον οὖν τι οἴει ποιεῖν, ἔφη, τοὺς τοῖς νόμοις πειθομένους φαυλίζων, ὅτι καταλυθεῖεν ἂν οἱ νόμοι, ἢ εἰ τοὺς ἐν τοῖς πολέμοις εὐτακτοῦντας ψέγοις, ὅτι γένοιτ᾽ ἂν εἰρήνη; ἢ καὶ τοὺς ἐν τοῖς πολέμοις ταῖς πατρίσι
15 προθύμως βοηθοῦντας μέμφῃ; — Μὰ Δί᾽ οὐκ ἔγωγ᾽, ἔφη. — Λυκοῦργον δέ, τὸν Λακεδαιμόνιον, ἔφη ὁ Σωκράτης, καταμεμάθηκας, ὅτι οὐδὲν ἂν διάφορον τῶν ἄλλων πόλεων τὴν Σπάρτην ἐποίησεν, εἰ μὴ τὸ πείθεσθαι τοῖς νόμοις μάλιστα ἐνειργάσατο αὐτῇ; τῶν δὲ ἀρχόντων ἐν ταῖς πόλεσιν οὐκ οἶσθα, ὅτι, οἵτινες ἂν τοῖς πολίταις αἰτιώτατοι ὦσι τοῦ τοῖς νόμοις πείθεσθαι, οὗτοι ἄριστοί εἰσι; καὶ πόλις, ἐν ᾗ μάλιστα οἱ πολῖται τοῖς νόμοις πείθονται, ἐν εἰρήνῃ τε ἄριστα διάγει
16 καὶ ἐν πολέμῳ ἀνυπόστατός ἐστιν; Ἀλλὰ μὴν καὶ ὁμόνοιά γε μέγιστόν τε ἀγαθὸν δοκεῖ ταῖς πόλεσιν εἶναι, καὶ πλεισστάκις ἐν αὐταῖς αἵ τε γερουσίαι καὶ οἱ ἄριστοι ἄνδρες παρακελεύονται τοῖς πολίταις ὁμονοεῖν, καὶ πανταχοῦ ἐν τῇ Ἑλλάδι

γιγνώσκεις] nosti. Vgl. § 18. K. § 255 A. 1. — τίνας τούτους νομίζεις] s. zu I 2, 42.

§ 14. σπουδαῖον πρᾶγμα] rem magni momenti. — ἢ τὸ πείθεσθαι αὐτοῖς] verbinde mit νόμους. — Καὶ γάρ] was du sagst, hat keine Bedeutung; ja auch den Krieg u. s. w.; wegen καί s. zu II 1, 3. — Διάφορον — ἤ] s. zu III 7, 7

§ 15. Λυκοῦργον — καταμεμάθηκας, ὅτι] s. zu I 2, 13. — οὐδὲν — διάφορον] in nichts vor den anderen Staaten ausgezeichnet. — ἀνυπόστατος] von ὑποστῆναι.

§ 16. καὶ ὁμόνοια] der Sinn: Auch die Eintracht, die das gröſste Gut des Staates zu sein scheint, ist nichts anderes als die Übereinstimmung in der Beobachtung der

νόμος κεῖται τοὺς πολίτας ὀμνύναι ὁμονοήσειν, καὶ πανταχοῦ
ὀμνύουσι τὸν ὅρκον τοῦτον· οἶμαι δ' ἐγὼ ταῦτα γίγνεσθαι,
οὐχ ὅπως τοὺς αὐτοὺς χοροὺς κρίνωσιν οἱ πολῖται, οὐδ' ὅπως
τοὺς αὐτοὺς αὐλητὰς ἐπαινῶσιν, οὐδ' ὅπως τοὺς αὐτοὺς
ποιητὰς αἱρῶνται, οὐδ' ἵνα τοῖς αὐτοῖς ἥδωνται, ἀλλ' ἵνα τοῖς
νόμοις πείθωνται· τούτοις γὰρ τῶν πολιτῶν ἐμμενόντων, αἱ
πόλεις ἰσχυρόταταί τε καὶ εὐδαιμονέσταται γίγνονται· ἄνευ
δὲ ὁμονοίας οὔτ' ἂν πόλις εὖ πολιτευθείη, οὔτ' οἶκος καλῶς
οἰκηθείη. Ἰδίᾳ δὲ πῶς μὲν ἄν τις ἧττον ὑπὸ πόλεως ζημιοῖτο, 17
πῶς δ' ἂν μᾶλλον τιμῷτο, ἢ εἰ τοῖς νόμοις πείθοιτο; πῶς δ'
ἂν ἧττον ἐν τοῖς δικαστηρίοις ἡττῷτο, ἢ πῶς ἂν μᾶλλον νι-
κῴη; τίνι δ' ἄν τις μᾶλλον πιστεύσειε παρακαταθέσθαι ἢ
χρήματα ἢ υἱοὺς ἢ θυγατέρας, τίνα δ' ἂν ἡ πόλις ὅλη ἀξιο-
πιστότερον ἡγήσαιτο τοῦ νομίμου; παρὰ τίνος δ' ἂν μᾶλλον
τῶν δικαίων τύχοιεν ἢ γονεῖς· ἢ οἰκεῖοι ἢ οἰκέται ἢ φίλοι ἢ
πολῖται ἢ ξένοι; τίνι δ' ἂν μᾶλλον πολέμιοι πιστεύσειαν ἢ
ἀνοχὰς ἢ σπονδὰς ἢ συνθήκας περὶ εἰρήνης; τίνι δ' ἂν μᾶλ-
λον ἢ τῷ νομίμῳ σύμμαχοι ἐθέλοιεν γίγνεσθαι; τῷ δ' ἂν
μᾶλλον οἱ σύμμαχοι πιστεύσειαν ἢ ἡγεμονίαν ἢ φρουραρχίαν
ἢ πόλεις; τίνα δ' ἄν τις εὐεργετήσας ὑπολάβοι χάριν κομι-
εῖσθαι μᾶλλον ἢ τὸν νόμιμον; ἢ τίνα μᾶλλον ἄν τις εὐεργε-
τήσειεν ἢ παρ' οὗ χάριν ἀπολήψεσθαι νομίζει; τῷ δ' ἄν τις
βούλοιτο μᾶλλον φίλος εἶναι ἢ τῷ τοιούτῳ, ἢ τῷ ἧττον ἐχ-
θρός; τῷ δ' ἄν τις ἧττον πολεμήσειεν ἢ ᾧ ἂν μάλιστα μὲν
φίλος εἶναι βούλοιτο, ἥκιστα δ' ἐχθρός, καὶ ᾧ πλεῖστοι μὲν
φίλοι καὶ σύμμαχοι βούλοιντο εἶναι, ἐλάχιστοι δ' ἐχθροὶ καὶ
πολέμιοι; Ἐγὼ μὲν οὖν, ὦ Ἱππία, τὸ αὐτὸ ἐπιδείκνυμι νό- 18
μιμόν τε καὶ δίκαιον εἶναι, σὺ δ' εἰ τἀναντία γιγνώσκεις, δί-

---

Gesetze. — κρίνωσιν] daſs alle
denselben Chören den Preis zu-
erkennen, dieselben Chöre billigen;
gleich darauf αἱρῶνται. — οἰκη-
θείη] aus dem Verhergehenden
ist ἄν zu wiederholen. S. zu I 3, 15.

§ 17. τίνι — παρακαταθέ-
σθαι] τίνι gehört zu παρακατα-
θέσθαι. — οἰκεῖοι ἢ οἰκέται]
s. zu I 2, 48. — τίνι — πιστεύ-
σειαν — ἀνοχάς] „wem möchten
die Feinde eher trauen bei Schlies-

sung eines Waffenstillstandes?"
Nach Analogie von πιστεύειν πί-
στιν. Vgl. I 1, 5. Aber in den fol-
genden Worten heiſst πιστεύειν
τινί τι, einem etwas anver-
trauen. — καὶ ᾧ — βούλοιντο]
aus dem Vorhergehenden ist ἄν zu
wiederholen. S. zu I 3, 15. (Oder
es ist mit Stobaeus, dem Dind.
folgt, das vorhergehende ἄν beim
ersten ᾧ fortzulassen.)

§ 18. ἐπιδείκνυμι .. εἶναι] s.

δασκε. Καὶ ὁ Ἱππίας· Ἀλλά, μὰ τὸν Δία, ἔφη, ὦ Σώκρατες,
οὔ μοι δοκῶ τἀναντία γιγνώσκειν οἷς εἴρηκας περὶ τοῦ δι-
19 καίου. — Ἀγράφους δέ τινας οἶσθα, ἔφη, ὦ Ἱππία’ νόμους;
— Τούς γ’ ἐν πάσῃ, ἔφη, χώρᾳ κατὰ ταὐτὰ νομιζομένους.
— Ἔχοις ἂν οὖν εἰπεῖν, ἔφη, ὅτι οἱ ἄνθρωποι αὐτοὺς ἔθεντο;
— Καὶ πῶς ἄν, ἔφη, οἵ γε οὔτε συνελθεῖν ἅπαντες ἂν δυ-
νηθεῖεν οὔτε ὁμόφωνοί εἰσι; — Τίνας οὖν, ἔφη, νομίζεις
τεθεικέναι τοὺς νόμους τούτους; — Ἐγὼ μέν, ἔφη, θεοὺς
οἶμαι τοὺς νόμους τούτους τοῖς ἀνθρώποις θεῖναι· καὶ γὰρ
παρὰ πᾶσιν ἀνθρώποις πρῶτον νομίζεται θεοὺς σέβειν. —
20 Οὐκοῦν καὶ γονέας τιμᾶν πανταχοῦ νομίζεται; — Καὶ τοῦτο,
ἔφη. — Οὐκοῦν καὶ μήτε γονέας παισὶ μίγνυσθαι, μήτε παῖ-
δας γονεῦσιν; — Οὐκέτι μοι δοκεῖ, ἔφη, ὦ Σώκρατες, οὗτος
θεοῦ νόμος εἶναι. — Τί δή; ἔφη. — Ὅτι αἰσθάνομαί τινας,
21 ἔφη, παραβαίνοντας αὐτόν. — Καὶ γὰρ ἄλλα πολλά, ἔφη,
παρανομοῦσιν· ἀλλ’ οὖν δίκην γέ τοι διδόασιν οἱ παραβαί-
νοντες τοὺς ὑπὸ τῶν θεῶν κειμένους νόμους, ἣν οὐδενὶ
τρόπῳ δυνατὸν ἀνθρώπῳ διαφυγεῖν, ὥσπερ τοὺς ὑπ’ ἀνθρώ-
πων κειμένους νόμους ἔνιοι παραβαίνοντες διαφεύγουσι τὸ
22 δίκην διδόναι, οἱ μὲν λανθάνοντες, οἱ δὲ βιαζόμενοι. — Καὶ
ποίαν, ἔφη, δίκην, ὦ Σώκρατες, οὐ δύνανται διαφεύγειν γο-
νεῖς τε παισὶ καὶ παῖδες γονεῦσι μιγνύμενοι; — Τὴν μεγί-
στην νὴ Δί’, ἔφη· τί γὰρ ἂν μεῖζον πάθοιεν ἄνθρωποι τεκνο-
23 ποιούμενοι τοῦ κακῶς τεκνοποιεῖσθαι; — Πῶς οὖν, ἔφη,

zu II 3, 17. (cod. B¹ hat ἀποδεί-
κνυμαι.)
§ 19. νομιζομένους] wie bald
darauf νομίζεται. S. zu II 3, 15. —
οἱ ἄνθρωποι — ἔθεντο] sich
gaben; darauf aber τεθεικέναι u.
θεοὺς τοὺς νόμους τοῖς ἀνθρώποις
θεῖναι. Das Medium von dem, der
sich Gesetze giebt, oder von einem
Gesetzgeber, der den von ihm ge-
gebenen Gesetzen zugleich selbst
unterworfen ist; das Aktiv von
dem, der den von ihm gegebenen
Gesetzen nicht unterworfen ist, oder
überhaupt von dem, der anderen
Gesetze giebt ohne weitere Neben-
beziehung. Vgl. wegen des Med.
§ 13. IV 3, 12. II 1, 14, wegen des

Akt. I 2, 45. — σέβειν] seltenere
Form in der Prosa für σέβεσθαι.
Ages. 1, 27: σέβοιεν. Thuc. 2, 53:
σέβειν.
§ 20. Οὐκέτι] was du vorher,
gesagt hast, habe ich gebilligt;
aber was jetzt, das kann ich nicht
mehr billigen. Vgl. zu III 4, 10.
— Τί δή;] Quid tandem? Wie
nun?
§ 21. Καὶ γάρ] s. zu § 14. —
ἀλλ’ οὖν δίκην γε] at certe
poenam quidem; γέ τοι dienen
dazu, das Wort δίκην hervorzu-
heben. S. zu III 4, 10. — ὑπὸ
τῶν θεῶν κειμένους] von den
Göttern gegeben; κείμενος = τε-
θειμένος. — ὥσπερ] wie allerdings.

κακῶς οὗτοι τεκνοποιοῦνται, οὕς γε οὐδὲν κωλύει ἀγαθοὺς
αὐτοὺς ὄντας ἐξ ἀγαθῶν παιδοποιεῖσθαι; — Ὅτι νὴ Δί',
ἔφη, οὐ μόνον ἀγαθοὺς δεῖ τοὺς ἐξ ἀλλήλων παιδοποιου-
μένους εἶναι, ἀλλὰ καὶ ἀκμάζοντας τοῖς σώμασιν· ἢ δοκεῖ
σοι ὅμοια τὰ σπέρματα εἶναι τὰ τῶν ἀκμαζόντων τοῖς τῶν
μήπω ἀκμαζόντων ἢ τῶν παρηκμακότων; — Ἀλλὰ μὰ Δί',
ἔφη, οὐκ εἰκὸς ὅμοια εἶναι. — Πότερα οὖν, ἔφη, βελτίω; —
Δῆλον ὅτι, ἔφη, τὰ τῶν ἀκμαζόντων. — Τὰ τῶν μὴ ἀκμαζόν-
των ἄρα οὐ σπουδαῖα; — Οὐκ εἰκὸς μὰ Δί', ἔφη. — Οὐκοῦν
οὕτω γε οὐ δεῖ παιδοποιεῖσθαι; — Οὐ γὰρ οὖν, ἔφη. — Οὐ-
κοῦν οἵ γε οὕτω παιδοποιούμενοι ὡς οὐ δεῖ παιδοποιοῦνται;
— Ἔμοιγε δοκεῖ, ἔφη. — Τίνες οὖν ἄλλοι, ἔφη, κακῶς ἂν
παιδοποιοῖντο, εἴγε μὴ οὗτοι; — Ὁμογνωμονῶ σοι, ἔφη, καὶ 24
τοῦτο. — Τί δέ; τοὺς εὖ ποιοῦντας ἀντευεργετεῖν οὐ πανταχοῦ
νόμιμόν ἐστι; — Νόμιμον, ἔφη· παραβαίνεται δὲ καὶ τοῦτο. —
Οὐκοῦν καὶ οἱ τοῦτο παραβαίνοντες δίκην διδόασι, φίλων μὲν
ἀγαθῶν ἔρημοι γιγνόμενοι, τοὺς δὲ μισοῦντας ἑαυτοὺς ἀναγκα-
ζόμενοι διώκειν; ἢ οὐχ οἱ μὲν εὖ ποιοῦντες τοὺς χρωμένους
ἑαυτοῖς ἀγαθοὶ φίλοι εἰσίν, οἱ δὲ μὴ ἀντευεργετοῦντες τοὺς
τοιούτους διὰ μὲν τὴν ἀχαριστίαν μισοῦνται ὑπ' αὐτῶν, διὰ δὲ
τὸ μάλιστα λυσιτελεῖν τοῖς τοιούτοις χρῆσθαι τούτους μάλιστα
διώκουσι; — Νὴ τὸν Δί', ὦ Σώκρατες, ἔφη, θεοῖς ταῦτα πάντα
ἔοικε· τὸ γὰρ τοὺς νόμους αὐτοὺς τοῖς παραβαίνουσι τὰς τι-
μωρίας ἔχειν βελτίονος ἢ κατ' ἄνθρωπον νομοθέτου δοκεῖ μοι
εἶναι. — Πότερον οὖν, ὦ Ἱππία, τοὺς θεοὺς ἡγῇ τὰ δίκαια 25
νομοθετεῖν ἢ ἄλλα τῶν δικαίων; — Οὐκ ἄλλα μὰ Δί', ἔφη·
σχολῇ γὰρ ἂν ἄλλος γέ τις τὰ δίκαια νομοθετήσειεν, εἰ μὴ

---

§ 23. Δῆλον ὅτι, ἔφη] s. zu
III 7, 1. — Οὐ γὰρ οὖν] s. zu I
1, 9; οὖν ist mit οὐ zu verbinden,
also = οὔκουν γάρ, allerdings nicht,
vgl. IV 6, 3.

§ 24. διώκειν] sectari. — θεοῖς
ταῦτα πάντα ἔοικε] Göttern
(nicht Menschen) sieht das alles
ähnlich. Die Götter selbst wer-
den erwähnt für das, was von den
Göttern ausgeht (τὰ θεῖα), vgl.
III 5, 4: πρὸς τοὺς Ἀθηναίους. IV
5, 7 τοῖς σωφρονοῦσι τὰ ἐναντία

ποιεῖν. [Andere lesen daher ohne
Grund θείοις]. — τὸ γὰρ τοὺς
νόμους] die Gesetze selbst
schließen die Strafen für die
Fehlenden in sich (ἔχειν). Wer
die göttlichen Gesetze verletzt,
dem folgt sogleich die Strafe in
seinem Innern nach. — βελ-
τίονος ἢ κατ' ἄνθρωπον] s. zu
I 7, 4.

§ 25. ἄλλα τῶν δικαίων] di-
versa a iustis. Ko. § 84, 13 h. K.
§ 275, 2. — σχολῇ] s. zu III 14, 3.

12*

ϑεός. — Καὶ τοῖς ϑεοῖς ἄρα, ὦ Ἱππία, τὸ αὐτὸ δίκαιόν τε καὶ
νόμιμον εἶναι ἀρέσκει.

Τοιαῦτα λέγων τε καὶ πράττων δικαιοτέρους ἐποίει τοὺς
πλησιάζοντας·

Fünftes Kapitel.

Inhalt.

Sokrates machte seine Schüler tüchtiger zum Leben (πρακτικωτέ-
ρους), indem er ihnen Vorschriften gab, wie sie ihre Geschäfte besser
besorgen und ihre Pflichten erfüllen könnten. Die Enthaltsamkeit
mufs bei jeder Handlung zu Grunde liegen (§ 1—2). In der Unterredung
mit Euthydemus spricht S. folgende Gedanken aus: Wer sich den sinn-
lichen Vergnügungen hingiebt, macht sich zum Sklaven; denn die Frei-
heit besteht in der Ausübung des Besten. Die Unmäfsigkeit beraubt die
Menschen der Weisheit und verwirrt die Begriffe des Guten und des
Schlechten (§ 3—5). Die Mäfsigkeit hingegen ist die Quelle der gröfsten
und schönsten Güter. Der Mäfsige wird in jeder Lage des Lebens immer
das Beste wählen und somit auch für alle Geschäfte tüchtiger sein
(§ 6—12).

1   Ὡς δὲ καὶ πρακτικωτέρους ἐποίει τοὺς συνόντας ἑαυτῷ,
νῦν αὖ τοῦτο λέξω· νομίζων γὰρ ἐγκράτειαν ὑπάρχειν ἀγαϑὸν
εἶναι τῷ μέλλοντι καλόν τι πράξειν, πρῶτον μὲν αὐτὸς φανε-
ρὸς ἦν τοῖς συνοῦσιν ἠσκηκὼς ἑαυτὸν μάλιστα πάντων ἀνϑρώ-
πων, ἔπειτα διαλεγόμενος προετρέπετο πάντων μάλιστα τοὺς
2 συνόντας πρὸς ἐγκράτειαν. Ἀεὶ μὲν οὖν περὶ τῶν πρὸς ἀρετὴν
χρησίμων αὐτός τε διετέλει μεμνημένος καὶ τοὺς συνόντας
πάντας ὑπομιμνήσκων· οἶδα δέ ποτε αὐτὸν καὶ πρὸς Εὐϑύ-
δημον περὶ ἐγκρατείας τοιάδε διαλεχϑέντα. Εἰπέ μοι, ἔφη,

— ϑεοῖς — νόμιμον] die Götter
geben gerechte Gesetze; was mit
diesen Gesetzen übereinstimmt, ist
νόμιμον; also ist alles νόμιμον in
den göttlichen Gesetzen δίκαιον.
Folglich stimmen die Götter in
dieser Beziehung mit den Menschen
oder mit mir überein. Denn § 12
hatte Sokr. gesagt, in den mensch-
lichen Gesetzen sei νόμιμον δίκαιον.
Und zwar mit Recht, wenn die
menschlichen Gesetze so sind, wie
sie sein sollen, d. h. mit jenen gött-
lichen übereinstimmend.

§ 1. πρακτικωτέρους] s. IV
3, 1. — ἐγκράτειαν] vgl. I 5 zu
Anfang. — ὑπάρχειν] konstruiere:
νομίζων ἀγαϑὸν εἶναι ὑπάρχειν
(vorhanden sein, suppetere) ἐγ-
κράτειαν. — πρῶτον μὲν —
ἔπειτα] s. zu I 2, 1. — πάντων
μάλιστα] Sokrates ermahnte un-
ter allen Dingen (vor allem) am
meisten zur Enthaltsamkeit.

§ 2. περὶ τῶν — χρησίμων
— μεμνημένος] an das Nützliche
sich erinnernd; besonders häufig ist
diese Konstruktion, wenn μιμνή-

ὦ Εὐθύδημε, ἆρα καλὸν καὶ μεγαλεῖον νομίζεις εἶναι καὶ
ἀνδρὶ καὶ πόλει κτῆμα ἐλευθερίαν; — Ὡς οἷόν τέ γε μάλιστα,
ἔφη. — Ὅστις οὖν ἄρχεται ὑπὸ τῶν διὰ τοῦ σώματος ἡδονῶν 3
καὶ διὰ ταύτας μὴ δύναται πράττειν τὰ βέλτιστα, νομίζεις
τοῦτον ἐλεύθερον εἶναι; — Ἥκιστα, ἔφη. — Ἴσως γὰρ ἐλεύ-
θερον φαίνεταί σοι τὸ πράττειν τὰ βέλτιστα, εἶτα τὸ ἔχειν τοὺς
κωλύσοντας τὰ τοιαῦτα ποιεῖν ἀνελεύθερον νομίζεις; — Παντά-
πασί γε, ἔφη. — Παντάπασιν ἄρα σοι δοκοῦσιν οἱ ἀκρατεῖς 4
ἀνελεύθεροι εἶναι; — Νὴ τὸν Δί᾽, ἔφη, εἰκότως. — Πότερον
δέ σοι δοκοῦσιν οἱ ἀκρατεῖς κωλύεσθαι μόνον τὰ κάλλιστα
πράττειν ἢ καὶ ἀναγκάζεσθαι τὰ αἴσχιστα ποιεῖν; — Οὐδὲν
ἧττον ἔμοιγ᾽, ἔφη, δοκοῦσι ταῦτα ἀναγκάζεσθαι ἢ ἐκεῖνα κω-
λύεσθαι. — Ποίους δέ τινας δεσπότας ἡγῇ τοὺς τὰ μὲν ἄριστα 5
κωλύοντας, τὰ δὲ κάκιστα ἀναγκάζοντας; — Ὡς δυνατὸν νὴ
Δί᾽, ἔφη, κακίστους. — Δουλείαν δὲ ποίαν κακίστην νομίζεις
εἶναι; — Ἐγὼ μέν, ἔφη, τὴν παρὰ τοῖς κακίστοις δεσπό-
ταις. — Τὴν κακίστην ἄρα δουλείαν οἱ ἀκρατεῖς δουλεύουσιν;
— Ἔμοιγε δοκεῖ, ἔφη. — Σοφίαν δέ, τὸ μέγιστον ἀγαθόν, 6
οὐ δοκεῖ σοι ἀπείργουσα τῶν ἀνθρώπων ἡ ἀκρασία εἰς τοὐ-
ναντίον αὐτοὺς ἐμβάλλειν; ἢ οὐ δοκεῖ σοι προσέχειν τε τοῖς
ὠφελοῦσι καὶ καταμανθάνειν αὐτὰ κωλύειν ἀφέλκουσα ἐπὶ τὰ
ἡδέα, καὶ πολλάκις αἰσθανομένους τῶν ἀγαθῶν τε καὶ τῶν
κακῶν ἐκπλήξασα ποιεῖν τὸ χεῖρον ἀντὶ τοῦ βελτίονος αἱρεῖ-
σθαι; — Γίγνεται τοῦτ᾽, ἔφη. — Σωφροσύνης δέ, ὦ Εὐθύ- 7
δημε, τίνι ἂν φαίημεν ἧττον ἢ τῷ ἀκρατεῖ προσήκειν; αὐτὰ
γὰρ δήπου τὰ ἐναντία σωφροσύνης καὶ ἀκρασίας ἔργα ἐστίν.

σκεσθαι so viel ist als Erwähnung
einer Sache thun. — Ἄρα] s. zu II
6, 1. — Ὡς οἷόν τέ γε μάλιστα]
s. zu IV 2, 11.
   § 3. Ἴσως γὰρ —;] s. zu I 3, 10.
— εἶτα] s. zu II 2, 14. — τοὺς
κωλύσοντας] solche, welche . .
verhindern werden; s. zu III 4, 4.
   § 4. ταῦτα — ἐκεῖνα] scil.
ποιεῖν, vgl. § 5.
   § 5. Ποίους δέ τινας] s. zu
I 1, 1.
   § 6. ἢ οὐ δοκεῖ] verbinde: ἢ
οὐ δοκεῖ σοι (ἡ ἀκρασία) κωλύειν
προσέχειν κτλ. — καὶ — ἐκπλή-
ξασα ποιεῖν] oder scheint sie

nicht die Menschen zu hindern . .
und oft, wenn sie auch das Gute
und Böse unterscheiden, verwirrend
zu bewirken, daſs sie das Schlechte
dem Guten vorziehen? Ἐκπλήτ-
τειν wie I 3, 12 ἐξιστάναι.
   § 7. Σωφροσύνης — προσ-
ήκειν] Σωφροσύνης οὐ προσήκει
τῷ ἀκρατεῖ, an der Besonnenheit
nimmt der Unmäſsige keinen An-
teil. Vgl. §§ 10 u. 11. Ko. § 84, 7 a.
K. § 273, 1. — αὐτὰ — τὰ ἐναν-
τία — ἔργα ἐστίν] konstruiere:
σωφροσύνης καὶ ἀκρασίας ἔργα
(Subjekt) ἐστὶν αὐτὰ τὰ ἐναντία
(Prädik.): αὐτά = gerade. —

— Ὁμολογῶ καὶ τοῦτο, ἔφη. — Τοῦ δ' ἐπιμελεῖσθαι ὧν
προσήκει οἴει τι κωλυτικώτερον ἀκρασίας εἶναι; — Οὔκουν
ἔγωγε, ἔφη. — Τοῦ δὲ ἀντὶ τῶν ὠφελούντων τὰ βλάπτοντα
προαιρεῖσθαι ποιοῦντος καὶ τούτων μὲν ἐπιμελεῖσθαι, ἐκείνων
δὲ ἀμελεῖν πείθοντος καὶ τοῖς σωφρονοῦσι τὰ ἐναντία ποιεῖν
8 ἀναγκάζοντος οἴει τι ἀνθρώπῳ κάκιον εἶναι; — Οὐδέν, ἔφη.
— Οὐκοῦν τὴν ἐγκράτειαν τῶν ἐναντίων ἢ τὴν ἀκρασίαν,
εἰκὸς τοῖς ἀνθρώποις αἰτίαν εἶναι; — Πάνυ μὲν οὖν, ἔφη. —
Οὐκοῦν καὶ τῶν ἐναντίων τὸ αἴτιον εἰκὸς ἄριστον εἶναι; —
Εἰκὸς γάρ, ἔφη. — Ἔοικεν ἄρα, ἔφη, ὦ Εὐθύδημε, ἄριστον
ἀνθρώπῳ ἡ ἐγκράτεια εἶναι; — Εἰκότως γάρ, ἔφη, ὦ Σώκρα-
9 τες. — Ἐκεῖνο δέ, ὦ Εὐθύδημε, ἤδη πώποτε ἐνεθυμήθης; —
Ποῖον; ἔφη. — Ὅτι καὶ ἐπὶ τὰ ἡδέα, ἐφ' ἅπερ μόνα δοκεῖ ἡ
ἀκρασία τοὺς ἀνθρώπους ἄγειν, αὐτὴ μὲν οὐ δύναται ἄγειν,
ἡ δ' ἐγκράτεια πάντων μάλιστα ἥδεσθαι ποιεῖ. — Πῶς; ἔφη.
— Ὥσπερ ἡ μὲν ἀκρασία οὐκ ἐῶσα καρτερεῖν οὔτε λιμὸν
οὔτε δίψαν οὔτε ἀφροδισίων ἐπιθυμίαν οὔτε ἀγρυπνίαν, δι'
ὧν μόνων ἔστιν ἡδέως μὲν φαγεῖν τε καὶ πιεῖν καὶ ἀφροδι-
σιάσαι, ἡδέως δ' ἀναπαύσασθαί τε καὶ κοιμηθῆναι, καὶ περι-
μείναντας καὶ ἀνασχομένους, ἕως ἂν ταῦτα ὡς ἔνι ἥδιστα
γένηται, κωλύει τοῖς ἀναγκαιοτάτοις τε καὶ συνεχεστάτοις
ἀξιολόγως ἥδεσθαι· ἡ δ' ἐγκράτεια μόνη ποιοῦσα καρτερεῖν
τὰ εἰρημένα μόνη καὶ ἥδεσθαι ποιεῖ ἀξίως μνήμης ἐπὶ τοῖς

Τοῦ δ' ἐπιμελεῖσθαι ὧν προσ-
ήκει —] abhängig von κωλυτικώ-
τερον, was aber, meinst du, hält
uns von der Besorgung dessen, was
not thut, mehr ab als die Unmäs-
sigkeit? — Τοῦ .. ποιοῦντος (be-
wirken) .. πείθοντος .. ἀναγκάζοντος
st. ἢ τὸ ποιοῦν, πεῖθον, ἀναγκάζον,
abhängig von κάκιον. — τοῖς σω-
φρονοῦσι τὰ ἐναντία ποιεῖν]
statt τῇ σωφροσύνῃ. S. zu IV 4,
24.
§ 8. τῶν ἐναντίων ἢ] s. zu III
12, 4. Konstruiere: οὐκοῦν εἰκὸς
τὴν ἐγκράτειαν αἰτίαν εἶναι τῶν
ἐναντίων ἢ τὴν ἀκρασίαν; —Εἰκὸς
γάρ] s. zu I 4, 9. — ἄριστον —
ἡ ἐγκράτεια] s. zu II 3, 1.
§ 9. Ὥσπερ] entspricht dem vor-
hergehenden πῶς; ὥσπερ — qua-

tenus (insofern). — καὶ περιμεί-
ναντας καὶ ἀνασχομένους, ἕως
ἄν .. γένηται] diese Worte dienen
zur Erklärung des Vorhergehenden
und zeigen an, worin τὸ καρτερεῖν
λιμὸν καὶ δίψαν κτλ. bestehe. —
ὡς ἔνι ἥδιστα] s. zu III 8, 4. —
τοῖς ἀναγκαιοτάτοις τε καὶ
συνεχεστάτοις] das sind die na-
türlichen und immer wiederkehren-
den Genüsse, z. B. das Verlangen
nach Speise und Trank, Schlaf u.
dergl. — ἀξιολόγως] recht,
schön, lobenswert. Vgl. I 5, 5,
wo es dem αἰσχρῶς entgegengesetzt
ist. II 1, 20: ἐπιστήμη ἀξιόλογος,
lobenswert. III 7, 1: ἀξιόλογος ἀνήρ,
edel. Bald darauf ἀξίως μνήμης.
— ἥδεσθαι ἐπὶ τοῖς εἰρ.] statt
des blofsen Dativs.

εἰρημένοις. — Παντάπασιν, ἔφη, ἀληθῆ λέγεις. — Ἀλλὰ μὴν 10
τοῦ μαθεῖν τι καλὸν καὶ ἀγαθὸν καὶ τοῦ ἐπιμεληθῆναι τῶν
τοιούτων τινός, δι᾽ ὧν ἄν τις καὶ τὸ ἑαυτοῦ σῶμα καλῶς
διοικήσειε καὶ τὸν ἑαυτοῦ οἶκον καλῶς οἰκονομήσειε καὶ φίλοις
καὶ πόλει ὠφέλιμος γένοιτο καὶ ἐχθροὺς κρατήσειεν, ἀφ᾽ ὧν
οὐ μόνον ὠφέλειαι, ἀλλὰ καὶ ἡδοναὶ μέγισται γίγνονται, οἱ
μὲν ἐγκρατεῖς ἀπολαύουσι πράττοντες αὐτά, οἱ δ᾽ ἀκρατεῖς
οὐδενὸς μετέχουσι· τῷ γὰρ ἂν ἧττον φήσαιμεν τῶν τοιούτων
προσήκειν ἢ ᾧ ἥκιστα ἔξεστι ταῦτα πράττειν, κατεχομένῳ ἐπὶ
τῷ σπουδάζειν περὶ τὰς ἐγγυτάτω ἡδονάς; — Καὶ ὁ Εὐθύ- 11
δημος· Δοκεῖς μοι, ἔφη, ὦ Σώκρατες, λέγειν, ὡς ἀνδρὶ ἥττονι
τῶν διὰ τοῦ σώματος ἡδονῶν πάμπαν οὐδεμιᾶς ἀρετῆς προσ-
ήκει. — Τί γὰρ διαφέρει, ἔφη, ὦ Εὐθύδημε, ἄνθρωπος ἀκρα-
τὴς θηρίου τοῦ ἀμαθεστάτου; ὅστις γὰρ τὰ μὲν κράτιστα μὴ
σκοπεῖ, τὰ ἥδιστα δ᾽ ἐκ παντὸς τρόπου ζητεῖ ποιεῖν, τί ἂν
διαφέροι τῶν ἀφρονεστάτων βοσκημάτων; ἀλλὰ τοῖς ἐγκρατέσι
μόνοις ἔξεστι σκοπεῖν τὰ κράτιστα τῶν πραγμάτων καὶ ἔργῳ
καὶ λόγῳ διαλέγοντας κατὰ γένη τὰ μὲν ἀγαθὰ προαιρεῖσθαι,
τῶν δὲ κακῶν ἀπέχεσθαι. Καὶ οὕτως ἔφη ἀρίστους τε καὶ εὐ- 12
δαιμονεστάτους ἄνδρας γίγνεσθαι καὶ διαλέγεσθαι δυνατω-

---

§ 10. Ἀλλὰ μήν] s. zu I 1, 6.
— οἶκον — οἰκονομεῖν] vgl.
das Homerische οἶνον οἰνοχοεύειν.
— τοῦ μαθεῖν .. καὶ τοῦ ἐπι-
μεληθῆναι] die Genetive hängen
von dem folgenden ἀπολαύουσι
ab, ex disciplina rerum optimarum
..fructum percipiunt ii, qui tempe-
rantes sunt (οἱ ἐγκρατεῖς). — ἀφ᾽
ὧν] scil. ἀπὸ τοῦ καλῶς διοικῆσαι
τὸ ἑαυτοῦ σῶμα κτλ. — ὠφέλειαι]
s. zu I 1, 11. — πράττοντες αὐτά]
τὸ μαθεῖν τι καλόν κτλ. — προσή-
κειν] s. zu § 7. — κατεχομένῳ
ἐπὶ τῷ σπουδάζειν] occupato
in appetendo. — τὰς ἐγγυτάτω
ἡδονάς] in promptu positas. S.
zu II 1, 20.

§ 11. ἥττονι τῶν — ἡδονῶν]
s. zu I 5, 1. — Τί γὰρ διαφέ-
ρει —;] quid igitur differt? S. zu
I 3, 10. — τὰ μὲν κράτιστα —
τὰ ἥδιστα δ᾽] wegen μέν und δέ
s. zu I 1, 12. — διαλέγοντας
κατὰ γένη] vgl. zu § 12; wegen
des Accus. (διαλέγοντας) s. zu I 1, 9.

§ 12. Καὶ οὕτως — δυνατω-
τάτους] diese Worte bilden den
Übergang zu dem Folgenden. Wer
besonnen ist, faßt immer das Beste
ins Auge und wählt das Gute und
enthält sich des Schlechten, indem
er die Dinge nach ihren Arten
unterscheidet; auf diese Weise
wird er sehr gut, glücklich und
zugleich auch in der Dialektik ge-
schickt werden; denn die Dialektik
besteht ja vorzüglich darin, daß
einer mit einem anderen sich so
unterredet, daß er die Dinge nach
ihren Arten unterscheidet. Daher
müssen wir notwendig die Dinge
nach ihren Arten, Wahres von
Falschem, Gutes von Schlechtem
unterscheiden lernen; denn wer dies
thut, wird nicht allein im Privat-
leben ein tüchtiger (ἄριστος) Mann
werden, sondern auch in dem öffent-
lichen Leben ein ausgezeichneter
Staatsmann (ἡγεμονικώτατος) und
zugleich auch in der Dialektik sehr
gewandt (διαλεκτικώτατος), d. h.

τάτους· ἔφη δὲ καὶ τὸ διαλέγεσθαι ὀνομασθῆναι ἐκ τοῦ
συνιόντας κοινῇ βουλεύεσθαι διαλέγοντας κατὰ γένη τὰ πρά-
γματα· δεῖν οὖν πειρᾶσθαι ὅ τι μάλιστα πρὸς τοῦτο ἑαυτὸν
ἕτοιμον παρασκευάζειν καὶ τούτου μάλιστα ἐπιμελεῖσθαι· ἐκ
τούτου γὰρ γίγνεσθαι ἄνδρας ἀρίστους τε καὶ ἡγεμονικωτά-
τους καὶ διαλεκτικωτάτους.

Sechstes Kapitel.

Inhalt.

Sokrates lehrt ferner seine Schüler die Kunst der Dialektik (§ 1).
Beispiele Sokratischer Begriffsbestimmungen über die Frömmig-
keit (§ 2—4), die Gerechtigkeit (§ 5—6), die σοφία (§ 7), das Gute
und Schöne (§ 8—9), die Tapferkeit (§ 10—11), die königliche
Herrschaft, die Tyrannis, Aristokratie, Plutokratie, Demo-
kratie (§ 12). Zuletzt werden einige Bemerkungen über die Sokratische
Methode hinzugefügt (§ 13—15).

1   Ὡς δὲ καὶ διαλεκτικωτέρους ἐποίει τοὺς συνόντας, πειρά-
σομαι καὶ τοῦτο λέγειν· Σωκράτης γὰρ τοὺς μὲν εἰδότας, τί
ἕκαστον εἴη τῶν ὄντων, ἐνόμιζε καὶ τοῖς ἄλλοις ἂν ἐξηγεῖσθαι
δύνασθαι, τοὺς δὲ μὴ εἰδότας οὐδὲν ἔφη θαυμαστὸν εἶναι
αὐτούς τε σφάλλεσθαι καὶ ἄλλους σφάλλειν· ὧν ἕνεκα σποπῶν
σὺν τοῖς συνοῦσι, τί ἕκαστον εἴη τῶν ὄντων, οὐδέποτ' ἔληγε.
Πάντα μὲν οὖν ᾗ διωρίζετο, πολὺ ἔργον ἂν εἴη διεξελθεῖν, ἐν
ὅσοις δὲ καὶ τὸν τρόπον τῆς ἐπισκέψεως δηλώσειν οἶμαι, το-
2 σαῦτα λέξω. Πρῶτον δὲ περὶ εὐσεβείας ὧδέ πως ἐσκόπει·
Εἰπέ μοι, ἔφη, ὦ Εὐθύδημε, ποῖόν τι νομίζεις εὐσέβειαν εἶναι;
— Καὶ ὅς· Κάλλιστον νὴ Δί', ἔφη. — Ἔχεις οὖν εἰπεῖν, ὁποῖός
τις ὁ εὐσεβής ἐστιν; — Ἐμοὶ μὲν δοκεῖ, ἔφη, ὁ τοὺς θεοὺς
τιμῶν. — Ἔξεστι δὲ ὃν ἄν τις βούληται τρόπον τοὺς θεοὺς

---

in jeder Lage des Lebens wird er
sowohl das Beste thun als auch
über alle Dinge am besten sprechen.
— Διαλέγεσθαι] heißt in einer
philosophischen Unterredung das
Gute vom Schlechten, das Wahre
vom Falschen unterscheiden, indem
man die Begriffe der Dinge erforscht
und erklärt.

§ 1. διαλεκτικωτέρους] s. IV
3, 1; wegen der Bedeutung von
διαλέγεσθαι s. zu d. vorherg. Kap.
am Ende. — καὶ τὸν τρόπον]
οὐ μόνον αὐτὴν τὴν ἐπίσκεψιν. S.
zu I 3, 1. (Einige Hss. lassen καὶ
fort.)
§ 2. ποῖόν τι u. ὁποῖός τις]
s. zu I 1, 1. — Καὶ ὅς] s. zu I 4, 2.

τιμᾶν; — Οὐκ, ἀλλὰ νόμοι εἰσί, καθ' οὓς δεῖ τοῦτο ποιεῖν. —
Οὐκοῦν ὁ τοὺς νόμους τούτους εἰδὼς εἰδείη ἄν, ὡς δεῖ τοὺς 3
θεοὺς τιμᾶν; — Οἶμαι ἔγωγ', ἔφη. — Ἆρ' οὖν ὁ εἰδώς, ὡς
δεῖ τοὺς θεοὺς τιμᾶν, οὐκ ἄλλως οἴεται δεῖν τοῦτο ποιεῖν ἢ
ὡς οἶδεν; — Οὐ γὰρ οὖν, ἔφη. — Ἄλλως δέ τις θεοὺς τιμᾷ
ἢ ὡς οἴεται δεῖν; — Οὐκ οἶμαι, ἔφη. — Ὁ ἄρα τὰ περὶ τοὺς 4
θεοὺς νόμιμα εἰδὼς νομίμως ἂν τοὺς θεοὺς τιμῴη; — Πάνυ
μὲν οὖν. — Οὐκοῦν ὅ γε νομίμως τιμῶν ὡς δεῖ τιμᾷ. —
Πῶς γὰρ οὔ; — Ὁ δέ γε ὡς δεῖ τιμῶν εὐσεβής ἐστι; —
Πάνυ μὲν οὖν, ἔφη. — Ὁ ἄρα τὰ περὶ τοὺς θεοὺς νόμιμα
εἰδὼς ὀρθῶς ἂν ἡμῖν εὐσεβὴς ὡρισμένος εἴη; — Ἐμοὶ γοῦν,
ἔφη, δοκεῖ.

Ἀνθρώποις δὲ ἄρα ἔξεστιν ὃν ἄν τις τρόπον βούληται 5
χρῆσθαι; — Οὐκ, ἀλλὰ καὶ περὶ τούτους ὁ εἰδὼς ἅ ἐστι νό-
μιμα, καθ' ἃ δεῖ πρὸς ἀλλήλους χρῆσθαι, νόμιμος ἂν εἴη. —
— Οὐκοῦν οἱ κατὰ ταῦτα χρώμενοι ἀλλήλοις ὡς δεῖ χρῶνται;
— Πῶς γὰρ οὔ; — Οὐκοῦν οἵ γε ὡς δεῖ χρώμενοι καλῶς
χρῶνται; — Πάνυ μὲν οὖν, ἔφη. — Οὐκοῦν οἵ γε τοῖς ἀν-
θρώποις καλῶς χρώμενοι καλῶς πράττουσι τἀνθρώπεια πρά-
γματα; — Εἰκός γ', ἔφη. — Οὐκοῦν οἱ τοῖς νόμοις πειθό-
μενοι δίκαια οὗτοι ποιοῦσι; — Πάνυ μὲν οὖν, ἔφη. — Δίκαια 6
δὲ οἶσθα, ἔφη, ὁποῖα καλεῖται; — Ἃ οἱ νόμοι κελεύουσιν
[ἔφη]. — Οἱ ἄρα ποιοῦντες ἃ οἱ νόμοι κελεύουσι δίκαιά τε
ποιοῦσι καὶ ἃ δεῖ; — Πῶς γὰρ οὔ; — Οὐκοῦν οἵ γε τὰ δίκαια
ποιοῦντες δίκαιοί εἰσιν; — Οἶμαι ἔγωγ', ἔφη. — Οἴει οὖν
τινας πείθεσθαι τοῖς νόμοις μὴ εἰδότας ἃ οἱ νόμοι κελεύου-
σιν; — Οὐκ ἔγωγ', ἔφη. — Εἰδότας δὲ ἃ δεῖ ποιεῖν οἴει
τινὰς οἴεσθαι δεῖν μὴ ποιεῖν ταῦτα; — Οὐκ οἶμαι, ἔφη. —
Οἶδας δέ τινας ἄλλα ποιοῦντας ἢ ἃ οἴονται δεῖν; — Οὐκ
ἔγωγ', ἔφη. — Οἱ ἄρα τὰ περὶ ἀνθρώπους νόμιμα εἰδότες
τὰ δίκαια οὗτοι ποιοῦσιν; — Πάνυ μὲν οὖν, ἔφη. — Οὐκοῦν

---

§ 3. Οὐ γὰρ οὖν] s. zu IV 4, 23.

§ 4. ἡμῖν] nostro iudicio. S. zu
IV 2, 14.

§ 5. Ἀνθρώποις — ἄρα] s. zu
II 7, 8. — καθ' ἃ δεῖ πρὸς ἀ. χρ.]
Aus πρὸς ἀλλήλους ist leicht
ἀλλήλοις zu ergänzen: das Gesetz-
mäfsige, nach dem die Menschen

sich unter einander benehmen
(= unter einander verkehren) sollen.
S. den Anh. — οὗτοι] s. zu II
1, 19.

§ 6. ἔφη] fehlt in mehreren
Hdschr. und ist wahrscheinlich un-
echt. — Οἶδας] ionische Form
vgl. οἴδαμεν Anab. II 4, 6 u. οἴδα-

οἵ γε τὰ δίκαια ποιοῦντες δίκαιοί εἰσι; — Τίνες γὰρ ἄλλοι;
ἔφη. — Ὀρθῶς ἄν ποτε ἄρα ὁριζοίμεθα ὁριζόμενοι δικαίους
εἶναι τοὺς εἰδότας τὰ περὶ ἀνθρώπους νόμιμα; — Ἔμοιγε
δοκεῖ, ἔφη.

7   Σοφίαν δὲ τί ἄν φήσαιμεν εἶναι; Εἰπέ μοι, πότερά σοι
δοκοῦσιν οἱ σοφοί, ἃ ἐπίστανται, ταῦτα σοφοὶ εἶναι, ἢ εἰσί
τινες ἃ μὴ ἐπίστανται σοφοί; — Ἃ ἐπίστανται δῆλον ὅτι, ἔφη·
πῶς γὰρ ἄν τις, ἅ γε μὴ ἐπίσταιτο, ταῦτα σοφὸς εἴη; — Ἄρ’
οὖν οἱ σοφοὶ ἐπιστήμῃ σοφοί εἰσι; — Τίνι γάρ, ἔφη, ἄλλῳ
τις ἄν εἴη σοφός, εἴ γε μὴ ἐπιστήμῃ; — Ἄλλο δέ τι σοφίαν
οἴει εἶναι ἢ ᾧ σοφοί εἰσιν; — Οὐκ ἔγωγε. — Ἐπιστήμη ἄρα
σοφία ἐστίν; — Ἔμοιγε δοκεῖ. — Ἆρ’ οὖν δοκεῖ σοι ἀνθρώπῳ
δυνατὸν εἶναι τὰ ὄντα πάντα ἐπίστασθαι; — Οὐδὲ μὰ Δί’
ἔμοιγε πολλοστὸν μέρος αὐτῶν. — Πάντα μὲν ἄρα σοφὸν οὐχ
οἷόν τε ἄνθρωπον εἶναι; — Μὰ Δί’, οὐ δῆτα, ἔφη. — Ὃ ἄρα
ἐπίσταται ἕκαστος, τοῦτο καὶ σοφός ἐστιν; — Ἔμοιγε δοκεῖ.

8   — Ἆρ’ οὖν, ὦ Εὐθύδημε, καὶ τἀγαθὸν οὕτω ζητητέον ἐστί;
— Πῶς; ἔφη. — Δοκεῖ σοι τὸ αὐτὸ πᾶσιν ὠφέλιμον εἶναι; —
Οὐκ ἔμοιγε. — Τί δέ; τὸ ἄλλῳ ὠφέλιμον οὐ δοκεῖ σοι ἐνίοτε
ἄλλῳ βλαβερὸν εἶναι; — Καὶ μάλα, ἔφη. — Ἄλλο δ’ ἄν τι
φαίης ἀγαθὸν εἶναι ἢ τὸ ὠφέλιμον; — Οὐκ ἔγωγ’, ἔφη. —
Τὸ ἄρα ὠφέλιμον ἀγαθόν ἐστιν, ὅτῳ ἄν ὠφέλιμον ᾖ; — Δοκεῖ
μοι, ἔφη.

9   Τὸ δὲ καλὸν ἔχοιμεν ἄν πως ἄλλως εἰπεῖν, ἤ, εἰ ἔστιν,
ὀνομάζεις καλὸν ἢ σῶμα ἢ σκεῦος ἢ ἄλλ’ ὁτιοῦν, ὃ οἶσθα πρὸς
πάντα καλὸν ὄν; — Μὰ Δί’ οὐκ ἔγωγ’, ἔφη. — Ἆρ’ οὖν,
πρὸς ὃ ἄν ἕκαστον χρήσιμον ᾖ, πρὸς τοῦτο ἑκάστῳ καλῶς ἔχει
χρῆσθαι; — Πάνυ μὲν οὖν, ἔφη. — Καλὸν δὲ πρὸς ἄλλο τί
ἐστιν ἕκαστον, ἢ πρὸς ὃ ἑκάστῳ καλῶς ἔχει χρῆσθαι; — Οὐδὲ

σιν Oecon. 20, 14. — ὀρθῶς ἄν
ποτε] ποτέ = tandem aliquando.
   § 7. ἅ γε μὴ ἐπίσταιτο] kurz
vorher: ἃ μὴ ἐπίστανται; der Optat.
mittels der Attrakt., s. zu III 2, 2.
— ᾧ σοφοί εἰσιν] wodurch sie
(nämlich die Menschen) weise sind.
Wegen des Plur. in Beziehung auf
τίς s. zu I 2, 62. — Οὐδὲ .. πολ-
λοστόν] für: Μὰ Δί’, ἔμοιγε οὐδὲ
πολλοστὸν μέρος αὐτῶν. Vgl. III 1, 6.

   § 8. ἄλλῳ — ἄλλῳ] alii — alii.
— τὸ ἄλλῳ ὠφέλιμον] scil. ὄν.
Vgl. I 4, 10.
   § 9. ἔχοιμεν ἄν πως ἄλλως]
s. zu II 6, 39; ἄλλως ist auf § 8
zu beziehen (anders als τἀγαθόν).
— ἤ, εἰ ἔστιν, ὀνομάζεις]
wahrscheinlich muſs man εἰ strei-
chen und lesen: ἢ ἔστιν (licet)
ὀνομάζειν καλὸν ἢ σῶμα κτλ. Das
Schöne ist nicht absolut und in

πρὸς ἕν ἄλλο, ἔφη. — Τὸ χρήσιμον ἄρα καλόν ἐστι, πρὸς ὅ
ἂν ᾖ χρήσιμον; — Ἔμοιγε δοκεῖ, ἔφη.

Ἀνδρίαν δέ, ὦ Εὐθύδημε, ἆρα τῶν καλῶν νομίζεις εἶναι; 10
— Κάλλιστον μὲν οὖν ἔγωγ', ἔφη. — Χρήσιμον ἄρα οὐ πρὸς
τὰ ἐλάχιστα νομίζεις τὴν ἀνδρίαν; — Μὰ Δί', ἔφη, πρὸς τὰ
μέγιστα μὲν οὖν. — Ἆρ' οὖν δοκεῖ σοι πρὸς τὰ δεινά τε καὶ
ἐπικίνδυνα χρήσιμον εἶναι τὸ ἀγνοεῖν αὐτά; — Ἥκιστά γ',
ἔφη. — Οἱ ἄρα μὴ φοβούμενοι τὰ τοιαῦτα διὰ τὸ μὴ εἰδέναι,
τί ἐστιν, οὐκ ἀνδρεῖοί εἰσιν; — Νὴ Δί', ἔφη, πολλοὶ γὰρ ἂν
οὕτω γε τῶν τε μαινομένων καὶ τῶν δειλῶν ἀνδρεῖοι εἶεν. —
Τί δὲ οἱ καὶ τὰ μὴ δεινὰ δεδοικότες; — Ἔτι γε, νὴ Δία
ἧττον, ἔφη. — Ἆρ' οὖν τοὺς μὲν ἀγαθοὺς πρὸς τὰ δεινὰ καὶ
ἐπικίνδυνα ὄντας ἀνδρείους ἡγῇ εἶναι, τοὺς δὲ κακοὺς δει-
λούς; — Πάνυ μὲν οὖν, ἔφη. — Ἀγαθοὺς δὲ πρὸς τὰ τοι- 11
αῦτα νομίζεις ἄλλους τινὰς ἢ τοὺς δυναμένους αὐτοῖς καλῶς
χρῆσθαι; — Οὐκ, ἀλλὰ τούτους, ἔφη. — Κακοὺς δὲ ἄρα
τοὺς οἵους τούτοις κακῶς χρῆσθαι; — Τίνας γὰρ ἄλλους;
ἔφη. — Ἆρ' οὖν ἕκαστοι χρῶνται, ὡς οἴονται δεῖν; — Πῶς
γὰρ ἄλλως; ἔφη. — Ἆρα οὖν οἱ μὴ δυνάμενοι καλῶς χρῆσθαι
ἴσασιν, ὡς δεῖ χρῆσθαι; — Οὐ δήπου γε, ἔφη. — Οἱ ἄρα
εἰδότες, ὡς δεῖ χρῆσθαι, οὗτοι καὶ δύνανται; — Μόνοι γ',
ἔφη. — Τί δέ; οἱ μὴ διημαρτηκότες ἄρα κακῶς χρῶνται τοῖς
τοιούτοις; — Οὐκ οἴομαι, ἔφη. — Οἱ ἄρα κακῶς χρώμενοι
διημαρτήκασιν; Εἰκός γ', ἔφη. — Οἱ μὲν ἄρα ἐπιστάμενοι
τοῖς δεινοῖς τε καὶ ἐπικινδύνοις καλῶς χρῆσθαι ἀνδρεῖοί
εἰσιν, οἱ δὲ διαμαρτάνοντες τούτου δειλοί; — Ἔμοιγε δο-
κοῦσιν, ἔφη.

Βασιλείαν δὲ καὶ τυραννίδα ἀρχὰς μὲν ἀμφοτέρας ἡγεῖτο 12
εἶναι, διαφέρειν δὲ ἀλλήλων ἐνόμιζε· τὴν μὲν γὰρ ἑκόντων τε

Beziehung auf alles schön, sondern
nur in Rücksicht auf die Sache,
für die es nützlich ist. [Dindorf
tilgt εἰ ἔστιν.]
§ 10. τῶν καλῶν — εἶναι] C.
§ 417. Ko. § 84, 2 b. K. § 272, 1 b.
— μὲν οὖν] immo. S. zu II 7, 5.
— Μὰ Δί'] μά bezieht sich auf οὐ
πρὸς τὰ ἐλάχιστα, nein, beim Zeus,
nicht für das Kleinste, sondern für
das Gröfste. S. zu I 4, 9. — Νὴ Δί']

soil. οὐκ ἀνδρεῖοί εἰσι. — S. zu II
7, 4. — Τί δὲ οἱ — δεδοικότες]
scil. δοκοῦσί σοι. — ἧττον] scil.
ἀνδρεῖοι. — κακούς] sc. πρὸς τὰ
δεινὰ .. ὄντας.
§ 11. τοὺς οἵους — χρῆσθαι]
wegen οἵους c. inf. s. zu I 4, 6 und
wegen τοὺς οἵους C. § 600. Ko.
§ 78, 4 A. 2. K. § 319, 5 u. A. 6. —
Οἱ ἄρα εἰδότες — οὗτοι] wie
§ 5. S. zu II 1, 19.

τῶν ἀνθρώπων καὶ κατὰ νόμους τῶν πόλεων ἀρχὴν βασιλείαν
ἡγεῖτο, τὴν δὲ ἀκόντων τε καὶ μὴ κατὰ νόμους, ἀλλ' ὅπως ὁ
ἄρχων βούλοιτο, τυραννίδα· καὶ ὅπου μὲν ἐκ τῶν τὰ νόμιμα
ἐπιτελούντων αἱ ἀρχαὶ καθίστανται, ταύτην μὲν τὴν πολιτείαν
ἀριστοκρατίαν ἐνόμιζεν εἶναι, ὅπου δ' ἐκ τιμημάτων, πλουτο-
κρατίαν, ὅπου δ' ἐκ πάντων, δημοκρατίαν.

13   Εἰ δέ τις αὐτῷ περί του ἀντιλέγοι μηδὲν ἔχων σαφὲς
λέγειν, ἀλλ' ἄνευ ἀποδείξεως ἤτοι σοφώτερον φάσκων εἶναι
ὃν αὐτὸς λέγοι ἢ πολιτικώτερον ἢ ἀνδρειότερον ἢ ἄλλο τι
τῶν τοιούτων, ἐπὶ τὴν ὑπόθεσιν ἐπανῆγεν ἂν πάντα τὸν λό-
14 γον ὧδέ πως· Φὴς σὺ ἀμείνω πολίτην εἶναι ὃν σὺ ἐπαινεῖς
ἢ ὃν ἐγώ; — Φημὶ γὰρ οὖν. — Τί οὖν οὐκ ἐκεῖνο πρῶτον
ἐπεσκεψάμεθα, τί ἐστιν ἔργον ἀγαθοῦ πολίτου; — Ποιῶμεν
τοῦτο. — Οὐκοῦν ἐν μὲν χρημάτων διοικήσει κρατοίη ἂν ὁ
χρήμασιν εὐπορωτέραν ποιῶν τὴν πόλιν; — Πάνυ μὲν οὖν,
ἔφη. — Ἐν δέ γε πολέμῳ ὁ καθυπερτέραν τῶν ἀντιπάλων; —
Πῶς γὰρ οὔ; — Ἐν δὲ πρεσβείᾳ ἄρα ὃς ἂν φίλους ἀντὶ πολεμίων
παρασκευάζῃ; — Εἰκότως γε. — Οὐκοῦν καὶ ἐν δημηγορίᾳ
ὁ στάσεις τε παύων καὶ ὁμόνοιαν ἐμποιῶν; — Ἔμοιγε δοκεῖ.
Οὕτω δὲ τῶν λόγων ἐπαναγομένων καὶ τοῖς ἀντιλέγουσιν
15 αὐτοῖς φανερὸν ἐγίγνετο τἀληθές. Ὁπότε δὲ αὐτός τι τῷ λόγῳ
διεξίοι, διὰ τῶν μάλιστα ὁμολογουμένων ἐπορεύετο, νομίζων
ταύτην τὴν ἀσφάλειαν εἶναι λόγου· τοιγαροῦν πολὺ μάλιστα
ὧν ἐγὼ οἶδα, ὅτε λέγοι, τοὺς ἀκούοντας ὁμολογοῦντας παρ-

----

§ 12. Τὰ νόμιμα ἐπιτελεῖν]
die Gesetze erfüllen.

§ 13. Εἰ — ἀντιλέγοι —, ἐπ-
ανῆγεν ἄν] s. zu I 3, 4. — περί
του] de re aliqua. Im folgenden
aber geht die Rede auf eine Per-
son über. — σοφώτερον — εἶ-
ναι ὃν αὐτὸς λέγοι] d. i. σοφώ-
τερόν τινα εἶναι, ὃν αὐτὸς λέγοι,
ἢ ὃν Σωκράτης λέγοι. — ὑπόθε-
σιν] Grundlage der Untersuchung,
wie er in dem angegebenen Bei-
spiele sagt, vor allem müsse man
untersuchen, was ein guter Bürger
thun müsse.

§ 14. Φημὶ γὰρ οὖν] aio uti-
que; οὖν dient zur Bekräftigung
des γάρ, s. zu III 3, 2. — Τί οὖν

οὐκ — ἐπεσκεψάμεθα;] s. zu
III 1, 10. — καθυπερτέραν τῶν
ἀντιπάλων] s. zu III 5, 4: πρὸς
τοὺς Ἀθηναίους. — ἐπαναγομέ-
νων] scil. ἐπὶ τὴν ὑπόθεσιν.

§ 15. Ὁπότε — διεξίοι] s. zu
I 2, 57. — διὰ τῶν μ. ὁμολογου-
μένων ἐπορεύετο] ebenso gleich
darauf u. Oecon. 19, 15: ἄγων γάρ με
δι' ὧν ἐγὼ ἐπίσταμαι. — ταύτην
τὴν ἀσφάλειαν — λόγου] das
(ταύτην) sei das sichere Verfahren
der Beweisführung; der Artikel stellt
das Verfahren als aus den vorher-
gehenden Beispielen bekannt dar.
— πολὺ μάλιστα ὧν ἐγὼ οἶδα]
unter denen, die ich kenne, bei
weitem am besten, vgl. IV 7, 1. —

εἶχεν· ἔφη δὲ καὶ Ὅμηρον τῷ Ὀδυσσεῖ ἀναθεῖναι τὸ ἀσφαλῆ
ῥήτορα εἶναι, ὡς ἱκανὸν αὐτὸν ὄντα διὰ τῶν δοκούντων τοῖς
ἀνθρώποις ἄγειν τοὺς λόγους.

Siebentes Kapitel.

Inhalt.

Endlich suchte Sokrates seine Schüler auch in den für das Leben
nützlichen Künsten geschickter zu machen, indem er ihnen die Grenzen
angab, bis zu welchen man dieselben erlernen müsse. Geometrie, Astro-
nomie, Rechenkunst mufs man nur insoweit erlernen, als sie von Nutzen
für das Leben sind; denn sonst wird man von der Erlernung anderer
nützlicher Dinge abgezogen. Die Erforschung der von den Göttern dem
menschlichen Geiste verborgenen Dinge ist verkehrt (§ 1—8). Die Sorge
für die Gesundheit empfahl er eifrig (§ 9). In Dingen, die die mensch-
liche Einsicht übersteigen, mufs man sich der Seherkunst bedienen (§ 10).

Ὅτι μὲν οὖν ἁπλῶς τὴν ἑαυτοῦ γνώμην ἀπεφαίνετο Σω- 1
κράτης πρὸς τοὺς ὁμιλοῦντας αὐτῷ, δοκεῖ μοι δῆλον ἐκ τῶν
εἰρημένων εἶναι, ὅτι δὲ καὶ αὐτάρκεις ἐν ταῖς προσηκούσαις
πράξεσιν αὐτοὺς εἶναι ἐπεμελεῖτο, νῦν τοῦτο λέξω· πάντων
μὲν γὰρ ὧν ἐγὼ οἶδα μάλιστα ἔμελεν αὐτῷ εἰδέναι, ὅτου τις
ἐπιστήμων εἴη τῶν συνόντων αὐτῷ· ὧν δὲ προσήκει ἀνδρὶ
καλῷ κἀγαθῷ εἰδέναι, ὅ τι μὲν αὐτὸς εἰδείη, πάντων προ-
θυμότατα ἐδίδασκεν, ὅτου δὲ αὐτὸς ἀπειρότερος εἴη, πρὸς τοὺς
ἐπισταμένους ἦγεν αὐτούς. Ἐδίδασκε δὲ καί, μέχρι ὅτου δέοι 2
ἔμπειρον εἶναι ἑκάστου πράγματος τὸν ὀρθῶς πεπαιδευμένον·
αὐτίκα γεωμετρίαν μέχρι μὲν τούτου ἔφη δεῖν μανθάνειν, ἕως
ἱκανός τις γένοιτο, εἴ ποτε δεήσειε, γῆν μέτρῳ ὀρθῶς ἢ παρα-
λαβεῖν ἢ παραδοῦναι ἢ διανεῖμαι ἢ ἔργον ἀποδείξασθαι· οὕτω

Ὅμηρον] Od. 8, 171: ὁ δ' ἀσφαλέως
ἀγορεύει. — ὡς ἱκανὸν αὐτὸν
ὄντα] man erwartet ὡς ἱκανῷ ὄντι
wegen des vorangehenden Ὀδυσσεῖ.
Dafür ist nachdrücklicher der accus.
absolutus gebraucht. Vgl. I 3, 2 u.
I 2, 20. — διὰ τῶν δοκούντων
τοῖς ἀνθρώποις] ist dasselbe,
was kurz vorher διὰ τῶν ὁμολογου-
μένων, durch das, von dessen Wahr-
heit die Menschen überzeugt sind.
§ 1. αὐτάρκεις ἐν — πράξε-
σιν] selbständig, fähig selbst

ohne fremde Hülfe ihre Ge-
schäfte zu vollbringen. Xeno-
phon kehrt zu dem zurück, was er
IV 3, 1 versprochen hat. — ἐπ-
εμελεῖτο] c. acc. et inf., eine sel-
tenere Konstr. — πάντων — ὧν]
Maskulin, wie IV 6, 15. — ὅτι μὲν
αὐτὸς εἰδείη] s. zu III 1, 1. —
ὧν .. εἰδέναι = τούτων, ἅ. Der
Gen. abhängig von ὅ τι u. ὅτου.
§ 2. αὐτίκα] zum Beispiel
(gleich), statim, continuo, d'abord.
Vgl. zu II 6, 32. — ἔργον ἀπο-

δὲ τοῦτο ῥᾴδιον εἶναι μαθεῖν, ὥστε τὸν προσέχοντα τὸν νοῦν
τῇ μετρήσει ἅμα τήν τε γῆν ὁπόση ἐστὶν εἰδέναι, καὶ ὡς με-
3 τρεῖται ἐπιστάμενον ἀπιέναι. Τὸ δὲ μέχρι τῶν δυσξυνέτων
διαγραμμάτων γεωμετρίαν μανθάνειν ἀπεδοκίμαζεν· ὅ τι μὲν
γὰρ ὠφελοίη ταῦτα, οὐκ ἔφη ὁρᾶν· καίτοι οὐκ ἄπειρός γε
αὐτῶν ἦν· ἔφη δὲ ταῦτα ἱκανὰ εἶναι ἀνθρώπου βίον κατα-
τρίβειν καὶ ἄλλων πολλῶν τε καὶ ὠφελίμων μαθημάτων ἀπο-
4 κωλύειν. Ἐκέλευε δὲ καὶ ἀστρολογίας ἐμπείρους γίγνεσθαι,
καὶ ταύτης μέντοι μέχρι τοῦ νυκτός τε ὥραν καὶ μηνὸς καὶ
ἐνιαυτοῦ δύνασθαι γιγνώσκειν ἕνεκα πορείας τε καὶ πλοῦ καὶ
φυλακῆς, καὶ ὅσα ἄλλα ἢ νυκτὸς ἢ μηνὸς ἢ ἐνιαυτοῦ πράττε-
ται, πρὸς ταῦτ' ἔχειν τεκμηρίοις χρῆσθαι, τὰς ὥρας τῶν εἰρη-
μένων διαγιγνώσκοντας· καὶ ταῦτα δὲ ῥᾴδια εἶναι μαθεῖν
παρά τε [τῶν] νυκτοθηρῶν καὶ κυβερνητῶν καὶ ἄλλων πολ-
5 λῶν, οἷς ἐπιμελὲς ταῦτα εἰδέναι. Τὸ δὲ μέχρι τούτου ἀστρο-
νομίαν μανθάνειν, μέχρι τοῦ καὶ τὰ μὴ ἐν τῇ αὐτῇ περιφορᾷ
ὄντα, καὶ τοὺς πλανήτας τε καὶ ἀσταθμήτους ἀστέρας, γνῶναι
καὶ τὰς ἀποστάσεις αὐτῶν ἀπὸ τῆς γῆς καὶ τὰς περιόδους
καὶ τὰς αἰτίας αὐτῶν ζητοῦντας κατατρίβεσθαι, ἰσχυρῶς ἀπ-
έτρεπεν· ὠφέλειαν μὲν γὰρ οὐδεμίαν οὐδ' ἐν τούτοις ἔφη
ὁρᾶν· καίτοι οὐδὲ τούτων γε ἀνήκοος ἦν· ἔφη δὲ καὶ ταῦτα

δεῖξασθαι] 'eine Arbeit auf-
weisen', von der Landvermes-
sung Rechenschaft ablegen,
d. h. zeigen, welches Verfahrens er
sich bedient habe ἐν τῷ γῆν μέτρῳ
ὀρθῶς ἢ παραλαβεῖν ἢ παραδοῦναι
ἢ διανεῖμαι. — ἐπιστάμενον
ἀπιέναι] wie im Lat. discedere
victorem u. dgl.

§ 3. οὐκ ἄπειρος] in der Geo-
metrie hatte S. den Theodorus zum
Lehrer gehabt. S. zu IV 2, 10.
— ταῦτα ἱκανὰ εἶναι ἀνθρώπου
βίον κατατρίβειν] haec (τὰ δυσ-
ξύνετα διαγράμματα i. e. difficilio-
rum descriptionum disquisitiones)
idonea esse, quibus hominis vita con-
sumatur (conteratur). Vgl. § 5.

§ 4. ἀστρολογίας] s. zu IV 2,
10. — καὶ ταύτης μέντοι] et
huius quidem. — μέχρι τοῦ ..
δύνασθαι] bis man .. kann. —
ἔχειν] c. inf. (χρῆσθαι) = vermö-
gen, können, wie I 2, 41. IV 2, 12.

6, 9. — ὥραν] s. zu IV 3, 4. —
τεκμηρίοις] als Zeichen, indem
zu χρῆσθαι als Objekt die Astro-
nomie zu denken ist. — τῶν εἰρη-
μένων] scil. der Reisen, Seefahrten
u. s. w.

§ 5. τὸ δὲ — μανθάνειν —
ἀπέτρεπεν] statt τοῦ μ., wie I 7,
5. S. zu I 3, 7. — μέχρι τούτου]
auf das Folgende vorbereitend, wie
Plat. Legg. p. 670 D: μέχρι γε
τοσούτου πεπαιδεῦσθαι σχεδὸν
ἀναγκαῖον, μέχρι τοῦ δυνατὸν
εἶναι. — καὶ τὰ μὴ ἐν τῇ αὐτῇ
περιφορᾷ ὄντα] die sich nicht
in gleicher Bewegung mit dem Him-
mel und den anderen Gestirnen um-
drehen, sondern ihre besondere
Bewegung haben; καί ist auch,
sogar, das folgende καί aber vor
τούς ist erklärend: ich meine
nämlich. — ἀσταθμήτους ἀστέ-
ρας] Kometen. — τούτων γε ἀν-
ήκοος] = imperitus. Sokr. soll

ἱκανὰ εἶναι κατατρίβειν ἀνθρώπου βίον καὶ πολλῶν καὶ ὠφελίμων ἀποκωλύειν. Ὅλως δὲ τῶν οὐρανίων, ᾗ ἕκαστα ὁ θεὸς 6 μηχανᾶται, φροντιστὴν γίγνεσθαι ἀπέτρεπεν· οὔτε γὰρ εὑρετὰ ἀνθρώποις αὐτὰ ἐνόμιζεν εἶναι, οὔτε χαρίζεσθαι θεοῖς ἂν ἡγεῖτο τὸν ζητοῦντα ἃ ἐκεῖνοι σαφηνίσαι οὐκ ἐβουλήθησαν· κινδυνεῦσαι δ᾽ ἂν ἔφη καὶ παραφρονῆσαι τὸν ταῦτα μεριμνῶντα οὐδὲν ἧττον, ἢ Ἀναξαγόρας παρεφρόνησεν, ὁ μέγιστον φρονήσας ἐπὶ τῷ τὰς τῶν θεῶν μηχανὰς ἐξηγεῖσθαι. Ἐκεῖνος 7 γὰρ λέγων μὲν τὸ αὐτὸ εἶναι πῦρ τε καὶ ἥλιον ἠγνόει, ὡς τὸ μὲν πῦρ οἱ ἄνθρωποι ῥᾳδίως καθορῶσιν, εἰς δὲ τὸν ἥλιον οὐ δύνανται ἀντιβλέπειν· καὶ ὑπὸ μὲν τοῦ ἡλίου καταλαμπόμενοι τὰ χρώματα μελάντερα ἔχουσιν, ὑπὸ δὲ τοῦ πυρὸς οὔ· ἠγνόει δέ, ὅτι καὶ τῶν ἐκ τῆς γῆς φυομένων ἄνευ μὲν ἡλίου αὐγῆς οὐδὲν δύναται καλῶς αὔξεσθαι, ὑπὸ δὲ τοῦ πυρὸς θερμαινόμενα πάντα ἀπόλλυται· φάσκων δὲ τὸν ἥλιον λίθον διάπυρον εἶναι καὶ τοῦτο ἠγνόει, ὅτι λίθος μὲν ἐν πυρὶ ὢν οὔτε λάμπει οὔτε πολὺν χρόνον ἀντέχει, ὁ δὲ ἥλιος τὸν πάντα χρόνον πάντων λαμπρότατος ὢν διαμένει. Ἐκέλευε δὲ καὶ 8 λογισμοὺς μανθάνειν καὶ τούτων δὲ ὁμοίως τοῖς ἄλλοις ἐκέλευε φυλάττεσθαι τὴν μάταιον πραγματείαν, μέχρι δὲ τοῦ ὠφελίμου πάντα καὶ αὐτὸς συνεπεσκόπει καὶ συνδιεξῄει τοῖς συνοῦσι. Προέτρεπε δὲ σφόδρα καὶ ὑγιείας ἐπιμελεῖσθαι τοὺς 9 συνόντας, παρά τε τῶν εἰδότων μανθάνοντας ὅσα ἐνδέχοιτο, καὶ ἑαυτῷ ἕκαστον προσέχοντα διὰ παντὸς τοῦ βίου, τί βρῶμα ἢ τί πόμα ἢ ποῖος πόνος συμφέροι αὐτῷ, καὶ πῶς τούτοις χρώμενος ὑγιεινότατ᾽ ἂν διάγοι· τοῦ γὰρ οὕτω προσέχοντος ἑαυτῷ ἔργον ἔφη εἶναι εὑρεῖν ἰατρὸν τὰ πρὸς ὑγίειαν συμ-

hierin den Archelaus, einen Schüler des Anaxagoras, zum Lehrer gehabt haben. Cicer. Tusc. V 4, 10.

§ 6. ὁ θεός] die Gottheit, gewöhnl. οἱ θεοί, wie gleich darauf. — ταῦτα μεριμνῶντα] s. zu I 1, 11. — Ἀναξαγόρας] aus Klazomenä, ein berühmter Naturphilosoph der ionischen Schule, zur Zeit des Perikles; der ἀσεβεία angeklagt, wurde er verbannt und starb zu Lampsakus.

§ 7. τὸ αὐτὸ εἶναι πῦρ τε καὶ ἥλιον] Diog. L. II 8: (Ἀναξαγόρας) ἔλεγε τὸν ἥλιον μύδρον εἶναι διάπυρον καὶ μείζω Πελοποννήσου. — τὰ χρώματα μελάντερα ἔχουσιν] s. zu I 4, 13.

§ 8. λογισμούς] τὴν λογιστικήν, Rechenkunst. — τούτων] gehört zu πραγματείαν. — ὁμοίως τοῖς ἄλλοις] auf gleiche Weise wie bei den andern vorher erwähnten Wissenschaften.

§ 9. ἐνδέχοιτο] s. zu I 2, 23. — πόμα] dafür attisch πῶμα. — τοῦ — προσέχοντος ἑαυτῷ] es sei schwierig einen Arzt zu finden, der .. besser erkenne als der, welcher so auf sich achte. Die

10 φέροντα αὐτῷ μᾶλλον διαγιγνώσκοντα ἑαυτοῦ. Εἰ δέ τις μᾶλ-
λον ἢ κατὰ τὴν ἀνθρωπίνην σοφίαν ὠφελεῖσθαι βούλοιτο,
συνεβούλευε μαντικῆς ἐπιμελεῖσθαι· τὸν γὰρ εἰδότα, δι' ὧν
οἱ θεοὶ τοῖς ἀνθρώποις περὶ τῶν πραγμάτων σημαίνουσιν,
οὐδέποτ' ἔρημον ἔφη γίγνεσθαι συμβουλῆς θεῶν.

Achtes Kapitel.

Inhalt.

Daraus, daſs Sokrates die Todesstrafe erlitt, folgt nicht, daſs er
hinsichtlich seines Dämonions etwas Unwahres verkündigt habe; durch
den Tod haben vielmehr die Götter für ihn am besten gesorgt. Daher
wurde er auch von seinem Dämonion wegen des ihm bevorstehenden
Todes nicht gewarnt. Denn er hätte ja auch ohne dies bald sterben
müssen; er entging den Beschwerden des Alters, und durch sein weises
und edles Benehmen in der Zeit zwischen seiner Verurteilung und seinem
Tode erwarb er sich unsterblichen Ruhm (§ 1—3). — Erklärung des
Sokrates selbst hierüber (§ 4—10). Kurze Wiederholung des Inhalts
dieser Bücher (§ 11).

1   Εἰ δέ τις, ὅτι φάσκοντος αὐτοῦ τὸ δαιμόνιον ἑαυτῷ προ-
σημαίνειν, ἅ τε δέοι καὶ ἃ μὴ δέοι ποιεῖν, ὑπὸ τῶν δικαστῶν
κατεγνώσθη θάνατος, οἴεται αὐτὸν ἐλέγχεσθαι περὶ τοῦ δαι-
μονίου ψευδόμενον, ἐννοησάτω πρῶτον μέν, ὅτι οὕτως ἤδη
τότε πόρρω τῆς ἡλικίας ἦν, ὥστ', εἰ καὶ μὴ τότε, οὐκ ἂν
πολλῷ ὕστερον τελευτῆσαι τὸν βίον, εἶτα ὅτι τὸ μὲν ἀχθεινό-
τατον τοῦ βίου καὶ ἐν ᾧ πάντες τὴν διάνοιαν μειοῦνται ἀπ-

Genetive τοῦ προσέχοντος hängen
von μᾶλλον ab; sie sind aber voran-
gestellt, da auf ihnen das Haupt-
gewicht des Gedankens liegt; der
Genetiv ἑαυτοῦ am Ende des Satzes,
der gleichfalls von μᾶλλον abhängt,
hätte weggelassen werden können,
ist aber hinzugefügt, teils weil die
Genetive τοῦ προσέχοντος zu weit
von μᾶλλον entfernt sind, teils auch
um den Gegensatz zu dem frem-
den Menschen (dem Arzte) nach-
drücklicher hervorzuheben; das lo-
gische Subjekt des ganzen Satzes
ist ὁ οὕτω προσέχων ἑαυτῷ. — ἔρ-
γον .. εἶναι] difficile esse.
§ 10. μᾶλλον ἢ κατά κτλ.]
wenn aber jemand sich besser be-

raten wolle, als es nach mensch-
licher Weisheit möglich ist. Wegen
μᾶλλον ἢ κατά s. zu I 7, 4. — μαν-
τικῆς — συμβουλῆς θεῶν] zum
Gedanken s. I 1, 9.
§ 1. φάσκοντος αὐτοῦ] ab-
hängig von κατεγνώσθη θάνατος.
— πόρρω τῆς ἡλικίας] er war
siebzig Jahre alt. — περὶ τοῦ
δαιμονίου ψευδόμενον] da ihm
das Dämonion nicht vorher ver-
kündigt habe, wie er der ihm be-
vorstehenden Todesstrafe habe ent-
gehen können. — ὥστ' — οὐκ ἂν
— τελευτῆσαι] οὐκ gehört zu
πολλῷ ὕστερον. K. § 314 A. 2. —
εἶτα] s. zu I 2, 1. — ἀπέλειπεν]
relinquebat, scil. cum moriebatur.

ἔλειπεν, ἀντὶ δὲ τούτου τῆς ψυχῆς τὴν ῥώμην ἐπιδειξάμενος
εὔκλειαν προσεκτήσατο, τήν τε δίκην πάντων ἀνθρώπων ἀλη-
θέστατα καὶ ἐλευθεριώτατα κὰι δικαιότατα εἰπὼν καὶ τὴν κατά-
γνωσιν τοῦ θανάτου πρᾳότατα καὶ ἀνδρωδέστατα ἐνεγκών.
Ὁμολογεῖται γὰρ οὐδένα πω τῶν μνημονευομένων ἀνθρώπων 2
κάλλιον θάνατον ἐνεγκεῖν· ἀνάγκη μὲν γὰρ ἐγένετο αὐτῷ
μετὰ τὴν κρίσιν τριάκοντα ἡμέρας βιῶναι διὰ τὸ Δήλια μὲν
ἐκείνου τοῦ μηνὸς εἶναι, τὸν δὲ νόμον μηδένα ἐᾶν δημοσίᾳ
ἀποθνήσκειν, ἕως ἂν ἡ θεωρία ἐκ Δήλου ἐπανέλθῃ· καὶ τὸν
χρόνον τοῦτον ἅπασι τοῖς συνήθεσι φανερὸς ἐγένετο οὐδὲν
ἀλλοιότερον διαβιοὺς ἢ τὸν ἔμπροσθεν χρόνον· καίτοι τὸν
ἔμπροσθέν γε πάντων ἀνθρώπων μάλιστα ἐθαυμάζετο ἐπὶ
τῷ εὐθύμως τε καὶ εὐκόλως ζῆν. Καὶ πῶς ἄν τις κάλλιον 3
ἢ οὕτως ἀποθάνοι; ἢ ποῖος ἂν εἴη θάνατος καλλίων ἢ ὃν ἂν
κάλλιστά τις ἀποθάνοι; ποῖος δ᾽ ἂν γένοιτο θάνατος εὐδαιμο-
νέστερος τοῦ καλλίστου; ἢ ποῖος θεοφιλέστερος τοῦ εὐδαιμο-
νεστάτου; Λέξω δὲ καὶ ἃ Ἑρμογένους τοῦ Ἱππονίκου ἤκουσα 4
περὶ αὐτοῦ· ἔφη γάρ, ἤδη Μελήτου γεγραμμένου αὐτὸν τὴν
γραφήν, αὐτὸς ἀκούων αὐτοῦ πάντα μᾶλλον ἢ περὶ τῆς δίκης
διαλεγομένου λέγειν αὐτῷ, ὡς χρὴ σκοπεῖν, ὅ τι ἀπολογήσε-
ται, τὸν δὲ τὸ μὲν πρῶτον εἰπεῖν· Οὐ γὰρ δοκῶ σοι τοῦτο
μελετῶν διαβεβιωκέναι; ἐπεὶ δὲ αὐτὸν ἤρετο, ὅπως; εἰπεῖν
αὐτόν, ὅτι οὐδὲν ἄλλο ποιῶν διαγεγένηται ἢ διασκοπῶν μὲν
τά τε δίκαια καὶ τὰ ἄδικα, πράττων δὲ τὰ δίκαια καὶ τῶν
ἀδίκων ἀπεχόμενος, ἥνπερ νομίζοι καλλίστην μελέτην ἀπολο-
γίας εἶναι. Αὐτὸς δὲ πάλιν εἰπεῖν· Οὐχ ὁρᾷς, ὦ Σώκρατες, 5

---

§ 2. Δήλια] es sind hier die
Delien zu verstehen, welche alle
Jahre von den Athenern gefeiert
wurden zum Andenken an die Zei-
ten, wo sie durch Thesens von dem
ihnen von Kreta auferlegten Tri-
bute von sieben Knaben und sie-
ben Mädchen, die geopfert wurden,
befreit worden waren. Vgl. zu III
3, 12. — τὸν δὲ νόμον] wiender-
hole διὰ τό. — καίτοι — γε] at-
qui — quidem. S. zu I 2, 3.
§ 3. ἢ οὕτως ἀποθάνοι] als
auf die Weise, wie S. gestorben ist,
in Beziehung auf die vorhergehen-
den Worte: πρᾳότατα καὶ ἀνδρω-

δέστατα. — ἢ ποῖος — ἀποθά-
νοι] eine Wiederholung desselben
Gedankens, aber mit größerem
Nachdrucke. S. die größere Ausgabe.
§ 4. Ἑρμογένους] s. zu II 10,
3. — ἤκουσα] Xen. war damals
in Asien beim jüngeren Kyros. —
Μελήτου] s. zu I 1, 1. — γεγραμ-
μένου αὐτὸν τὴν γραφήν] C.
§ 400 b u. 402 A. 3. Ko. § 83, 8 A. 3.
K. § 280, 1. — Οὐ γάρ —;] s. zu
I 3, 10. — τοῦτο μελετῶν] τὸ
ἀπολογεῖσθαι. — πράττων δὲ τὰ
δίκαια καὶ τῶν ἀδίκων ἀπ-
εχόμενος] Chiasmus: a b b a.
§ 5. Αὐτὸς δέ] scil. ἔφη. —

ὅτι οἱ Ἀθήνησι δικασταὶ πολλοὺς μὲν ἤδη μηδὲν ἀδικοῦντας
λόγῳ παραχθέντες ἀπέκτειναν, πολλοὺς δὲ ἀδικοῦντας ἀπέλυ-
σαν; Ἀλλὰ νὴ τὸν Δία, φάναι αὐτόν, ὦ Ἑρμόγενες, ἤδη μου
ἐπιχειροῦντος φροντίσαι τῆς πρὸς τοὺς δικαστὰς ἀπολογίας
6 ἠναντιώθη τὸ δαιμόνιον. Καὶ αὐτὸς εἰπεῖν· Θαυμαστὰ λέ-
γεις· τὸν δέ· Θαυμάζεις, φάναι, εἰ τῷ θεῷ δοκεῖ βέλτιον
εἶναι ἐμὲ τελευτᾶν τὸν βίον ἤδη; οὐκ οἶσθ᾽, ὅτι μέχρι μὲν
τοῦδε τοῦ χρόνου ἐγὼ οὐδενὶ ἀνθρώπων ὑφείμην ἂν οὔτε βέλ-
τιον οὔθ᾽ ἥδιον ἐμοῦ βεβιωκέναι; ἄριστα μὲν γὰρ οἶμαι ζῆν
τοὺς ἄριστα ἐπιμελομένους τοῦ ὡς βελτίστους γίγνεσθαι,
ἥδιστα δὲ τοὺς μάλιστα αἰσθανομένους, ὅτι βελτίους γίγνον-
7 ται. Ἃ ἐγὼ μέχρι τοῦδε τοῦ χρόνου ᾐσθανόμην ἐμαυτῷ συμ-
βαίνοντα, καὶ τοῖς ἄλλοις ἀνθρώποις ἐντυγχάνων καὶ πρὸς
τοὺς ἄλλους παραθεωρῶν ἐμαυτὸν οὕτω διατετέλεκα περὶ
ἐμαυτοῦ γιγνώσκων· καὶ οὐ μόνον ἐγώ, ἀλλὰ καὶ οἱ ἐμοὶ
φίλοι οὕτως ἔχοντες περὶ ἐμοῦ διατελοῦσιν, οὐ διὰ τὸ φιλεῖν
ἐμέ, καὶ γὰρ οἱ τοὺς ἄλλους φιλοῦντες οὕτως ἂν εἶχον πρὸς
τοὺς ἑαυτῶν φίλους, ἀλλὰ διόπερ καὶ αὐτοὶ ἂν οἴονται ἐμοὶ
8 συνόντες βέλτιστοι γίγνεσθαι. Εἰ δὲ βιώσομαι πλείω χρόνον,
ἴσως ἀναγκαῖον ἔσται τὰ τοῦ γήρως ἐπιτελεῖσθαι, καὶ ὁρᾶν
τε καὶ ἀκούειν ἧττον καὶ διανοεῖσθαι χεῖρον καὶ δυσμαθέστε-
ρον καὶ ἐπιλησμονέστερον ἀποβαίνειν, καὶ ὧν πρότερον βελ-
τίων ἦν, τούτων χείρω γίγνεσθαι· ἀλλὰ μὴν ταῦτά γε μὴ
αἰσθανομένῳ μὲν ἀβίωτος ἂν εἴη ὁ βίος, αἰσθανόμενον δὲ
9 πῶς οὐκ ἀνάγκη χεῖρόν τε καὶ ἀηδέστερον ζῆν; Ἀλλὰ μὴν εἴ

ἤδη μου ἐπιχειροῦντος — ἠν-
αντιώθη] s. zu III 8, 1.
§ 6. οὐδενὶ — ὑφείμην ἂν
— βεβιωκέναι] s. zu II 6, 6: τού-
τῳ πιστεύσομεν ποιήσειν.
§ 7. Ἃ ἐγώ] sc. οὖν s. zu III 4, 12.
— ᾐσθανόμην] sentiebam, dum
vivebam. — πρὸς τοὺς ἄλλους] s.
zu I 2, 52. — διατετέλεκα περὶ
ἐμαυτοῦ γιγνώσκων] daſs ich
besser und angenehmer lebe als
andere. — ἀλλὰ καὶ οἱ ἐμοὶ φί-
λοι κτλ.] aber auch meine Freunde
urteilen immer über mich so, und
dies thun sie nicht aus Freundschaft
gegen mich; das wäre ein schwacher
Beweis; denn sonst (καὶ γὰρ .. ἂν)
würden auch die, welche gegen an-

dere Freundschaft hegen, so über
ihre Freunde urteilen; sondern
u. s. w. — διόπερ (= διὰ τοῦτο,
διόπερ) deswegen weil.
§ 8. τὰ τοῦ γήρως ἐπιτελεῖ-
σθαι] die Beschwerden des Alters,
wie einen der Natur schuldigen
Tribut, bezahlen, d. i. ertragen; die
folgenden Infinitive (καὶ ὁρᾶν —
ἀποβαίνειν) sind eine Art Apposi-
tion zu τὰ τοῦ γήρως. — ἀποβαί-
νειν] persönlich· = γίγνεσθαι. —
καὶ ὧν πρότερον βελτίων ἦν,
τούτων χείρω γίγνεσθαι] et
quos antea superabam, iis inferiorem
fieri. — ἀλλὰ μὴν — γέ] s. zu I
1, 6. — ἀβίωτος — βίος] vita
non vitalis.

γε ἀδίκως ἀποθανοῦμαι, τοῖς μὲν ἀδίκως ἐμὲ ἀποκτείνασιν
αἰσχρὸν ἂν εἴη τοῦτο· εἰ γὰρ τὸ ἀδικεῖν αἰσχρόν ἐστι, πῶς
οὐκ αἰσχρὸν καὶ τὸ ἀδίκως ὁτιοῦν ποιεῖν; ἐμοὶ δὲ τί αἰσχρὸν
τὸ ἑτέρους μὴ δύνασθαι περὶ ἐμοῦ τὰ δίκαια μήτε γνῶναι
μήτε ποιῆσαι; Ὁρῶ δ' ἔγωγε καὶ τὴν δόξαν τῶν προγεγονό- 10
των ἀνθρώπων ἐν τοῖς ἐπιγιγνομένοις οὐχ ὁμοίαν καταλειπο-
μένην τῶν τε ἀδικησάντων καὶ τῶν ἀδικηθέντων· οἶδα δέ,
ὅτι καὶ ἐγὼ ἐπιμελείας τεύξομαι ὑπ' ἀνθρώπων, καὶ ἐὰν νῦν
ἀποθάνω, οὐχ ὁμοίως τοῖς ἐμὲ ἀποκτείνασιν· οἶδα γὰρ ἀεὶ
μαρτυρήσεσθαί μοι, ὅτι ἐγὼ ἠδίκησα μὲν οὐδένα πώποτε ἀν-
θρώπων οὐδὲ χείρω ἐποίησα, βελτίους δὲ ποιεῖν ἐπειρώμην
ἀεὶ τοὺς ἐμοὶ συνόντας. Τοιαῦτα μὲν πρὸς Ἑρμογένην τε 11
διελέχθη καὶ πρὸς τοὺς ἄλλους. Τῶν δὲ Σωκράτην γιγνω-
σκόντων, οἷος ἦν, οἱ ἀρετῆς ἐφιέμενοι πάντες ἔτι καὶ νῦν
διατελοῦσι πάντων μάλιστα ποθοῦντες ἐκεῖνον, ὡς ὠφελιμώ-
τατον ὄντα πρὸς ἀρετῆς ἐπιμέλειαν. Ἐμοὶ μὲν δὴ τοιοῦτος
ὤν, οἷον ἐγὼ διήγημαι, εὐσεβὴς μὲν οὕτως, ὥστε μηδὲν ἄνευ
τῆς τῶν θεῶν γνώμης ποιεῖν, δίκαιος δέ, ὥστε βλάπτειν μὲν
μηδὲ μικρὸν μηδένα, ὠφελεῖν δὲ τὰ μέγιστα τοὺς χρωμένους
αὐτῷ, ἐγκρατὴς δέ, ὥστε μηδέποτε προαιρεῖσθαι τὸ ἥδιον
ἀντὶ τοῦ βελτίονος, φρόνιμος δέ, ὥστε μὴ διαμαρτάνειν κρί-
νων τὰ βελτίω καὶ τὰ χείρω μηδὲ ἄλλου προσδέεσθαι, ἀλλ'
αὐτάρκης εἶναι πρὸς τὴν τούτων γνῶσιν, ἱκανὸς δὲ καὶ λόγῳ
εἰπεῖν τε καὶ διορίσασθαι τὰ τοιαῦτα, ἱκανὸς δὲ καὶ ἄλλους
δοκιμάσαι τε καὶ ἁμαρτάνοντας ἐξελέγξαι καὶ προτρέψασθαι
ἐπ' ἀρετὴν καὶ καλοκἀγαθίαν, ἐδόκει τοιοῦτος εἶναι, οἷος ἂν
εἴη ἄριστός τε ἀνὴρ καὶ εὐδαιμονέστατος· εἰ δέ τῳ μὴ ἀρέσκει
ταῦτα, παραβάλλων τὸ ἄλλων ἦθος πρὸς ταῦτα οὕτω κρινέτω.

---

§ 10. ὁ μ ο ί α ν — τ ε — κ α ί] s.
zu III 4, 3. — ἐ γ ὼ ἐ π ι μ ε λ ε ί α ς
τ ε ύ ξ ο μ α ι ὑ π' ἀ ν θ ρ ώ π ω ν] ego
colar ab hominibus non pariter at-
que ii, qui me capitis damnarunt.
S. zu III 4, 1. — μ α ρ τ υ ρ ή σ ε σ θ α ι]
passivisch, wie Apol. § 26. Wegen
des Fut. Med. mit passiv. Bed. s.
zu I 1, 8. — ἀ ε ὶ τ ο ὺ ς ἐ μ ο ὶ σ υ ν-
ό ν τ α ς] d. i. τοὺς ἀεὶ (= ἑκάστοτε,
jedesmal) ἐμοὶ συνόντας, — ἀεὶ ist
aber mit Nachdruck vorangestellt.
§ 11. Σ ω κ ρ ά τ η ν γ ι γ ν ω σ κ ό ν-

των, οἷος ἦν] d. i. γιγν., οἷος ἦν
Σωκράτης. S. zu I 2, 13. — π ά ν-
τ ω ν μ ά λ ι σ τ α] s. zu IV 5, 1. —
π ρ ο σ δ έ ε σ θ α ι] wegen der Form s.
zu I 6, 10. — ἐ δ ό κ ε ι τ ο ι ο ῦ τ ο ς]
diese Worte hängen mit den vor-
hergehenden Ἐμοὶ μὲν δὴ τοιοῦτος
ὤν zusammen. — π α ρ α β ά λ λ ω ν ..
π ρ ὸ ς τ α ῦ τ α] comparans .. cum
his, quae de Socratis moribus a me
dicta sunt. — ο ὕ τ ω κ ρ ι ν έ τ ω]
wegen οὕτω nach dem Participe s.
zu III 5, 8.

Anhang.

Verzeichnis der im Text vorgenommenen Änderungen von dem Herausgeber.

(Die Hss. sind nach Breitenbach, krit. Anhang, bezeichnet.)

I 1 § 6. τῶν ἀδήλων, ὅπως ἀποβήσοιτο statt τῶν ἀδήλων, ὅπως ἄν ἀπο-
βήσοιτο. Das ἄν ist hier entschieden unecht. Vgl. I 3, 2: τῶν
φανερῶς ἀδήλων, ὅπως ἀποβήσοιτο. Aufserdem aber ist die
Verbindung von ἄν mit dem Optativ Futuri wenigstens fraglich.
Vgl. Kühner, ausf. griech. Gramm. II 1 § 396 (S. 200) A. 2. So liest
Lys. 1, 22 st. εἰδώς, ὅτι οὐδὲν ἄν καταλήψοιτο Bekker: οὐδένα
καταλ., Xen. Hell. 4, 2, 10 wird jetzt gelesen ἐβουλεύοντο, πῶς ἄν
τὴν μάχην ποιήσαιντο. Vgl. Isae. 1, 32: προσηπείλησεν, ὅτι δη-
λώσοι ποτ' ἄν τούτῳ, wo die Züricher Ausgabe δηλώσει ohne ἄν hat
und Dobree δηλώσειε — ἄν liest. — § 14. πάντα κινεῖσθαι in den
besseren Hss. statt κινεῖσθαι πάντα.

I 2 § 9. μῶρον mit Dindorf, Sauppe st. μωρὸν, vgl. die Anmerk. zu
d. St. — § 10. Die Worte τὰ τοιαῦτα als wahrscheinliche
Glosse in Klammern gesetzt. Vgl. die Anmerk. zu d. St. — § 22.
ἐκκυλισθέντας mit einer Hs. (B²) statt ἐγκυλισθ. Vgl. hierzu
Dindorfs Anmerk. in der edit. Oxon. — § 24. [κολακεύειν] δυνα-
μένους. κολακεύειν als wahrscheinlich unecht eingeklammert, vgl.
die Anm. zu d. St. — § 27. τίς δὲ [καὶ] κιθαριστής statt τίς δὲ καὶ
κιθαριστής. Der cod. Paris. A (1302) läfst καί fort. — § 31. οὔτ'
ἄλλου του φάσκοντος st. οὔτ' ἄλλου φάσκ. mit Dindorf, der dem
cod. A folgt. — § 34. ὅτι ἀφεκτέον *ἄν* εἴη st. ὅτι ἀφεκτέον εἴη.
Die Partikel ἄν ist b. l. unentbehrlich. Vgl. Dind. in der edit. Oxon.:
sententia poscit ἀφεκτέον ἄν εἴη. Wegen des vorhergehenden -ον in
ἀφεκτέον konnte ἄν leicht ausfallen. — § 35. Die Worte ὡς ἄλλο τι
ποιῶ ἢ τὰ προηγορευμένα habe ich eingeklammert, vgl. die Anmerk.
zu d. St. — § 44. Die Worte ἀλλὰ βιασάμενος mit Gilbert in Kom-
mata eingeschlossen. — § 46. δεινότατος αὐτὸς ἑαυτοῦ mit Cobet
statt δεινότατος σαυτοῦ, vgl. die Anm. zu d. St. — § 54. ἀποκαίειν
mit cod. A st. ἀποκάειν [ἀποκάειν B¹]. — § 57. ἐργάτας [ἀγαθούς]
mit Gilbert.

I 3 § 6 u. 7. ὑπὲρ τὸν κόρον m. den meisten Hss. st. ὑπὲρ τὸν καιρόν.
— § 12. οὐκ οἶσθα, ἔφη, [ὅτι] st. οὐκ οἶσθα, ἔφη. Das ὅτι fehlt in
den Hss. A B¹ B² C² G H und läfst sich schliefslich auch entbehren,
indem man οὐκ οἶσθα als für sich bestehend betrachtet und den fol-
genden Satz als Hauptsatz auffafst. Vgl. Kühner ausf. gr. Gramm.
II 2 S. 871, 1a. — § 13. μῶρε st. μωρέ. Vgl. I 2, 9. — Die Worte

ἐὰν δέ τις αὐτὸ ϑεᾶται, die Dindorf tilgt, habe ich in Klammern eingeschlossen. Vgl. auch Breitenb. im krit. Anhang zu der St. — τὸ δῆγμα als entschieden unecht in Klammern gesetzt. Schon Stephanus wollte statt dessen ἐκ τοῦ δήγματος geschrieben wissen. 'Qui ὑγιὴς τὸ δῆγμα pro ἐκ τοῦ δήγματος, quae usitata est constructio, dictum putavit Stephanus, bene sentit, quid dicendum esset graece locuturo.' Dindorf in der ed. Oxon. zu d. St.

I 4 § 2. Die Worte οὔτ' εὐχόμενον habe ich in Klammern gesetzt, vgl. die Anmerk. zu d. St. — § 6. προνοίας ἔργοις A B¹; Voss. 1.2 προνοίας ἔργῳ. Vgl. die Anmerk. zu d. St. — Die Worte καὶ ἀπενεγκεῖν, die mir ein späterer Zusatz zur Erklärung von ἀποστρέψαι zu sein scheinen, habe ich eingeklammert. Vgl. auch Breitenb. zu d. St. im krit. Anhang. — § 9. Mit den besseren codd. σεαυτοῦ st. ἑαυτοῦ. — § 10. Die Konjektur Cobets μεγαλοπρεπέστερον ὂν st. des handschriftlichen μεγαλοπρεπέστερον habe ich bereits in der Anmerk. zu d. St. berührt. Das ὂν konnte leicht wegen des -ον in dem unmittelbar vorangehenden μεγαλοπρεπέστερον ausfallen. Bei dieser Gelegenheit kann ich es nicht unterlassen an die scharfsinnige Konjektur meines hochverehrten Lehrers Hermann Sauppe in der epist. crit. ad Godofredum Hermannum p. 78 sq. zu erinnern, der st. ὅσῳ μεγαλοπρεπέστερον ἀξιοῖ σε ϑεραπεύειν vermutet: ὅσῳ μεγαλοπρεπέστερον ἀξιοῖς ἢ ϑεραπεύειν. 'Nonne, inquit, quanto magnificentius esse putas numen divinum, quam ut donis et muneribus colas, tanto sanctius illud venerari debebis?' — § 11. Die Worte καὶ ὄψιν καὶ ἀκοὴν καὶ στόμα ἐνεποίησαν, die Dind. ganz fortläfst, habe ich mit Lange u. Breitenb. als unecht in Klammern gesetzt. Sie passen durchaus nicht hierher, da hier nur die Rede ist von dem, was der Mensch vor den Tieren voraus hat. — Auch die Konjektur meines Vaters: οἷς ... ἐνεποίησαν geht nicht an, da jene Organe auch bei den nicht aufrecht gehenden Tieren nicht gefährdet erscheinen. 'Fateor sententiam aliqua premi difficultate. Nam obscurum est, quomodo erecta hominum statura magis quam prona bestiarum efficere possit, ut illae corporis partes minus laedantur.' — § 16. οὐχ ὁρᾷς [ὅτι] st. οὐχ ὁρᾷς. Das ὅτι fehlt nach Gail in A. Vgl. zu I 3, 12 οὐκ οἶσθα, ἔφη, ὅτι. — § 17. τὴν ἐν τῷ παντὶ φρόνησιν st. τὴν ἐν παντὶ φρόνησιν nach der Konjektur von Hindenburg. Der Artikel erscheint hier notwendig, da vom Weltall (τὸ πᾶν) die Rede ist. Vgl. Dindorf in der ed. Oxon. zu der St. — § 18 a. E. habe ich αὐτούς, das in einer Hs. fehlt, in Klammern gesetzt; Dindorf läfst es ganz fort. Vgl. die Anmerk. zu d. St.

I 6 § 4. Δοκεῖς μοι, [ἔφη]. Das ἔφη habe ich eingeklammert, da es in den 8 Pariser Hss. fehlt.

I 7 § 1. ὁδὸς ἐπ' εὐδοξίαν st. ὁδὸς ἐπ' εὐδοξίᾳ (A B). Wegen des vorangehenden ὁδός ist nur der Accusativ bei ἐπί (Richtung) möglich.

II 1 § 1. Die Worte πρὸς ἐπιθυμίαν (A B), die Jacobs tilgt und die jedenfalls den Sinn der Stelle verdunkeln, habe ich wenigstens eingeklammert. Vgl. die Anmerk. zu der St. — § 3. ποτέρῳ ἂν προσϑεῖναι (st. προσεῖναι), was zwei Pariser Hss. haben. — § 5. Hinter τῆς τῶν ἀφροδισίων ἐπιθυμίας hat noch der eine cod. A die Worte ἐν ἀδείᾳ, die von den meisten Herausgebern in den Text aufgenommen sind. — § 8. Statt μεγάλου ὄντος haben einige Hss. μεγάλου ἔργου ὄντος, was Dindorf u. a. aufgenommen haben und sich auch durch die ganz ähnliche Stelle Cyrop. I 6, 7 (τούτου μεγάλου ἔργου ὄντος) rechtfertigen läfst. — § 12. μηδὲ τοὺς ἄρχοντας mit Dindorf st. μήτε τοὺς ἄρχοντας der Hss. Vgl. die Worte meines

Vaters zu d. St.: 'Tertium μήτε — θεραπεύσεις offensioni potest esse,
cum hic non, ut antea in ἄρχειν et ἄρχεσθαι, duo vocabula alterum
alteri opponantur et inter te disiungantur, sed nova enuntiatio nega-
tiva adiungatur, ubi μηδέ exspectes.' — § 20. μῶσο st. μώεο; vgl.
die Anmerk. zu d. St. — § 23. [ἐπί] τὴν ἡδίστην — ὁδὸν ἄξω σε.
Das ἐπί eingeklammert nach Hirschigs u. Cobets (novae lectt.
p. 653) Vorschlag, die es streichen im Hinblick auf die Worte in
§ 29: ἐγὼ δὲ ῥᾳδίαν καὶ βραχεῖαν ὁδὸν — ἄξω σε. — § 24. Mit
Cobet (n. l. p. 693) τίνων ἂν ὀσφραινόμενος ἢ ἁπτόμενος ἡσθείης st.
τίνων ὀσφρ. — ἡσθείης ohne ἄν. Die Partikel ἄν konnte leicht hinter
τίνων ausfallen. — § 30. καὶ γυναιξὶ τοῖς ἀνδράσι χρωμένη mit
Stephanus statt καὶ γυναιξὶ καὶ ἀνδράσι χρωμένη. Vgl. die An-
merk. zu d. St. Auch Bessarion übersetzt: 'ipsis etiam viris ut
mulieribus uteris.'

II 2 § 1. τὸν πρεσβύτατον υἱὸν αὐτοῦ st. τὸν πρ. υἱὸν ἑαυτοῦ. Das
erstere haben zwei Hss. (A K). Allerdings findet sich die ungewöhn-
liche Stellung auch Cyr. 6, 2, 40 πρὸς τοὺς ἡγεμόνας ἑαυτῶν. —
§ 3. Die schon s. Z. von Koraes gemachte Konjektur ὡς οὐκ ἂν ..
παύσαντες st. ὡς οὐκ ἂν .. παύσοντες der Hss., die Cobet n. l.
p. 693 f. für notwendig hält und andere Herausgeber aufgenommen
haben, möchte ich wenigstens anführen, da auch mir die Verbindung
des Partic. Fut. mit ἄν zweifelhaft erscheint. Vgl. zu I 1, 6 τῶν
ἀδήλων, ὅπως ἀποβήσοιτο. — § 5. τῆς τροφῆς, ᾗ καὶ αὐτὴ τρέφεται
mit Stob. gegen die meisten Hss. st. τῆς τροφῆς, ἧς καὶ αὐτὴ τρέ-
φεται. Die Attraktion des Relativpronomens im Dativ ist höchst
selten und würde an unserer Stelle sehr hart erscheinen. — § 8. δυσ-
άνεκτα habe ich mit Dind. und Breitenb. eingeklammert, da
erstens das Wort sonst nicht vorkommt und zweitens an unserer
Stelle neben πόσα πράγματα wenigstens überflüssig ist. — § 9. ὧν
αὕτη λέγει st. ὧν αὐτὴ λέγει mit Matth., Dind. und Sauppe;
αὕτη und αὐτή werden in den Hss. leicht mit einander verwechselt
(vgl. Cobet novae lectt. p. 463); an unserer Stelle paſst aber auſser-
dem αὕτη besser. — § 14. τοὺς δὲ ἀνθρώπους [αὖ] φυλάξῃ. Das
αὖ habe ich eingeklammert, da es in den Pariser Hss. (B² C² H) zu
fehlen scheint.

II 3 § 16. ἢ εἰ δοίης mit cod. A statt ἢ εἰ διδοίης wegen des vor-
hergehenden ἕλοις. So auch Dind., Sauppe und Breitenb. —
§ 18. ἐπὶ τῷ συλλαμβάνειν mit A B¹ und Stobaeus st. ἐπὶ τὸ συλ-
λαμβ. Der Dativ bei ἐπί (zum Zweck) ist an unsrer Stelle notwendig,
wie § 19 ἐπ' ὠφελείᾳ.

II 4 § 3. ὑγίειαν mit Dindorf st. ὑγιείαν der Hss. Vgl. IV 7, 9. —
§ 7. ἢ οὐκ ἐξειργάσατο. ἢ hinzugefügt. — Die Lesart der einen cod.
Paris. B¹ πρὸ τοῦ φίλου st. πρὸς τοὺς φίλους der übrigen codd.
hat viel Ansprechendes und ist daher nach Schneiders Vorgange
von fast allen Herausgebern aufgenommen, so auch jetzt von mir.

II 6 § 7. τοὺς ὕστερον εὐεργετήσοντα st. τοὺς ὑστέρους εὐεργετήσ.,
ersteres haben die Hss. A H K L M. — § 13. πόλιν φιλεῖν αὐτόν mit
Dindorf u. a. st. π. φ. αὐτόν (so auch in der gröſseren Ausg.). —
§ 28. τοιοῦτος γενόμενος st. τοιοῦτος γιγνόμενος. γενόμενος, das
hier besser paſst, steht in B¹ G L. — § 31. Mit cod. A ποιεῖν ὑπο-
μένειν st. ὑπομένειν ποιεῖν. — § 35. Zweimal mit C¹ C² σεαυτοῦ
st. ἑαυτοῦ.

II 7 § 6. οἱ πλεῖστοι [ἔφη] st. οἱ πλεῖστοι, ἔφη, da ἔφη in A B¹ C¹ u. a.
fehlt. — § 13. ὃς ἡμῖν Druckfehler st. ὁ ἡμῖν. — § 14. ὁ καὶ ὑμᾶς
αὐτὰς σώζων. αὐτάς war aus Versehen in der vorigen (3.) Aufl. fort-
gelassen.

II 8 § 1. Statt des handschriftlichen ἀφηρέϑημεν habe ich Hindenburgs höchst ansprechende Konjektur ἀφηρέϑην μὲν, die Dindorf und Sauppe aufgenommen haben, wenigstens in der Anmerk. erwähnt. — § 2. Cobets Konjektur πόσον ἂν χρόνον, die ja viel Wahrscheinlichkeit für sich hat, habe ich, da hier kein zwingender Grund für die Hinzufügung von ἂν vorliegt, unberücksichtigt gelassen, ebenso auch II 8, 6 οὕτω γὰρ ἂν ἥκιστα, wo Dindorf mit B.¹ ἥκιστ᾽ ἄν liest. — § 5. διαγίγνεσϑαι st. διαγίνεσϑαι. διαγίγνεσϑαι hat H. — § 6. ὅ τι δ᾽ ἂν πράττῃς, τούτου ὡς κάλλιστα ἐπιμελεῖσϑαι mit den meisten und besten Hss. st. τούτων. Der Plural an unsrer Stelle, den Voss. I hat, wäre aufserdem sehr hart.

II 9 § 4. Statt der Lesart εὐφυέστερος ὤν, die nur eine geringere Hs. (Voss. I) bietet, habe ich die Vulgata ἔφη ῥᾷστον εἶναι mit Dindorf, Sauppe u. a. wieder hergestellt. Vgl. die Anmerk. zu d. St. — Statt ἀφελὰν ἔδωκε der Hss. vermutete Koraes, ebenso wie mein Vater, ἀφελὼν ἂν ἔδωκε. Dindorf liest ἐδίδου.

III 1 § 4. οὐδ᾽ ἐὰν st. οὐδὲ ἐὰν. B¹ hat οὐδὲ ἄν. — § 8. πρώτους τε τοὺς ἀρίστους δεῖ τάττειν καὶ τελευταίους st. des handschriftlichen τούς τε πρώτους ἀρίστους δεῖ τάττειν καὶ τοὺς τελευταίους. Die Umstellung nach Hirschig, der πρώτους μὲν τοὺς ἀρίστους δεῖ τάττειν καὶ τελευταίους vorschlägt, ist notwendig, wie aus dem folgenden ἐν δὲ μέσῳ (= μέσους) τοὺς χειρίστους und aus τοὺς φιλαργυρωτάτους πρώτους καϑιστάντες in § 10 hervorgeht. Vgl. auch Hom. Il. Δ 297. Wir folgen hierbei Cobet, n. l. p. 699, dessen Vorschlag den Worten der Hss. zunächst kommt. Dindorf will: τοὺς ἀρίστους δεῖ πρώτους τάττειν καὶ τελευταίους. Sauppe: τοὺς ἀρίστους πρώτους δεῖ τάττειν καὶ τ.

III 2 § 1. Mit B¹ C² B² und Stobaeus δεῖ ἐπιμελεῖσϑαι st. ἐπιμελεῖσϑαι δεῖ.

III 4 § 7. ἀγαϑοὶ οἰκονόμοι st. ἀγαϑοὶ οἰκ. nach Dindorfs Vorschlag (ed. Oxon. p. 113).

III 5 § 13. Die ansprechende Konjektur von Weiske: ὥσπερ καὶ ἀϑληταί τινες, die Dindorf, Breitenb. und Sauppe in den Text aufgenommen haben, statt des handschriftlichen ὥσπερ καὶ ἄλλοι τινές, das Finckh verteidigt, habe ich jetzt in den Text aufgenommen. Vgl. auch Schneider: *Vulgatam ἄλλοι τινὲς ex Weiskii vel Heinzii (in cuius versione lectio haec reddita legitur) egregia coniectura correxi. Inepte enim civitati Atheniensium ἄλλοι τινὲς opponuntur. Comparatione eadem breviter defungitur Xenoph. I 2, 24.*

III 6 § 8. Die allerdings geistreiche Konjektur Cobets ἐὰν δὲ ᾖ τῶν ἐναντίων, sowie die Hirschigs: ἐὰν δὲ ἥττων ᾖ τῶν ἐ. statt des handschriftlichen ἐὰν δὲ ἥττων τῶν ἐναντίων habe ich als entbehrlich nicht aufgenommen. Vgl. die Anmerk. zu d. St. — § 10. συμβουλεύσεις mit Voss. I st. συμβουλεύσειν. Vgl. die Anmerk. zu d. St. Aufserdem aber hat B¹ nach Sauppe: συμβουλεύεις. — § 13. ἔσκεψαι, [καὶ] πόσον χρόνον st. ἔσκεψαι, καὶ πόσον χρ. Das καὶ habe ich eingeklammert, da es nur in einer Hs. (C²) zu stehen scheint.

III 7 § 7. Statt οὐ γὰρ κτλ. vermutet Schneider σὺ γὰρ κτλ., wie wir in der Anmerk. zu d. St. bemerkt haben. *'Equidem. non dubito σὺ fuisse scriptum a Xenophonte'* sind Schneiders Worte. Ihm sind aufser Cobet die meisten Herausgeber, wie Dindorf, Sauppe, Breitenbach, gefolgt. — § 8. τούτοις [δὲ] μηδένα τρόπον οἴει δυνήσεσϑαι προσενεχϑῆναι st. τούτοις δὲ κτλ. Das δὲ habe ich eingeklammert, obwohl es sich grammatisch rechtfertigen läfst, da es in den meisten und besten Hss. fehlt.

III 8 § 1. Sehr ansprechend erscheint mir Schneiders von Dindorf aufgenommene Konjektur ὡς ἂν πεπεισμένος statt des handschriftlichen ὡς ἂν πεπεισμένοι, so dafs sich πεπεισμένος auf Sokrates bezöge. Vgl. seine Worte: 'πεπεισμένοι *mutandum in* πεπεισμένος *et ad Socratem referendum, qui non solum laudis et gloriae causa disputando rem propositam obtinere et vincere conaretur, ut subtilis esse videretur et acutus homo, sed qui omnia, quae ageret, ex animi sententia et persuasione ageret atque ad officium et virtutem referret'.* Damit wäre auch das Auffallende beseitigt, dafs φυλαττόμενοι mit dem Artikel verbunden ist, nicht aber das folgende πεπεισμένοι. — § 5. καλοί τε κἀγαθοί scheint in allen Hss. zu stehen statt καλοὶ κἀγαθοί.

III 10 § 1. ἡ γραφική ἐστιν εἰκασία τῶν ὁρωμένων nach Stobaeus, fl. 60, 11, statt des handschriftlichen γραφική ἐστιν ἡ εἰκασία erscheint mir notwendig; die handschriftliche Lesart ist nicht zu rechtfertigen, da ἡ γραφική als Subjekt und εἰκασία als Prädikat aufgefafst werden mufs. — § 5. σωφρον[ητ]ικόν st. σωφρονητικόν nach Stob. wie I 3, 9 σωφρονικῶν. σωφρονητικός kommt wenigstens sonst nirgends vor.

III 11 § 5. Die Emendation von Stephanus, die Dindorf u. a. aufgenommen haben, κρεῖττον ἤ statt des blofsen κρεῖττον scheint mir nicht zwingend. Vgl. die Anmerk. zu d. St. — Gegen alle Hss. habe ich mit Dindorf und Cobet (n. l. 701) πρόσπτηται accentuieren zu müssen geglaubt statt προσπτῆται nach Analogie von ἀνάσχωμαι, ἀνάσχηται. — § 14. Die Konjektur Cobets (n. l. p. 661) καὶ τῷ μὴ φαίνεσθαι βουλομένη χαρίζεσθαι καὶ διαφεύγουσα statt des handschriftlichen καὶ τῷ φαίνεσθαι κτλ., die Dindorf u. a. aufgenommen haben, scheint mir nicht notwendig zu sein. Vgl. die Anmerk. zu d. St.

III 12 § 7. τὴν εὐεξίαν st. καὶ τὴν εὐεξίαν. Das καὶ habe ich mit Schneider, dem Dindorf u. a. folgen, getilgt. 'Contraria enim *eorum, quae* διὰ τὴν καχεξίαν *accidunt, non propter alias res, sed propter solam* εὐεξίαν *accidunt.'*

III 13 § 4. Wegen βλακώτατος vgl. die Anmerk. zu d. St. — § 5. φοβῇ [σὺ] st. φοβῇ. Das σὺ scheint nicht sicher zu sein und findet sich nur im Voss. I.

III 14 § 6. πολλὰ ἐσθίειν mit C¹ B² H K st. πολλὰ ἐπεσθίειν. Hier ist vom eigentlichen Essen die Rede.

IV 1 § 1. καὶ [εἰ] μετρίως αἰσθανομένῳ. Das εἰ, das im cod. C¹ fehlt, habe ich als wahrscheinlich unecht eingeklammert. Vgl. die Anmerk. zu d. St. — § 4. κακὰ ἐργάζονται, was C¹ B² E G H haben, habe ich beibehalten, da der Übergang von der or. obliqua in die or. recta ganz gewöhnlich ist. Dindorf u. a. lesen mit den übrigen Hss. κ. ἐργάζεσθαι. — § 5. Zweimal μῶρος st. μωρός, vgl. zu I 2, 9.

IV 3 § 8. ἔνθα ὢν μάλιστ' ἂν ἡμᾶς ὠφελοίη mit Victor. st. des handschriftlichen ἔνθα ὢν μάλιστα ἡμᾶς ὠφελοίη. Vgl. unsere Anmerk. zu d. St. Da das ὢν sich schwierig erklären läfst (vgl. Breitenb.), so möchte ich lesen: ἔνθα ἂν μάλιστα ἡμᾶς ὠφελοίη.

IV 4 § 5. Die Worte φασὶ δέ τινες — διδαξόντων, die bereits Valckenaer und Ruhnken tilgen, habe ich als wahrscheinlich unecht eingeklammert. Dindorf läfst sie ganz fort.

IV 5 § 8. ἄριστον ἀνθρώπῳ ἡ ἐγκράτεια εἶναι. Den Artikel ἡ vor ἐγκράτεια läfst eine Hs. (B¹) fort, ebenso Dindorf und Sauppe. Breitenbach läfst ihn im Text fort, aber nicht in der dazu gehörigen Anmerk. Vgl. übrigens II 3, 6 u. die Anm. in der ed. maior (1858).

IV 6 § 3. Die Worte ὡς δεῖ hinter εἰδὡς hat nur B¹. Sie konnten wegen des kurz vorhergehenden ὡς δεῖ leicht ausfallen, lassen sich aber nicht gut wegen des Zusammenhanges entbehren, da an unsrer Stelle eben die Art und Weise, wie jemand die Götter verehren soll, hervorgehoben wird. — § 5. καϑ᾽ ἃ δεῖ πρὸς ἀλλήλους χρῆσϑαι, was die Pariser Hss. (C¹ B² C² G H) bieten und von Dindorf u. a. in den Text aufgenommen ist, statt καϑ᾽ ἃ δεῖ πως ἀλλήλοις χρῆσϑαι, welche Worte nur eine gezwungene Erklärung (das Gesetzmäfsige, nach dem die Menschen mit Menschen in den verschiedenen Lagen des Lebens auf eine gewisse Weise (πως) verkehren müssen) zulassen. Vgl. auch unsere Anmerk. zu d. St. — § 9. Zu den Worten ἤ, εἰ ἔστιν, ὀνομάζεις vgl. die Anmerk. zu d. St. — § 12. ταύτην μὲν τὴν πολιτείαν ἀριστοκρατίαν ἐνόμιζεν εἶναι. Das μὲν hinter ταύτην mit Stobaeus und H zu setzen scheint notwendig. Vgl. die Bemerkung meines Vaters: 'Quod si maiore codicum auctoritate munitum esset, recipere non dubitassem'.

Lightning Source UK Ltd.
Milton Keynes UK
UKHW020711050119

334854UK00004B/278/P